仪礼

彭林 注译

国学经典

中州古籍出版社

仪 礼

前　言

《仪礼》十七篇，是孔子删订的"六经"之一，书中记载先秦社会的冠婚丧祭等各种礼仪，为我国现存年代最早的关于礼仪制度的专书，乃中华礼学的渊薮。《仪礼》在汉初就被立于学官，对中国的学术、思想、礼制、风俗、文化等都产生过重要影响。时至今日，仍然是不可或缺的经典文献，继续发挥着它的作用。因此，读读《仪礼》，对我们实在是很有必要的。

一、从"器以藏礼"到"则以观德"

夏、商、周三代是中华文明的源头，所以中国人自古就有"言必称三代"之说。

夏代是中国历史上第一个王朝，历时四百多年，司马迁《史记》有《夏本纪》一篇，寥寥数百字，粗略地勾勒了它的概貌，但是史迹邈远，今人难道其详。

商朝享祚五百多年，《殷本纪》所载，史事稍密。周人对它的追忆，文献时有所见，《礼记·表记》说："殷人尊神，率民以事神，先鬼而后礼。"崇拜鬼神，是殷人精神世界最显著的特点。19世纪末，殷墟甲骨在河南安阳小屯村出土，随后，考古工作者在这里进行了长达七八十年的科学发掘，规模宏大的王陵、密集的祭祀坑、陪葬品繁多的大墓等相继被发现。在林林总总的出土物中，作为宗庙祭祀重器的青铜礼器，数量惊人，制作精美；而作为王室贵族占卜记录的甲骨，数以万计，尤其夺人眼目。《表记》说"殷人尊神"，绝非空穴来风。殷人的风气是通过礼器与祭品来表达对神明的崇拜，人本主义精神尚未出现，尚处于"器以藏礼"的时代。

殷人礼拜鬼神，虔敬而隆重，祭品极为丰厚，卜辞记载，某次祭祀先王，光是牛就用了五百头，真是骇人听闻！殷人以为，天必佑之，神必助之，因而为所欲为，腐败之极。可是上天并没有眷顾他们。武王伐纣，殷人一朝覆亡，西周王朝应运而生。殷周代谢，王权更迭，不是以暴易暴，而是以一个理念全新的政权替代了一个腐朽的王朝，史称周革殷命，其标志则是"周公制礼作乐"。周人鉴于殷亡的教训，认识到了"天命靡常"、惟有德者有其位、得民心者得天下的道理。《礼记·明堂位》说，周公摄政的第六年"制礼作乐"，大旨是昌明道德理性，周代社会由此发生了根本性的变化，《表记》说："周人尊礼尚施，事鬼敬神而远之。"他们果敢地从鬼神时代的阴影中走了出来，迈入了民本主义的时代，这是中华文明史上划时代的伟大事件之一。

周人的典制，利用和改造了某些前代的仪式，但注入了民本主义的灵魂，同时又新创了不少富于人文内涵的新礼，两者构成了迥异于殷代的礼制体系。周礼最大的特点是，制度和礼仪——运用于社会各种层面的法则，都紧紧围绕道德教化的主旨而展开，中国文化由此臻于"则以观德"的全新时代。

二、《仪礼》的作者与成书年代

《仪礼》的作者，古文经学家根据《礼记·明堂位》"周公践天子之位，以治天下。六年，朝诸侯于明堂，制礼作乐"的记载，认定周公所制的"礼"，就是《仪礼》及《周官》等书，是周公损益三代制度而成；他们认为，《仪礼》词意简严，仪节详备，非周公不能作。今文经学家认为，《仪礼》是孔子慨叹周室衰微、礼崩乐坏，因而追迹三代之礼而作。古代学者大多踵袭这两种说法。现在看来，两者都缺乏硬证。

周公制礼作乐，究竟制定了哪些礼？文献语焉不详，今天已经很难确指。如果没有新资料出土，我们依然只能付之阙如。不过，周代的贵胄子弟教育以礼乐作为主要内容，应该没有问题。《礼记·王制》说："乐正崇四术，立四教，顺先王《诗》、《书》、礼、乐以造士。春秋教以礼、乐，冬夏教以《诗》、《书》。"可见，孔子之前就已有了较为系统的礼与乐。《史记·孔子世家》说孔子"以《诗》、《书》、礼、乐教"，正是对这一文化传统的继承。从周代金文以及《尚书》、《逸周书》、《国语》、《左传》、《毛诗》等文献看，周代贵族经常举行各种典礼，如冠礼、觐礼、聘礼、飨礼、丧礼等，仪节已经相当程式化，内容与《仪礼》所记相近，只是一直没有形诸文字。

据《礼记·杂记》载，春秋晚期有一位名叫"恤由"的人死了，鲁哀公派孺悲向孔子请教士丧礼如何操作，"《士丧礼》于是乎书"。也就是说，《仪礼》的《士丧礼》是在当时经过孔子的传授而被正式记录下来的。梁启超《古书真伪及其年代》认为，这是孔子作《仪礼》的明证，并推论《仪礼》的其余十六篇也是孔子所作。今人沈文倬先生认同梁先生的说法，但认为《仪礼》的《士丧礼》，包括《丧服》、《士丧礼》、《士虞礼》、《既夕礼》等四篇，它们内容贯通，属于同一个整体，著成年代大约在鲁哀公末年至鲁悼公初年，即周元王、贞定王之际；而《仪礼》全书，则是在公元前5世纪中期到公元前4世纪中期的一百多年中，由孔门弟子及后学陆续撰作的。其说较为公允。

三、《仪礼》的名称与传本

孔子删订《诗》、《书》、《礼》、《乐》、《易》、《春秋》等"六经",其中的《礼》就是《仪礼》。西汉犹称《礼》,如《汉书·艺文志》就称"《礼》"。汉人还有把《仪礼》称为《礼记》的,如《史记·孔子世家》说"故《书传》、《礼记》自孔氏出",此处的《礼记》,就是指《仪礼》,这可能是《仪礼》的经文之后大多附有"记"的缘故。何休《公羊》注引用《仪礼》经文或记,则《礼》与《礼记》混称,不加区别。据清儒段玉裁考证,汉代《礼》十七篇的标题前,并没有"仪"字。东晋元帝时,荀崧奏请置《仪礼》博士,才开始有《仪礼》之名,但并没有成为通称。唐文宗开成年间石刻九经,《礼经》用《仪礼》之名,于是成为通称,沿用至今,但《礼经》之名依然使用。《仪礼》是"经",故学者常常称其为《礼经》,如清人凌廷堪所著《礼经释例》之"礼经",即是指《仪礼》。《仪礼》所记内容广博,但以士的礼仪为大宗,故学者又每每名之为《士礼》。

西汉立于学官的经典讲究师承关系。"五经"之中,《仪礼》立为学官的时间相对晚一些,早期在民间的传承脉络不是特别清晰。一般认为,最初传授《仪礼》的是高堂生,高堂生传给萧奋,《汉书·儒林传》说萧奋传给孟卿,孟卿传给后苍,后苍传给通汉子方、梁戴德延君、戴圣次君、沛庆普孝公。这就是所谓的《礼学》"五传弟子"。可是,《史记·儒林列传》说,在萧奋之前还有徐氏,萧奋之《礼》当得自徐氏,徐氏与高堂生的关系不清楚。

宣帝时,博士后苍以《诗》、《礼》名世,《礼》有大戴、小戴、庆普之学。当时《仪礼》的传本有四种,即大戴本、小戴本、庆普本和刘向《别录》本,四种传本都将《仪礼》十七篇分为冠婚、朝聘、丧祭、射乡等四类,都以《士冠礼》、《士昏礼》、《士相见礼》三篇起首，其余各篇的顺序分歧比较大。戴德本以冠、昏、丧、祭、乡、射、朝、聘等八条大纲为序排列，《丧服》一篇相传为子夏所作，故列在最后。刘向《别录》本则将有关冠、昏、乡、射、朝、聘的十篇居先，有关丧、祭的七篇列后，殆是前十篇为吉礼，后七篇属凶礼的缘故。戴圣本的次序最为混乱，几乎没有条理可循。由于汉儒多认为《丧服》是子夏作，不得与正经比肩，所以排在最后。郑玄注《仪礼》，采用的是刘向《别录》本。

1957年，甘肃武威磨嘴子六号汉墓出土一批西汉晚期抄写的《仪礼》竹、木简，共四百九十六支。整理者据简的形制及内容，分为甲、乙、丙三种文本。甲本木简包括《士相见》、《服传》、《特牲》、《少牢》、《有司》、《燕礼》、《泰射》等七篇；乙本木简只有《服传》一篇；丙本为竹简，仅《丧服》一篇。甲本篇次与今本《仪礼》、二戴本均不同，整理者认为，当是东汉时即已失传的庆普传本。但沈文倬先生认为，庆普之学以修订汉仪为职志，是叔孙通的流亚，与高堂生、后苍等传授的《仪礼》学的性质完全不同，所以东汉《五经》十四博士中没有庆氏，武威汉简不可能是庆氏传本。

西汉立于学官的"五经博士"，都是今文经学，《礼》也不例外。据《汉书·艺文志》，汉代社会上流传的《仪礼》有古文经和今文经两种。古文经是用先秦古文字书写的。《汉书·艺文志》目录，有《礼古经》五十六卷，《经》十七篇。前者为古文，后者为今文。所谓《礼古经》，出于鲁淹中（或说出于孔子壁中），有五十六篇。"《经》十七篇"，即高堂生所传的十七篇《士礼》。今文经只有十七篇。比古文经少三十九篇。今、古文《仪礼》同有的十七篇，内容基本相同，只是文字上有差异。由武威简可知，汉代流传的《仪礼》经文，实际上是今古文错杂并用，并非有今文本、古文本的不同。古文经多出的三十九篇，因不在当时通行的礼经范围之内，传习者日稀，后来竟至失传，故人们称之为"逸礼"。

四、《仪礼》与《礼记》

礼学是礼法与礼义之学。所谓礼法，是指礼仪的程式，包括器物、服饰、宫室、人物、行礼路线等。所谓礼义，是指礼仪的人文内涵与道德指向，是制订礼仪的依据。

《仪礼》侧重于记载礼法，内容详到而细密。《礼记》是孔门七十子讨论礼学的文集，旨在阐发礼的大义妙旨，其中有若干篇与《仪礼》的相关篇章直接对应，当是经师在传授《仪礼》时所作，如《冠义》对应《士冠礼》，《昏义》对应《士昏礼》，《乡饮酒义》对应《乡饮酒礼》，《射义》对应《大射》，《燕义》对应《燕礼》，《聘义》对应《聘礼》等。此外，还有不少篇与《仪礼》有间接的对应关系，如《丧服小记》、《丧大记》、《奔丧》、《问丧》、《服问》、《间传》、《三年问》、《丧服四制》等篇所论，与《丧服》、《士丧礼》密切相关。《礼记》中还有许多篇章与《仪礼》没有直接关系，如《礼运》、《王制》、《月令》、《檀弓》、《乐记》、《经解》、《哀公问》、《仲尼燕居》、《孔子闲居》、《坊记》、《中庸》、《表记》、《缁衣》、《儒行》、《大学》、《内则》、《少仪》等，是七十子后学对儒家政治理想、治国方略、典章文物、嘉言懿行，以及礼的学理、规则等的议论与发挥。《仪礼》与《礼记》的关系如此密切，两者放在一起读，才能完整把握经文的精神。

从经学的角度而言，《仪礼》是礼的本经，《礼记》属于"记"，是对经义的说解，依附于礼经而行。因此，朱熹明确提出，应该先读《仪礼》，然后再读《礼记》。朱熹的看法很有见地。

五、《仪礼》的注、疏与正义

《仪礼》是用先秦的语汇撰写的，到了西汉，人们就很难读得懂了，于是就有学者为它作注，如著名学者马融等就为《丧服》篇做过注。东汉末年，著名经学大师郑玄遍注群经。郑注之中，成就最高的是他为《三礼》做的注，其中的《仪礼注》，文字精审，要言不烦，博综众家，兼采今古文，学界评价极高，成为《仪礼》研究的不祧之祖。

到了唐代，人们连汉魏人写的注也读不太懂了，迫切盼望有新注出现。此外，魏晋南北朝时期政权分裂，学分南北，经义说解的歧见，已经在在多有。为了繁荣与统一学术，政府任命孔颖达等学者在总结两汉、魏晋南北朝经学的基础上，为《诗》、《书》、《易》、《三礼》、《三传》等"九经"作新注。新注的性质属于"注的注"，是对经注作进一步的注解，人们称之为"疏"。今天我们常用的、由清人阮元主持刊刻的《十三经注疏》的《九经疏》就是此时编订的。《九经疏》中的《周礼疏》和《仪礼疏》均为贾公彦所作，其《周礼疏》备受推崇，被朱熹誉为《九经疏》中最好的一种。《仪礼疏》的评价并不高，主要原因是，魏晋是门阀社会，重门第和血缘亲疏，故《丧服》研究一枝独秀，其他各篇研究者较少，故贾氏作《仪礼疏》时，《丧服》一篇所引章疏有袁准、孔伦等十几家，材料极其丰富，而其余各篇所引，只有南齐的黄庆、隋的李孟哲两家，详略如此悬殊，令贾氏非常无奈。尽管如此，贾疏依然多有发凡起例，多所建树，体现了唐代经学家的高超水平。

三国时，魏王肃倚仗当政的司马氏的权势，试图角逐礼学的盟主地位，肆意诋毁郑玄。然王说信徒不多，而且主要盛行于晋，持续时间较短，影响也不大。宋代学术旨趣迥异于汉代，重义理而轻考证，鄙薄郑玄之论，随处可闻，但并没有系统的诋毁郑说的著作。到了元代，敖继公承袭宋人习气，撰《仪礼集说》，指责郑注"疵多而醇少"。敖氏出于"百计求胜之心"，处处与郑玄立异。敖氏《仪礼集说》左右学界长达几个世纪，直到清初，学界犹匍匐于敖氏的阴影之下。乾隆年间，政府设《三礼》局，修撰《三礼义疏》，其中《仪礼义疏》以敖说为指归，敖说由此登峰造极。其后，清儒吴廷华的《仪礼章句》、褚寅亮的《仪礼管见》等，开始清算敖氏谬说。学界逐渐发现，凡是郑敖相异之处，大多为郑是敖非，郑注绝不可轻诋。黄以周的《礼书通故》，评点敖说不下三百处，大多予以否定。郑玄的经师地位，虽有王肃与敖继公的挑战，但依然屹立不倒，"礼是郑学"，最终为学界所认同。①

贾疏之后的几百年，《仪礼》研究的新作为数不少，需要进一步总结，清代《仪礼》研究集大成的著作乃应运而起。胡培翚夙承家学，穷究《仪礼》，殚精竭虑四十余年，所撰《仪礼正义》四十卷，博采清人新说，申述并完善郑注，经义为之大昌。遗憾的是，此书《士昏礼》、《乡饮酒礼》、《乡射礼》、《燕礼》、《大射仪》等五篇尚未完竣，胡氏即撒手人寰，而由其弟子杨大堉补缀而成。

六、《仪礼》之学的盛衰

《仪礼》与《周礼》、《礼记》并称《三礼》。《仪礼》在《三礼》中最先取得经典的地位，地位至尊，但唐代以后命途多舛。首先，《仪礼》难读，唐代古文大家韩愈就有此感叹。唐以《易》、《诗》、《书》、《三礼》、《三传》等"九经"考课取士。唐人按经文字数的多少，将"九经"分为三等，《礼记》、《左传》为大经，《毛诗》、《周礼》、《公羊》为中经，《周易》、《尚书》、《仪礼》、《穀梁》为小经。由于《礼记》字数比《左传》少，所以，攻大经者竞相读《礼记》；中经与小经之中，《周礼》、《仪礼》、《公羊》、

---

① 参阅拙作：《清人对敖继公之臧否与郑玄经师地位之恢复》，载《文史》，2005年第1期（总第70期）。

《穀梁》四经文字艰深，经义晦涩，难收速效，故鲜有攻读者，这是《仪礼》之学中衰的原因之一。

其次，宋人厌恶文字训诂之学。四库馆臣说："《仪礼》至为难读，郑注文句古奥，亦不易解，又全为名物度数之学，不可空言以骋辨，故宋儒多避之不讲。"此外，时移世变，《仪礼》所记制度文物，人们已经相当陌生，复之无由，故《仪礼》不可能成为显学。

再次，遭受行政打压。北宋神宗熙宁四年（1071），王安石改革科举制度，宣布废罢诗赋及明经诸科，《仪礼》也在废罢之列。古时科举分房阅卷，自此至清，再无《仪礼》之房，研习《仪礼》者寥若晨星。

但是，有宋一代犹有值得称道的《仪礼》研究之作，如张淳的《仪礼识误》，魏了翁的《仪礼要义》，李如圭的《仪礼集释》，朱熹的《仪礼经传通解》，杨复的《仪礼图》等。元、明两朝之中，《仪礼》研究之作乏善可陈。

清代《仪礼》之学复盛，名家迭出。清代礼家大多精通文字、声音、训诂、版本、目录、校勘之学，故能深入堂奥，既能从大处着眼，也能从小处入手。清初顾炎武以唐开成石经校明北监本"十三经"，发现《仪礼》一书脱误最多，在《九经误字》中详加胪列，开清人《仪礼》校勘之先河。张尔岐《仪礼郑注句读》，为清人研究《仪礼》的开山之作。凌廷堪的《礼经释例》，不落窠臼，细心寻绎贯穿《仪礼》全书之"例"，总结出通例、饮食之礼、宾客之礼、射例、变例、祭例、器服之例、杂例等八类，各篇的内部联系得以彰显，此书突破千年以来《仪礼》研究的形式，开创了全新的门径。《仪礼》研究集大成的著作，除胡培翚《仪礼正义》之外，还有黄以周的鸿篇巨制《礼书通故》。

七、《仪礼》的现代价值

《仪礼》所载乃是先秦礼仪制度，是否还有价值？我们的回答是肯定的。

首先,《仪礼》是儒家经邦治国的皇皇大典之一,也是现存年代最早的礼仪经籍。汉武帝建元五年(前136),初置五经博士,《仪礼》即居其一。唐代的"九经",宋代的"十三经",《仪礼》均在其中,其学术地位之重要,毋庸置疑。

《仪礼》材料来源甚古,内容可靠,涉及面广,从冠婚飨射到朝聘丧葬,无所不备,犹如一幅古代社会生活的长卷,学者研究上古社会生活、伦理思想、生活方式、礼仪风俗、语言语汇等,考镜源流,不能不溯源于此。

古代中国是宗法制社会,大到政治制度,小到一家一族,无不浸润于其中。《仪礼》对宗法制度的记载最为权威,是封建宗法的理论形态,要深刻把握古代中国的特质,此书的价值无可替代,舍此无从措手。

《仪礼》所记古代宫室、车旗、服饰、饮食、丧葬之制,以及各种礼乐器的形制、组合方式等,极其详尽,文物、考古学家在研究上古遗址及出土器物时,也每每要质正于《仪礼》。

其次,尽管宋代以后,《仪礼》一书在学术界受到冷落,但在皇室的礼仪制度中,《仪礼》作为圣人之典,始终受到尊重,多所模仿。从唐代的开元礼到宋代的《政和五礼新仪》、《大明集礼》,乃至《大清会典》,皇室主要成员的冠礼、婚礼、丧礼、祭礼,以及聘礼、觐礼等,都是以《仪礼》作为蓝本,酌加损益而成。

《仪礼》还是知识精英制定庶民礼仪的基本依据。唐宋时代,由于佛教的传入和道教的兴起,儒学走向式微,中华本位文化的主体行将被颠覆。宋代有识之士如司马光、朱熹等意识到,如果传统礼仪彻底消失,则中国文化就此绝灭,故而顺应时势,以《仪礼》为本,删繁就简,取精用弘,摘取其中的冠、婚、丧、祭诸礼,率先实行,利用自己的社会声望加以提倡,中华文化的血脉由此得以延续。

再次，近代以来，在特殊的历史背景下，中华传统礼仪遭受过度抨击，被全盘否定，从而出现了如下两大问题：

一是西化的趋势。人们追逐新潮，婚礼中新郎穿西服、新娘披白色婚纱，过生日唱外国歌、切蛋糕，已经成为城里人流行的时尚，大有成为国人普遍认同的仪式规范之势。

二是陋俗抬头。突出的表现是丧礼。农村的有些地方办丧事，全村人到丧家吃喝三天，贫户苦不堪言，简直死不起人，而富户则大操大办，借机摆阔斗富，严重毒化了社会风气。

改革开放以来，随着经济的高速发展，举国上下出现了回归传统文化的势头，不少有识之士积极提倡传统礼仪，令人欣喜。但是，由于大众对《仪礼》等经典普遍陌生，故虽有作为，而往往不能得其正，仪节的设计也比较随意，也不成体系，文化品位较低。最显著的例证，是各地中学、大学流行的女青年的成年仪式，普遍使用了"笄礼"的名称，并尽可能采用古代成年礼中的文化元素。不少青年的婚礼，着力从服饰、窗花、迎亲、仪节等方面体现红火、喜庆的传统气氛，但缺乏理论纵深，令人遗憾。按照常理，一国之内，风俗可以不同，但礼必须是统一的。如今的成年礼，五花八门，有一千个单位行成年礼，就有一千种成年仪式。如果大家都读读《仪礼》，上述现象不但可以大为改观，而且能更准确地传承中华文明，这是笔者撰作此书的初衷。

《仪礼》是儒家精心研究的礼学结晶，它不是沉重的历史包袱，更不是毫无价值的陈腐垃圾，而是宝贵的历史文化遗产。对此，我们应该怀有温情与敬意，并以科学的态度加以总结，为建设社会主义精神文明所用。

彭林
2011 年 7 月伏署

目 录

士冠礼第一 —————————————— 17
士昏礼第二 —————————————— 37
士相见礼第三 ————————————— 62
乡饮酒礼第四 ————————————— 72
乡射礼第五 —————————————— 95
燕礼第六 ——————————————— 150
大射仪第七 —————————————— 175
聘礼第八 ——————————————— 219
公食大夫礼第九 ———————————— 264
觐礼第十 ——————————————— 280
丧服第十一 —————————————— 289
士丧礼第十二 ————————————— 331
既夕礼第十三 ————————————— 362
士虞礼第十四 ————————————— 385
特牲馈食礼第十五 ——————————— 402
少牢馈食礼第十六 ——————————— 426
有司彻第十七 ————————————— 446

士冠礼第一

士冠礼①。筮于庙门②。主人玄冠③，朝服，缁带④，素韠⑤，即位于门东，西面⑥。有司如主人服⑦，即位于西方，东面，北上⑧。筮与席、所卦者具馔于西塾⑨。布席于门中，闑西阈外⑩，西面。筮人执策，抽上韇⑪，兼执之，进受命于主人。宰自右少退⑫，赞命。筮人许诺，右还，即席坐，西面；卦者在左。卒筮，书卦，执以示主人。主人受、视，反之。筮人还，东面；旅占⑬，卒；进告吉。若不吉，则筮远日，如初仪。彻筮席⑭。宗人告事毕⑮。

[注释]

①士冠礼：古代贵族男子年满二十岁时举行的加冠仪式，表示从此成年。本篇是"士"这一等级的冠礼，大致程序是，先用蓍草选定行礼的日期和来宾，至行礼之日，由来宾加冠三次：先加缁布冠，再加皮弁，最后加爵弁，然后取字，冠者一一礼见母亲、兄弟姑姐，以及国君、卿大夫等，主人向来宾敬酒，馈赠礼品，礼毕。②筮（shì）：用蓍草占问吉凶，此指选择行冠礼的吉日。庙：祢庙，即父庙。③主人：即将加冠者的父亲，若父殁或因特殊原因无法参加，则由兄代替。玄冠：浅黑色的缯冠。④缁（zī）：黑色，或说浅红色。带：束衣用的丝织大带。⑤素：白色。韠（bì）：熟皮革做的蔽膝。⑥西面：面朝西。⑦有司：泛指参与冠礼的家臣、小吏。⑧北上：有司有多

人，纵向成列，北边的位置为尊。⑨馔（zhuàn）：陈设。西塾：门外西堂。⑩阈：即门橛，竖在门中央的短木，用以止门。阈（yù）：门限。⑪韇（dú）：卜筮时放蓍草的筒。⑫宰：主政教的家臣。⑬旅占：占者有三人，顺其长幼之序而占。旅，众。⑭彻：通"撤"，撤除。⑮宗人：主礼事的家臣。

[译文]

士加冠之礼的仪式是：首先在庙门占筮举行冠礼的吉日。主人戴浅黑色的冠，穿朝服，腰束黑色大带，腹下膝上围着白色的蔽膝，在门东即位，面朝西而立。有司都穿着和主人一样的服装，在门西即位，面朝东而立，以站在最北边者为尊。占筮用的蓍草、蒲席和记卦爻的用具，都已陈放在门外西堂。于是，在门中铺蒲席，在门橛以西、门限之外的地方，按面朝西的方向放置。有司中掌筮事的人，把蓍草筒的上半部取下，露出里面的蓍草，双手分持筒的上、下两部分，从西方上前，受命于主人。宰站到主人的右边，再稍稍后退，表示不敢与主人并立，在此协助主人传命。筮人受命完毕后，应诺，回身右转，走到蒲席前，面朝西而坐；记卦爻者在其左侧。占筮完毕，把记在版上的卦呈给主人，主人看过后退还筮人。筮人向西行，回到有司之位，面朝东而立；三位占人按顺序占问完毕后，禀告主人某日吉。如果本旬内没有吉日，就再从本旬之外筮求，但是要重复筮人即席而坐以后的仪式。吉日择定后，便撤去筮席。宗人向主人禀告筮日之事已完毕。（以上为占筮行冠礼的吉日）

主人戒宾①。宾礼辞②，许。主人再拜③，宾答拜。主人退，宾拜送。前期三日④，筮宾⑤，如求日之仪。乃宿宾⑥。宾如主人服，出门左，西面再拜。主人东面答拜，乃宿宾；宾许。主人再拜，宾答拜。主人退，宾拜送，宿赞冠者一人⑦，亦如之。

[注释]

①戒：告知，通报。宾：主人的同僚，朋友。②礼辞：谦辞一次之后接受叫礼辞，谦辞两次叫固辞，谦辞三次叫终辞。③再拜：拜两次，表示恭敬。④前期三日：冠期之前三日，中间空二日。⑤筮宾：主人从所通报的僚友中筮定一人，作为加冠之宾。⑥"宿"是"speak"的假借字，邀请。戒宾是对僚友的一般通报，届时可来可不来；宿宾是对冠仪中贵宾的特别邀请，冠期必须前来。⑦赞冠者：协助宾加冠的人。

[译文]

主人筮日完毕，要提前三天将冠礼之事通报各位同僚、朋友，使之来观礼。通报时，主人亲至宾的大门之外相告，宾谦辞一次后，接受邀请。主人拜了再拜，表示感谢，宾答拜。主人退归，宾拜而送之。冠期前的三天，主人从所通报的僚友中筮定一人，作为加冠之宾，其仪节与筮定冠期一样。于是，专程去邀请筮定的嘉宾。宾穿着与主人一样的礼服，以示郑重，出门站在左边，面朝西再拜相迎。主人站在门右，面朝东答拜，并亲致邀请之词；宾表示接受邀请。主人再拜致谢，宾答拜。主人退归，宾拜而送之。邀请协助宾加冠的赞冠者，也用这种仪式。（以上为邀请宾和赞冠者）

厥明夕①，为期于庙门之外②。主人立于门东，兄弟在其南③，少退；西面，北上。有司皆如宿服④，立于西方，东面，北上。摈者请期⑤，宰告曰："质明行事⑥。"告兄弟及有司。告事毕。摈者告期于宾之家。

[注释]

①厥（jué）：其。②为期：约定日期。③兄弟：同辈男性家属及亲戚。④宿服：即仍穿筮日时穿的朝服。宿，原先。⑤摈（bìn）：通"傧"，导引宾客。⑥质明：许慎《说文解字》日部晳字下引作"晣明"，天色初明。

[译文]

行冠礼前一天的傍晚，在庙门之外举行约定冠礼具体时间的仪式。主人立在门的东边,将冠者的兄弟和亲戚在主人的南侧相次而立,但稍稍退后,表示不敢与主人并立,都面朝西方,以站在北边者为尊。有司都穿着筮日的朝服,站在西边,面向东,尊者在北首。摈者请问次日举行冠礼的时间,宰转达主人的决定说:"天刚亮时开始。"摈者通告在场的兄弟、亲戚和有司。宗人禀告主人,约期仪式完毕。于是,摈者前往宾的家中,通报约定的时间。(以上为约定行冠礼的时间)

夙兴①,设洗②,直于东荣③,南北以堂深。水在洗东。陈服于房中西墉下④,东领,北上。爵弁服⑤:纁裳⑥,纯衣⑦,缁带,韎韐⑧。皮弁服⑨:素积⑩,缁带,素韠。玄端⑪:玄裳、黄裳、杂裳可也⑫,缁带,爵韠。缁布冠缺项⑬,青组缨属于缺;缁纚⑭,广终幅,长六尺;皮弁笄,爵弁笄,缁组纮⑮,纁边,同箧⑯。栉实于箪⑰。蒲筵二,在南。侧尊一甒醴⑱,在服北⑲;有篚实勺、觯、角柶⑳,脯醢㉑;南上。爵弁,皮弁,缁布冠,各一匴㉒,执以待于西坫南㉓,南面,东上。宾升则东面。

[注释]

①夙:早。兴:起。②洗:盥洗时接弃水用的器皿。③直:当。荣:屋翼,屋檐两端向上翘的部分。④房:指东房。大夫、士的寝庙的布局,中间为室,左右分别为东房、西房。墉(yōng):墙壁。⑤爵:通"雀",爵弁,级别仅次于冕的礼冠,其色赤而微黑,如雀头。⑥纁(xūn):浅绛色。⑦纯:黄黑色。⑧韎(mèi):一种可以作赤黄色染料的草,也指赤黄色。韐(gé):士祭服上的蔽膝。⑨皮弁:用白鹿皮做的冠。⑩素:白缯。积:即襞积,衣褶。⑪玄端:缁布衣,此指玄端服。玄端服与朝服都是玄冠、缁布衣,但玄端服配以玄裳、黄裳、杂裳,朝服则配以素裳。⑫杂裳:颜色为前玄后黄的裳。⑬缺:通"頍(kuǐ)",相当于后世的帻,覆罩于头发之上,又在发际收束,结于颈项之中,用以固定冠。⑭纚(shǐ):包发用的帛。古人戴冠前,先用帛包发,再挽成髻,使发不外露。⑮组:丝织的带子。纮(hóng):冠上

的带子，一端系于笄，向下绕过颔，再上系于笄的另一端。⑯箧（qiè）：长方形的小箱子。⑰栉（zhì）：梳篦。箪（dān）：圆形竹器名。⑱侧：独，无偶。尊：一般有二，一为玄酒，一为醴，冠礼无玄酒，故称侧尊。甒（wǔ）：瓦制酒器名。醴：浊酒。⑲服：指裳。⑳篚（fěi）：圆形竹器名。觯（zhì）：酒器名。柶（sì）：挹取器名，状如今之汤匙，但首尖而薄。㉑脯（fǔ）：干肉。醢（hǎi）：肉酱。㉒匴（suǎn）：行冠礼时盛帽子用的竹器。㉓坫（diàn）：屋角的土台。

[译文]

至冠期，大清早起床，先陈设器服。盥洗时接弃水用的洗放置在东边的屋檐前，与堂的南北间距同堂的深度相同。水在洗的东侧。然后，把将冠者的三套衣服，由北而南依次陈放在东房的西墙下，衣领都朝东，以放在北面者为尊。最北面的是雀色的弁服：浅红色的裳，黄黑色的衣，黑色的大带，赤黄色的蔽膝。其次是皮弁服：白缯做的、腰两侧有褶的裳，黑色的大带，白色的蔽膝。南面是玄端服：与玄冠、缁布衣相配的裳可以有浅黑色、黄色、杂色等三种，依冠者的身份等级而定，黑色的大带，雀色的蔽膝。饰冠之物有：戴缁布冠时发上的饰物缺项，以及系在缺项两端用青丝编成的缨带；包发用的黑色的帛，宽度与帛的幅宽相等，为二尺二寸，长度则为六尺；戴皮弁用的笄；戴爵弁用的笄；领下的冠带，中间为黑色，两侧的边为浅红色，皮弁、爵弁各有一根；以上六件饰物放在同一个小箱里。梳篦放在圆形的竹器内。蒲席有两张，都铺在南面。醴酒一尊，放在东房内爵弁服的北面；再往北放一圆形竹器，内放饮酒时用的勺、觯和角制的匙，盛干肉和肉酱的笾豆则又在其北；这些在爵弁服之北的器物，以靠南边的为尊。爵弁、皮弁和缁布冠，分别陈放在三个专用的竹器中，三位有司手持着，面朝南，站在堂西隅的土台之南，以东边者为尊。宾升堂后，有司转而朝东，面向宾而立。（以上为冠期之日陈设器物）

主人玄端爵韠，立于阼阶下①，直东序②，西面。兄弟毕袗玄③，立于洗东，西面，北上。摈者玄端，负东塾。将冠者采衣④，纚⑤，在房中，南面。

[注释]

①阼（zuò）：阼阶，即东阶，主人升降于此，故又称主阶。②序：堂上的东、西墙。③袗："袀（jūn）"字之误。袀，袀玄，上下纯玄之服。④采衣：童子之服，衣的边缘和衣带等用朱色之锦做成。⑤纚（jì）：同"结"，即后世的"髻"字。

[译文]

主人身穿玄端服和雀色的蔽膝，立在阼阶下，其位置与堂上的东墙相应，面朝西。主人的兄弟及亲戚穿着的衣裳、大带和蔽膝均为玄色的服装，站在洗的东面，表示不敢与主人并立，面都朝西，以站在北首者为尊。摈者穿着玄端衣，背朝门东的东堂而立。将冠者身穿童子之服，梳着发髻，在房内面朝南而立。（以上为主人一方即位）

宾如主人服，赞者玄端从之①，立于外门之外②。摈者告。主人迎，出门左③，西面，再拜。宾答拜。主人揖赞者，与宾揖，先入。每曲揖④。至于庙门，揖入。三揖⑤，至于阶，三让。主人升，立于序端，西面；宾西序，东面。赞者盥于洗西⑥，升，立于房中，西面，南上。

[注释]

①赞者：即赞冠者。②外门：庙门外面的门，大门。③门左：门的东面。④曲：曲折，转弯。庙门在大门内的东侧，所以入大门后先要折而向东走，是为第一"曲"；望见庙门后再折而北行，是为第二"曲"。主人每逢一曲，都要向宾客作揖，指示转弯方向，此即每曲揖。入庙门后也是如此。⑤三揖：指入庙门后的三次作揖。⑥"于洗西"三字为衍文，应删去。

[译文]

宾穿着与主人一样的服装，赞者的玄端与主人相同，下裳不必相同，跟随宾之后，来到主人大门外立候。摈者出门礼请，然后入门禀告主人。主人遂亲往迎接，出大门后站在东面，面朝西，向宾再拜。宾答拜还礼。主人向赞者作揖，又向宾作揖，然后率先进门，导引宾和赞者入内。每逢转弯处，主人都作揖示意。到庙门前，主人作揖后先入门，宾和赞者随后。进门后，又如前三次向宾作揖后，来到东阶前。主人三次礼请宾先登阶，宾则三次谦让。主人遂先登，并导引宾，登阶后，主人立在东序的端头，面朝西；宾则在西序的端头，面朝东，宾主相向而立。赞者在洗之西盥手后，由西阶而上，立于房内，面朝西，其方位在主人的赞者之南，赞者的位置以南为尊，这样安排是表示主人对宾客的尊敬。（以上为主人迎接宾和赞者入庙）

主人之赞者筵于东序①，少北，西面。将冠者出房，南面。赞者奠缁、笄、栉于筵南端②。宾揖将冠者，将冠者即筵坐；赞者坐，栉，设缁。宾降，主人降；宾辞③，主人对。宾盥，卒，壹揖，壹让，升。主人升，复初位。宾筵前坐，正缁，兴④，降西阶一等。执冠者升一等，东面授宾。宾右手执项⑤，左手执前⑥，进容⑦，乃祝；坐如初，乃冠；兴，复位。赞者卒⑧。冠者兴，宾揖之。适房，服玄端爵韠；出房，南面。

[注释]

①筵：席，此作动词用，铺席。②奠：安置，停放。③宾辞：宾以主人无事为辞，劝阻主人降阶。辞，说辞。④兴：起，起身。⑤项：冠之后，不是前面缺项之项。⑥前：冠之面。⑦进容：宾进至筵前，特端正容仪，以为冠者取法。⑧卒：完成，宾者加冠后即离去，剩下的结缨带等事，由赞者完成。

[译文]

主人的赞者将冠者的席铺在东序，其位置稍偏于北，面朝西，表示为人子者不敢正居主位。将冠者出房，立在房外之西，面朝南，等待宾命。宾的赞者将包发用的帛、簪和梳子放置在席的南端。站在西序的宾，向房外的将冠者作揖，请他就席，将冠者在为他设的席上就座；赞者也坐下，为他梳头，然后用帛包发。宾走下西阶准备盥手，主人也走下东阶，表示不敢安位；宾谦辞请主人留步，主人以婉言答对。宾盥手完毕，作一次揖，谦让一次，登阶。主人登阶后，回到东序之端的位置。宾登阶后，到将冠者的席前坐下，亲自将冠者头上包发的帛放端正，然后起身，从西阶之上走下一级。站在西阶之下的执冠者走上一级，面朝东，将冠授给宾。宾右手执冠的后面，左手执冠的前面，进至将冠者的席前，端正其容仪，乃祝告之；接着像起初那样坐在席前，亲自为将冠者加冠；然后起身，回到西序东面的位置。宾的赞者接着将结缨等事做完。冠者起身，宾作揖致意。冠者进房，脱去采服，换上玄端服，雀色蔽膝；然后出房，面朝南而立，表示一加之礼已成，始服成人之服，让来宾看到。（以上为始加之礼）

宾揖之，即筵坐。栉，设笄①。宾盥，正缁如初②；降二等，受皮弁；右执项，左执前，进祝；加之如初，复位。赞者卒紘③。兴，宾揖之。适房，服素积素韠；容，出房，南面。宾降三等，受爵弁；加之。服纁裳韎韐。其他如加皮弁之仪。

[注释]

①为给冠者加皮弁，要先脱去缁布冠，恐其发乱不庄，所以再次梳发、设笄。②加冠三次，仅一块缁，所以后两次加冠只是检查其是否端正。③卒紘：系紘。皮弁加毕后，将紘系于笄之左端，从颐下绕过，再系于笄的另一端。

[译文]

宾向冠者作揖示意，使之即席坐下。梳者再次为冠者梳发，插笄。宾盥手后，为冠者端正包发的帛，仪节与始加礼时一样。宾从西阶走下两级，从执冠者手中接过皮弁，右手执其后，左手执其前，进至冠者的席前祝告后，为之加皮弁，然后回到西序之位。宾的赞者接着将领下的带子系好。冠者起身，宾作揖示意。冠者进房，穿上白缯制作、腰间有褶的裳和白色的蔽膝等。赞者正其容体，冠者出房，面朝南而立，表示二加之礼已成。三加之礼的仪式大致如前。宾从西阶走下三级到地上，从执冠者手中接过爵弁，为冠者加之。冠者进房，穿上浅红色的裳和赤黄色的蔽膝。其余的仪节，与加皮弁时一样。（以上为二加、三加之礼）

彻皮弁、冠、栉、筵入于房。筵于户西①，南面。赞者洗于房中，侧酌醴②；加柶，覆之，面叶③。宾揖，冠者就筵，筵西，南面。宾授醴于户东，加柶，面枋④，筵前北面。冠者筵西拜受觯⑤，宾东面答拜。荐脯醢。冠者即筵坐，左执觯，右祭脯醢，以柶祭醴三，兴；筵末坐，啐醴⑥，建柶⑦，兴；降筵⑧，坐奠觯，拜；执觯兴。宾答拜。

[注释]

①户西：室户之西。古制，房屋的中间有隔断，前为堂，后为室，其两侧为东房、西房；室东面有单扇的门，称为户，户西之地在室正中，为庙中最尊之位。②侧：特，只。③柶（sì）：形状和功用均如今之汤匙，细的一端为柄，即下文称之为"枋"者，大而宽的一端称"叶"。面叶：将叶的一端朝前。④枋：同"柄"。⑤觯（zhì）：一种比尊小的酒器。⑥啐（cuì）：尝。⑦建：立，插。⑧降筵：离席。祭时坐于筵中，啐时坐于筵末，此时，欲拜，而席上不得拜，所以离席。

[译文]

主人的赞者将已冠者换下的皮弁、缁布冠以及梳篦、席等撤至房内。接着，按面朝南的方位在室中户西之地铺席，准备举行醴冠者的仪式。赞者在房中盥手后洗涤匙、觯等器具，因不备玄酒，只酌醴酒于觯，觯上放着的匙，向下覆扣，大而宽的一端朝前。宾作揖示意，冠者就席，在席之西，面朝南。赞者捧着盛有醴酒的觯自房而出，宾在室户东边接过来，使觯上的匙变换方向，柄的一端朝前面，然后立在席前，面朝北。冠者在席西，面朝宾而拜，并从宾的手中接过觯，宾回到西序之位，面朝东答拜。赞冠者进上干肉和肉酱。冠者即席而坐，左手执觯，右手取少许干肉、肉酱，又用匙酌醴三次，以祭先世造此食者，表示不敢忘本，然后起身；走到席的西端坐下，饮一口醴，再把匙插入醴中，表示饮毕，接着起身；离席，觯放置在席上，为礼成而拜谢宾；再回席执觯，并起身。宾答拜还礼。（以上为宾醴冠者）

冠者奠觯于荐东①，降筵；北面坐取脯；降自西阶，适东壁②，北面见于母。母拜受，子拜送，母又拜③。宾降，直西序，东面。主人降，复初位。冠者立于西阶东，南面。宾字之，冠者对。宾出。主人送于庙门外，请醴宾；宾礼辞，许。宾就次④。

[注释]

①荐东：荐左。古礼，凡放置爵、觯之类酒器，将要举用者放在笾豆之右，反之则在笾豆之左。荐，盛脯醢的笾豆。②东壁：堂下东墙。此时冠者之母在东墙的小门之外，此小门称闱门，是妇人出入庙之处。③又拜：即侠拜。古礼，妇人与成年男子相见，男人拜一次，妇人则拜两次。此侠拜表示母亲以成人之礼待子。④次：庙门外的更衣和小息处，地上铺席，四周用布围之。

[译文]

冠者将觯放置在笾豆的左边，离席；又到笾的前面朝北坐下，取笾中的肉干；然后从西阶下，折而东行，出东墙，面朝北而立，礼见母亲，并献上肉干，表示敬意。母亲拜而受之，冠者拜送母亲，母亲拜了又拜。宾从西阶走下，在当西序处面朝东而立。主人从东阶走下，回到最初所立的当东序之处，面朝东而立。冠者立在西阶下的东侧，面朝南。宾为冠者取表字，冠者应对。宾出庙。主人送至庙门外，请以醴酒敬宾；宾谦辞后允诺，并进入门外更衣处。（以上为冠者见母亲，宾为冠者取表字，主人醴宾）

冠者见于兄弟①，兄弟再拜，冠者答拜。见赞者②，西面拜，亦如之。入见姑、姊③，如见母。乃易服，服玄冠、玄端、爵韠，奠挚见于君④。遂以挚见于乡大夫⑤、乡先生。乃醴宾，以壹献之礼⑥。主人酬宾，束帛、俪皮⑦。赞者皆与。赞冠者为介。宾出，主人送于外门外，再拜；归宾俎⑧。

[注释]

①兄弟：包括亲戚在内，此时都立于洗东。②宾出门时，赞者随其后，此时立于西方等待冠者为礼。③入：入寝门，寝在庙西。姑：父之姐妹。姊：自己的姐姐。冠者不见妹是因为妹年幼位卑。④挚（zhì）：或作"贽"，古代初次求见人时的礼物，士为雉。⑤乡：当作"卿"。⑥壹献：唯主人献宾，无亚献。一献之礼的程序是，主人献醴于宾，宾以醴敬答。主人为劝宾饮醴，先自饮毕，然后酌醴请宾饮，宾置爵不举。⑦俪皮：两张鹿皮。⑧俎（zǔ）：陈放牲体之类的礼器。

[译文]

冠者行至洗东礼见兄弟、亲戚，兄弟、亲戚拜两次，冠者答拜。冠者又转身礼见赞者，面朝西而拜，其后的仪节，和冠者与兄弟再拜、答拜一样。冠者出庙门，入寝门，礼见父亲的姐妹和自己的姐姐，仪节和礼见母亲时一样。于是，冠者脱去爵弁服，换上玄冠、玄端和雀色的蔽膝，将见面礼雉放在地上，礼见国君。表示自己卑微，不敢亲授给尊者，接着，又带着雉分别礼见卿大夫和致仕归乡的长者。于是，以醴礼宾，用一献之礼。主人请宾饮醴，并用五匹帛和两张鹿皮表达谢意。众宾客也都饮酒。派赞冠者作为介宾。宾客出大门外，主人送至大门外，拜两次相送；并派人将礼俎送至宾的家中。（以上为冠者礼见家人、君、卿大夫等，并醴宾）

若不醴①，则醮用酒②。尊于房户之间，两甒，有禁③，玄酒在西④，加勺，南枋。洗，有篚在西，南顺⑤。始加，醮用脯醢；宾降，取爵于篚，辞降如初；卒洗，升酌。冠者拜受，宾答拜如初。冠者升筵，坐；左执爵，右祭脯醢，祭酒，兴；筵末坐，啐酒，降筵，拜。宾答拜。冠者奠爵于荐东，立于筵西。彻荐、爵，筵尊不彻。加皮弁，如初仪；再醮，摄酒⑥，其他皆如初。加爵弁，如初仪；三醮，有干肉折俎⑦，啐之⑧，其他如初。北面取脯，见于母。若杀，则特豚⑨，载合升⑩，离肺实于鼎⑪，设扃鼏⑫。始醮，如初。再醮，两豆⑬：葵菹⑭，蠃蜗醢⑮；两笾⑯：栗、脯。三醮，摄酒如再醮，加俎，啐之，皆如初，啐肺。卒醮，取笾脯以降，如初。

[注释]

①以下所记为变礼。礼经以醴为行礼之正，但当时另有一种不用醴而用酒的旧俗，仪节也比较简约，作者认为含有不忘其本之意，也可沿用，不必都用醴礼。所以附录于此。醴礼与醮的仪节或同或异，凡相同处作者多略而不记，用"如初"或"如初仪"表示。醴为浊酒，是太古所创，酒指清酒，为后世所创。古人认为，醴质而酒文，行礼以质为重，所以以醴为正。②醮（jiào）：古时用于冠、婚之礼的一种仪式，比正礼简便，主人酌酒后没有酬、酢等仪节。③禁：承酒尊的器具名，形似方案。④玄酒：上古未有醴酒时，以水当酒，其色玄，故后人称之为玄酒。⑤南顺：器物由北往南纵向放置，以北为上。⑥摄酒：将先前的正祭之酒搅和，添加，表示是新上的酒，不敢以旧酒敬人。摄，整新。⑦折俎：将牲或干肉之类分解节折后陈于俎上。⑧啐（jì）：尝。⑨特：一只。豚：小猪。冠礼用特豚，取义于小猪未成牲而将成牲。⑩载：牲体在俎上。升：牲体入鼎。古时吉礼用牲取牲体的右半边，变礼反吉

则用牲体的左半边，但冠礼为人道始，婚礼为男女之始，大敛为人道之终，非寻常小礼，故得合左、右两边而升于鼎，载于俎。⑪古时礼典所用之肺，都要先加切割，然后方可祭祀或食用。细分之，又有两种情况，一种是为祭祀而陈设的肺，切成块，故称切肺或刌肺；另一种为食用而设的肺，切割而少许相连不断开，称为离肺或举肺。⑫扃（jiōng）：贯穿鼎耳的横杠。鼏（mì）：鼎盖。⑬豆：盛食器名，木制，形如高足盘。⑭葵：秋葵，菜名。菹（zū）：腌菜。⑮蠃（luǒ）：即蜬蝓（yí yú），蜗牛；一说"蠃"即"螺"字。⑯笾（biān）：盛食器名，竹制，形如木豆，即竹盘子。

[译文]

如果国中有冠礼不用醴的旧俗，则不必改变，敬酒时可以用酒。酒设在东房与室户之间，有两尊，一为酒，一为玄酒，下面有承尊的器具，二者以玄酒为上，故置于西端，尊上都放有勺，勺柄朝南。东边屋檐下放置盥手用的洗，它的西面是装爵觯的竹筐，纵向而置，以北为上。始加缁布冠之后，就进以肉干、肉酱；宾下阶走到洗的西面，从竹筐中取爵，其间劝阻主人降阶的辞令，与醴礼相同；宾盥手洗爵完毕后登阶上堂，自行酌酒。宾将爵授给在户西席上就座的冠者，冠者面朝南拜受。宾答拜还礼，其间仪节与醴礼相同。冠者入席，坐下；左手执爵，右手取脯醢祭，又取酒祭，然后起身；至席末就座，饮一口酒，再离席而拜。宾答拜还礼。冠者将爵置于笾豆东侧后，立在席的西头等待宾的命令。赞冠者撤去笾豆和爵，但席和酒尊不撤。为冠者加皮弁，仪节与醴礼一样；向冠者第二次敬酒时，酒要整新，其他仪节都和醴礼一样。为冠者加爵弁，仪节与醴礼一样；第三次向冠者敬酒时，将肉干节折后放在俎上，冠者尝一口，其他仪节与醴礼一样。冠者面朝北取肉干后，往见母亲。如果杀牲，则用一只小猪，在俎上及升鼎，都合左右体，切割而仍连的肺也与牲体一起放入鼎中，然后加上鼎盖和杠。第一次敬酒，荐脯醢，撤荐爵等仪节与醴礼一样。第二次敬酒则要加两豆：腌制的秋葵菜、蜗牛酱；两笾：栗、肉干。第三次敬酒时，要像第二次那样，整新爵中之酒，增加豚俎，然后尝之，仪节都与醴礼相同，再尝肺。敬酒完毕，再取笾中之肉干，降阶见母，仪节和醴礼一样。

若孤子①，则父兄戒、宿②。冠之日，主人纷而迎宾③，拜，揖，让，立于序端，皆如冠主④；礼于阼⑤。凡拜，北面于阼阶上，宾亦北面于西阶上答拜。若杀，则举鼎陈于门外⑥，直东塾，北面。若庶子⑦，则冠于房外⑧，南面，遂醮焉。冠者母不在⑨，则使人受脯于西阶下。

[注释]

①孤子：指嫡子而无父者。以下记孤子冠法。其仪节凡与醴礼相同者，则略而不记。②父：伯父、叔父。兄：从兄。孤子虽然是嫡嗣，但未行冠礼时也不能出外与成人行礼，所以，宿宾、戒宾必须由叔伯父或从兄出面。此处只提及戒、宿，则可推知筮日、筮宾、为期等仪节由将冠者自主。③主人：孤子将冠者。前文说"将冠者采衣，纷"。此处只提到纷，表明孤子将冠时不穿采衣，也不用朱锦束发。正如《礼记·曲礼》说：孤子将冠，"衣不纯采"。④迎宾、拜、揖、让、立于序端等仪节本应由将冠者的父亲主持，这里均由孤子将冠者自己担任。叔伯父及从兄不主其事，表示家中无二主。⑤冠礼之正，应冠于东序、醴于户西，孤子则冠、醴都在阼阶。⑥父在，为冠子杀牲，鼎陈于门外；父不在，冠子自己主持冠礼，则杀牲陈鼎于庙门外。⑦庶子：指父在者的庶子。⑧房外：房户之外。嫡子冠于阼阶，表示是法定继承人；庶子冠不得在阼阶，只能在房户外，表示不是法定继承人。冠后接着在原地醮，也含有成而不尊之意。⑨母不在：指母有病，或有外戚丧服在身，不能在闱门之外参与冠礼，不是指亡故。

[译文]

如果是孤子加冠，则由叔伯父或从兄出门通报各位僚友，并特邀前来加冠的嘉宾。加冠之日，孤子将冠者梳着发髻，亲自在大门外迎宾，面朝西再拜，又三揖引导宾到阶前，三让之后立于序端，种种仪节都和为儿子加冠的主人所做的一样；冠和醴都在阼阶上进行，表示父亲虽已不在，仍不敢以宾客之礼自居。仪式中的种种礼拜，孤子将冠者都面朝北在阼阶上进行，宾也面朝北站在西阶上答拜。若是杀牲，则把鼎陈放在庙门之外，东塾之南，面朝北。如果是庶子，则在房户之外加冠，面朝南，接着在原地敬酒。冠者的母亲如果因种种原因不能在闱门之外参与冠礼，则派人到西阶上接受冠者送的肉干。（以上为孤子、庶子冠法以及权宜冠法）

戒宾①，曰："某有子某②。将加布于其首③，愿吾子之教之也④。"宾对曰："某不敏，恐不能共事，以病吾子⑤，敢辞⑥。"主人曰："某犹愿吾子之终教之也！"宾对曰："吾子重有命⑦，某敢不从⑧？"宿，曰："某将加布于某之首，吾子将莅之，敢宿。"宾对曰："某敢不夙兴？"

[注释]

①这一节记冠礼时的戒宾、宿宾之辞，以下还有祝辞、醴辞、醮辞、字辞等。这一类辞，是礼仪场合中便于士大夫使用的辞令格式，《士冠礼》均单列于篇末，而《士昏礼》等则随文出现，与此不同。②前一个"某"字代指主人的名字，后一个"某"字代指主人之子的名字。③加布：即第一次加的缁布冠。冠礼三加，缁布冠在三冠中最卑，主人取此而言，含有自谦之意。④吾：我。子：男子的美称。吾子是古代一种相亲爱的称呼。⑤病：辱。⑥敢：冒昧之词。⑦重：再。⑧敢：岂敢，不敢。

[译文]

前往僚友家中通报即将举行冠礼的消息，说："某人有儿子某。将要加缁布冠于其首，希望您前去教导他。"僚友回答说："某人不才，只怕难以胜任，而有辱于您家，请允许我大胆推辞。"主人说："某人还是希望您终究能教导他！"宾回答说："您已又一次命我，某人哪敢不从命？"前往邀请加冠的嘉宾，说："某人将要加缁布冠

于儿子某之首,您将要光临观礼,冒昧邀请您为加冠的嘉宾。"宾回答说:"某人岂敢不早早起身前往?"(以上为戒宾、宿宾之辞)

始加,祝曰:"令月吉日①,始加元服②。弃尔幼志③,顺尔成德④。寿考惟祺⑤,介尔景福⑥。"再加,曰:"吉月令辰,乃申尔服。敬尔威仪,淑慎尔德。眉寿万年⑦,永受胡福⑧。"三加,曰:"以岁之正⑨,以月之令,咸加尔服。兄弟具在,以成厥德。黄耇无疆⑩,受天之庆⑪。"醴辞曰:"甘醴惟厚,嘉荐令芳⑫。拜受祭之,以定尔祥。承天之休⑬,寿考不忘。"

[注释]

①令、吉:善、美好。②元服:首所服,即冠。元,首、头。③幼志:幼年时的戏玩之心。④顺:通"慎"。尔:汝、你。⑤寿考:长寿。祺:祥、福。⑥介、景:大。⑦眉寿:金文作"曡寿","曡"即"衅"字,古代新器铸成,要用牲血涂其缝隙,使之经久耐用,曡寿即长寿之意。"眉"是"曡"的通假字。旧说眉为豪眉,为长寿之征,不确。⑧胡:遐、远,无穷。⑨正:善、美。⑩黄:黄发,指老人由白发变成的黄发。耇(gǒu):寿者的面部如冻梨,色如浮垢。黄、耇都是长寿之征。⑪庆:赐。⑫嘉:美。荐:指笾豆中的脯醢。⑬休:美。

[译文]

第一次加冠,宾祝告说:"月份和时日都很吉祥,开始为你加冠。丢掉你的童稚之心,慎善你的成人之德。愿你长寿吉祥,洪福广增。"再次加冠,宾祝告说:"月份和时辰都很吉祥,又一次为你加冠。重视你外表的威仪,谨慎你内在的德行。愿你长寿万年,永受洪福。"第三次加冠,宾祝告说:"在这吉岁美月,把成人的三种冠都加给了你。兄弟们都到场,以成就你那些成人的美德。愿你长寿无疆,受到天的恩赐。"敬酒时的祝辞说:"甘美的醴酒醇厚,上好的脯醢芳香。请拜而受觯,祭上脯醢和醴酒,以奠定你的福祥。承受着天的美好,到长寿时犹不能忘怀。"(以上为祝辞、醴辞)

醮辞曰①："旨酒既清，嘉荐亶时②。始加元服，兄弟具来。孝友时格③，永乃保之。"再醮，曰："旨酒既湑④，嘉荐伊脯⑤。乃申尔服，礼仪有序。祭此嘉爵，承天之祜⑥。"三醮，曰："旨酒令芳，笾豆有楚⑦。咸加尔服，肴升折俎。承天之庆，受福无疆。"字辞曰⑧："礼仪既备，令月吉日，昭告尔字。爰字孔嘉，髦士攸宜。宜之于假⑨，永受保之，曰伯某甫。"仲、叔、季⑩，唯其所当。

[注释]

①醮辞是醮礼之辞，与以上的醴礼之辞不同：醮礼，每次加冠完毕，都要敬一次酒，并致辞，所以有三次醮辞，而醴辞只有一次；醴礼有祝告之辞，醮礼则没有；醮礼中或杀牲或不杀牲，但醮辞的内容不变。②亶（dǎn）：诚然。时：善。③善于父母为孝，善于友弟为友。时，通"是"；格，至，来。④湑（xǔ）：滤过的酒，引申为清。⑤伊：惟，语助词。⑥祜（hù）：福。⑦楚：陈列齐整之貌。⑧字辞：为冠者取表字时用的辞令。⑨于：为。假：通"嘏"，福。⑩伯、仲、叔、季：是古人对长幼之序的区别字，伯最长。某：指代冠者的字。甫：又作"父"，对男子的美称。

[译文]

第一次敬酒的辞令说："美酒清澄，祭献真诚。第一次加冠，兄弟们都来到。要恪尽孝友之道，并且永远保持。"第二次敬酒，说："美酒清澄，佳肴敬献。再次加冠，礼仪井然有序。祭献这爵中的好酒，接受上天的赐福。"第三次敬酒，说："美酒芳香，笾豆陈列整齐。三冠都已加给你。敬献上干肉祭品。承接上天的恩赐，受到永世的福佑。"为冠者取字的辞令说："礼仪已经完备，在这良月吉日，宣布你的表字。你的表字是美好的。这美好的表字，正是英俊的男士所应当拥有。有了它意味着你的成长，愿你永远保有它。你的表字就叫伯某甫。"排行为仲、叔、季的，字辞也是如此，只是要将"伯"字换成相应的区别字。（以上为醮辞、字辞）

屦①，夏用葛。玄端黑屦②，青绚繶纯③，纯博寸④。素积白屦⑤，以魁柎之⑥；缁绚繶纯，纯博寸。爵弁纁屦，黑绚繶纯，纯博寸。冬，皮屦可也⑦。不屦繐屦⑧。

[注释]

①屦（jù）：用葛或麻做的单底鞋。以下记与三服相配的鞋的形制与色别。②古代礼服，衣与冠的颜色要一致，鞋则与裳的颜色要一致。玄端有玄裳、黄裳、杂裳之别，但以玄裳为正，所以用黑屦与之相配。③绚（qú）：鞋头上的装饰，状如汉代的刀衣鼻，有孔，可以系鞋带。繶（yì）：饰于鞋缝中的圆条丝带。纯（zhǔn）：缘，此指鞋子的镶边。④博：广、宽。⑤素积：即加皮弁时穿的带褶的白缯裳，所以用白屦相配。⑥魁：即魁蛤，蜃。柎（fù）：涂附。⑦皮屦的颜色，与上述原则相同，必须与裳色一致，此处互文见义，故省略。⑧不屦：不穿，屦当动词用。繐（suì）：细而疏的麻布，古时多用作丧服。

[译文]

鞋，夏天穿用葛做的。穿玄端服，用黑色的鞋相配，鞋头的装饰、鞋缝的丝带和鞋的镶边都是青色的，镶边宽一寸。穿带褶的白缯裳，用白色的鞋相配，将蜃的粉涂附鞋帮，鞋就可变成白色；鞋头的装饰、鞋缝的丝带和鞋的镶边都是白色的，镶边宽一寸。穿爵弁服，用浅绛色的鞋相配，鞋头的装饰、鞋缝的丝带和鞋的镶边都是黑色的，镶边宽一寸。冬天，可以穿皮革做的鞋。一般不宜穿麻布做的鞋，因为麻布是做丧服用的。（以上记鞋）

记①

冠义：始冠，缁布之冠也。太古冠布，齐则缁之②。其缕也③，孔子曰："吾未之闻也，冠而敝之可也④。"適子冠于阼⑤，以著代也⑥。醮于客位，加有成也⑦。三加弥尊⑧，谕其志也。冠而字之，敬其名也。委貌⑨，周道也；章甫，殷道也；毋追，夏后氏之道也。周弁，殷冔，夏收。三王共皮弁素积。

[注释]

①《仪礼》十七篇，除《士相见礼》、《大射仪》、《少牢馈食礼》、《有司彻》等四篇外，其余十三篇篇末都有"记"。记的内容，或为经文所无的仪节，或为礼的变异，或为传闻的记录，往往有与经义不同之处。一般认为，十三篇之记，出自孔子后学之手。《士冠礼》的记，又见于《礼记·郊特牲》。②齐：通"斋"。缁：当动词用，染成黑色。③緌（ruí）：冠的缨带在颔下打结后的下垂部分。④敝：敝弃，始加之礼完毕后，缁布冠就不再用，故可敝弃之。⑤適（dí）：同"嫡"。⑥著：显明。代：代其父为一家之主。⑦有成：已经成人。⑧三次所加之冠，依次为缁布冠、皮弁、爵弁，由卑而尊，所以说"三加弥尊"。⑨"委貌"和下文的"章甫"、"毋追"，分别为周、殷、夏三代的常用之冠，而"弁"、"冔（xǔ）"、"收"则是三代的祭祀之冠。

[译文]

记

冠礼的意义：始加之冠，是缁布做的冠。唐虞以上的太古时代，人们以白布为冠，斋戒时则把它染成黑色，因为鬼神喜欢幽暗。至于冠上是否有緌，孔子说："我没有听说过有緌，加冠礼毕，缁布冠不再用，可以敝弃它了。"嫡子在主阶上加冠，为的是要显示他将来是替代其父的人。又在客位上向他敬酒，是因为他已经成人了。三次加冠，一次比一次尊贵，是希望他的德行与日俱进。加冠之后，宾为他取一个便于称呼的表字，是因为敬重他父母所取的名。平常戴的冠，三代异制，委貌，是周人服以行道的冠；章甫，是殷人服以行道的冠；毋追，是夏后氏服以行道的冠。祭祀用的冠，周人叫"弁"，殷人叫"冔"，夏人叫"收"。周、殷、夏三代之王又都用皮弁和带褶的白缯裳。（以上记冠）

无大夫冠礼①，而有其昏礼。古者五十而后爵②，何大夫冠礼之有？公侯之有冠礼也，夏之末造也③。天子之元子④，犹士也，天下无生而贵者也。继世以立诸侯⑤，象贤也。以官爵人，德之杀也⑥。死而谥，今也。古者生无爵⑦，死无谥。

[注释]

①按照古礼，不会有未成年就被命为大夫的情况出现，所以就不存在大夫冠礼。但是，因为可以再娶，所以就有大夫婚礼，以区别于士婚礼。②古礼，年龄不满五十岁的贤德之才，只能以大夫之事试之，并仍旧服士服，行士礼，到五十岁才能有爵命，为大夫，以表示对选择官员的慎重。③造：作，开始。④元子：世子。⑤继世：承继先世。⑥杀：差，等差。⑦古者：指周的前代，即殷商及以前。

[译文]

没有大夫的冠礼，而有大夫的婚礼。在古代，年满五十岁才可能有大夫的爵位，冠礼是在二十岁时举行的，哪会有大夫行冠礼的道理？公侯有冠礼，是夏末开始的。天子之世子也和士一样，天下没有生下来就尊贵的人。诸侯的后人继其先世立为诸侯，是因为他们能效法先贤。封人官位的高低要用德行高低来衡量。人死了以后有谥号，这是今天的做法。古代的士活着没有爵称，死后没有谥号。（以上记大夫以上冠皆用士礼的意义以及士的谥爵的产生）

士昏礼第二

昏礼①：下达②，纳采用雁③。主人筵于户西，西上，右几④。使者玄端至。摈者出请事⑤，入告。主人如宾服，迎于门外，再拜，宾不答拜⑥。揖入。至于庙门，揖入；三揖，至于阶，三让。主人以宾升，西面。宾升西阶，当阿⑦，东面致命。主人阼阶上北面再拜；授于楹间⑧，南面。宾降，出。主人降，授老雁⑨。

[注释]

①昏：同"婚"。古代贵族男子行冠礼后，始可娶妻。据本篇所记，士娶妻要经过纳采、问名、纳吉、纳徵、请期、亲迎等六个主要程序，前五个程序由男方派使者去进行，最后迎亲（亲迎）时，男子才亲自前往。古人认为，昏为阴阳交接之时，所以婚礼都在此时举行，娶妻称昏，正是缘此。②达：通知。③采：采择。男方通知女方主人，已选择其女为婚配对象。雁：纳采时用的见面礼。④几：古人坐时凭依身体的小桌。⑤男方使者来到女家大门外，女方已知其为求婚而来，但仍然要让摈者去问他为何事而来，以表示女家的慎重。⑥宾是奉男方主人之命而来，自己不是事主，不敢当宾礼，所以主人行再拜礼后，宾可以不答拜。⑦阿：曲，此指楣，即房屋的二梁，屋面从中脊向两侧卷曲，最低曲处在楣。⑧授："受"之误。⑨老：指家臣之长。

[译文]

士娶妻的仪式：男家请媒人到女家告知提亲之意，女家答应议婚后，男家派使者献上采择之礼，用雁作为礼品。女儿的父亲接受纳采之礼，要先在室户的西边为神设座，以西首为尊处，席的右面放着桌几，供神凭依。男家的使者身穿入庙行的玄端服，来到女家大门外。女家的摈者出门请问使者为何事而来，然后入门禀告主人。主人穿着和来宾一样的服装，来到门外迎接，向来宾拜两次，来宾不答拜，表示不敢以男家主人自居。主人揖请来宾入门。走到庙门前，主宾相揖而入；途中，主人三次向来宾作揖后，来到阶下，主宾为登阶三次互相谦让。于是，主人导引宾登阶，面朝西而立。宾从西阶登上，在堂内楣下的地方站立，面朝东代致男家求婚的辞令。主人从阼阶登上，面朝北拜两次；然后在堂上两楹之间接受来宾的辞令，面向南。宾致命完毕，走下西阶，出庙门。主人走下阼阶，将雁交给家臣中之长老。（以上为纳采）

摈者出请①。宾执雁，请问名，主人许。宾入。授，如初礼。摈者出请②，宾告事毕。入告，出请醴宾。宾礼辞，许。主人彻几③，改筵④，东上。侧尊甀醴于房中。主人迎宾于庙门外，揖让如初，升。主人北面再拜；宾西阶上北面答拜。主人拂几授校⑤，拜送。宾以几辟⑥，北面设于坐，左之⑦；西阶上答拜。赞者酌醴，加角柶，面叶，出于房。主人受醴，面枋，筵前西北面。宾拜受醴，复位。主人阼阶上拜送。赞者荐脯醢。宾即筵坐，左执觯，祭脯醢，以柶祭醴三；西阶上北面坐，啐醴；建柶，兴，坐奠觯，遂拜。主人答拜。宾即筵，奠于荐左；降筵，北面坐取脯；主人辞。宾降，授人脯，出。主人送于门外，再拜。

[注释]

①出请：宾纳采后出门未离去，等待问名。②摈者出门询问还有何事要办，是表示对来宾尊重的礼仪性问话，并非来宾真有事。③彻几：撤去纳采时供神用的几，换上供来宾用的几。④改筵：将纳采时供神用的席，改换成供来宾用的席；鬼神之席以西为上，来宾之席则改为以东为上。⑤校：几的脚。⑥辟：逡巡，欲行又止。⑦几的接受，都取横的方向，尊者执几的中间，卑者则执几的两端，授受都是如此。但放置几，则要将它旋转成纵的方向，设之于坐南朝北之位。如果为鬼神设几，则置于右侧；为人设几，则置于左侧。此处为宾设几，所以说"左之"。

[译文]

摈者出门，请问宾是否还有事。宾手执雁，说还需问明女子的姓氏，以便回去占卜。摈者入告主人，主人表示同意。于是，宾再次入门，主人告知女子的姓氏，其间的仪节，与纳采时入门后的相同。摈者出门，请问宾是否还有未尽之事，宾告知说，问名之事已完毕。摈者入门禀告主人，然后出门，请以醴酒酬谢宾。宾辞谢一次后答应。主人命撤去堂中的几，改座换席，变为以东为尊。又在房中放置一尊醴酒。主人亲自到庙门外迎接来宾，双方揖让的礼节和纳采时一样，然后登阶。主人面朝北，拜两次；宾在西阶上，面朝北答拜。主人揩拭供宾用的几，双手执住几的脚，拜而相送。宾接过几转一个方向，放置在朝北的设座处，靠左边；接着，到西阶上答拜。赞者往觯上酌醴，再在觯上放一把角制的匙，使匙的大而宽的一端朝前，然后走出房。主人接过盛着醴酒的觯，使匙的柄朝前，走到席前站定，因为宾在西阶上，所以主人面朝西北而立，等候宾即席。宾进至席前受醴，受毕，退回到西阶上原先站立的位置。主人立于西阶上拜而送宾。赞者将盛有肉干、肉酱的笾豆进于席上。宾乃即席而坐，左手执觯，右手取少许肉干、肉酱，祭先世造此物者，又用匙挹取醴而祭，凡三次；然后回到西阶上面朝北而坐，饮一口醴酒；再把角匙插入醴酒中，表示饮毕，在西阶饮酒，是表示不敢以宾礼自居，接着起身，将觯放置在笾豆的右侧，于是向主人拜谢。主人答拜。宾回到席上，把觯放在笾豆的左侧；然后离席走到笾豆前，面朝北坐下，笾中的肉干是主人的赏赐，宾从中取出，准备带回去向男家的主人复命；主人谦辞说，不是什么珍异之物，不值得您这样敬重。宾走下西阶，将肉干交给自己的随从，然后出门。主人送至门外，行再拜之礼。（以上为问名、醴使者）

纳吉用雁①，如纳采礼②。纳徵③：玄纁束帛④，俪皮。如纳吉礼。请期⑤，用雁。主人辞。宾许，告期，如纳徵礼。

[注释]

①纳吉：男家问得女子姓氏后，归卜于庙，如果得到吉兆，便派使者告知女家，婚姻之事由此而定。②如纳采礼：指揖让升阶、致命受雁、主人醴宾等仪节都与纳采相同。③纳徵：又称纳币，纳吉之后，男家派使者到女家致送聘礼，女家纳聘后，婚姻之事乃成。④婚礼用玄纁，象征阴阳大备。古人认为，天的正色苍而玄，地的正色黄而纁，婚姻有阴阳相成之义，所以服色也要效法天地。⑤请期：男家卜得婚礼吉日，派使者告知女家，征求同意，含有尊重女家的意思。

[译文]

男家以女子的姓氏占卜于庙，得到吉兆，要派使者通报女家，带去的礼物是雁，到女家后的种种仪节与纳采时一样。男家使者到女家致送的成婚的聘礼是：玄色和纁色的帛各五匹，鹿皮两张。到女家后的种种仪节与纳吉时一样。男家卜得婚礼吉日，派使者征求女家意见，带去的礼物是雁。女家的主人推辞说，婚期还是由夫家决定吧。宾承诺，将卜定的吉日告诉主人。其间的种种仪节与纳徵时一样。（以上为纳吉、纳徵、请期）

期①，初昏，陈三鼎于寝门外东方②，北面，北上③。其实：

特豚，合升④，去蹄⑤。举肺脊二⑥、祭肺二⑦、鱼十有四、腊一肫⑧。髀不升⑨。皆饪。设扃鼏。设洗于阼阶东南。馔于房中：醯酱二豆⑩，菹醢四豆⑪，兼巾之⑫；黍稷四敦⑬，皆盖。大羹涪在爨⑭。尊于室中北墉下⑮，有禁；玄酒在西；绤幂⑯，加勺，皆南枋。尊于房户之东，无玄酒；篚在南，实四爵合卺⑰。

[注释]

①期：婚期，娶妻之日。②寝：夫的居室。③北上：三鼎自北而南纵向陈列，以北边的鼎为尊。④合升：合豚体的左、右两边一起升入鼎内。⑤去蹄：除去豚的四蹄之甲。⑥举肺：又名离肺、嚌肺，即切割而仍连在一起的肺。⑦祭肺：又名刌肺、切肺，即切割成块的肺，主要用于祭祀。⑧腊（xī）：完整的禽或小兽的干肉，此指兔腊。肫：当作"纯"，双。⑨髀：尾骨。⑩醯（xī）酱：用醋调和的酱。醯，醋。⑪菹（zū）：即葵菹。醢：即蜗醢。⑫兼巾：六豆合用一巾覆盖。⑬敦（duì）：铜制食器名，器身和盖为相同的半球形，相合后呈球形，俗称"西瓜鼎"。⑭涪（qì）：羹汁。爨（cuàn）：灶。⑮墉（yōng）：墙。⑯绤（xì）：粗葛布。⑰卺（jǐn）：将一瓠剖分为二瓢，作酒器用者。

[译文]

娶妻之日，黄昏刚临之时，男家在寝门外的东方，面朝北陈设三个鼎，以北边的鼎为尊。鼎里的食物有：小猪一只，左右两半一起放入鼎中，去掉四蹄上的甲；供食用的肺和脊两块，祭祀用的肺两块；鱼十四条；完整的兔子干肉一对，但尾骨不得放入鼎中。以上食品都要先煮熟。鼎皆配设鼎杠和鼎盖。在阼阶的东南放盥手时用的盆。在房中陈设的食品是：加醋的酱二豆，腌制的冬葵菜和螺酱四豆，用一块巾同时将这六豆罩起来，以防灰尘；黍、稷一共有四敦，都加上盖，以保温。浓汤汁在灶上。室中北墙下放一尊酒，下面有承座称禁；玄酒放在西面；都用粗葛布覆盖，上面放有勺，勺柄都朝南。在房户的东面也放一尊酒，但不设玄酒；南面放一竹器，内有四只爵和剖成两半的瓢。（以上为迎亲之日男家的食品陈

设情况）

主人爵弁①，纁裳缁袘②。从者毕玄端。乘墨车③，从车二乘，执烛前马。妇车亦如之④，有裧⑤。至于门外。主人筵于户西，西上，右几。女次⑥，纯衣纁袡⑦，立于房中，南面。姆纚笄宵衣⑧，在其右。女从者毕袗玄⑨，纚笄，被䌖黼⑩，在其后。主人玄端迎于门外，西面再拜，宾东面答拜。主人揖入，宾执雁从。至于庙门，揖入。三揖，至于阶，三让。主人升，西面。宾升，北面；奠雁，再拜稽首；降，出。妇从，降自西阶。主人不降送。婿御妇车⑪，授绥⑫，姆辞不受。妇乘以几⑬，姆加景⑭，乃驱⑮。御者代。婿乘其车先，俟于门外。

[注释]

①主人：指夫，夫为妇之主。②袘（yì）：衣裙的下缘。③墨车：漆车。④妇车：夫家迎娶的车子，由夫家提供。⑤裧（chān）：同"襜"，车子上的帷幕。⑥次：按头发的长短编制的假发发饰，即髲（bì）。⑦袡（rán）：衣服的边缘。⑧姆（mǔ）：德行能为女子师表的老妇，一般由女子的乳母或老而无夫、老而无子者担任。宵衣：黑色衣，士妻的正服。⑨袗（zhēn）玄：衣、裳均为玄色。袗，衣服纯色。⑩䌖（jiǒng）：麻制的单层披肩。黼（fǔ）：礼服上黑白相间的斧形花纹。⑪婿：丈夫。丈夫为妇驾车，表示亲而下之，执仆人之礼。⑫绥：上车时拉手用的绳子。⑬几：指登车时脚踏的矮桌，由夫家的两位侍从跪着端持。⑭景：罩衣，途中避风尘用。⑮婿驱车是象征性的，车轮转动三圈后，就由御者代婿驱车。

[译文]

新郎身穿爵弁服，绛色的裳下缘是黑色的。随从们都穿着玄端服。新郎乘坐漆车，随行者分乘两辆副车，从役们手持烛炬，在马前开道照明。迎接新娘的车，规格与新郎的车一样，但是车上有帷幕。新郎来到女家大门外。新娘的父亲命人在室户之西铺席，以西端为尊，右面放着小桌。新娘戴着发饰，身穿纯玄色的衣裳，其边缘都是绛色的，站立在房中，面朝南。姆用帛束发，再加簪绾髻，身穿黑色的衣裳，立在新娘右边。新娘的随嫁者都穿纯玄色的衣裳，用帛束发，再加簪绾髻，身披绘有黑白相间的斧形花纹的单层披肩，站在后面。新娘的父亲身穿玄端服，到大门迎接女婿，面朝西，行再拜之礼，女婿面朝东答拜。新娘的父亲揖请女婿进门，女婿拿着雁跟随其后。走到庙门前，再次揖请新郎入内。途中，三次向新郎作揖，指示前进方向，走到阶前，宾主三次互相谦让，请对方先登阶。于是，新娘的父亲先登上阶，面朝西而立。新郎登阶后，面朝北；将雁放在地上，向岳父行再拜叩首之礼；然后走下西阶，出门。新娘跟从新郎，从西阶走去。新娘的父亲不下阼阶送别。新郎为新娘驾车，把登车的引绳交给新娘，姆代新娘辞谢，新郎便放下引绳，姆执住引绳后交给新娘。新娘踩上专设的矮几登上车，姆为她披上避风尘用的罩衣，于是新郎驱车前进。车轮滚动三圈后，由车夫代替新郎驾车。新郎乘自己的漆车先走，并在自己的家门外等候。（以上为亲迎）

妇至，主人揖妇以入。及寝门，揖入，升自西阶①。媵布席于奥②。夫入于室，即席；妇尊西，南面；媵、御沃盥交③。赞者彻尊幂。举者盥，出，除幂；举鼎入，陈于阼阶南，西面，北上。匕俎从设④，北面载⑤，执而俟。匕者逆退，复位于门东，北面，西上。赞者设酱于席前，菹醢在其北。俎入，设于豆东；鱼次。腊特于俎北。赞设黍于酱东，稷在其东；设湆于酱南。设对酱于东⑥，菹醢在其南，北上。设黍于腊北，其西稷。设湆于酱北。御布对席，赞启会⑦，却于敦南，对敦于北。赞告具。揖妇，即对筵，皆坐，皆祭，祭荐、黍、稷、肺。赞尔黍，授肺脊；皆食，以湆酱⑧，皆祭举、食举也。三饭，卒食。赞洗爵，酌酳主人⑨；主人拜受，赞户内北面答拜。酳妇亦如之。皆祭。

赞以肝从，皆振祭，哜肝，皆实于菹豆。卒爵，皆拜。赞答拜，受爵。再酳如初，无从；三酳用卺，亦如之。赞洗爵，酌于户外尊；入户，西北面奠爵，拜；皆答拜。坐祭，卒爵，拜；皆答拜。兴。主人出，妇复位。乃彻于房中，如设于室；尊否。主人说服于房⑩，媵受；妇说服于室，御受。姆授巾。御衽于奥⑪，媵衽良席在东，皆有枕，北止⑫。主人入，亲说妇之缨。烛出。媵馂主人之馀⑬，御馂妇馀，赞酌外尊酳之⑭。媵侍于户外⑮，呼则闻。

[注释]

①夫升自西阶，有导引妇行进之意。这里是夫妇一起从西阶升，方法是：夫升上第三级台阶，妇在其稍右处相从，升阶后并立于西阶上，等媵布席后再前行。夫不从阼阶升是因为家父犹在，不敢以主人自居。②媵（yìng）：古时婚配，女方以姪（兄弟之女）娣（妹妹）随嫁，媵即指随嫁者。奥：室内西南角。③御：夫之女侍。沃盥交：妇在北面的盆洗手，御为之执瓢浇水，夫在南面的洗洗手，媵为之执瓢浇水。沃盥，用水浇手而洗。④匕：执匕者。俎：执俎者。从设：跟从鼎而入，在鼎西设俎、鼎上加匕。⑤载：以俎盛鼎中食物。⑥对酱：为妇而设的酱，在夫馔之东稍北，妇席未设，夫在西，妇在东，所以称"对"。⑦启：开。会：合，此指敦盖。敦盖打开后仰置，即下文的所谓"却"。⑧以：用，指用口啜湆，用指咂酱。⑨酳（yìn）：食毕用酒漱口。⑩说（tuō）：通"脱"。⑪衽（rèn）：卧席。⑫止：脚。⑬馂（jùn）：吃剩余之食。⑭外尊：房户之外的东尊。⑮侍：一本作"待"。

[译文]

新娘到达夫家大门外，新郎揖请新娘进门。走到寝门前，新郎又揖请新娘入内，来到阶前，新郎在前导引新娘一起登阶。于是，新娘的随嫁者在室内的西南角铺席。铺毕，新郎走进室内，入席；妇立在酒尊之西，面朝南；新娘的随嫁者和新郎的女侍一起交换着为新郎、新娘浇水洗手。赞礼者撤去覆盖在酒尊上的布。抬鼎的人先洗手，表示洁净，然后出门，取下鼎盖；抬鼎入内，放置在阼阶的南面，鼎面朝西，以北边的鼎为尊。拿匕和俎的人跟随抬鼎者入内，将俎放在鼎的西面，匕放入鼎内，再面朝北，用匕将鼎中的食物取出，陈放在俎上，每鼎都是如此。事毕，执匕者都面朝北倒退着离开，回到门东的位置，面朝北而立，以站在西头者为尊。赞礼者把酱放在席前，腌制的冬葵菜和螺酱放在它的北面。俎被抬进来后，放在盛有冬葵菜和螺酱的豆的东面；再往东放鱼。风干的兔子肉单独陈放在豚俎的北面。赞礼者把黍放在酱的东面，稷则又在其东；又把羹汁放在酱的南面。把专为新娘准备的酱放在新郎馔席的东侧，腌制的冬葵菜和螺酱则放在它的南面，而以靠北面的为尊。再把黍放在兔肉的北面，它的西面放稷。羹汁放在酱的北面。于是，女侍铺设新娘的席，赞礼者打开敦盖，仰置于敦的南侧，如果是对敦的盖，则置于北侧。于是，赞礼者禀告主人，陈设已毕。新郎揖请新娘，到她的席前，然后一起坐下，并一起祭祀，祭祀的顺序，由近及远依次为：与螺酱调和过的冬葵菜、黍、稷、祭肺。赞礼者将黍移置于新郎、新娘席前，又将肺脊授给他们；他俩都先吃黍，然后用口啜羹汁，用手指咂酱吃，这是一饭。一饭之前都要祭肺脊，并食之。三饭之后，进食完毕。赞礼者洗濯酒爵后，酌酒请主人漱口；主人拜谢接受，赞礼者在室户之内面朝北答拜。请新娘用酒漱口的仪节也是如此。都要祭酒。赞礼者进酒时，又用肝炙随进，新郎、新娘都要将肝沾上盐，再用手拿着振动几下，表示祭祀，然后尝之，再把它放入盛腌菜的豆中。初酳之礼完毕，新郎、新娘拜谢。赞礼者一一答拜，然后接过他们手中的爵。再酳时，要从洗爵开始，仪节与初酳时一样，但是不进肝炙；三酳时用卺盛酒，其仪节与再酳时一样。于是赞礼者行自酢之礼：先洗濯爵，好像有人为自己洗一样，再到房户外东面的酒尊内酌酒；然后进入户内，面朝西北放下爵，拜新郎、新娘，好像在接受他们敬酒一样；新郎、新娘都答拜还礼，如同用酒回敬的样子。赞礼者坐下祭酒，至饮毕，又拜；新郎、新娘又都答拜还礼。赞礼者和新郎、新娘都起身。新郎走出房，新娘则回到酒尊之西，面朝南而立。于是，将室中的食物撤到房中，让随嫁者和女侍们吃完；但北墙下的酒尊撤去后不放到房中，因为房门之东已有酒尊。新郎在房中脱下礼服，由随嫁者接着；新娘在室中脱下礼服，由女侍接着。姆将佩巾授给新娘。女侍在室内西南角铺下新娘的卧席，随嫁者把新郎的卧席铺在东侧，两张卧席上都放有枕头，按脚朝北的睡向摆放。新郎从外房进入室中，亲手解下新娘许嫁时系的缨带。此时，婚礼完毕，室内的执烛者出门离去。然后，随嫁者将新郎未吃尽的食物吃完，女侍则将新娘未吃尽的食物吃完，赞礼者从户外的酒尊中酌酒，让他们食毕漱口。随嫁者还要在新房门口等待，以便在新郎、新娘有事呼唤时能及时听见。（以上为新娘到夫家成婚）

夙兴，妇沐浴，纚笄、宵衣以俟见①。质明，赞见妇于舅姑②。席于阼，舅即席③；席于房外④，南面，姑即席。妇执笲枣栗⑤，自门入，升自西阶；进拜，奠于席⑥。舅坐抚之，兴，答拜。妇还，又拜。降阶，受笲腶脩⑦，升；进，北面拜；奠于席。姑坐举以兴，拜，授人。

[注释]

①士妻以纚笄、宵衣为正服，始嫁时穿纯衣纁袡，并加盛饰，婚礼毕，即改穿正服。②见：将妇要拜见舅姑的愿望相通报，使之相见。舅姑：妇对夫的父母的称呼。③舅席设在阼阶，表明他是一家之主。阼阶是主阶。④房外：房户外之西。⑤笲（fán）：盛物的圆形竹器，外面有青缯做的布套。⑥奠于席：将礼物放在席上，表示舅尊己卑，不敢手授。⑦腶（duàn）脩：捶捣后加姜、桂的干肉。

[译文]

次日清晨，新娘早早起身，洗头沐身，用帛束发，加簪绾髻，身穿黑色的衣服，等待公婆的接见。天亮时，赞礼者告诉公婆，新娘要来拜见。于是在阼阶上铺席，公公以主人的身份即席；又在房户外之西铺席，按面朝南的方位摆放，婆婆以内主的身份即席。新娘捧着装有枣、栗的竹篮，进门，登上西阶；进至公公的席前行拜见礼，礼毕，将竹篮放在席上。公公坐在席上，抚摸竹篮，表示接受礼物，然后起身，向媳妇答拜还礼。媳妇转身回避，表示不敢当公公之拜，并向公公行侠拜礼。礼毕，新娘走下西阶，从女侍手中接过装着有姜、桂的干肉的竹篮，再走上西阶；进至婆婆席前，面朝北而拜；然后将竹篮放在席上。婆婆坐在席上举起竹篮，表示接受，接着起身，向媳妇答拜还礼，把竹篮交给身边的侍从。（以上为新娘拜见公公、婆婆）

赞醴妇①。席于户牖间，侧尊甒醴于房中。妇疑立于席西②。赞者酌醴，加柶，面枋，出房，席前北面。妇东面拜受。赞西阶上北面拜送。妇又拜。荐脯醢。妇升席，左执觯，右祭脯醢，以柶祭醴三；降席，东面坐，啐醴，建柶，兴，拜。赞答拜。妇又拜，奠于荐东；北面坐取脯；降，出，授人于门外③。

[注释]

①赞醴妇：是赞礼者代表公婆向新妇敬酒，有妇道新成，亲厚相待之意。②疑立：即凝立，在礼仪场合中，站稳后脚不再移动，面部则随仪节所及的尊者移转，以示敬意。③人：妇家之人，取脯后回家献给新娘的父母。

[译文]

赞礼者向新娘敬酒。在室户之西和窗户之间的地方铺席，在房中放一尊醴酒。新娘立在席西头，目光随所敬者位置的变换而移动。赞礼者往觯中酌醴，再在觯上放一把匙，匙柄朝前，捧着出房，走到席前面朝北而立。新娘面朝东拜而接觯。赞礼者到西阶之上面朝北拜送。新娘行侠拜礼。有司进上肉干和肉酱。新娘入席，左手执觯，右手取少许肉干和肉酱，祭祀先世造此物者，又用匙酌醴祭祀，凡三次；然后离席，面朝东而坐，先尝一口醴酒，再将匙放入觯中，表示饮毕，接着起身，拜谢赞礼者。赞礼者答拜还礼。新娘行侠拜礼，礼毕，将觯放在笾豆的东侧；面朝北而坐，取笾中的肉干后，走下西阶，出门，把它交给站在门外的娘家人。（以上为赞礼者向新娘敬酒）

舅姑入于室，妇盥馈①。特豚，合升，侧载②，无鱼腊，无稷。并南上。其他如取女礼③。妇赞成祭④，卒食，一酳，无从。席于北墉下。妇彻，设席前如初，西上。妇馂，舅辞，易酱⑤。妇馂姑之馔，御赞祭豆、黍、肺、举肺、脊，乃食，卒。姑酳之，妇拜受，姑拜送。坐祭，卒爵；姑受，奠之。妇彻于房中，媵御馂；姑酳之，虽无娣⑥，媵先。于是与始饭之错⑦。

[注释]

①这一节记赞礼者代舅姑醴妇之后，妇馈舅姑表示答谢，同时开始行妇道。馈：进食于他人。②侧载：将豚体的右半边载于舅的俎上，左半边载于姑的俎上。③取：同"娶"。④赞：协助。祭：祭笾豆中的食物及黍。⑤易酱：换酱，妇要食舅的剩余食物，舅嫌不洁，故命换之，妇遵命。⑥娣：女弟，古代女子同生，后生者为娣，于男则称妹。⑦错：交错，先前妇吃姑的余食，现在则媵吃舅的余食，御吃姑的余食，有交错之义。

[译文]

公公与婆婆进入室内，新娘洗手后向他们进食。所进的是一只小猪，左右两边牲体一起放入鼎中，食前再从鼎中取出，分别放在公公和婆婆的俎上，没有鱼和干兔肉，也没有稷。他们席上的馔肴都是南边的为尊。其他如酱、羹汁、腌菜等的陈放规定，与娶女之礼一样。新娘协助祭祀笾中的食物和黍，公婆三饭完毕，新娘递酒，请他们漱口，不进肝炙。接着，在室中北墙下铺席。新娘将公婆吃剩的食品撤到席上，像原先一样摆放，但以西边的为尊。新娘要吃公公的余食，公公嫌不干净而加以制止，让她换酱，新娘从命。新娘又吃婆婆的余食，女侍在旁协助祭祀菹醢、黍、祭肺、举肺、脊，然后吃完。婆婆递酒，请她漱口，新娘拜而接受，婆婆拜而相送。新娘入席后坐下祭祀，饮毕；婆婆接过觯，放在筐中。新娘将余食撤至房中，让随嫁者和女侍吃完；婆婆递酒请她们漱口，如果随嫁者中没有新娘的妹妹，那么其他随嫁者先漱口，然后才是女侍。与公公婆婆吃饭后由新娘吃余食不同，此时由随嫁者吃公公的余食，女侍吃新娘的余食。（以上为新娘给公公婆婆进食）

舅姑共飨妇以一献之礼①。舅洗于南洗②，姑洗于北洗③，奠酬④。舅姑先降自西阶，妇降自阼阶。归妇俎于妇氏人⑤。

舅飨送者以一献之礼⑥，酬以束锦。姑飨妇人送者⑦，酬以束锦。若异邦，则赠丈夫送者以束锦⑧。

[注释]

①飨（xiǎng）：用酒食款待。一献之礼：主人酌酒敬宾（献），宾回敬（酢），主人再次酌酒而饮，饮毕，换爵酌酒再敬宾（酬）。此处是飨妇，舅献而姑酬，所以说是"共飨妇以一献之礼"。②南洗：设在庭中的洗盆。洗，洗爵。③北洗：设在北堂的洗盆。古礼，妇人不下堂，故在堂上设洗。④酬：指酬酒，主人敬答宾客的酒。⑤俎：指妇带来的放特豚的俎。妇氏人：送妇到男家成婚的人中的男人。⑥送者：女家来的执事。⑦妇人送者：女家仆役的妻妾。⑧丈夫送者：送婚者中的男人。

[译文]

公公向媳妇敬酒、婆婆酌酒后再酬，共同完成一献之礼。公公洗爵是在堂下的南洗，婆婆洗觯则在堂上的北洗，新娘从婆婆手中接到盛有酬酒的觯，把它放置在笾豆的东侧。然后，公公婆婆先走下西阶，而新娘则从主阶走下去，表示公婆已将家室内的事托交给了媳妇。公婆命有司将新娘带来的俎交还送婚者中的男人，让他们

回去向新娘父母复命。（以上为公公婆婆款待新娘）

公公用一献之礼款待女家的有司，并赠给五匹锦。婆婆款待前来送婚的女家仆隶的妻妾，也赠给五匹锦。如果新娘来自他邦，则到送婚的男子下榻的宾馆赠送五匹锦。（以上为款待送婚者）

若舅姑既没，则妇入三月，乃奠菜①。席于庙奥，东面，右几。席于北方，南面。祝盥②，妇盥于门外。妇执笲菜，祝帅妇以入。祝告称妇之姓，曰："某氏来妇③，敢奠嘉菜于皇舅某子。"妇拜，扱地④，坐奠菜于几东席上；还，又拜如初。妇降堂，取笲菜，入；祝曰："某氏来妇，敢告于皇姑某氏。"奠菜于席，如初礼。妇出，祝阖牖户⑤。老醴妇于房中⑥，南面，如舅姑醴妇之礼。婿飨妇送者丈夫、妇人，如舅姑飨礼。

[注释]

①奠菜：设菜以祭。这一节主要记妇庙见舅姑之礼。妇得治家室之权，由舅姑在降阶时授予，如果舅姑已亡故，则妇要先行庙见之礼，设菜祭祀舅姑，表示治家权仍是受之于舅姑。祭祀的时间与四时之祭一致，四时之祭每三月一次，无论婚礼在何时举行，离时祭之日都不会超过三个月，所以说奠菜的时间为"妇入三月"。②祝：接神之巫。③某：指代新娘的姓。如果是齐女就叫姜氏，如果是鲁女就叫姬氏。④扱（qī）地：手至地。妇人之拜，通常用"肃拜"，即拜而低头，扱地犹如男子的稽首礼，双手要拜至地，是妇人的重拜。⑤阖（hé）：关闭。⑥老：家臣中的有德而年长者。

[译文]

如果公婆已经亡故，那么新娘在过门后的三个月内，要设菜祭祀，在庙中拜见公婆的亡灵。在考妣之庙的西南角为公公设席，按面朝东的方位摆放，席的右面设一小几。又在北方墙下为婆婆设席，按面朝南的方位摆放。祝者在庭中洗手，新娘在庙门外洗手。新娘手持盛有祭菜的竹篮，在祝者的带领下进入庙门。祝告时要用新娘的姓氏，说："某氏来此做媳妇，敢用这美味的菜祭祀尊敬的公公某某。"新娘跪拜，双手至地，如同向公公进献食物；接着，将祭菜放在小几东面的席上，如同向公公授受食物；然后回身，行侠拜礼，如同在答拜公公，拜法与前面一样。新娘下堂，从有司手中接过装有祭菜的竹篮，进至婆婆的席前，祝告说："某氏来此做媳妇，敢禀告于尊敬的婆婆某氏。"然后将祭菜放在席上，行礼之节与前面一样。礼毕，新娘走出庙中，祝者关上窗和门。老者代表公婆在房中向新娘赐酒，面朝南，仪节与公婆向媳妇赐酒一样。新郎用酒食款待送婚者中的男人、女人，表示饯行，仪节与公婆款待女家随从一样。（以上为公婆亡故者新娘的庙见之礼）

记

士昏礼，凡行事必用昏昕①，受诸祢庙②。辞无不腆，无辱③。挚不用死，皮帛必可制。腊必用鲜，鱼用鲋④，必殽全⑤。

女子许嫁⑥，笄而醴之，称字。祖庙未毁⑦，教于公宫，三月。若祖庙已毁，则教于宗室⑧。

问名，主人受雁，还，西面对。宾受命，乃降。

[注释]

①昕（xīn）：黎明。士昏礼除迎亲用昏时，其余均用昕时。②祢庙：父庙。古时生称父，死称考，入庙称祢。③腆（tiǎn）：丰厚，古时赠物于人，自称"不腆"，意为物薄不足道。辱：污损，古时客人来临，主人说"有辱于客"，也是谦辞。④鲋（fù）：指鲫鱼。⑤殽全：牲的骨体完整。这是与折俎相对而言的，折俎要将牲的骨体节折、分解。⑥许嫁：女家已受纳徵礼即为许嫁。⑦祖庙：女子的高祖之庙。⑧宗室：支子的祠堂。

[译文]

记

士的婚礼，凡举事必在黎明或黄昏，并且先听命于父庙。宾客的辞令中没有"不腆"、"辱"等词语。作为见面礼用的雁不能用

死的，皮帛必须能制衣用。腊肉一定要用新鲜的，鱼要用鲫鱼，俎上牲的骨体要完整。（以上记婚礼的时间、地点、辞令、用物等）

女子许嫁，要举行笄礼，束发加簪，敬之以酒，如同男子行冠礼一样，并且开始称呼她的表字。如果高祖之庙未迁，就在宗子的祠堂里教给她妇德、妇言、妇容、妇功之类的知识，时间是在出嫁以前的三个月。如果高祖之庙已迁，就在支子的祠堂教之。（以上记女子笄礼和教女之事）

男家的使者到女家询问女子的姓氏，主人在阼阶上，使者立在西阶上，面朝东请问主人，主人面朝北再拜之后进至两楹之间，收下男家送来的礼物雁，然后回到阼阶上，面朝西回答客人的问题。使者受命后，主宾一起下阶。（以上记问名的仪节）

祭醴①，始扱一祭②，又扱再祭。宾右取脯，左奉之，乃归，执以反命。

纳徵，执皮，摄之③，内文④；兼执足⑤，左首⑥；随入⑦，西上；参分庭一在南⑧。宾致命，释外足见文⑨。主人受币，士受皮者自东出于后，自左受，遂坐摄皮。逆退，适东壁。

父醴女而俟迎者，母南面于房外。女出于母左，父西面戒之，必有正焉，若衣，若笄，母戒诸西阶上⑩，不降。

妇乘以几。从者二人坐持几，相对。

[注释]

①这一节祭醴的主动者指宾，由上下文义可以推知。②扱（chā）：舀取、挹取。祭醴时，先扱后祭，重复三次，为求行文简洁，此节仅记两次。③摄：对折后叠合在一起。④文：鹿皮上的花纹。⑤兼执足：左手执鹿的两只前足，右手执两只后足。兼，并，同时。⑥左首：男家随宾到女家送礼的人排成两行，执皮者站在左（西）行之首。⑦随入：庙门狭窄，门外的两行送礼者无法并进，故相随而入，并成一行。⑧参：同"三"。参分庭一在南：把庭

的深度分为三等分，所立之处在靠南面的三分之一处。⑨释外足见文：鹿的四足本来并握在双手中，现在放开靠外侧的两足，使鹿皮的花纹显现，此即所谓"张皮"。⑩母出房户后立于房西，子出房后，母随行到西阶上，所以说"母戒诸西阶上"。

[译文]

宾祭醴酒，先用匙舀一次酒，祭毕，又舀第二次酒，一共三次。宾右手从笾中取肉干，左手捧着，然后离开女家回去，向自己的主人复命。（以上记祭醴之法）

宾到女家纳徵，随从所拿着的鹿皮，要从鹿的背脊处对折后叠合，让有花纹的一面朝内；左手同时执住两只前足，右手同时执住两只后足，鹿皮的头在左边；进门时，送礼者并成一行，进门后又分成两行，以西边那行为尊，宾立其首；执鹿皮者站在庭内靠南侧三分之一的地方。宾到堂上向女家主人致辞。执鹿皮者放开外侧的鹿足，把鹿皮打开，露出花纹。主人接受客人送来的皮帛，站在门东的主人的私臣从执鹿皮者的身后绕至其左侧，面朝北，代表主人接过鹿皮，然后坐下将鹿皮按原样叠好，再捧在手中倒退着回到东壁前。（以上记纳徵的细节）

父亲在房中向女儿敬酒后，女儿立于其位等待丈夫的到来。丈夫到达门外时，父亲出房，派摈者询问，自己则站在阼阶上面朝西而立，母亲在房外面朝南而立。女儿出房，从母亲左侧经过，这时，阼阶上的父亲告诫女儿谨记父母的教育，并且再给她加衣物，如衿帨、发笄等，让她日后见物思今，永远不忘，母亲则在西阶上告诫女儿，而不随女儿走下去。（以上记父母告诫女儿）

新娘踩着小几登车。小几由两名侍从跪坐而持，面部相向。（以上记新娘登车之法）

妇入寝门，赞者彻尊幂，酌玄酒，三属于尊①，弃馀水于堂下阶间，加勺。

筭，缁被纁里②，加于桥③。舅答拜，宰彻筭。

妇席荐馔于房④。飨妇，姑荐焉。妇洗在北堂，直室东隅；篚在东，北面盥。妇酢舅，更爵⑤，自荐⑥；不敢辞洗，舅降则辟于房⑦；不敢拜洗⑧。凡妇人相飨⑨，无降。

妇入三月，然后祭行。

庶妇⑩，则使人醮之⑪。妇不馈。

[注释]

①属：灌注。婚礼贵新，所以要在玄酒中兑水，意为新酒。②被：表面。③桥：筭上的横梁，形如桥。④荐：脯醢。⑤更爵：换爵，舅所献的爵，已被妇饮用过，所以另换一干净的爵。⑥自荐：妇亲自荐。因为方才姑亲自荐妇，所以妇不敢让人代向舅荐，必亲自为之。⑦辟：同"避"。⑧拜洗和辞洗，是宾主身份相当者所行之礼，所以妇不敢与舅行此礼。⑨这一句指姑飨女家的送婚者，以及舅已故去而姑犹在的情况下飨妇的仪节。⑩庶妇：庶子之妻。⑪庶妇的身份卑于嫡妇，所以礼数也低，舅姑不飨以醴，只派人醮。

[译文]

新娘进入寝门后，赞礼者撤去罩在酒尊上的巾，用勺酌玄酒，往酒尊中加三次水，把剩余的水倒在堂下两阶之间的地方，再在酒尊上加放一把勺。（以上记酌玄酒之法）

新娘见公婆时放礼物用的竹篮，要用面子为黑色、里子为绛色的巾，覆盖在篮的梁上。公公向媳妇答拜，收下礼物后，由家臣将竹篮提走。（以上记筭的巾饰和受筭的细节）

向新娘进酒时用的席和肉干、肉酱，先陈放在房中，需要用时再取出，设于其位。公婆款待新娘时，婆婆进以肉干、肉酱。新娘盥手用的洗放在北堂，对着室的东角；盛爵觯用的竹器放在它的东面，洗手时面朝北。新娘用酒回敬公公时，要换一未用过的爵，并亲自向公公进献肉干、肉酱；公公要去洗爵，准备敬酒时，新娘不敢辞拦，因为那是尊者之间的礼节；公公下阶去洗爵时，新娘不可跟着下去，但若安立于堂上，则有役使尊者之嫌，所以，可到房中暂时回避；爵洗毕，新娘也不敢向公公拜谢，这也是尊者之间的礼节。婆婆款待送婚者中的妇人，或者公公已亡故，婆婆款待媳妇，都不下阶去洗爵，而在北堂之洗进行。（以上为向新娘进酒、进食的细节）

新娘过门后三个月，才能助夫致祭。（以上记新娘得以助祭的时间）

如果是庶子所娶的新娘，公婆让家臣向她敬酒，新娘不必回敬。公婆不用酒食款待新娘，新娘也不必向公婆献食物。（以上记庶妇的仪节）

昏辞曰[①]："吾子有惠[②]，贶室某也[③]。某有先人之礼[④]，使某也请纳采[⑤]。"对曰："某之子蠢愚，又弗能教。吾子命之[⑥]，某不敢辞。"致命，曰："敢纳采。"

问名曰："某既受命，将加诸卜，敢请女为谁氏？"对曰："吾子有命，且以备数而择之[⑦]，某不敢辞。"

醴曰："子为事故，至于某之室。某有先人之礼，请醴从者[⑧]。"对曰："某既得将事矣，敢辞。""先人之礼，敢固以请。""某辞不得命，敢不从也？"

[注释]

①昏辞：纳采时男方使者回答女家摈者的辞令。②吾子：指女子的父亲。③贶（kuàng）：赐予。某：指代婿的名。④先人之礼：先人相传之礼，意谓不敢擅自为礼。⑤某：指代女子父亲之名。⑥吾子：指使者。⑦备数而择之：谦语，意思是不敢让自己的女儿成为男家的唯一选择对象。⑧从者：谦语，意思是不敢逆礼。

[译文]

纳采时男家使者的辞令是:"尊敬的主人加惠,把妻室赐给某某。某某按照先辈传授的礼节,派我来请求行纳采礼。"女家的摈者回答说:"我家主人某某的女儿天性愚钝,父母又不能教她,使她聪敏。但是您有命于此,某某岂敢推辞。"使者登堂向主人致辞说:"敢请主人纳采。"(以上为纳采之辞)

男家使者问名的辞令是:"我家主人已受贵家长之命,将要占卜婚姻的吉利与否,请问女子的姓氏。"女家的摈者回答说:"您既然有命令,而且我家的女子不过是备供选择的对象之一,女子岂敢推辞。"(以上为问名之辞)

女家主人以醴酒酬谢男家来宾的辞令是:"您为两家的婚事之故,来到我的家。我家有先辈传授的礼节,请允许我用醴酒酬谢行礼之人。"男家来宾回答说:"我还将继续办事,请允许我辞谢。"主人说:"用醴酒酬劳来宾,是先辈传授的礼节,所以我胆敢执意相请。"来宾说:"我的推辞不能得到您的同意,我岂敢不服从您?"(以上为问名之辞)

纳吉曰:"吾子有贶命①,某加诸卜②,占曰'吉'。使某也敢告。"对曰:"某之子不教,唯恐弗堪。子有吉,我与在③,某不敢辞。"

纳徵曰:"吾子有嘉命,贶室某也。某有先人之礼,俪皮束帛,使某也请纳徵。"致命曰:"某敢纳徵。"④对曰:"吾子顺先典⑤,贶某重礼,某不敢辞,敢不承命?"

[注释]

①吾子:指女子的父亲。贶命:赐命,指女家允许告知女子之名。②某:指代男子父亲之名。③与:兼,夫妇为一体,夫家既已卜得吉兆,妇家也当有吉兆在。④"致命曰:某敢纳徵"一句,当置于下句"敢不承命"之后。

⑤典：常道，常法。

[译文]

纳吉时的辞令说："您有赐命于我家，告知女儿之名，我家主人某遂加以占卜，占得的结果是'吉'。于是派我某人前来相告。"主人家的答辞是："我某某的女儿不堪教育，只怕不能与您家相匹配。但是您家已占得吉兆，我家也同有这吉兆，所以某某不敢推辞。"（以上为纳吉之辞）

纳徵时的辞令说："您有美好的命令，把妻室赐给某某。某某按照先辈传授的礼节，备下两张鹿皮和五匹锦，派我某人前来，请求纳徵。"致辞的辞令说："某某斗胆献上礼物。"主人一方的答辞是："您遵循先辈的常法，赐我某某以重礼，某某未得您准予推辞的命令，岂能不听从您？"（以上为纳徵之辞）

请期曰①："吾子有赐命，某既申受命矣②。惟是三族之不虞③，使某也请吉日。"对曰："某既前受命矣，唯命是听。"曰："某命某听命于吾子。"对曰："某固唯命是听。"使者曰："某使某受命，吾子不许，某敢不告期？"曰："某日。"对曰："某敢不敬须④？"

凡使者归，反命，曰："某既得将事矣，敢以礼告⑤。"主人曰："闻命矣。"

父醮子，命之，辞曰："往迎尔相⑥，承我宗事⑦。勖帅以敬⑧，先妣之嗣。若则有常⑨。"子曰："诺。唯恐弗堪，不敢忘命。"

[注释]

①这一节所记是请期时男家使者与女家摈者在门外的对答之辞。②申：重复，一再。男家在纳采之后，问名、纳吉、纳徵等，每次都征求女家意见，所以谦言"申受命"。③三族：父、己、子的兄弟。不虞：无忧，此指无死丧

之忧；三族无死丧，所以请定婚期。④须：等待。⑤礼告：即告礼，使者将女家所赠之脯交给主人，并复述出使详情。⑥相：助，指新娘。⑦宗事：宗庙之事。⑧勖（xù）：勉励。帅：导引。⑨若：汝，你。

[译文]

男家使者请定婚期的辞令是："尊敬的主人已有赐命，将嫁女于我家，我某人已屡屡在此受命。目前我家三族康吉，正是行嘉礼的好时候，因此派我来请求择定完婚的吉日。"摈者回答说："我家主人某某此前已受命于尊府，此事还是请尊府决定，我们唯命是从。"使者说："我的主人某某命令我某人，婚期一定要听命于尊府的主人。"摈者说："我的主人坚持说要听从你们的决定。"使者说："我的主人某某派我某人前来听命，尊府主人不肯发话。我某人回去复命时，岂敢说不出婚期？"摈者说："那就定在某日吧。"使者回答说："我家主人敢不恭敬以待？"（以上为请期之辞）

凡是使者回去，向主人复命的辞令是："我某人已经得到即将举行的婚礼的日期，请允许我依礼相禀告。"主人说："知道了。"（以上为使者复命之辞）

父亲为儿子敬酒，命令他的辞是："去迎接你的内助，以继承我们的宗室之事。勉励和引导她恭敬从事，以嗣续我们祖宗的美德。你的言行要有常法。"儿子说："是。只怕不能胜任，但决不敢忘记父亲的训诫。"（以上为父亲向儿子敬酒的辞令）

宾至①，摈者请，对曰："吾子命某②，以兹初昏，使某将，请承命③。"对曰："某固敬具以须。"

父送女，命之曰："戒之敬之，夙夜毋违命④！"母施衿结帨⑤，曰："勉之敬之，夙夜无违宫事！"庶母及门内⑥，施鞶⑦，申之以父母之命，命之曰："敬恭听，宗尔父母之言。夙夜无愆⑧，视诸衿鞶！"

婿授绥，姆辞曰："未教，不足与为礼也。"

宗子无父⑨，母命之⑩。亲皆没，已躬命之⑪。支子，则称其宗。弟，则称其兄。

[注释]

①宾：新郎。②某：指代新郎父亲之名。③命：谦辞，指请期时男家使者说的"某敢不敬须"而言。④夙夜：早起夜卧。夙，早。⑤衿（jīn）：带子。帨（shuì）：佩巾。⑥庶母：父亲的妾。⑦鞶（pán）：盛帨巾的小囊，其质地男女不一，男用革，女用丝。⑧愆（qiān）：过错。⑨宗子：嫡长子。⑩命之：命使者。⑪躬：亲身，亲自。

[译文]

新郎到达新娘的家门口，摈者请问为何事而来，新郎回答说："岳父大人叫我父亲某某，在此黄昏初临的时刻，令我某人行婚礼，前来迎妻，我已遵命恭恭敬敬地等待至今，请允许我承接先前的诺言。"摈者对答说："我家主人也一直恭恭敬敬地准备着，等候您的到来。"（以上为迎亲时新郎与摈者的对答之辞）

父亲送别女儿，嘱咐之辞是："切记要恭敬从事，从早到夜，都不可违背你丈夫的意志！"母亲将带子围在女儿身上，结住佩巾，说："要努力，要谨慎，白天黑夜，都不可违反夫家宫室的规定！"庶母送到门内，给她佩上盛佩巾用的小囊，并且重申父母之命，嘱咐她说："恭恭敬敬地听着，要尊崇你父母的话。白天黑夜都不要有过错，经常看看这个盛佩巾的丝囊，你就不会忘记父母的告诫了！"（以上为父母送女时的告诫之辞）

新娘将要登车时，新郎将拉手用的引绳递给她，姆辞谢道："新娘尚未得到尊府的教诲，还不能接受你这一礼节。"（以上是姆辞谢新郎授引绳的辞令）

如果嫡长子的父亲已去世，则命令使者的事由母亲请儿子的叔伯或兄长来代理。如果双亲都已去世，则族人之中没有主婚者，嫡长子可以自己命令使者。如果庶兄弟的双亲已经去世，求婚仪节的辞令中凡是需要提及父亲名字的地方，都可以改称嫡长子的名字。如果宗子的母弟双亲皆亡，则婚辞中都要改称小宗之子的名字。（以上为命令使者的规定）

若不亲迎①，则妇入三月，然后婿见，曰："某以得为外昏姻②，请觌③。"主人对曰："某以得为外昏姻之数④，某之子未得濯溉于祭祀⑤，是以未敢见。今吾子辱，请吾子之就宫，某将走见⑥。"对曰："某以非他故⑦，不足以辱命，请终赐见。"对曰："某得以为昏姻之故，不敢固辞，敢不从！"主人出门左⑧，西面。婿入门⑨，东面，奠挚，再拜，出。摈者以挚出，请受。婿礼辞，许；受挚，入。主人再拜受，婿再拜送，出。见主妇⑩；主妇阖扉⑪，立于其内。婿立于门外，东面。主妇一拜，婿答再拜；主妇又拜，婿出。主人请醴，及揖让入，醴以一献之礼。主妇荐，奠酬⑫，无币⑬。婿出，主人送，再拜。

[注释]

①亲迎是婚礼中最重要、也是最后的仪节，婿奉父母之命，亲自到女家迎妻。但是，如果婿的父母已经亡故，无人能命他亲迎，则由其母弟或另派使者代表他去迎妻，三个月后，再亲往拜见岳父母。②外昏姻：如果婿不能亲迎，则不需要在庙内告祖，所以称之为"外昏姻"。男子在黄昏时往娶，故称"昏"，女子因男子亲迎而往，故称"姻"。③觌（dí）：见。④数（sù）：通"速"。⑤濯（zhuó）：洗。溉：洗涤。⑥走见：往见。"走"字的本义是快步趋往，这里取急往相见之意。⑦非他：犹《诗·小雅·頍弁》的"兄弟匪他"，意为不是其他的关系，而是至亲。⑧出门：出内门。⑨入门：入大门。⑩主妇：主人之妻。⑪阖：关闭。扉：门扇，扉左右各一扇，此指左扉，即西扉，主妇之位在此。⑫酬：指赠送给婿的礼物。⑬无币：据《士昏礼》、《燕礼》、《大射仪》等篇所记，醴宾、飨宾时都要向宾赠送币帛，这里因婿是外婚姻，不同于常规，故用变礼，不赠以币。

[译文]

　　如果新郎由于父母已去世,不能行亲迎之礼,那么应在新娘过门后三个月,再去女家拜见岳父、岳母,说:"我某人因父母之故,不得已而行外婚姻之礼,请求进见岳父、岳母。"岳父回答说:"前此,我家得以与尊府骤然通婚,其时尚短,我某人的女儿还没有在尊府祭祀时做洗涤器具之事,所以一直没敢去见您。今天有辱您亲临敝府,请您先进宫室稍息,我某人即刻前去见您。"新郎说:"我某人以为,我们是至亲,不敢有辱于您的走见之命,请最终能赐我一见。"岳父说:"我某人因您已与我家结为婚姻的缘故,所以不敢固执地推辞,能不遵从您的命令?"于是,岳父出内门,立在左边,面朝西。新郎进大门,面朝东,将见面礼放在地上,行再拜之礼,然后出门。摈者拿着新郎送来的见面礼,出门,请新郎收回。新郎以礼相辞,然后答应,接过礼物,又走进大门。岳父行再拜之礼后收下礼物,接着进门,新郎行再拜礼相送,再出门。新郎又去拜见岳母;岳母关上西侧的门扉,立在里面。新郎立在门外,面朝东。岳母向新郎一拜,新郎答以再拜之礼;岳母又一次拜之,新郎退出。岳父送新郎到寝门外,请用醴酒敬新郎,遂相揖让而入,用一献之礼敬酒。岳母进以佐酒的肉干、肉酱等,并放下赠给新郎的礼物,由于外婚姻是变礼,所以礼物中没有币帛,以示区别。新郎出大门,岳父送至门外,并行再拜之礼。(以上为不能行亲迎之礼的新郎见岳父母之礼)

士相见礼第三

士相见之礼①。挚,冬用雉②,夏用腒③。左头奉之④,曰:"某也愿见,无由达。某子以命命某见⑤。"主人对曰:"某子命某见,吾子有辱。请吾子之就家也,某将走见⑥。"宾对曰:"某不足以辱命⑦,请终赐见。"主人对曰:"某不敢为仪⑧,固请吾子之就家也,某将走见。"宾对曰:"某不敢为仪,固以请。"主人对曰:"某也固辞,不得命,将走见。闻吾子称挚⑨,敢辞挚。"宾对曰:"某不以挚,不敢见。"主人对曰:"某不足以习礼⑩,敢固辞。"宾对曰:"某也不依于挚⑪,不敢见,固以请。"主人对曰:"某也固辞,不得命,敢不敬从!"出迎于门外,再拜。宾答再拜。主人揖,入门右⑫。宾奉挚,入门左。主人再拜受,宾再拜送挚,出。主人请见,宾反见,退。主人送于门外,再拜。主人复见之,以其挚,曰:"向者吾子辱,使某见。请还挚于将命者⑬。"主人对曰:"某也既得见矣,敢辞。"宾对曰:"某也非敢求见,请还挚于将命者。"主人对曰:"某也既得见矣,敢固辞。"宾对曰:"某不敢以闻⑭,固以请于将命者。"主人对曰:"某也固辞,不得命,敢不从?"宾奉挚入,主人再拜受。宾再拜送挚,出。主人送于门外,再拜。

[注释]

①士相见礼：士与各等级的人初次相见的礼节。本篇着重记士相见之礼，其后所记士见大夫、大夫相见、士大夫见于君等的仪节，都是由士相见礼所类推来的。②雉（zhì）：野鸡。士相见用死雉作礼物。古人认为雉不为食所引诱，不为威所慑服，宁死而不被畜养，正像士行威、守节、死义的品格。③腒（jū）：风干的雉。腒不易腐败，所以夏天用之。④左头：雉横捧于双手，雉头朝左，因为左首尊，头为阳，左也为阳。⑤某子：介绍双方见面的人的名字。以命：以主人之命。⑥走见：急往相见。⑦命：指上文的"就家"之命。⑧不敢为仪：不敢以容貌为威仪。意即出自真心，而非虚貌相待。⑨称：举。⑩主人认为，宾客带着礼物登门来见是大礼，自己不敢当，所以谦言不足以习此礼。⑪依于挚：谦语，意为用礼物来表达对主人的敬意。⑫门：大门。以下几句记宾主进门后在庭中授受礼物。⑬将命者：传命者，指傧相。将，传。⑭不敢以闻：谦语，意为不敢以还挚之事使主人听闻。

[译文]

士与士初次相见的礼节是：见面礼，冬天用雉，夏天则要用风干的雉。宾到主人家大门口求见时，要将雉的头朝左捧着，说："我一直想来拜见，但无缘自达。今天某人以您的命令让我来见您。"主人回答说："某人也曾命我去见您，可是您今天屈尊先来。还是请您先回家，我随即到尊府拜见。"宾回答说："您的命令我实在不敢当，还是请您就此赐见。"主人回答说："我决不敢虚言假意对您说话，所以还是请您先回尊府，我随即前往拜见。"宾回答说："我也不敢虚言假意对您说话，所以再次请求您。"主人回答说："我一再地推辞，但没能得到您的允许，我随即出门去见您。但是听说您带了礼物而来，实在不敢当，谨辞谢您的礼物。"宾回答说："我若不带着礼物来，就不敢见所尊敬的人。"主人回答说："我实在不敢当此大礼，再次辞谢。"宾回答说："我不凭借礼物来表达敬意，就不敢见您，所以再次请求收下。"主人回答说："我一再地推辞，但没能得到您的允许，岂敢不恭恭敬敬地从命！"于是出大门迎接宾客，行再拜之礼。宾以再拜之礼作答。主人揖请宾入内，自己先进门并走在右侧。宾捧着雉，进门后走在左侧。主人在庭中再拜之后接受礼物，宾则在再拜之后送上礼物，礼毕出门。主人请宾相见叙谈，宾返回与主人相见，叙毕退出。主人送宾到大门外，行再拜之礼。主人改日到宾家求见，礼物就用客人送来的雉，说："不久前您屈尊光临敝舍，使我得以见到您。请允许我将雉交还给您的傧相。"此时，宾已变成主人，说："我们已经相见了，不敢劳您来见，谨辞谢。"原先的主人此时已变成宾，回答说："我不是要求见尊敬的主人，不过是要将雉还给您的傧相。"主人回答说："我已经拜见过您，不敢劳您来见，故再次辞谢。"宾回答说："我不敢以还雉的事扰您听闻，所以再次请求见您的傧相。"主人回答说："我一再地推辞，但不能得到您的允许，敢不听从您的命令？"宾捧着雉入门，主人在庭中向宾再拜后收下雉。宾则向主人再拜后送上雉，然后出门。主人送宾到门外，行再拜之礼。（以上为士与士相见之礼）

士见于大夫，终辞其挚①。于其入也，一拜其辱也②。宾退，送，再拜。

若尝为臣者，则礼辞其挚③，曰："某也辞，不得命，不敢固辞。"宾入，奠挚，再拜。主人答壹拜。宾出。使摈者还其挚于门外，曰："某也使某还挚。"宾对曰："某也既得见矣，敢辞。"摈者对曰："某也命某：'某非敢为仪也。'敢以请。"宾对曰："某也，夫子之贱私④，不足以践礼⑤，敢固辞！"摈者对曰："某也使某，不敢为仪也，固以请！"宾对曰："某固辞，不得命，敢不从？"再拜受。

[注释]

①终辞其挚：士向大夫献挚，大夫辞一次，再次辞谢之后，最终不接受

挚。在《仪礼》中,地位平等的双方(如士与士)相见,主人一方可以接受客人一方的挚,但事后必须再到对方家中回拜,并送还挚。如果双方是国君与臣的关系,则国君可以接受臣下的挚而不必答见和还挚。士与大夫则不同,如果收下挚不答还,则有僭君之嫌,收下后答还则有降同于士之嫌,所以只能"终辞其挚"。②辱:辱临。谦语,意为来此有辱于对方。③礼辞:推辞一次后接受。④私:私臣,指大夫的家臣。⑤践礼:指践行主人答见宾客的礼节。践,行。

[译文]

士初次拜见大夫致送礼物时,大夫在两次推辞之后,最终不接受礼物。士到来时,大夫不到门外迎接,只是在他进门后以一拜之礼感谢他的到来。宾客退出时,送别而行再拜之礼,但不送至大门口。(以上为士见大夫之礼)

如果是曾经在大夫家当过家臣的人来见大夫,对他的礼物,大夫只辞谢一次就同意收下,说:"我辞谢你的礼物,但不能得到你的允许,因此不敢再辞谢。"宾入门之后,把礼物放在地上,向主人行再拜之礼。主人以一拜之礼作答。宾出门后,主人派摈者到门口将礼物还给宾,说:"我的主人让我将礼物奉还于您。"宾客回答说:"我已致送礼物而拜见主人,因此不能接受您的要求。"摈者回答说:"我的主人告诉我:'送还礼物这件事我可不敢虚情假意。'所以还是请您收下。"宾回答说:"我,不过是主人的卑贱的私臣,哪敢让主人行宾客还挚之礼,所以再次辞谢!"摈者回答说:"主人派我来办此事,不敢对您虚情假意,再次请您收下!"宾回答说:"我屡次辞谢,但不能得到您的同意,敢不听从您的命令?"于是再拜之后收下礼物。(以上为大夫旧臣见大夫之礼)

下大夫相见以雁①,饰之以布,维之以索②,如执雉。上大夫相见以羔③,饰之以布,四维之,结于面,左头,如麛执之④。

如士相见之礼⑤。

[注释]

①下大夫：诸侯的大夫有上大夫与下大夫之别，上大夫指卿，下大夫即大夫，统称大夫，但也有混指的。雁：旧说即大雁，以雁为挚，取其飞能成行，止而成列，象征大夫奉职于四方而能自律以事君之意。王引之《经义述闻》说雁即舒雁，指鹅，此从王说。②维：系。索：绳索。③羔羊群而不党，而且行动都服从头羊，上大夫事君当如此，所以相见时以羔为挚。④麛(mí)：同"麑"，幼鹿。⑤如士相见之礼：下大夫、上大夫相见，所执的挚虽然与士不同，但相见的仪节则与士相见一样。

[译文]

下大夫之间初次相见，用鹅作为礼物。鹅的身上裹着绘有纹饰的布，双足用绳子系着。捧鹅的方式和士相见时捧雉一样，让它的头朝左方。上大夫之间初次相见，用羔羊作为礼物。羊身上用绘有纹饰的布裹着，四足两两相系，绳子要在羊背上交叉后回到胸前打结。捧羊时，使羊头朝左方，执持的方式与秋天献小鹿之礼中执鹿的方式相同。相见的仪节与士相见时一样（以上为大夫相见之礼）

始见于君执挚①，至下②，容弥蹙③。庶人见于君④，不为容⑤，进退走。士大夫则奠挚，再拜稽首，君答壹拜⑥。若他邦之人，则使摈者还其挚⑦，曰："寡君使某还挚。"宾对曰："君不有其外臣⑧，臣不敢辞。"再拜稽首，受。凡燕见于君⑨，必辩君之南面⑩。若不得，则正方⑪，不疑君⑫。君在堂，升见无方阶⑬，辩君所在⑭。

[注释]

①君在朝或燕息时，臣求见都不必执挚，只有新臣第一次见君要手执挚，即此节所述。②下：君的堂下。③蹙(cù)：恭敬、局促不安。④古代国君巡行、田猎等场合，有庶人见君之礼，所持礼物为鹜。⑤容：奔走翔行之容。⑥壹拜：君一般不对臣行答拜礼，只有初次见面才答以一拜之礼。⑦他邦

之臣不是自己的臣，所以礼节有所不同，不说受挚的话，只说还挚，宾则不推辞而受挚。⑧不有其外臣：不愿以他邦之臣为臣。⑨燕见：私见。君臣站立的方位没有公朝行礼时严格。⑩辩：正。君臣相见，以君南面臣北面为正。⑪方：方向。正方指的位置为正东面或正西面。⑫疑：猜度。⑬方：常。按臣见君的正礼，升堂必须走规定的台阶，燕见则较随便，君的位置近于东，臣就走东阶上；近西，则走西阶。没有一定之规，以近便为原则。⑭辩：通"辨"。

[译文]

新臣首次见君要手执礼物，走到君的堂下时，容貌要愈益恭敬。庶人进见君时，不必作奔走翔行的姿势，只是进退时要疾走。士大夫首次见君，把礼物放在地上后，再拜叩首，君答以一拜之礼。（以上为大夫、士、庶人见于君之礼）

如果是外邦之臣来见，就让傧者把礼物还给客人，说："寡君派我将礼物奉还于您。"宾回答说："君不愿以我这外臣为臣，我岂敢再推辞。"于是再拜叩首后收下礼物。（以上为外臣见君之礼）

凡是私见于君，必须以君南之位为正。如果不能得君南面之位，则要取君正东面或正西面之位，不能随便猜度君的方位而斜向行礼。君在堂上时，臣走的台阶没有一定之规，君近在哪个方向，就从哪个方向的台阶上去。（以上为燕见于君的礼节）

凡言①，非对也②，妥而后传言③。与君言，言使臣；与大人言④，言事君；与老者言，言使弟子；与幼者言，言孝弟于父兄；与众言，言忠信慈祥；与居官者言⑤，言忠信。

凡与大人言，始视面，中视抱⑥，卒视面，毋改。众皆若是。若父，则游目⑦，毋上于面，毋下于带。若不言，立则视足，坐则视膝。

[注释]

①本节论述燕见时言谈的礼节。②非对:自己主动说话,进言。对,回答别人的问话。③妥:通"绥",安坐。传言:说话。④大人:卿大夫。⑤居官者:士以下的官吏,如庶司百执事等。⑥抱:袷与带之间,即衣服的交领以下,腰带以上的部位。⑦游目:目光游移。子对父的态度以孝为主,而不以敬为主,所以说话时目光不必专注于一处,可在一定范围内游移。

[译文]

凡是向君进言,而不是回答君的发问,一定要等君安坐后再开口。燕处时讲论的话题,与君,应该谈如何使用臣下;与卿大夫,应该谈如何奉事君上;与年老的长辈,应该谈如何教育弟子;与年轻人,应该谈如何孝悌于父兄;与一般人,应该谈如何以忠信慈祥处世;与士以下的官吏,应该谈如何忠信奉公。

凡是与卿大夫说话,要注意自己视线的位置:开始时视线要落在对方脸部,观察其气色,看能否开口说话;话说完后,视线要移到对方的胸部,以示尊敬,并给对方以思考的时间;最后再将视线移到对方脸部,观察他是否已采纳自己的意见。整个过程,体态容颜不要随便变动。对在座的其他卿大夫,也都应如此。如果是与父亲说话,则目光可以游移,但上不得高于其面部,那样显得傲慢;下不得低于其腰带,那样显得忧愁。如果对方不再说话,那么视线要落在他行走时最先动作的部位:站立则视其足部,坐则视其膝部。(以上为进言之法)

凡侍坐于君子①,君子欠伸②,问日之早晏③,以食具告④,改居⑤,则请退可也。夜侍坐,问夜,膳荤,请退可也。

[注释]

①君子:卿大夫以及国中的贤者。②欠:打哈欠。伸:伸懒腰。③晏:晚。④以食具告:告诉从者,去看看饭菜是否已具办好。⑤改居:自己变动坐姿。表示有倦意,已不能安坐。

[译文]

凡是在君子的左右陪坐，如果君子打哈欠、伸懒腰，问时间的早晚，就要问从人饭菜是否已准备好。如果君子在座位上不断变动姿势，这表明君子已有倦意，这时可以请求告退。如果是在夜间陪坐，而君子问钟鼓漏刻的时数，或者用葱韭等辛菜作夜宵解瞌睡，表明君子有倦意了，这时可以请求告退。（以上为陪坐于君子的礼节）

若君赐之食，则君祭①，先饭、遍尝膳、饮而俟。君命之食，然后食。若有将食者②，则俟君之食，然后食。若君赐之爵，则下席，再拜稽首，受爵。升席祭，卒爵而俟，君卒爵，然后授虚爵③。退，坐取屦④，隐辟而后屦⑤。君为之兴⑥，则曰："君无为兴，臣不敢辞⑦。"君若降送之，则不敢顾辞，遂出。大夫则辞，退、下、比及门，三辞。

[注释]

①与国君共同进食的礼节有几种情况，一般是主人先祭，客人后祭；如果君以食赐臣，臣可不祭，如果君以客礼待臣，臣要奉君命而祭。这里指第二种情况。②将食者：膳宰。其职责之一是代君尝饮食。③虚爵：喝干了酒的空爵。④坐：跪。⑤隐辟而后屦：到隐蔽之处再穿鞋。表示尊敬君，不敢当其面穿鞋。⑥兴：起身。⑦不敢辞：不敢辞尊者。

[译文]

君臣共进饮食，君若以食赐臣，则君要先祭。如果没有膳宰在，则臣要代君吃黍稷、遍尝各种菜肴，然后喝饮料，等候君吃。君命令开始吃，再正式吃。如果有膳宰代尝饮食，则等君开始吃之后再吃。君若以爵赐臣，臣要离席，对君再拜叩首，接过爵，然后登席献祭，将爵中的酒饮完，等君也将爵中的酒饮完，再把空爵交给赞礼者。退席之后，到堂下跪着取鞋，然后到隐蔽之处把鞋穿上。君要起身送，则说："请别为我起身，否则，臣不敢告辞了。"

君若降阶而送，则不敢回头告辞，径直出门。如果客人是大夫，则可以向君告辞：大夫起而退席时君起身，下阶时君也下阶，到门口时君送行，这三处大夫都可以辞谢君。（以上为臣侍坐受赐饮食及退去的礼节）

若先生、异爵者请见之①，则辞。辞不得命，则曰："某无以见，辞不得命，将走见。"先见之②。非以君命使，则不称寡。大夫士则曰"寡君之老"③。凡执币者④，不趋，容弥蹙以为仪。执玉者，则唯舒武⑤，举前曳踵⑥。

凡自称于君，士大夫则曰"下臣"。宅者在邦⑦，则曰"市井之臣"；在野，则曰"草茅之臣"，庶人则曰"刺草之臣"⑧。他国之人则曰"外臣"⑨。

[注释]

①先生：退休的卿大夫。异爵者：在职的卿大夫。②先见：先拜。士出迎于门外，行再拜礼，先生、异爵者答拜，此为先拜。先拜表示不敢劳尊者来见，故自先拜而见之。③这一句义颇难通，疑有讹舛。④币：指束帛、束锦、皮马、禽挚之类，有时也包括玉器。⑤舒武：迈步慢而轻。舒，徐，慢。武，足迹。⑥曳踵：拖着脚跟行走。踵，脚跟。⑦宅者：指退休的官员，其居宅或在邦，或在野。⑧刺草：铲草。⑨他国之人：指其他国家的士、大夫。外臣：与国中的"内臣"相对而言。

[译文]

如果有退休的卿大夫、在职的卿大夫慕某士之德而往见，因地位及年齿相差悬殊，士要辞谢，表示不敢当。如果不能得到他们的同意，就说："我没有德行可以使您辱临敝舍，虽已辞谢但又得不到您的允许，我只有随即前往拜见。"于是出门率先拜而见之。如果不是奉君命出使，而是因私事出访，则摈者不得称他为寡君的某人，只能直称其名。如果是大夫卿士，则摈者称其为"寡君之老"。

凡是手执币帛去见君，要谨慎，不要飞快地行走，越是走近君，容貌要越恭敬，以此为容仪。执玉器去见君的，步伐要缓而小，前脚拖着后脚走，脚跟不离地。

凡是对君自称，士大夫都统称为"下臣"。退休的官员，如果住宅在国中，就自称"市井之臣"；住宅在野外的，就自称"草茅之臣"，庶人则自称"刺草之臣"。如果是其他国家的士大夫，则自称"外臣"。（以上为先生、异爵者见士及执币玉、称谓的仪节）

乡饮酒礼第四

乡饮酒之礼①。主人就先生而谋宾、介②。主人戒宾③,宾拜辱④,主人答拜,乃请宾⑤。宾礼辞,许。主人再拜,宾答拜。主人退,宾拜辱。介亦如之。

乃席宾、主人、介⑥。众宾之席,皆不属焉。尊两壶于房户间,斯禁⑦;有玄酒,在西。设篚于禁南,东肆⑧,加二勺于两壶。设洗于阼阶东南,南北以堂深,东西当东荣;水在洗东,篚在洗西,南肆。

[注释]

①古代诸侯之乡有乡学,学制三年,学成者推荐给诸侯。为此,每三年的正月,乡大夫都要作为主人举行乡饮酒礼,招待乡中的贤能之士和年高德劭者。乡大夫和乡先生从学成者中选择最贤能者一人作为宾,其次者一人为介,又次者三人为众宾,与他们共饮,然后举荐给诸侯。乡饮酒礼的仪节主要有:谋宾、迎宾、献宾、乐宾、旅酬、无算爵乐以及宾返拜谢等。本篇所记即此。乡饮酒礼在各州每年春秋习射时,以及各党每年十二月蜡祭序齿位时也使用,但仪节不尽相同。②主人:乡大夫。先生:乡学的教师,一般由退休的官员担任。介:陪客,辅佐宾的人。③戒:告知。④宾拜辱:主人是乡大夫,宾是处士,主人以尊临卑,故宾拜谢主人自为屈辱。⑤请:告知来此的目的。⑥席:指铺席。宾的席位在窗前,面朝南;主人的席位在阼阶之上,面朝西;介的席

位在西阶之上，面朝东。⑦斯禁：一名棜，一种无足的承尊器。⑧肆：陈。

[译文]

乡饮酒礼的礼节是：乡大夫作为仪式的主人到乡学的先生处商定宾和介的人选。一经选定，主人到宾的家中通告。宾拜谢主人屈尊光临，主人答拜后，说明来此请宾的目的。宾谦辞一次后表示接受。主人行再拜之礼，以示为国求贤的郑重，宾答拜。主人告退，宾拜送。通知介的仪节与此相同。（以上为主人通告宾、介的礼节）

于是铺设乡饮酒礼中宾、主人、介的席位。众宾的席位不相连属。在东房之西与室户之东的地方，放置尊和两壶，尊下有器座；玄酒放在尊的西侧。把放爵用的竹筐放在器座之南，向东陈列，在两把壶上各放一把勺。盥洗用的盆放在阼阶的东南，盆到堂的距离约等于堂的纵深，东西的位置大致与东端的屋翼对齐；水放在盆的东侧，盆的西侧也放有盛爵用的竹筐，向南排列。（以上为陈设席位）

羹定①，主人速宾②，宾拜辱；主人答拜，还；宾拜辱。介，亦如之。宾及众宾皆从之③。主人一相迎于门外④，再拜宾，宾答拜；拜介，介答拜；揖众宾。主人揖，先入。宾厌介⑤，入门左；介厌众宾，入；众宾皆入门左；北上。主人与宾三揖⑥，至于阶。三让，主人升，宾升。主人阼阶上当楣北面再拜⑦，宾西阶上当楣北面答拜。

[注释]

①羹（gēng）：煮成浓汤的食品，此指肉羹。定：煮熟。②速：即"谏"，邀请并催促。③从：跟随。众宾散居四方，主人不能一一催请，只能在行礼之日聚于某处，主人速宾后便一齐随往。④一相：一位相礼、传命者，由主人之吏担任。⑤厌（yì）：长揖。⑥三揖：主宾进门后，主人面朝西、宾面朝东，相向而立。等介和众宾都进门后，主宾相揖，然后各自转身，分别向

堂前走去。主东行至阼阶前的砖路，宾西行至西阶前的砖路，各自转身相揖，又望阶而行走到庭中三分之二处，再相向而揖。总共三次相揖。⑦楣：堂的前梁。

[译文]

肉羹煮熟后，主人亲往宾的家中相邀，并请立即起身出发，宾拜谢主人屈尊光临；主人答拜还礼，然后离开；宾拜谢主人屈尊光临。主人到介的家中催请，仪节与此相同。主人邀请宾、介完毕后，宾、介和众宾都跟随主人前往乡学所在之庠。协助主人的一位相礼者在庠门前迎候，见到宾后，行再拜之礼，宾答拜还礼；又向介行一拜之礼，介答拜还礼；又向众宾作揖示意。主人向宾作揖后，先入门，面西而立。宾向介长揖后，入门后站在左侧，面东而立；介向众宾长揖后入门，众宾也都跟随而入，都站在门的左侧，而以站在最北端者为尊。于是，主人与宾三次相揖后来到阶前。双方三次谦让后，主人先登上阼阶，接着宾登上西阶。主人在阼阶上、堂的前梁下，面朝北行再拜之礼，宾在西阶上、堂的前梁下，面朝北答拜还礼。（以上为邀请和迎接宾、介）

主人坐取爵于篚①，降洗。宾降②。主人坐奠爵于阶前，辞③。宾对。主人坐取爵，兴，适洗；南面坐，奠爵于篚下；盥洗④。宾进，东北面，辞洗。主人坐奠爵于篚，兴对。宾复位，当西序⑤，东面。主人坐取爵，沃洗者西北面⑥。卒洗，主人壹揖，壹让。升。宾拜洗。主人坐奠爵，遂拜，降盥。宾降，主人辞；宾对，复位，当西序。卒盥，揖让升。宾西阶上疑立⑦。主人坐取爵，实之宾之席前⑧，西北面献宾。宾西阶上拜，主人少退⑨。宾进受爵，以复位。主人阼阶上拜送爵，宾少退。荐脯醢。宾升席，自西方。乃设折俎。主人阼阶东疑立。宾坐，左执爵，祭脯醢；奠爵于荐西，兴；右手取肺，却左手执本⑩；坐，弗缭⑪，右绝末以祭⑫；尚左手，哜之，兴，加于俎。坐挩手⑬，遂祭酒；兴，席末坐⑭，啐酒；降席，坐奠爵；拜，告旨⑮，执爵兴。主人阼阶上答拜。宾西阶上北面坐，卒爵，兴；坐奠爵，遂拜，执爵兴。主人阼阶上答拜。

[注释]

①坐：古人坐姿为双膝跪地，臀部落在脚后跟上，与今跪姿相近。②降：走下西阶。主人下阼阶为宾洗爵，宾下西阶是表示自己不敢在堂上安坐。③辞：辞谢宾降西阶，表示不敢劳宾下来。④盥洗：盥手、洗爵。洗爵前先洗手是表示洁净。⑤当西序：对着西墙的地方。序，正堂东西隔室的墙。⑥沃洗：浇水洗濯。沃洗者一般由执事的小吏担任。⑦疑立：立定。表示庄敬。⑧实：往爵中酌酒。⑨少退：稍稍向后退避。主人手中拿着爵，无法回礼，所以只能稍稍后退以示意。⑩却：退、缩。右手取肺，所以伸着；左手不伸而执本，所以称"却"。本：肺的上部，厚而大的一端。⑪弗缭：拗折。⑫绝末：扯断肺的下端。这里用的肺，是所谓"离肺"：肺用刀划成块，但底部仍连着。祭时左手抓住它的上端，使之下垂，再拗折之，用左手扯断肺的下端，用以祭祀。⑬挩（shuì）：擦，拭。⑭席末：席的西端。⑮告旨：告谢主人以美酒款待。旨，甘美。

[译文]

主人坐着从竹筐中取出酒爵，然后起身走下阼阶准备洗濯。宾随之走下西阶。主人在临阼阶处坐下，放下酒爵，起身辞谢宾的下堂，宾以辞答对。主人又坐下拿起酒爵，接着起身，走到洗盆的南侧坐下，把酒爵放在竹筐之前，再起身盥手，准备洗爵。宾从西序前走到洗盆前，面朝东北，劝阻主人洗爵，表示不敢当。主人坐下，将酒爵放进竹筐中，起身回答宾。于是宾回到原来的位置，在西序之前，面朝东而立。主人又坐下取出酒爵，冲洗酒爵的执事者已面朝西北而立。酒爵洗濯完毕，主人揖请宾先登阶上堂，双方推让一次后，主宾先后登阶。宾拜谢主人亲自下堂为自己洗濯酒爵。主人在堂上坐下，放好酒爵，遂向宾回拜，接着又走下阼阶准备洗手，以便为宾酌酒。宾随之走下西阶，表示不敢独自在堂上安坐，主人向宾辞谢；宾作答，接着回到原来的位置，在靠近西序的地方。主人洗完手，双方揖让后登阶。宾在西阼之上肃立。主人坐下取出洗净的酒爵，在宾的席位前酌满酒，面朝西北献给宾。宾在西阶上拜谢，主人持爵稍稍后退，以示谦避。宾进至席前接过酒爵，并回到西阶上。主人在阼阶上拜送受爵者，宾持爵稍稍后退，表示谦避。有司将干肉和肉酱进于宾的席前。宾从西方即席。于是摆上盛着折断的牲体的小案。主人在阼阶之东肃立。宾坐在席上，左手执爵，右手取干肉和肉酱而祭；然后将酒爵放在席的西侧，起身；伸右手取肺，左手缩着抓住肺的厚而大的一端，使之下垂；然后坐下，拗折肺，右手将其下端扯断，用以祭祀；左手在上，尝一口肺，然后起身，将肺放在小案上。宾又坐下，擦干净手，再行祭酒；宾起身，到席的西端坐下，尝一口酒；接着离席，再坐下放好酒爵；然后拜谢主人，称赞酒的甘美，并执爵起身。主人在阼阶上答拜。宾到西阶之上面朝北而坐，将爵中的酒饮尽，起身；再坐下放好爵，遂拜谢主人，然后执爵起身。主人在阼阶上答拜还礼。（以上为主人献宾）

宾降洗[①]，主人降[②]。宾坐奠爵，兴辞，主人对。宾坐取爵，适洗南，北面。主人阼阶东，南面辞洗。宾坐奠爵于篚，兴对。主人复阼阶东，西面。宾东北面盥[③]，坐取爵，卒洗，揖让如初，升。主人拜洗。宾答拜，兴，降盥，如主人礼。宾实爵主人之席前，东南面酢主人。主人阼阶上拜，宾少退。主人进受爵，复位；宾西阶上拜送爵。荐脯醢。主人升席自北方。设折俎。祭如宾礼，不告旨。自席前适阼阶上，北面坐卒爵，兴；坐奠爵，遂拜，执爵兴。宾西阶上答拜。主人坐奠爵于序端，阼阶上北面再拜崇酒[④]，宾西阶上答拜。

[注释]

①上节记"献",即主人向宾敬酒。本节记"酢",即宾取酒爵到主人席前还敬。②降:降立于阼阶之东,面朝西而立。③宾的位置在洗盆之南,沃洗的小吏在其右侧,为了盥洗时的方便,所以宾面朝东北而斜对着他。④再拜崇酒:是谦语,意为拜谢宾看重自己的酒,不嫌其薄而饮之。崇,重、看重。

[译文]

宾持酒爵,走下西阶,准备为主人洗濯,主人随之走下阼阶,表示不敢独自在堂上安坐。宾坐下放好酒爵,再起身辞谢主人的下堂。主人以辞答对。宾坐下取酒爵,然后走到洗盆之南,面朝北而立。主人在阼阶之东,面朝南劝阻宾洗爵。宾坐下,将酒爵放入竹筐内,起身作答。主人回到阼阶东、面朝西的位置。宾面朝东北洗手,接着从竹筐中取出酒爵,洗濯完毕,宾主像先前那样揖让后,先后登堂。主人拜谢宾亲自下堂为自己洗濯酒爵。宾答拜还礼,然后起身,走下西阶洗手,以准备为主人酌酒,其间的仪节和刚才主人为宾做的一样。宾取爵在主人的席前酌满酒,面朝东南还敬主人。主人在阼阶上拜谢,宾持酒爵稍稍后退,以示谦避。主人上前接过酒爵,回到原先的位置;宾在西阶上拜送受爵者。有司将干肉和肉酱进于主人席前。主人从北方入席。于是摆上盛有折断的牲体的小案。祭荐俎和祭酒的仪节与刚才宾做的一样,只是最后不必告谢酒的旨美。主人从席前走到阼阶上,面朝北坐下,将爵中的酒饮毕,然后起身;接着又坐下放好酒爵,于是拜谢宾,再执爵起身。宾在西阶上答拜还礼。主人坐下,将酒爵放在东序的端头处,在阼阶上面朝北再拜,感谢宾不嫌弃自己的薄酒而饮之,宾在西阶上答拜还礼。(以上为宾还敬主人)

主人坐取觯于篚①,降洗。宾降,主人辞降。宾不辞洗②,立当西序,东面。卒洗,揖让升。宾西阶上疑立。主人实觯酬宾③，阼阶上北面坐奠觯，遂拜，执觯兴。宾西阶上答拜。坐祭，遂饮，卒觯，兴；坐奠觯，遂拜，执觯兴。宾西阶上答拜。主人降洗，宾降辞，如献礼④，升，不拜洗⑤。宾西阶上立；主人实觯宾之席前，北面；宾西阶上拜；主人少退，卒拜进，坐奠觯于荐西；宾辞，坐取觯，复位；主人阼阶上拜送；宾北面坐奠觯于荐东，复位。

[注释]

①这一节记"酬"，即主人执酒觯，先自饮，并劝宾随着饮。"献"、"酢"、"酬"，总称为"一献"之礼。酬用觯不用爵，含有更新示敬之意。②主人洗觯是准备自饮，所以宾不必像前面那样辞谢。③酬：劝酒。④如献礼：如主人向宾献酒时，主人降阶洗爵至升堂之间的仪节。⑤劝酒的礼数比献酒低，献酒的仪节中共有四次拜，劝酒则只拜三次，故此处不拜。

[译文]

主人坐着从竹筐中取出饮酒器觯，然后起身走下阼阶，准备洗濯。宾随之走下西阶，表示不敢独自在堂上安坐，主人辞谢宾的下堂。宾不必像献酒仪节中那样劝阻主人洗濯酒具，只要立在正对堂的西墙的地方，面朝东。洗濯完毕，宾主揖让后登堂。宾在西阶上肃立。主人在觯中注酒，先自饮，再劝宾饮，然后在阼阶上面朝北而坐，放好觯又拜宾，请他饮酒，接着执觯起身。宾在西阶上拜谢主人的劝酒。于是宾坐下祭干肉、肉酱等，祭毕饮酒，将觯中的酒喝完，起身；接着坐下放好觯，拜谢主人，然后执觯起身。宾在西阶上答拜还礼。主人再次走下阼阶洗濯，宾辞谢主人下堂，其间的仪节和献酒时一样。洗濯完毕，主宾先后登堂，宾此时不必拜谢主人亲自洗濯。宾在西阶上站立；主人持觯在宾的席前注酒，然后面朝北捧觯；宾在西阶上拜谢主人；主人执觯稍稍后退，以示谦让，接着拜而前行，坐下后将觯放在荐席之西；宾辞谢之后，坐下取觯，再回复到原来的位置；主人在阼阶上拜送宾；宾面朝北而坐，将觯放在荐席之东，然后

回复到原来的位置。(以上是主人酬宾)

主人揖,降①;宾降②,立于阶西,当序,东面。主人以介揖让升拜如宾礼③。主人坐取爵于东序端,降洗;介降,主人辞降;介辞洗,如宾礼,升,不拜洗④。介西阶上立。主人实爵介之席前,西南面献介。介西阶上北面拜,主人少退。介进,北面受爵,复位。主人介右北面拜送爵,介少退。主人立于西阶东。荐脯醢。介升席自北方,设折俎。祭如宾礼,不嚌肺,不啐酒,不告旨⑤;自南方降席,北面坐卒爵,兴;坐奠爵,遂拜,执爵兴。主人介右答拜⑥。

[注释]

①准备向介献酒。②表示不敢独居堂上。③主人与宾入大门后,经三揖、三让后登堂,而介和众宾还在门左站立。主人到门左请介登堂,其间仪节与请宾时一样。介:宾的辅助人员,副手。④向介献酒的礼数比宾低,所以较简略。此处可以不拜洗。⑤不嚌肺,不啐酒,不告旨:都是表示其礼数低于宾。⑥介右:介的右侧。介之位在西阶西北面,主人在西阶东,凡面北者以东为右,所以说主人在介右。

[译文]

主人向宾作揖,示意将下阶与介为礼,然后走下阼阶;宾随之下堂,立于阶西,正对着堂西墙的地方,面朝东。主人与介揖让、登堂、相拜的仪节,与迎宾时一样。主人坐下,从东序的端头取酒爵,接着下堂洗濯;介随之下堂,主人辞谢,介则劝阻主人洗爵,其间的仪节与献宾时一样,但双方升堂后,介不必拜谢主人亲劳洗爵。介在西阶上站立。主人持爵在介的席位前注酒,然后面朝西南献给介。介在西阶上面朝北拜谢主人,主人持爵稍稍后退,以示谦避。介进至主人前,面朝北接过酒爵,回到原来的位置。主人在介的右侧,面朝北拜送持爵者,介持爵稍稍后退以示谦避。主人立于西阶之东。有司将干肉和肉酱进于介的席前。介从北方入席,此时摆上盛有节解的牲体的小案。介祭祀的内容和方式与宾一样,只是不尝肺、不尝酒,也不必向主人告谢酒的甘美;祭毕,从南方离席,接着面朝北坐下,将爵中的酒饮完,起身;然后再坐下放好爵,拜谢主人,再执爵起身。主人在介的右侧答拜还礼。(以上为主人向介献酒)

介降洗①,主人复阼阶②,降辞如初③。卒洗,主人盥④。介揖让升,授主人爵于两楹之间⑤。介西阶上立。主人实爵,酢于西阶上,介右坐奠爵,遂拜,执爵兴。介答拜。主人坐祭,遂饮,卒爵,兴;坐奠爵,遂拜,执爵兴。介答拜。主人坐奠爵于西楹南,介右再拜崇酒;介答拜。

[注释]

①这一节记主人自酢。按礼,凡自酢者都要自行洗爵和酌酒,但乡饮酒礼中主人与介的献、酢为特例,介的身份较低,没有资格酢主人,但又不敢劳主人亲自洗爵,所以降阶洗爵后授主人。②复:返回。③如初:如宾酢时主人降阶至卒洗的礼节。④为给介酌酒而洗手。⑤介的身份比宾低,所以不能自酌。

[译文]

介走下西阶为主人洗爵,主人回到阼阶上的位置,介下堂和主人辞谢等仪节与刚才宾酢主人时一样。酒爵洗濯完毕,主人下堂洗手,准备酌酒。介与主人揖让后登堂,在堂上的两个楹柱之间,介将酒爵送给主人。介立在西阶上。主人往爵中酌酒,在西阶上自饮,接着在介的右侧坐下放好爵,拜介,然后执爵起身。介答拜。主人坐下祭酒,并饮酒,将爵中的酒喝完,起身;接着坐下放爵,又拜介,然后执爵起身。介答拜。主人在西楹柱之南坐下放好爵,并在介的右侧再拜,感谢介不嫌酒薄而饮之;介答拜还礼。(以上

为主人自酢）

主人复阼阶，揖降，介降立于宾南①。主人西南面三拜众宾②，众宾皆答壹拜。主人揖升，坐取爵于西楹下；降洗，升实爵，于西阶上献众宾。众宾之长升拜受者三人③，主人拜送。坐祭，立饮，不拜既爵④；授主人爵，降复位。众宾献，则不拜受爵，坐祭，立饮⑤。每一人献，则荐诸其席。众宾辩有脯醢⑥。主人以爵降，奠于篚。

[注释]

①宾在酢主人后，下堂站在西阶下正对着西序的地方，此时介下堂立在其南侧。②此时众宾仍在门内西侧，面朝东而立，所以主人到后西南向拜之。又因众宾人数太多，不能一一拜之，故主人以三拜表示遍拜。③众宾之长：众宾中的年长德高者。④既爵：即卒爵。献而不拜卒爵，是礼数低的表现。⑤不拜受爵和立饮也是因众宾礼数低，故行礼简略。⑥辩：通"遍"。

[译文]

主人回到阼阶上的位置，向介作揖，示意自己将下堂迎众宾，然后走下阼阶，介随之走下西阶，站在宾的南侧。主人来到大门内侧，向等候在此的众宾行三拜礼，众宾都答以一拜之礼。到庭中后，主人向众宾作揖后登堂，接着在西楹柱下坐下取酒爵；然后下堂洗濯，再上堂往爵中酌酒，然后在西阶上献给众宾。众宾中的三位长者登堂拜而受爵，主人拜而送之。他们坐着祭祀，站着饮酒，爵中的酒喝完后不必拜谢主人；只要将酒爵授予主人，然后回到自己的位置。众宾接受主人的献酒，不必拜谢就可以接过酒爵，然后坐着祭祀，站着饮酒。三位众宾之长的每一位献酒时，就将食品进于他的席位前。众宾献酒时都有干肉和肉酱进于其位。主人拿着喝干的酒爵走下阼阶，放入庭中的竹筐内，表示不再使用。（以上为主人献众宾）

揖让升①。宾厌介升,介厌众宾升,众宾序升②,即席。一人洗③,升,举觯于宾;实觯,西阶上坐奠觯,遂拜,执觯兴;宾席末答拜。坐祭,遂饮,卒觯兴;坐奠觯,遂拜,执觯兴;宾答拜。降洗,升实觯,立于西阶上;宾拜。进坐奠觯于荐西。宾辞,坐受以兴④。举觯者西阶上拜送,宾坐奠觯于其所⑤。举觯者降。

[注释]

①揖让升:指主人与宾揖让后,主人先升堂。②序:次序。③一人:指主人的赞礼者。④依古礼,地位相当的双方才能授受爵觯,地位卑者对于尊者,只能"奠觯(爵)",表示不敢亲授,此时如果尊者辞谢,则卑者可以亲授。这里因赞礼者身份太低,所以始终不敢亲授,宾也只能坐而受之。⑤所:指荐西。

[译文]

主人向宾揖让后先登堂。宾向介长揖后也登堂,介向众宾长揖后接着登堂,最后众宾依次登堂,并一一即席。赞礼者在庭中洗觯,然后上堂,代表主人向宾举觯致意;接着往觯中酌酒,再在西阶上坐下放好爵,拜宾,然后执觯起身;宾在席末答拜还礼。赞礼者坐下祭祀,开始饮酒,将觯中的酒饮完后起身;又坐下放好觯,拜宾,接着执觯起身;宾答拜还礼。赞礼者下堂洗濯自己刚用过的觯,然后上堂在觯中酌酒,立在西阶之上;宾拜谢准备受觯。赞礼者上前,在席西坐下并放下觯,表示不敢亲授给尊者。宾谦辞后,坐着从地上接过觯并起身。举觯的赞礼者在西阶上拜送宾,宾又坐下,将觯放在席的西端。赞礼者下堂。(以上为赞礼者举觯)

设席于堂廉①,东上。工四人,二瑟,瑟先②。相者二人③,皆左何瑟④,后首⑤,挎越⑥,内弦⑦,右手相⑧。乐正先升⑨,立于西阶东。工入,升自西阶。北面坐。相者东面坐,遂授瑟,乃降。工歌《鹿鸣》、《四牡》、《皇皇者华》⑩。卒歌，主人献工。工左瑟，一人拜⑪，不兴、受爵。主人阼阶上拜送爵。荐脯醢。使人相祭。工饮，不拜既爵，授主人爵。众工则不拜、受爵，祭饮；辩有脯醢，不祭。大师⑫，则为之洗。宾、介降，主人辞降。工不辞洗。

[注释]

①设席：为乐工铺席，位置在西阶东。堂廉：堂的侧边。②瑟先：入场时鼓瑟者在先。③相者：扶乐工的人。古代乐工一般由盲人担任，故需有人扶持。④何瑟：持瑟，何即"荷"，持。⑤后首：瑟之首在后。⑥挎越：左手持瑟的方法，拇指托住瑟的下部，另外三指钩入瑟底的孔中。越，瑟底的孔。⑦内弦：瑟弦朝内，靠着身。⑧相：扶助。⑨乐正：乐官之长。⑩《鹿鸣》、《四牡》、《皇皇者华》：都是《诗经·小雅》中的篇章。这三首诗宣扬君臣之间的和平忠信，被称作"官其始"者，大学一开始先学之，所以乡饮酒礼首奏之。⑪一人：乐正。⑫大师：君赐以爵位的乐正。

[译文]

于是，在西阶东、靠近堂的南侧的地方为乐工铺席，以东面的位置为尊。乐工共四人，二人鼓瑟，二人歌唱，入场时鼓瑟者在前。搀扶鼓瑟者的两个人，都是左手持瑟，瑟的首朝后，手指钩入瑟底的孔中，瑟弦朝内，右手扶着鼓瑟者。乐工之长最先登堂，立在西阶之东。乐工入场时，从西阶上堂。然后面朝北而坐。搀扶者在旁边面朝东坐下，把瑟递给他，然后下堂。乐工歌唱《鹿鸣》、《四牡》和《皇皇者华》三章。歌毕，主人向乐工献酒。乐工左瑟而避，乐工之长拜谢主人，不起身而受爵。主人在阼阶上拜送受爵者。有司为乐工进上干肉和肉酱。主人命人赞助乐工祭祀。乐工饮酒，饮毕不必拜谢，只要将酒爵送给主人。众工则不必拜谢主人就可受爵，祭酒时方可饮；每人都备有干肉和肉酱，但不必祭祀。如果是向大师献酒，则要为他洗爵。宾和介下堂时，主人要辞谢。工下堂则不必辞谢。（以上为升歌及向乐工献酒）

笙入堂下①，磬南②，北面立，乐《南陔》、《白华》、《华黍》③。主人献之于西阶上。一人拜④，尽阶⑤，不升堂，受爵；主人拜送爵。阶前坐祭，立饮，不拜既爵，升授主人爵。众笙则不拜、受爵⑥，坐祭，立饮；辩有脯醢，不祭。

[注释]

①堂下之乐以笙为主，此外有磬。②南：阼阶西南。③《南陔》、《华黍》：相传为《诗经·小雅》的篇章，今已亡佚。《白华》：《诗经·小雅》的篇章。④一人：吹笙者共四人，一人指其中的长者。⑤尽阶：受爵后在阶上稍立，主人拜后即降阶。⑥众笙：除"一人"外的其余三位吹笙者。

[译文]

吹笙者在堂下就位，磬设在阼阶西南，都是面朝北而立，吹奏的乐曲是《南陔》、《白华》和《华黍》。主人在西阶上向奏乐者献酒。吹笙者中的一位年长者拜谢主人，走上台阶后不登堂，从主人手中接过爵；主人拜送受爵者。长者下阶，在阶前坐下祭酒，接着站立饮酒，饮毕不必拜谢主人，但要登堂将酒爵奉还主人。其余的吹笙者则不必拜谢主人就可以受爵，坐下祭酒，站起来饮酒；每人都备有干肉和肉酱，但不必祭它。（以上为笙奏和向吹笙者献酒）

乃间歌《鱼丽》①，笙《由庚》；歌《南有嘉鱼》，笙《崇丘》；歌《南山有台》，笙《由仪》。

乃合乐②：《周南·关雎》③、《葛覃》、《卷耳》、《召南·鹊巢》、《采蘩》、《采蘋》。工告于乐正曰："正歌备④。"乐正告于宾，乃降。

[注释]

①间歌：堂上鼓瑟唱一歌后，堂下吹笙一曲，两者交替进行。《鱼丽》及以下的《由庚》、《南有嘉鱼》、《崇丘》、《南山有台》、《由仪》，均为《诗经·小雅》篇名，其中《由庚》、《崇丘》、《由仪》三篇已亡佚。②合乐：歌乐与器乐合起。③《周南》及下面的《召南》是《诗经》国风之名。《关雎》

及《葛覃》、《卷耳》是《周南》的篇名，《鹊巢》、《采蘩》、《采蘋》是《召南》的篇名。④正歌：献酬时用的指定乐歌。备：歌而合乐为备。

[译文]

于是堂上堂下交替奏乐歌：堂上鼓瑟唱《鱼丽》之歌，堂下则笙奏《由庚》之曲；堂上鼓瑟唱《南有嘉鱼》之歌，堂下则笙奏《崇丘》之曲；堂上鼓瑟唱《南山有台》之歌，堂下则笙奏《由仪》之曲。

于是歌乐与器乐合起，奏《周南》中的《关雎》、《葛覃》、《卷耳》和《召南》中的《鹊巢》、《采蘩》、《采蘋》。奏毕，乐工报告乐正："规定的乐曲都已奏完。"乐正又向宾报告，然后下堂。（以上为间歌和合乐）

主人降席自南方，侧降①；作相为司正②。司正礼辞，许诺。主人拜，司正答拜。主人升，复席。司正洗觯，升自西阶；阼阶上北面受命于主人。主人曰："请安于宾③。"司正告于宾，宾礼辞，许。司正告于主人。主人阼阶上再拜，宾西阶上答拜。司正立于楹间以相拜，皆揖，复席。

[注释]

①侧降：主人降阶而宾、介不随之降阶。②作：使。相：即此前在门口迎宾的相。司正：正宾主之礼的官，饮酒时临时设立。③安：止。乐宾已毕，宾准备离去，主人挽留之，请安坐。

[译文]

主人从南方离席，独自下堂；命刚才在门口迎宾的相担任监礼的司正。司正推辞一次后，同意担任。主人拜而谢之，司正以礼答拜。主人登堂，回到原来的席位上。为挽留宾，司正洗觯作准备，然后从西阶上堂；并在阼阶上面朝北听命于主人。主人对司正说："请宾继续安坐。"司正向宾转达主人的意思，宾推辞一次后同意。

司正又转告主人。主人在阼阶上行再拜之礼,感谢宾的留坐,宾在西阶上答拜还礼。司正在堂上两楹柱之间赞助宾主行拜礼,然后相揖,分别回席。(以上为司正安宾)

司正实觯,降自西阶,阶间北面坐奠觯①;退共②,少立③;坐取觯,不祭,遂饮,卒觯兴,坐奠觯,遂拜;执觯兴,盥洗;北面坐奠觯于其所,退立于觯南。

[注释]

①阶间:堂下阼阶与西阶之间,实指中庭。②共:通"拱",拱手。③少立:司正先自正慎其位,以提醒宾主勿生懈怠。

[译文]

司正在觯中酌酒后,从西阼下堂,在东西两阼之间面朝北坐下,放好觯;然后退而拱手,并自正其位;接着坐下取觯,不祭酒即饮,饮毕起身,再坐下放好觯,拜谢主人;又执觯起身,洗觯;最后面朝北而坐,将洗净的觯放在指定的地方,退而立在它的南侧。(以上为司正表位)

宾北面坐取俎西之觯①,阼阶上北面酬主人。主人降席,立于宾东。宾坐奠觯,遂拜;执觯兴,主人答拜。不祭,立饮;不拜,卒觯,不洗;实觯,东南面授主人。主人阼阶上拜,宾少退。主人受觯,宾拜送于主人之西。宾揖,复席。

[注释]

①本节起记"旅酬"。其顺序是:宾酬主人,主人酬介,介酬众宾,再由众宾按年龄依次相酬。仪节较简约,皆拜而不祭,立饮。

[译文]

宾面朝北而坐,取方才司正放在俎西的觯,再到阼阶之上,面朝北劝主人饮酒。主人离席,立在宾的东侧。宾坐下放好觯,拜主人；接着执觯起身，主人答拜还礼。宾不必祭酒，立着饮酒；也不必拜主人，饮毕不必洗觯；然后再往觯中酌酒，面朝东南授给主人。主人在阼阶之上拜谢，宾持觯稍稍后退，以示谦避。主人从宾手中接过觯，宾在主人的西侧拜而送之。宾向主人作揖示意后回到自己的席位。（以上为宾酬主人）

主人西阶上酬介①。介降席自南方，立于主人之西，如宾酬主人之礼。主人揖，复席。

司正升相旅②，曰："某子受酬。"受酬者降席。司正退立于序端，东面。受酬者自介右，众受酬者受自左，拜、兴、饮，皆如宾酬主人之礼。辩③，卒受者以觯降，坐奠于篚。司正降，复位④。

[注释]

①主人酬介的觯，即此前宾授给主人的觯。②旅：次序。③辩：通"遍"。④位：指觯南之位。

[译文]

主人在西阶之上劝介饮酒。介从南方离席，立在主人的西侧，主人劝介饮酒的仪节与宾酬主人相同。饮毕，主人作揖示意，回到自己的席位。

接着司正登堂，协助为众宾劝酒，按年龄的长幼顺序招呼："某人前来接受劝酒。"被点到名者立即离席上堂。司正退立于序的端头，以便为上下的众宾让道，面朝东方而立。受到介劝酒的众宾从介的右侧走过，其余的受劝酒者从介的左侧走过，他们的拜、起身、饮酒等仪节，都和宾劝主人饮酒时一样。劝酒遍及于堂下的每位众宾，最后一位被劝酒的人要拿着觯下堂，坐下将觯放入庭中的竹篚中。然后司正下堂，回到自己原来的位置。（以上为主人劝介饮酒和介劝众宾饮酒）

使二人举觯于宾、介①，洗，升实觯于西阶上，皆坐奠觯，遂拜，执觯兴，宾、介席末答拜。皆坐祭，遂饮，卒觯兴；坐奠觯，遂拜，执觯兴；宾、介席末答拜。逆降②，洗；升实觯，皆立于西阶上；宾、介皆拜。皆进，荐西奠之，宾辞，坐取觯以兴。介则荐南奠之；介坐受以兴。退，皆拜送，降。宾、介奠于其所。

[注释]

①这一节和下一节记"无算爵、乐"。宾主频频举爵饮酒，不计其数，至醉方休，即"无算爵"；乐工则频频奏乐和歌唱，也不计其数，务求尽兴，即"无算乐"。二人：主人的小吏。②逆降：二位小吏降阶时的顺序与升阶时相反，即先升者后降，后升者先降。

[译文]

主人命二位小吏代其行事，先举觯向宾、介示意，再下堂洗手、洗觯，然后升堂，在西阶上往觯中酌酒，两人都坐着将觯放在地上，并向宾、介行拜礼，接着执觯起身，宾、介在席的末端答拜还礼。二位小吏都坐着祭酒，接着饮酒，将觯中的酒饮完后起身；然后坐下放好觯，向宾、介行拜礼，再执觯起身；宾、介在席的末端再次答拜还礼。二位小吏下堂洗觯，下去的顺序与上堂时相反；升堂后往觯中酌酒，都是立在西阶上进行的；宾、介都拜而谢之。二位小吏都走上前，将宾的觯在席之西放下，宾辞谢之，再坐下取过觯，然后起身。介的觯则放在席之南；介也坐下接过觯，再起身。宾、介后退时，二位小吏都要拜送，然后下堂。宾、介要将觯放在指定的地方。（以上是二位小吏向宾、介举觯）

司正升自西阶，受命于主人。主人曰："请坐于宾①。"宾辞以俎②。主人请彻俎③，宾许。司正降阶前④，命弟子俟彻俎⑤。

司正升，立于席端。宾降席，北面。主人降席，阼阶上北面。介降席，西阶上北面。遵者降席⑥，席东南面。宾取俎，还授司正；司正以降，宾从之。主人取俎，还授弟子；弟子以降自西阶，主人降自阼阶。介取俎，还授弟子；弟子以降，介从之。若有诸公、大夫，则使人受俎，如宾礼。众宾皆降。说屦⑦，揖让如初⑧，升，坐。乃羞⑨。无算爵⑩。无算乐⑪。

[注释]

①请坐于宾：在此以前，宾都是站着行礼，此时已疲乏，故请燕坐。②宾辞以俎：宾以堂上有俎而辞谢。俎是盛牲体的小案，只有在隆重的正式场合才使用，而燕坐较随便，所以宾认为有俎在此，自己不敢坐。③主人请彻俎：主人为表示对宾的尊敬，不敢因为是燕坐而将俎撤走，所以要征求宾的意见。④阶前：西阶前。⑤弟子：来宾中较年轻的人。俎本来是主人之吏陈设的，让弟子撤走，表示这是宾的意见。⑥遵者：本乡中出仕为大夫的人，主人邀请其与会乐宾，其仪表足以令人遵循、效法，故称。⑦说：同"脱"。脱鞋时，主人先左脚，宾先右脚。⑧揖让如初：揖让入席的顺序与先前升堂时一样：主人与宾揖让后先入席，接着宾向介长揖后入席，然后是介向众宾长揖后入席。⑨羞：进食品。此时所进为狗肉及肉酱。⑩无算爵：算，计数。举爵饮酒不计次数，随意劝饮，醉而后止。⑪无算乐：奏乐或间或合，不限次数，尽欢而止。

[译文]

司正从西阶登堂，请主人发命。主人说："请宾坐下。"司正转告宾，宾推辞说，有俎在堂，不敢坐下。司正转告主人，主人请问宾，是否将俎撤走，宾表示同意。于是司正下到西阶前，命来宾中较年轻的几位准备撤俎。司正又上堂，立在西序的端头。于是宾离席，面朝北而立。主人离席，在阼阶上面朝北而立。介离席，在西阶上面朝北而立。应邀观礼的大夫离席，在席的旁边面朝东南而立。宾拿起俎，授还司正；司正拿着俎下堂，宾跟着下去。主人拿起俎，授给年轻的弟子；弟子拿着俎从西阶下堂，主人随即从阼阶下堂。介拿起俎，授给弟子；弟子拿着俎下堂，介跟着下去。如果有诸公和大夫在场，则派人接过他们的俎，其余的礼节与撤宾的俎一样。所有的众宾都下堂。于是脱鞋入席，主人、宾、介、众宾按先前登堂的顺序，揖让、登堂，然后坐下。有司进上菜肴。宾主举爵劝饮，不限次数，一醉方休。堂上堂下的音乐或间或合，歌奏不已，尽欢而止。（以上为撤俎、燕饮、无算爵、无算乐）

宾出，奏《陔》①。主人送于门外，再拜。宾若有遵者，诸公、大夫则既一人举觯②，乃入。席于宾东，公三重，大夫再重。公如大夫入③，主人降，宾、介降，众宾皆降，复初位④。主人迎，揖让升。公升如宾礼，辞一席⑤，使一人去之。大夫则如介礼，有诸公，则辞加席，委于席端⑥，主人不彻⑦；无诸公，则大夫辞加席，主人对⑧，不去加席。

[注释]

①《陔》：《诗经·小雅》有《南陔》篇，有目而无诗，恐即此篇。②诸公：指公卿、国君或食邑大夫等。遵者入门的礼节较简约，在一人举觯之后即可一起进入。③如：若，或。④初位：即门内之左，面朝东而立。⑤辞一席：请求减去一重席。意思是自己只能用大夫重席的规格，自谦不敢当三重席。⑥委：卷曲。席端：席的北端。⑦不彻：不把卷起来的席撤走。⑧对：不同意大夫的辞谢。

[译文]

宾出门时，奏《陔》的乐曲。主人要送到门外，行再拜之礼。来宾中如果有出仕为大夫的本乡人，那么称公、大夫者到门口后，不必依缛礼一一揖请，在一人举觯时就可一起进入。遵者的席位安排在宾的东侧，公的席有三层，大夫的席为二层。公或大夫进门时，主人先下堂，宾、介跟着下堂，众宾也都要下堂，大家都回到迎宾入门时在门口站的位置。主人迎遵者入门，彼此揖让后登堂。

公登堂时的礼节和宾一样，公入席前请主人将三层席撤去一层，于是命人撤去一层席。大夫登堂的礼节与介一样，如果有诸公在场，则要请主人将二层席撤去一层，将这一层席卷起来放在席的北端，但主人不许将它撤走；如果没有诸公在场，则大夫请求撤去一层席时，主人要表示不同意，也不让人卷去上面的一层席。（以上为宾出和遵者入门、登堂之礼）

明日，宾服乡服以拜赐①，主人如宾服以拜辱。主人释服②，乃息司正③。无介④，不杀⑤，荐脯醢，羞唯所有⑥。征唯所欲⑦，以告于先生、君子可也。宾、介不与。乡乐唯欲⑧。

[注释]

①乡服：头日与乡大夫饮酒时穿的朝服。②释服：脱去朝服，换上私见时穿的玄端之服。③息：慰劳。④无介：没有陪客。慰劳司正的礼仪较简略，仅以司正为宾。⑤不杀：不专门为之杀牲，即不设俎。⑥羞唯所有：荐脯醢所用的食品，视家中现有的进之。⑦征唯所欲：头天乡饮酒礼，亲友不得参加。此日则依主人所欲，召请亲友。⑧乡乐唯欲：《周南》、《召南》中的六篇乐章随便点奏，不再按其顺序。

[译文]

第二天，宾身着头天参加乡饮酒礼时穿的朝服，前来拜谢主人的恩赐。主人穿着和宾一样的服装迎见，并拜谢宾的屈尊光临。会见结束后，主人脱去朝服，换上便服，于是慰劳司正。慰劳的仪节比较随便，以司正为宾，不设陪客，也不设俎，所荐干肉和肉酱没有严格的规定，以家中现有的进就行。对于头天无法邀请的亲友，此日可以随意邀请，对于乡中已退休或在职的卿、大夫，只要向他们通报一下，来不来都可以。宾和介都不再参加此日的活动。宴饮时，《周南》、《召南》中的六首乐章可以随意点奏。（以上为宾拜谢主人以及主人慰劳司正）

记

乡①，朝服而谋宾、介，皆使能②，不宿戒③。蒲筵④，缁布纯⑤。尊，绤幂⑥，宾至，彻之。其牲，狗也，亨于堂东北⑦。献用爵，其他用觯。荐脯，五挺⑧，横祭于其上，出自左房。俎由东壁，自西阶升。宾俎：脊、胁、肩、肺⑨。主人俎：脊、胁、臂、肺。介俎：脊、胁、肫、胳、肺⑩。肺皆离。皆右体，进腠⑪。

[注释]

①乡：乡饮酒之礼。②使能：兴举贤能之士。③不宿戒：不在行礼的前一天再请。据《士冠礼》，行礼前三天戒宾，提醒宾，前一天宿宾，催请宾，乡饮酒礼则没有这两个过程。④筵：席。⑤纯：边缘。⑥绤（xì）：粗葛布。幂：覆盖酒尊的巾。⑦亨：通"烹"。⑧挺：或作"脡"，量词。挺本是直的意思，脯干则挺直。⑨胁：自腋下至肋骨尽头的部分。⑩肫（chún）：牲后体股骨的一部分。胳（gé）：牲的后胫骨的一部分。⑪进腠：肉皮向上。

[译文]

记

乡饮酒之礼，穿朝服而选定宾、介，都是要兴举贤能。行礼的前一天不必再往邀请。行礼时使用的蒲席，用黑布缀边。酒尊要用粗葛布覆盖，宾到来时再撤去。所进的牲，要用狗，在堂的东北烹煮。献酒时用爵，其余场合用觯。进荐的干肉，一共五条，横向放置，祭于其上，从左房端出。狗肉烹熟后放在俎上，从东壁端进来，再从西阶端上堂。端给宾的俎上有：脊骨、肋骨、肩、肺。端给主人的俎上有：脊骨、肋骨、臂、肺。端给介的俎上有：脊骨、肋骨、后股骨、后胫骨、肺。三俎的肺都用刀划成块，但不割断。狗肉都用右侧那一半的，肉皮要朝上。（以上记乡服以及器具牲羞等）

以爵拜者不徒作①。坐卒爵者拜既爵，立卒爵者不拜既爵。凡奠者于左；将举，于右。众宾之长，一人辞洗，如宾礼。立者东面北上②；若有北面者，则东上③。乐正与立者，皆荐以齿④。凡举爵，三作而不徒爵⑤。乐作，大夫不入⑥。献工与笙，取爵于上篚；既献，奠于下篚。其笙，则献诸西阶上。磬，阶间缩霤⑦，北面鼓之。主人、介，凡升席自北方，降自南方。司正，既举觯而荐诸其位。凡旅，不洗。不洗者，不祭。既旅，士不入⑧。彻俎：宾、介、遵者之俎，受者以降，遂出授从者⑨；主人之俎，以东⑩。乐正命奏《陔》；宾出，至于阶，《陔》作。若有诸公，则大夫于主人之北，西面。主人之赞者，西面北上，不与⑪；无算爵，然后与。

[注释]

①以爵拜：拜毕即执爵起身。不徒作：不空起，起必有事。②立者：在堂下站立的众宾。东面北上：以靠堂的位置为尊。③宾的人数较多，如果面朝东并排而立仍站不完，可以折而向东延伸，这里的宾都面朝北，其位置当以西头的为尊。此句中的"东"字当是"西"字之误。④荐：肴馔。有肴馔必饮酒，故借指饮酒。⑤三作：三次执爵或觯起身。不徒爵：不空执爵，一定在爵中注酒。⑥大夫：指前来助主人乐贤的大夫。乐曲已起而不入，表示尊贤。⑦缩霤（liù）：靠近屋檐的滴水处。缩，当作"㚌"，近。⑧士是来观礼的，既旅表示正礼已毕，燕饮即将开始，所以不必入内。⑨从者：宾、介、遵者的随行人员。⑩以东：藏于东方。⑪不与：不及，即不献酒。

[译文]

凡是拜完后执爵起身，都有明确的目的，不能随便起立。凡是坐着喝完爵中酒的要对他行拜礼，对站着喝完爵中酒的则不必拜。凡是安放爵觯，都应放在席的左边；凡是要举起的爵觯，都应放在右侧，以就近右手。主人向众宾之长献酒时，只为其中一人洗爵，所以只有他可以辞谢主人为他洗爵。其间的仪节与宾一样。站立在堂下的众宾，在西阶之西面朝东排列，以最北端紧靠堂的位置为尊；如果人数多而排不下，则可折而向东排列，但要面朝北而立，而以西端的位置为尊。乐正和堂下站立的众宾一起，按年齿长幼的顺序饮酒。主人从竹筐中取爵之后，有三次执爵起身，每次都要往爵中注酒，而不能空爵。乐曲开始演奏后，前来助兴的大夫就不要入内了，以示对贤者的尊重。向乐工和吹笙者献酒，要从堂上的竹筐中取爵；献酒毕，要将空爵放入堂下的竹筐内。对吹笙者，是在西阶上献酒。磬陈放在两阶之间靠近堂南屋檐滴水的地方，鼓要将鼓面朝北敲击。主人和介，凡是入席要从北方，离席则从南方。司正是主人的助手，所以不向他献酒，但在他举觯时要将肴馔送到他的席位前。凡是向众宾旅酬，礼数都要降低，不再洗爵。之所以不洗，还因为这酒不用于祭祀。旅酬完毕，燕饮开始，前来观礼的士就不必入内了。撤去俎的顺序：宾、介和遵者的俎，由受俎者捧下堂，出门后再交给各自的随从；主人的俎则要藏在东方。宾要退席时，乐正命令乐工奏《陔》的乐曲；当宾走出来，到达西阶时，《陔》的乐声正好起来。行礼时，堂上如果有诸公在，则大夫要站在主人的北侧，面朝西。主人的赞礼者们，面朝西而立，以北侧的为尊，不献酒；要到燕饮开始，不再计算喝酒的爵数时，才能饮酒。（以上记礼乐仪节的各种规定）

乡射礼第五

乡射之礼①。主人戒宾②。宾出迎，再拜。主人答再拜，乃请。宾礼辞，许。主人再拜，宾答再拜。主人退③，宾送，再拜。无介。

[注释]

①乡射是乡大夫和士在乡饮酒礼之后举行的重要活动。其核心内容是所谓"三番射"：第一番射侧重在射的教练，司射挑选六名弟子，分为三组，称为"三耦"（上耦、次耦、下耦），每耦有上射、下射各一名；第二番射侧重于比赛，参加者除"三耦"外，还有主人、宾和众宾，根据射的成绩，分出胜负；第三番射的内容与第二番射基本相同，但射的动作等由音乐伴奏。②主人：州长或乡大夫。③退：退还射宫，检查射礼的准备工作。

[译文]

乡射礼的仪式是：首先，主人要到宾的家中告请。宾出门迎接，拜两次。主人也拜两次相答，然后邀请宾参加射礼。宾推辞一次后，接受邀请。主人拜两次致谢，宾拜两次相答。主人告退回射宫，宾相送，仍拜两次。乡射礼不设辅宾的陪客。（以上为主人邀请宾）

乃席宾，南面，东上。众宾之席①，继而西②。席主人于阼阶上，西面。尊于宾席之东，两壶，斯禁；左玄酒③；皆加勺。篚在其南，东肆④。设洗于阼阶东南，南北以堂深，东西当东荣。水在洗东，篚在洗西，南肆。县于洗东北，西面。乃张侯⑤，下纲不及地武⑥。不系左下纲⑦，中掩束之⑧。乏叁侯道⑨，居侯党之一⑩，西五步。

[注释]

①众宾：指三位众宾之长。②继而西：依次相继而西。③左玄酒：以左为尊，所以玄酒在左。④肆：陈设、陈放。⑤侯：射箭用的靶，画有人形。⑥下纲：系靶的下端的绳索。地武：距地一足的长度。普通人为一尺二寸，此据靶下端离地的距离相当于普通人一足之长。武，步迹。⑦左下纲：靶左下角的绳索。⑧中掩束之：射礼开始前，要将靶的左下角的绳子向斜上方向掩折，将靶的中部盖住，然后将绳索系于右上方的绳子上。⑨乏：报靶人躲箭用的器具，皮制，状似后世的盾牌。其位置远离箭靶，箭到此处已力竭，故名为"乏"；又因是容身避矢之用，故又称"容"。叁：三等分。侯道：射者至箭靶的空间，一般为五十步，每步六尺，共三十丈。⑩居侯党之一："乏"的位置，在靶所在地以北，侯道三分之一的地方，即侯北十丈之处。党，处，所。

[译文]

于是为宾铺设席位，位置在堂上的户牖之间，席位面朝南，以东端为尊。三位众宾之长的席位，在宾的右侧依次向西排列。为主人铺设的席位在阼阶之上，面朝西。酒尊设在宾席的东侧，以方便主宾取用，酒壶两把，放尊的底座，是无足的"斯禁"；因为以左方为尊，所以玄酒放在左方，酒尊上都放有勺。放爵、觯用的竹器篚，在尊的南侧，向东陈放。盥洗用的洗，陈设在阼阶的东南方，从洗到堂南北方向的距离，相当于堂南北的纵深，它的东西位置，则是正对着堂东端的飞檐。盥洗用的水放在洗的东侧，篚则在洗的西侧，向南陈列。悬挂磬的架子设在洗的东北方向，面朝西。接着张设人形的箭靶，它的下端绳索距离地面不少于一尺二寸。射礼开始前，靶左下角的绳索先不拴上，而是将靶的左下角向右上方翻折,将靶的中部遮盖起来,再将左下角的绳索系在右上方的绳索上。报靶者躲箭用的乏所在的位置是,在箭靶以北十丈远的地方,也是从射者到箭靶距离的三分之一,再西移五步,这个位置能清楚地看到中靶的情况,并及时报告堂上。(以上为靶场的陈设情况)

羹定。主人朝服,乃速宾。宾朝服出迎,再拜,主人答再拜,退,宾送,再拜。宾及众宾遂从之。

及门①,主人一相出迎于门外,再拜,宾答再拜。揖众宾。主人以宾揖②,先入。宾厌众宾,众宾皆入门左,东面北上,宾少进③。主人以宾三揖,皆行。及阶,三让,主人升一等,宾升。主人阼阶上当楣北面再拜,宾西阶上当楣北面答再拜。

[注释]

①门:学门。乡饮酒礼行于庠,乡射礼行于序,庠序唯有一门,所以称门而不称大门、内门。②以:与。③少进:稍稍向北。众宾入门后,在左侧面朝东并排而立,以北端的位置为尊,宾则再在其北,与众宾略有间隔,以示其尊。

[译文]

狗肉羹煮熟了。于是主人身穿朝服,前往催请宾。宾身穿朝服出门迎接,行再拜之礼,主人以再拜之礼作答,然后退归,宾相送,行再拜之礼。宾和众宾便跟随主人前往。

到达学门时,主人的一名小吏作为赞礼的相,已在门外迎接,先向宾行再拜之礼,宾以再拜之礼作答。接着又向众宾作揖。主人与宾揖让后,先入门。宾向众宾长揖后入门,然后众宾接着入门,一律站在门左,面朝东,以北面的位置为尊。宾的位置则还要在北端。主人与宾三次揖让后,一同前行。走到阶前时,双方三次谦让,于是主人先在阼阶上走上一级,宾才开始登堂。主人在阼阶上对着前梁的地方面朝北再拜,宾则在西阶之上对着二梁的地方面朝

北以再拜礼作答。（以上为催请和迎接宾）

主人坐取爵于上篚①，以降。宾降。主人阼阶前西面坐奠爵，兴辞降。宾对。主人坐取爵，兴，适洗，南面坐奠爵于篚下，盥洗②。宾进，东北面辞洗。主人坐奠爵于篚，兴对，宾反位③。主人卒洗，壹揖，壹让，以宾升。宾西阶上北面拜洗，主人阼阶上北面奠爵，遂答拜，乃降。宾降，主人辞降，宾对。主人卒盥，壹揖壹让升；宾升，西阶上疑立。主人坐取爵，实之宾席之前，西北面献宾。宾西阶上北面拜，主人少退④。宾进受爵于席前，复位⑤。主人阼阶上拜送爵，宾少退。荐脯醢。宾升席，自西方。乃设折俎。主人阼阶东疑立。宾坐，左执爵，右祭脯醢；奠爵于荐西，兴取肺，坐绝祭⑥，尚左手，嚌之⑦，兴加于俎；坐挩手⑧，执爵；遂祭酒，兴，席末坐啐酒⑨；降席，坐奠爵，拜；告旨，执爵兴。主人阼阶上答拜。宾西阶上北面坐卒爵，兴；坐奠爵，遂拜，执爵兴。主人阼阶上答拜。

[注释]

①上篚：堂上的篚，以别于堂下洗西的篚。②盥洗：盥手洗爵，以示洁敬。③反位：返回西序之前面朝东的位置。④少退：稍避。⑤位：指宾在西阶之上的位置。⑥绝祭：左手抓住肺的上部，右手将肺的下部扯断，用以祭祀。⑦嚌（jì）：尝。⑧挩（shuì）：擦，拭。⑨啐（cuì）：尝。

[译文]

主人坐下从堂上的篚中取出酒爵，然后起身走下阼阶准备洗濯。宾随之走下西阶。主人在阼阶之前面朝西坐下，放好酒爵，再起身辞谢宾的下堂。宾以辞答对。主人又坐下拿起酒爵，再起身，走到洗的北侧，面朝南坐下，将酒爵放在篚的前面，准备盥手洗爵。这时宾从西阶前走过来，面朝东北，劝阻主人洗爵，表示不敢当。主人坐下，将酒爵放入篚中，起身回答宾，于是宾退回到原来的位置。主人洗完爵后，与宾揖让一次后，先后登堂。接着宾在西阶之上面朝北拜谢主人亲为洗爵，主人在阼阶之上面朝北放好酒爵，遂向宾答拜，然后又走下阼阶准备洗手，以便为宾酌酒。宾随之走下西阶，表示不敢当，主人辞谢宾的下堂，宾作答。主人洗完手后，宾主揖让一次后登堂；宾登堂后在西阶上肃立。主人坐下取出刚才洗净的酒爵，接着到宾的席位前酌满酒，面朝西北献给宾。宾在西阶之上面朝北拜谢，主人持爵稍稍避后。宾进至席前接过酒爵，然后回到原位。主人在阼阶之上拜送受爵者，宾持爵稍稍谦避。此时，有司将干肉和肉酱进于宾的席前。宾便从西方入席。于是摆上盛有折断的牲体的俎。主人在阼阶之东肃立。宾坐在席上，左手执爵，右手取干肉和肉酱而祭；然后将酒爵放在席的西侧，起身取肺，再坐下扯断肺的下端而祭，左手在上，将扯下的肺尝过后，起身放到俎上；再坐下擦手，端起酒爵；再行祭酒，然后起身，到席的西端坐下，尝一口酒；离席，又坐下放好酒爵，再拜谢主人；称赞酒的甘美，并执爵起身。主人在阼阶上答拜。宾到西阶之上，面朝北坐下，将爵中的酒喝完，起身；再坐下放好爵，并拜谢主人，然后执爵起身。主人在阼阶上答拜还礼。（以上为主人向宾献酒）

宾以虚爵降①。主人降。宾西阶前东面坐奠爵，兴，辞降；主人对。宾坐取爵，适洗，北面坐奠爵于篚下，兴，盥洗。主人阼阶之东，南面辞洗。宾坐奠爵于篚，兴对。主人反位。宾卒洗，揖让如初，升。主人拜洗，宾答拜，兴，降盥，如主人之礼。宾升，实爵主人之席前，东南面酢主人。主人阼阶上拜，宾少退。主人进受爵，复位。宾西阶上拜送爵。荐脯醢。主人升席自北方。乃设折俎。祭如宾礼，不告旨。自席前适阼阶上，北面坐卒爵，兴；坐奠爵，遂拜，执爵兴。宾西阶上北面答拜。主人坐奠爵于序端②，阼阶上再拜崇酒，宾西阶上答再拜。

[注释]

①虚爵：空的酒杯。这是宾刚饮用过的，为表示洁敬，所以下堂洗濯。②序端：东墙的端头。

[译文]

宾拿着自己喝干的酒爵走下堂，准备洗净后酌酒回敬主人。主人随之走下阼阶，表示不敢独自在堂上安坐。宾在西阶之前面朝东坐下，放好酒爵，接着起身辞谢主人的下堂；主人答对。宾又坐下拿起酒爵，走到洗的南侧，面朝北坐下，将酒爵放入洗旁边的篚中，起身，盥手洗爵。主人站在阼阶之东，面朝南，辞谢宾亲为洗濯。宾坐下将酒爵放入篚中，起身作答。主人回复到原先的位置。宾洗濯完毕后，像刚才献酒时那样与主人揖让，再先后登堂。主人拜谢宾亲自下堂为自己洗濯酒爵，宾答拜还礼，然后起身，下堂洗手，准备为主人酌酒，其间的仪节与刚才主人为宾做的一样。宾洗完手上堂，在主人席前持爵酌酒，然后面朝东南还敬主人。主人在阼阶上拜谢，宾持爵稍稍后退，以示谦避。于是，主人上前接过酒爵，回复到原位。宾在西阶上拜送受爵者。这时，有司将干肉和肉酱进于主人席前。主人从北方入席。有司又摆上盛有折断的牲体的俎。主人祭荐俎和酒的仪节与刚才宾做的一样，只是最后不必告谢酒的旨美，因为酒是主人自己的。主人从席前走到阼阶上，面朝北坐下，把爵中的酒饮毕，起身；接着又坐下放好酒爵，遂拜谢宾，然后执爵起身。宾在西阶之上面朝北答拜还礼。主人坐下将爵放在东序的端头，又到阼阶之上面朝北再拜，感谢宾不嫌弃自己的薄酒，宾在西阶之上答以再拜之礼。（以上为宾还敬主人）

主人坐取觯于篚，以降。宾降，主人奠觯辞降；宾对，东面立。主人坐取觯，洗；宾不辞洗①。卒洗，揖让升。宾西阶上疑立。主人实觯，酬之；阼阶上北面坐奠觯，遂拜，执觯兴。宾西阶上北面答拜。主人坐祭，遂饮，卒觯，兴；坐奠觯，遂拜，执觯兴。宾西阶上北面答拜。主人降洗。宾降辞②，如献礼；升，不拜洗。宾西阶上立。主人实觯宾之席前，北面。宾西阶上拜。主人坐奠觯于荐西。宾辞③，坐取觯以兴，反位。主人阼阶上拜送。宾北面坐奠觯于荐东，反位。

[注释]

①不辞洗：这觯是主人自己饮用的，所以宾不必辞洗。②此时主人洗觯是要酬宾，所以宾要辞谢。③辞：辞谢主人亲自为自己酌酒。

[译文]

主人坐下从筐中取出饮酒器觯，起身下堂。宾随之走下西阶，表示不敢独自在堂上安坐，主人放下觯辞谢宾；宾答对后，在西阶前面朝东而立。主人又坐下拿起觯，亲自洗濯，此时宾不必劝阻。洗濯完毕，宾主揖让后登堂。宾在西阶之上肃立。主人往觯中酌酒，先自饮，再劝宾饮；然后在阼阶之上面朝北坐下，放好觯，拜宾，请他饮酒。宾在西阶上面朝北答拜还礼。于是主人坐下祭荐俎和酒，祭毕饮酒，并将觯中的酒喝完，起身；接着坐下放好觯，拜谢主人，又执觯起身。宾在西阶上面朝北答拜还礼。主人再次下堂洗觯，准备为宾酌酒劝饮。宾辞谢主人，其间的仪节和献酒时一样；洗濯完毕，主宾先后登堂，此时宾不必拜谢主人亲为洗濯。宾站在西阶之上。主人于主人席前往觯中酌酒，然后面朝北捧着觯。宾在西阶之上拜谢主人。主人坐下将觯放在席的西头。宾辞谢主人之后，坐下端起觯，起身，回到原先的位置。主人在阼阶之上拜送宾。宾面朝北而坐，将觯放在席的东头，再回到原先的位置。（以上为主人酬宾）

主人揖降。宾降，东面立于西阶西，当西序。主人西南面三拜众宾，众宾皆答壹拜。主人揖升，坐取爵于序端①，降洗；升实爵，西阶上献众宾。众宾之长升拜受者三人，主人拜送。坐祭，立饮；不拜既爵，授主人爵；降复位②。众宾皆不拜，受爵，坐祭，立饮。每一人献，则荐诸其席③。众宾辩有脯醢④。主人以虚爵降，奠于篚。

[注释]

①此爵即刚才酢主人时放在序端的爵。②位：堂下之位，在宾之南。③诸："之于"的合音。④辩：通"遍"。遍有脯醢，即众宾的席位前都进有脯醢。

[译文]

主人向宾作揖后下堂。宾随之下堂，面朝东站在西阶之西，正对着堂西墙的地方。主人来到大门内侧，面朝西南，向等候在此的众宾行三拜礼，众宾都答以一拜之礼。到庭中后，主人向众宾作揖后登堂，在东序端头坐下取爵，再下堂洗濯；然后上堂往爵中酌酒，在西阶之上献给众宾。三位众宾之长登堂拜而受爵，主人拜而送之。他们坐着祭祀，站着饮酒；爵中的酒喝完后不必拜谢主人，只要将爵还授主人；然后下堂回到原位。众宾接受主人的献酒，不必拜谢就可以接过酒爵，然后坐着祭祀，站着饮酒。三位众宾之长中的每一位献酒时，有司都要将食品进于他的席前。众宾的席位前都进有干肉和肉酱。主人拿着饮干的酒爵从阼阶走下堂，放入洗旁的篚中，表示不再使用。（以上为主人向众宾献酒）

揖让升。宾厌众宾升，众宾皆升，就席。一人洗①，举觯于宾；升实觯，西阶上坐奠觯；拜，执觯兴。宾席末答拜。举觯者坐祭，遂饮，卒觯，兴；坐奠觯，拜，执觯兴；宾答拜。降洗，升实之，西阶上北面。宾拜。举觯者进，坐奠觯于荐西②。宾辞，坐取以兴，举觯者西阶上拜送。宾反奠于其所。举觯者降。

[注释]

①一人：指主人的赞礼者。②举觯者地位低贱，不敢亲授给尊者，所以放在荐西。

[译文]

主人向宾揖让后先登堂。宾向众宾长揖后也随之上堂，于是众宾依次登堂，一一即席。赞礼者在庭中洗觯，然后上堂，代表主人向来宾举觯致意；接着往觯中酌酒，再到西阶上坐下放好觯；拜宾，然后执觯起身。宾在席末答拜还礼。赞礼者坐下祭祀，祭毕饮酒，将觯中的酒喝完后起身；又坐下放好觯，拜宾，再执觯起身；宾答拜还礼。赞礼者又下堂洗濯自己刚用过的觯，然后上堂往觯里酌酒，立在西阶之上，面朝北。宾拜谢之。赞礼者上前，接着坐下，将觯放在席西，表示不敢亲授给尊者。宾谦辞后，坐着从地上接过觯并起身，赞礼者在西阶之上拜送宾。宾又返回，将觯放在席的西端。赞礼者下堂。（以上为赞礼者举觯）

大夫若有遵者①，则入门左②。主人降③。宾及众宾皆降，复初位④。主人揖让，以大夫升，拜至；大夫答拜。主人以爵降，大夫降。主人辞降。大夫辞洗，如宾礼；席于尊东。升，不拜洗。主人实爵，席前献于大夫。大夫西阶上拜，进受爵，反位。主人大夫之右拜送。大夫辞加席。主人对，不去加席⑤。乃荐脯醢。大夫升席。设折俎。祭如宾礼；不哜肺，不啐酒，不告旨，西阶上卒爵，拜。主人答拜。大夫降洗⑥，主人复阼阶，降辞如初。卒洗。主人盥⑦，揖让升。大夫授主人爵于两楹间，复位。主人实爵，以酢于西阶上，坐奠爵，拜；大夫答拜。坐祭，卒爵，拜；大夫答拜。主人坐奠爵于西楹南，再拜崇酒；大夫答拜。主人复阼阶，揖降。大夫降，立于宾南。主人揖让，以宾升；大夫及众宾皆升，就席。

[注释]

①遵者：本乡中出仕为大夫的人，其仪表足以令人遵循，效法。②入门左：尊者不在门外等候主人迎接，直接入门。③降：下堂到门内迎接尊者。④初位：门左面朝东之位，即刚进门时站的位置。⑤不去加席：大夫之席再重，与此相符，故不必撤去。⑥降洗：准备向主人敬酒。⑦盥：主人盥洗后自酌自饮，按理可以不盥，这里是为了尊重尊者。

[译文]

应邀而来的客人中如果有位高德劭的尊者，可以直接进门，等候在门内左侧。主人闻讯要下堂，亲自到门内迎接。宾和众宾不敢在堂上安坐，都下堂来，走到自己刚入门时站的位置。主人与大夫揖让后，先后登堂，主人拜谢大夫的光临；大夫答拜还礼。主人持爵下堂，准备为大夫洗濯，大夫随之下堂。主人辞谢大夫下堂。大夫劝阻主人洗爵，其间的仪节和主人为宾洗爵时一样；大夫的席位设在酒尊的东侧。主人洗完爵上堂时，大夫不必拜谢。主人往爵中酌酒后，在席前献给大夫。大夫在西阶之上拜谢主人，然后上前接过酒爵，回到原来的位置。主人站在大夫的右侧拜送大夫。主人为大夫设了两重席，大夫请求撤去一重席。主人对答，但不撤去上面那重席。于是将干肉和肉酱进至大夫席前。大夫入席。此时有司摆上盛有折解的牲体的俎。大夫祭荐俎和酒的礼节和宾一样，只是不尝肺，不尝酒，也不必告谢主人的美酒，在西阶上将爵中的酒喝完后，拜谢主人。主人答拜还礼。于是，大夫下堂洗爵，准备回敬主人，主人又走下阼阶，双方像刚才那样以礼相辞。大夫将酒爵洗濯干净，主人又洗手，然后彼此揖让登堂。大夫在堂上的两楹柱之间将酒爵授给主人，再回到自己原来的位置。主人喝完后又往爵中酌酒，接着在西阶之上劝大夫饮酒，先坐下放好爵，拜大夫；大夫以礼答拜。主人坐下祭祀，又将爵中的酒饮完，拜大夫，大夫以礼答拜。主人在堂西侧楹柱前放下爵，用再拜礼感谢大夫不嫌弃自己的薄酒；大夫以礼答拜。主人下阼阶，向大夫作揖示意。大夫随之下堂，立在宾的南侧。主人与宾揖让后，先后上堂；大夫和众宾也随后上堂，一一入席。（以上为尊者入门及献酢之礼）

席工于西阶上，少东①。乐正先升，北面立于其西②。工四人，二瑟，瑟先；相者皆左何瑟，面鼓③，执越，内弦，右手相；入，升自西阶，北面东上。工坐，相者坐授瑟，乃降。笙入，立于县中④，西面。乃合乐：《周南·关雎》、《葛覃》、《卷耳》，《召南·鹊巢》、《采蘩》、《采蘋》。工不兴，告于乐正，曰："正歌备。"乐正告于宾，乃降。

[注释]

①少东：乐工的席位在西阼的东侧，由西向东排列，最西侧的席位很近，所以说在西阶稍东。②乐正站的位置是在最西侧的乐工席的西侧，贴近西阶处。③面鼓：瑟的鼓部在前面。④县：同"悬"，悬挂钟磬的木架。

[译文]

乐工的席位设在西阶之上，稍稍往东的地方。乐正最先登堂，面朝北立在乐工席位的西侧。乐工共四人，其中二人鼓瑟，入场时鼓瑟者在前；挽扶鼓瑟者的人，都是左手持瑟，瑟的鼓部朝前，手指钩入瑟底的孔中，瑟弦朝内，右手扶着鼓瑟者；入场时，要从西阶上堂，面朝北，以东面的位置为尊。乐工坐下后，挽扶他们的人也坐下，将瑟交给他们，然后下堂。吹笙者入场后在堂下就位，立在悬挂钟磬的木架的中间，面朝西。于是堂上、堂下的乐工合奏《诗经·周南》中的《关雎》、《葛覃》、《卷耳》以及《诗经·召南》中的《鹊巢》、《采蘩》、《采蘋》。奏毕，乐工不起身，只是报告乐正："规定的乐曲演奏完毕。"乐正又向宾报告，然后下堂。（以上为乐队合奏娱宾）

主人取爵于上篚，献工。大师①，则为之洗。宾降，主人辞降。工不辞洗。卒洗，升实爵。工不兴，左瑟；一人拜受爵②。主人阼阶上拜送爵。荐脯醢。使人相祭。工饮，不拜既爵，授主人爵。众工不拜，受爵，祭饮；辩有脯醢，不祭；不洗。遂献笙于西阶上。笙一人拜于下③，尽阶④，不升堂。受爵，主人拜送爵。阶前坐祭，立饮，不拜既爵；升，授主人爵。众笙不拜⑤，受爵；坐祭，立饮；辩有脯醢⑥，不祭。主人以爵降，奠于篚；反升，就席。

[注释]

①大师：君赐以爵位的乐工。②一人：乐工。③笙一人：四位吹笙者中年齿最长的人。④尽阶：受爵后在阶上稍立，主人拜后随即降阶。⑤众笙：其余三位吹笙者。⑥辩：通"遍"。

[译文]

主人从堂上的篚中取出酒爵，向乐工献酒。对于大师，则要先为他洗爵，以示敬重。宾下堂时，主人要辞谢。乐工则不必辞谢。酒爵洗毕，登堂后往爵中酌酒。向乐工献酒，乐工不起身，左瑟而避；只有乐正拜谢主人后受爵。主人则在阼阶之上拜送受爵者。将肉干和肉酱进至乐工席前。由于乐工多是盲人，所以主人命人协助他们祭祀。乐工饮酒，饮毕不必拜谢，只要将酒爵还给主人。众工则不必拜谢主人就可以接过酒爵，祭祀时方可饮酒；每人席前都进有干肉和肉酱，但不必祭祀，也不要洗爵。于是，主人又到西阶上向堂下的吹笙者献酒。吹笙者中的一位年长者在堂下拜谢主人，然后走上台阶但不登堂。从主人手中接过酒爵后即走下台阶，主人在堂上拜而送之。长者下阶后，在阶前坐下祭祀，接着站着饮酒，将爵中的酒饮完后不必拜谢主人；但要登堂将酒爵奉还主人。其余的吹笙者则不拜谢主人就可以接杯；然后坐下祭祀，站起来饮酒；每人的席前都进有干肉和肉酱，但不必祭它。最后，主人执爵下堂，

将它放入堂下的篚中；然后回身上堂；入席。（以上为向乐工献酒）

主人降席自南方，侧降①；作相为司正②。司正礼辞，许诺。主人再拜，司正答拜。主人升就席。司正洗觯，升自西阶；由楹内适阼阶上，北面受命于主人；西阶上北面请安于宾③。宾礼辞，许。司正告于主人，遂立于楹间以相拜。主人阼阶上再拜，宾西阶上答再拜，皆揖就席。司正实觯，降自西阶，中庭北面坐奠觯，兴，退，少立④；进，坐取觯，兴；反坐，不祭，遂卒觯，兴；坐奠觯，拜，执觯兴；洗，北面坐奠于其所，兴；少退，北面立于觯南。未旅⑤。

[注释]

①侧降：主人降阶而宾不随之降阶，堂上只一侧有人降阶，所以说是"侧降"。②作：使。相：即此前在门口迎宾的人。司正：正宾主之礼的官，饮酒时临时设立。③安：止。乐宾已毕，宾准备离去，主人挽留之，请他安坐。④少立：司正稍稍端正自己的站姿，以提醒宾主勿生懈怠。⑤旅：按次序酬酒。

[译文]

主人从南方离席，独自下堂，命令刚才在门口迎宾的相担任监礼的司正。司正推辞一次后，同意担任。主人以再拜之礼相谢，司正答拜还礼。接着，主人登堂，回到自己的席位上。司正在堂下洗觯，然后从西阶上堂；从楹柱的内侧走到阼阶之上，面朝北，听命于主人；接着按照主人的吩咐，到西阶上，面朝北请求宾继续安坐。宾推辞一次后表示同意。司正转告主人，并在堂上两楹柱之间协助宾主行拜礼。主人在阼阶之上以再拜之礼感谢宾之留坐，宾在西阶之上以再拜之礼相答，双方相揖后入席。司正在觯中酌酒后，从西阶下堂，在庭中面朝北坐下，放好觯，接着起身，后退，端正自己的站姿；再上前，坐下端起觯，起身；然后再坐下，不祭酒，并将觯中的酒全部喝完,又起身;再坐下放好觯,拜谢主人,然后执觯起身;洗完觯后,面朝北坐下,将觯放在指定的地方,再起身;稍稍退后,面朝北立在觯的南侧。此时,主人尚未依次向众宾酬酒。(以上为设司正的仪式)

三耦俟于堂西①,南面东上。司射适堂西,袒决遂②,取弓于阶西,兼挟乘矢③,升自西阶。阶上北面告于宾,曰:"弓矢既具,有司请射。"宾对曰:"某不能④。为二三子许诺⑤。"司射适阼阶上,东北面告于主人,曰:"请射于宾,宾许。"

司射降自西阶,阶前西面,命弟子纳射器。乃纳射器,皆在堂西。宾与大夫之弓倚于西序,矢在弓下,北括⑥。众弓倚于堂西,矢在其上。主人之弓矢,在东序东。

[注释]

①三耦:古代射礼,以二人为一组,称为"耦"。天子用六耦,诸侯用四耦,大夫、士用三耦,称为"正耦"。乡射礼用大夫的正耦,所以是三耦。三耦共六人,由司射从德行道艺俱佳的乡学弟子中选定。②袒(tǎn):露,此指脱去左袖,以免妨碍射箭。决:俗称"扳指",射箭时套在右手拇指上,用以钩弦,一般用象骨制作。遂:一作"拾",即射韝,射箭时套在左臂上的臂衣,用以护臂,一般用皮革制作。③乘(shèng):四。古人好以四计数。④不能:不善于射。谦语。⑤二三子:指众宾以下的人。⑥括:箭末端与弦接触的部位。

[译文]

由司射挑选的六名德才兼备的乡学弟子,作为"三耦"的成员已经等候在堂下之西,面朝南而立,以排在东面者为尊。司射走到堂下之西,脱去左衣袖,戴上引弓用的扳指,套上护臂,再从西阶的西侧取了弓,同时又拿着四支箭,从西阶上堂。到西阶之上后面朝北报告宾:"弓箭都已准备好,有司特来请您射箭。"宾谦虚地回答:"我不擅长于此道,我还是代替其他弟子答应你的请求吧。"司射到阼阶之上，面朝东北禀告主人，说："我已请宾射箭，宾已同意。"

司射从西阶走下堂，在阶前面朝西，命令乡学中的弟子们陈设射礼所用的各种器具。于是弟子们开始陈设射具，全都在堂下之西。宾与大夫的弓靠在堂的西夹墙下，箭放在弓的下面，箭的末端朝北。众宾的弓靠在堂下之西，箭放在它的上面。主人的弓箭，都放在堂的东夹墙的东侧。（以上为司射请宾射箭以及弟子陈设射具）

司射不释弓矢①，遂以比三耦于堂西②。三耦之南，北面，命上射曰："某御于子③。"命下射曰："子与某子射④。"

司正为司马⑤。司马命张侯⑥，弟子说束⑦，遂系左下纲。司马又命获者⑧："倚旌于侯中。"获者由西方，坐取旌，倚于侯中，乃退。

乐正适西方⑨，命弟子赞工，迁乐于下⑩。弟子相工，如初入；降自西阶，阼阶下之东南，堂前三笴⑪，西面北上坐。乐正北面立于其南。

[注释]

①释：放下。司射从堂西取弓矢在手，一直未放下，以示正在行使其职。②比三耦：从选定的六名弟子中，比较才能，将相近的两人合为一耦，共成三耦。比，合。③上射：一耦两人，一人为上射，另一人为下射。武事尚右，所以上射立在右，下射立在左。某：指代下射的名字。御：侍射。子：指上射。④子：指下射。某子：指上射。⑤此前立司正是为了旅酬，至此已转入射事，所以命司正改任司马。⑥张侯：将掩折着的靶张开。⑦说：通"脱"。束：系在右上方的绳扣。⑧获者：报靶者。射中则挥动旌旗唱获。⑨适西方：从西阶之东走至西阶之前。⑩乐：指瑟。⑪笴（gě）：箭杆，长三尺。

[译文]

司射不能放下手中的弓箭，于是在堂下之西将六名选定的弟子按能力分成三组。司射站在三组的南面,面朝北,命令站在右侧的上射说:"某人将配合你射。"又命令站在左侧的下射说:"你与某人一起射。"

主人又命令司正兼任司马之职。司马下令将掩折着的箭靶张开,于是弟子上前解靶右方系扣着的绳子,再将它系在左下方的柱子上。司马又命令报靶者:"将报靶时用的旌旗靠在箭靶背面的中央。"报靶者走到西方,坐下后将地上的旌旗拿起来,靠放在箭靶背面的正中,然后退回西方。

乐正从西阶之上的东侧走到西阶前,命令弟子们帮助各位乐工下堂,并将堂上的瑟全部搬到堂下,以便为即将进行的射礼腾出地方。弟子们搀扶乐工下堂的方式和程序,与刚才上堂时的一样;下堂从西阶走,然后到阼阶下的东南方向,离开东堂九尺远的地方,面朝西并排坐下,而以北端的位置为尊。乐正则面朝北,立在他们的南侧。(以上为司射排定三耦,司马命令张开靶以及乐工迁于堂下)

司射犹挟乘矢,以命三耦:"各与其耦让取弓矢[①],拾[②]!"三耦皆袒决遂。有司左执弣[③],右执弦,而授弓,遂授矢[④]。三耦皆执弓,搢三而挟一个[⑤]。司射先立于所设中之西南[⑥],东面。三耦皆进,由司射之西,立于其西南,东面北上而俟。

[注释]

①让:揖让。射的顺序是上射先、下射后,此处命其互相揖让,是礼节性的。②拾(jiè):轮流,更迭。③弣(fǔ):弓把的中部。④弟子在堂西陈设射具后,在原地等待,此时奉命分授弓矢。有司即弟子。⑤搢(jìn):插。一个:一矢。⑥中:盛筹的器皿。此时并未设中,只是指将要设中之处。

[译文]

司射手中依然挟着四支箭,用它命令三耦之人:"各自与自己的搭档揖让后取弓箭,依次而行,不得杂越!"三耦之人都脱去左袖，戴上扳指，套好护臂。在西堂等候的有司，左手握住弓的中部，右手抓住弓弦，将弓授予三耦之人，又授以箭。三耦之人都手执弓，箭则三支插入腰带中，一支挟在手中。司射率先立在将要放筹壶的地方的西南侧，面朝东。三耦之人都从司射的西侧前进，立定于他的西南侧，面朝东等候，而以站在北端的位置为尊。（以上为三耦取弓箭）

司射东面立于三耦之北，搢三而挟一个，揖进；当阶，北面揖；及阶，揖。升堂，揖；豫则钩楹内①，堂则由楹外②。当左物③，北面揖；及物，揖。左足履物，不方足④，还，视侯中，俯正足⑤。不去旌。诱射⑥，将乘矢⑦，执弓不挟⑧，右执弦。南面揖，揖如升射；降，出于其位南；适堂西，改取一个⑨，挟之。遂适阶西，取扑⑩，搢之，以反位。

[注释]

①豫（xiè）：通"榭"，或作"序"，州学名。钩：绕。②乡射礼的地点或在序，或在庠，视行礼者所居处的近便而定。序与庠的结构不同，前者有室，后者无室，因此"物"（见下注）的位置也不同。序的"物"在大梁正下方，深入堂内；庠的"物"则在前梁的正下方、两楹柱之间的地方，位置靠外，所以射者上堂去踩"物"的路线就有"钩楹内"和"由楹外"的不同。③物：用红色或黑色在地上画的"十"字，以便让射者能取正其位。④不方足：不并足。⑤俯正足：俯身察看双足是否合于要求，一足踩在物的横画上，另一足踩在竖画上。⑥诱：教，引导。⑦将：行。⑧挟：用拇指钩弦。⑨改取一个：司射的四支箭都已射完，所以到此另取一箭挟之。改，更。⑩扑（pū）：刑杖，用以挞伐违教者。

[译文]

三耦之人站定后，司射从箭筒的西南方回到三耦的北方，面朝东而立，先将手中四支箭中的三支插入腰带，另一支挟着，然后开始为三耦之人作射仪的示范。先在所立之处向东行揖，走到正对着西阶的路上时，又向北行揖，走到西阶下，再次行揖，这是在堂下的三次揖。上堂后，向北行揖；如果是在序行射礼，就绕到楹柱的内侧向东走，在庠行射礼则从楹柱的外侧向东走。走到地上画着的射位符号左侧时，要面朝北行揖；走到射位符号前时，再次行揖。左足踩到射位符号时，不要马上并足，而要旋转右足，先回头观察靶的中部，表示自己一心想着射箭的事，然后再俯身察看双足是否已按规定踩在射位符号上。此时，报靶者不必把靠在靶正中的旌旗拿走。于是，司射开始做射箭的示范动作，将四支箭全部射完。这时只是拿着弓，不再用拇指拉弦，右手搭在弦上。接着，朝南方作揖，作揖的仪节如同当物升堂之揖一样；然后下堂，从他自己的位置的南侧走过；来到西堂之下，另外取一支箭，用手挟着。随即走到西阶之西，取朴杖，插在腰带上，再返回原先站的位置。（以上为司射教射）

司马命获者执旌以负侯。获者适侯，执旌负侯而俟。司射还①，当上耦，西面作上耦射②。司射反位。上耦揖进，上射在左，并行；当阶，北面揖③；及阶，揖。上射先升三等，下射从之，中等④。上射升堂，少左⑤；下射升，上射揖，并行。皆当其物⑥，北面揖；及物，揖。皆左足履物，还，视侯中，合足而俟。司马适堂西，不决遂，袒执弓，出于司射之南，升自西阶；钩楹，由上射之后，西南面立于物间；右执箫⑦，南扬弓，命去侯。获者执旌许诺，声不绝，以至于乏；坐，东面偃旌，兴而俟。司马出于下射之南，还其后，降自西阶；反由司射之南，适堂西，释弓，袭⑧，反位，立于司射之南。司射进，与司马交于阶前，相左⑨；由堂下西阶之东，北面视上射，命曰："无射获⑩，无猎获⑪！"上射揖。司射退，反位。乃射，上射既发，挟弓矢；而后下射射，拾发⑫，以将乘矢。获者坐而获⑬，举旌以宫，偃旌以商⑭；获而未释获⑮。卒射，皆执弓不挟⑯，南面揖，揖如升射。上射降三等，下射少右，从之；中等，并行，上射于左。与升射者相左，交于阶前，相揖。由司马之南，适堂西，释弓，说决拾⑰，袭而俟于堂西，南面，东上。三耦卒射，亦如之。司射去扑，倚于西阶之西，升堂，北面告于宾，曰："三耦卒射。"宾揖。

[注释]

①还：转身。此时三耦在西阶下的西南方，面朝东；司射在其左前方，也是面朝东，所以必须左转而向西，方能发命。②作：使，命令。命上耦登堂而射。③上耦揖进是面朝东向前，走至当阶处，则转身朝北，所以又变成面朝北。④中等：中间空一级台阶。上射走上第三级台阶，下射才走上第一级台阶，中空一等。⑤少左：稍稍向左站立。上射先升阶，下射随其后。上射登堂后，为了给下射让出上阶后站立的位置，所以稍向左避。两人并立后，再转身向东行。⑥皆当其物：上射对着右边的射位符号，下射对着左边的射位符号。⑦箫：或作"弰"，弓的末端，因形状如箫的头部，故名。⑧袭：穿衣，加衣。⑨相左：司马南行，司射北行，在阶前相交。司马在西侧，司射在东侧，南行者以东为左，北行者以西为左，所以说是相左。⑩无射获：不得射伤人。获指报靶人，易被射者误伤。⑪无猎获：不得惊吓人。猎指箭从人身旁穿过。⑫拾发：轮流交替地射箭。拾，更递，轮流。⑬坐而获：报靶者在别人射箭时是坐着的，旌旗在身旁地上，一旦有人射中，就举起旌旗，大声喊"获"。获有获得、射中之意。⑭宫、商指声调的高低，宫声高于商声。举旌唱获时，声调为宫，放下旌旗时，仍在唱获，但调已降低为商。⑮获而未释获：虽有射中者，但不计算各人射中的次数。三耦之射是习射，所以不计胜负。⑯不挟：不再加箭于弦上，只是用右手执弦，表示已射完。⑰说：通"脱"。

[译文]

司马命令报靶者拿着旌旗到靶的前面站着，为射箭者指示靶的位置。报靶者奉命走到靶前，手执旌旗背靠着箭靶，继续等待司马的命令。司射转身向西，走到对着上耦站立的位置，面朝西命令上耦到指定的位置去射击。命毕，司射返回原位。上耦的两位射手互相揖让后一起前进，走时上射在左侧，下射在右侧，并排而行；走到正对着西阶的地方，两人面朝北相揖；到西阶下，再次揖让。于是，上射先登阶，走到第三级台阶上时，下射才走上第一级台阶，两人之间要空一级台阶。上射走到堂上后，要略向左侧站立，以便为下射让出登堂的地方，并在此等待他；下射登堂后，上射向他行揖致意，然后并排向东走去。当两人都走到正对着射位符号的地方时，面朝北行揖；走到射位符号前时，再次行揖。两人都用左足踩住射位符号，然后转身向西，并扭头察看南方的箭靶的中部，再并足立正，等待司马和司射的命令。司马走到西堂之下，不戴扳指，也不套护臂，只是袒去左袖，手执着弓，从司射的南侧走过，然后从西阶登堂；上堂后，绕到楹柱之后向东走，走到上射的后面，再面朝西南立于上下射的射位符号之间；接着用右手执住弓的末端，向南方举起弓，命令在箭靶中央站立的报靶者迅速离开。报靶者拿起旌旗，一边应诺、一边离开，应诺的声音一直到他走到靶侧后方的挡箭牌处才停止；接着坐下，面朝东将旌旗放下，再起立等待命令。司马从下射的南侧走过，绕到他的身后，接着从西阶下堂；再从司射位置的南侧走过，一直到西堂之下，放下手中的弓，穿上衣服，回到自己的位置，在司射位置的南侧站定。与此同时，司射从西堂之下北行，与司马在西阶前交错，对方都在各自的左方；司射站在堂下西阶的东侧，面朝北注视着上射，命令道："不得射伤报靶者！不得惊吓报靶者！"上射听后向司射行揖致意。司射便退下，回到自己的位置。于是，开始射击，上射射完一箭后，再从腰间抽出一支箭搭上；然后由下射射，如此轮流更替，直至将各自的四支箭射完。报靶者坐着向堂上报告射中的结果，报靶的声调要有变化，举起旌旗喊时声音高昂，放下旌旗时则声音下降为"商"；由于这时是习射，所以即使射中，也不统计各人射中的次数。射毕，上射和下射都不再将箭加在弦上，而只是用右手执弓弦，表示已射完，接着面朝南行揖，下堂。相揖下堂的仪节与登堂射箭时一样。上射走下第三级台阶时，下射要稍稍右侧跟随，但两人之间仍要隔开一级台阶。下堂后两人并排而行，上射在左侧。此时，中耦已开始离位上堂，在西阶前与上耦相交，对方都在各自的左侧，双方相揖致意。上耦从司马的南侧走过，直到西堂之下，再放下弓，脱下扳指和护臂，穿上衣服在原地待命，站立时面朝南，以东面的位置为尊。三耦射完，其仪节也都是如此。于是，司射将刑杖倚靠在西阶之西，然后上堂，面朝北向宾禀告说："三耦都已射毕。"宾向司射行揖致意。（以上为三耦射的第一番射）

司射降，搢扑，反位。司马适堂西，袒执弓，由其位南，进；与司射交于阶前，相左。升自西阶；钩楹，自右物之后，立于物间；西南面，揖弓，命取矢。获者执旌许诺，声不绝，以旌负侯而俟。司马出于左物之南，还其后，降自西阶；遂适堂前，北面立于所设楅之南①，命弟子设楅。乃设楅于中庭，南当洗，东肆②。司马由司射之南，退，释弓于堂西，袭，反位。弟子取矢，北面坐委于楅③；北括，乃退。司马袭进，当楅南，北面坐，左右抚矢而乘之。若矢不备，则司马又袒执弓如初，升命曰："取矢不索④！"弟子自西方应曰："诺！"乃复求矢⑤，加于楅。

[注释]

①所设楅（fú）：将要设置楅的地方。楅，或作"箙"，一种放置箭矢的器具，两端作龙首形，器身饰有兽皮。②东肆：楅呈东西向陈放，以西为上。③委：加，放。④不索：不尽，不够。⑤求：取。

[译文]

司射下堂，将刑杖插在腰带中，返回原位。与此同时，司马走到堂下之西，袒去左袖，拿着弓，经由他的位置之南，向前走去；在西阶之前与司射交错而过，对方都在各自的左侧。接着司马从西阶上堂；然后绕至楹柱的后面向东走去，走到右侧那个射位符号之后停下，再在左、右射位符号之间立定；面朝西南，双手持弓而推之向外，命令弟子取箭。报靶者手执旌旗，连声应诺，声音连绵不绝，随即执旌旗站到箭靶的前面，等待司马的命令。司马从左侧的射位符号之南走过，又转身走到它的后面，再走下西阶；于是走到堂前，面朝北立于将要陈放箭架的地方之南，命令弟子陈放箭架。于是将箭架设在庭中，其南正对着洗，向东横放。接着，司马从司射的南侧走过，退下，到西堂之下放下弓，穿上衣服，回到原位。弟子奉命取来箭，面朝北坐下，将箭摆在箭架上；箭尾朝北，于是退下。司马穿上衣服后又前行，走到正对着箭架的南面，朝北坐下，左右手将箭按四支一份分好。如果箭数不够，司马要袒去左袖拿起弓，就像当初那样，上堂命令说："箭的数量没有取足！"弟子在他西方回答说："是的。"于是再去取来不足的箭，并将它摆在箭架上。（以上为陈放箭矢）

司射倚扑于阶西，升，请射于宾①，如初②。宾许诺。宾、主人、大夫若皆与射，则遂告于宾，适阼阶上告于主人，主人与宾为耦；遂告于大夫，大夫虽众，皆与士为耦。以耦告于大夫，曰："某御于子。"西阶上，北面作众宾射。司射降，搢扑，由司马之南适堂西，立，比众耦③。众宾将与射者皆降，由司马之南适堂西，继三耦而立④，东上。大夫之耦为上，若有东面者，则北上。宾、主人与大夫皆未降，司射乃比众耦辩。

[注释]

①请射：请三耦以外的宾客都射。"请射于宾"有听命于宾的意思。②如初：如此前登堂后在西阶上北面而告之仪。③比众耦：按照众宾的情况，

一一配合为耦。④继三耦而立：立在三耦之西。

[译文]

司射将刑杖斜倚在西阶的西侧，接着上堂，请问宾是否让三耦以外的宾客都来射箭，其仪节与此前告宾时的一样。宾表示同意。如果宾、主人、大夫都要参与射箭，则要禀告宾，并到阼阶上禀告主人，主人与宾配合为一耦；又告知所有出席的大夫，大夫人数虽多，但都必须与士配合为耦，以示自谦。将合耦者的姓名告诉大夫时，说："某人将御射于您。"然后，司射在西阶之上，面朝北请众宾开始射箭。接着司射下堂，将刑杖插在腰带中，经由司马的南侧，走到西堂之西，立定，准备将众宾一一配合为耦。众宾中将要参与射事的都走下西阶，经由司马的南面走到西堂之西，接在三耦的西侧向西排列，而以站在东端的为尊。众宾的排列以年齿为序，因此有大夫的耦必定排在尊上的位置，如果众宾的人数太多，堂西之位站不下，则可让他们折而向南排列，面朝东，以北端的位置为尊。宾、主人和大夫都在堂上，没有下阶，准备与射，此时，司射将堂下的众宾全部配合成耦。（以上为司射请射、比耦）

遂命三耦拾取矢①，司射反位。三耦拾取矢，皆袒决遂，执弓，进立于司马之西南。司射作上耦取矢②，司射反位。上耦揖进；当福北面揖，及福揖。上射东面，下射西面。上射揖进，坐，横弓③；却手自弓下取一个④，兼诸弣⑤，顺羽，且兴⑥；执弦而左还，退反位，东面揖。下射进，坐，横弓；覆手自弓上取一个⑦，兴；其他如上射。既拾取乘矢，揖，皆左还；南面揖，皆少进；当福南，皆左还，北面，搢三挟一个；揖，皆左还，上射于右；与进者相左，相揖；退反位。三耦拾取矢，亦如之。后者遂取诱射之矢⑧，兼乘矢而取之，以授有司于西方，而后反位。

众宾未拾取矢⑨，皆袒决遂，执弓，搢三挟一个；由堂西进，继三耦之南而立，东面，北上。大夫之耦为上。

[注释]

①拾取：上射取一箭，下射取一箭，如此轮流，直至每人都取满四支箭。②作上耦取矢：向左转身至正对着上耦的地方，面朝西命上耦取箭。③横弓：弓南北向横放。因射者是东西向而坐，故以南北为横。④却手：仰手，手心向上。⑤兼诸弣：将矢并在左手与弓把间。兼，并。⑥且兴：一边理顺箭上的羽毛，一边起身。⑦覆手：手心向下。⑧诱射之矢：司射教三耦射时所用的四支箭。⑨众宾在堂下各自取四支箭，但不轮流拿取。

[译文]

于是命令三耦轮流取箭，司射返回原位。三耦轮流更迭地取满四支箭，然后都袒去左袖，戴上扳指，套上护臂，拿着弓，前行至司马西南方立定。司射转身走到正对着上耦的地方，命令他们取箭，自己则返回原位。上耦的两位射手相互揖让后前进；走到正对着箭架的地方，面朝北行揖，走到箭架前再次行揖。接着两人转身而立，上射面朝东，下射面朝西。上射向下射行揖致意，进至箭架的西侧，坐下，弓横放在身前，弓背朝上，弓弦向下；右手掌心向上从弓弦之下伸出，从箭架上取一支箭，将箭的前部并在左手与弓把之间，右手理顺箭后部的羽毛，起身；接着执弓弦而向左转身，退回原位，面朝东行揖。然后，下射进至箭架的东端，坐下，将弓南北向放在身前；右手掌心向下从弓的上方伸向箭架的左侧取一支箭，起身；其余的仪节与上射一样。如此轮流更迭，各取四箭之后，彼此揖让，然后都向左转身；接着面朝南作揖，并略向箭架靠近；走到正对着箭架的南方，又都向左转身，面朝北，将手中的四支箭，三支插入腰带中，另一支拿在手中；再相对行揖，并且都向左转身走回原位，行进时上射在右侧；途中，与正往箭架走的中耦相遇错过，对方都在各自的左侧，此时双方行揖致意；然后上耦回到原位。三耦轮流更迭取箭的仪节，也都是如此。最后取箭者，要将司射诱射的四支箭和自己的四支箭一起取来，并在堂的西方授给有司，然后返回原位。

堂下的众宾各自取四支箭，而不必轮番拿取，接着都袒去左袖，戴上扳指，套上护臂，再拿着弓，在腰带间插三支箭，手上拿一支箭；从西堂之西出发，走到三耦的南面依顺序而立，面朝东，以北面的位置为尊。有大夫的耦为尊。（以上为三耦取箭以及众宾取弓箭）

司射作射如初。一耦揖升如初。司马命去侯，获者许诺。司马降，释弓反位。司射犹挟一个，去扑，与司马交于阶前，升，请释获于宾①；宾许。降，搢扑，西面立于所设中之东；北面命释获者设中，遂视之。释获者执鹿中②，一人执算以从之③。释获者坐设中，南当楅，西当西序，东面；兴受算，坐实八算于中④，横委其馀于中西，南末⑤；兴，共而俟。司射遂进，由堂下，北面命曰："不贯不释⑥！"上射揖。司射退反位。释获者坐取中之八算，改实八算于中，兴，执而俟。

[注释]

①释获：放筹于地。射时用筹计算各人射中的次数。②鹿中：盛筹的器具，外表为鹿形，背上有凿孔，可以放八根筹。③算：代表射中的筹。④八算：一耦两人，每人四矢，共八矢，所以用八算对应记之。⑤南末：算的末端朝南。⑥不贯不释：箭不贯穿靶则不得释筹。贯，箭射穿靶而不落下。

[译文]

司射命令一耦开始射箭，其仪节与诱射时相同。一耦之中相互揖让后登堂，其仪节也和诱射时相同。司马命令报靶者离开靶位，报靶者应诺。接着司马下堂，放下弓回到原位。司射则手中还拿着一支箭，表示尚有职责在身，只是将插在腰中的刑杖去掉了，走到西阶前时，与司马交错而过，接着升堂，请问宾是否可以释筹于地；宾表示同意。于是司射下堂，将刑杖插入腰间，面朝西站在将要设置盛筹器的地方的东侧，面朝北命令释筹者设置盛筹器，并在一旁指导设置的办法，以及如何算数、报知胜负结果。释筹者搬来鹿形的盛筹器，另一人拿着算筹跟随其后。释筹者坐下后放置好盛筹器，使它南面正对着箭架，西面正对着堂上的西夹室之墙，朝东；然后起身接过算筹，再坐下将八支算筹放入鹿形盛筹器的孔中，剩余的算筹则横放在盛筹器的西侧，而将筹的末端全部朝南；再起身，恭恭敬敬地等待射事开始。此时司射进来，经由堂的下面，面朝北命令说："不射穿箭靶的不许释筹！"上射作揖示意。司射便退而回到原位。释筹者坐下取出盛筹器中的八支算筹准备计数，另外又往盛筹器中放入八支算筹，准备为下一耦射时使用，接着起身，拿着算筹等待射事开始。（以上为司射命射以及作释筹的准备）

乃射[①]。若中，则释获者坐而释获，每一个释一算。上射于右，下射于左[②]，若有馀算，则反委之[③]。又取中之八算，改实八算于中，兴，执而俟。三耦卒射。

[注释]

①射：指上、下射在堂下交替射箭。②射箭时上射在右，下射在左，所以释筹时也如此。③八支箭不一定全部射中，因此手中可能会有余下的算筹，则可将它放到盛筹器西侧。

[译文]

于是开始射击。如果射中箭靶，释筹者就坐着将算筹丢在地上，每中一箭丢一支算筹。上射的算筹丢在右边，下射的算筹丢在左边，如果箭已射完，手中还有剩余的算筹，就将它送回到盛筹器的西侧放好。接着，又将盛筹器中的八支算筹拿出来，再重新放入八支算筹，接着起身，拿着算筹等待再射。如此，三耦全部射毕。

（以上为三耦释算筹而射）

宾、主人、大夫揖，皆由其阶降揖。主人堂东袒决遂[1]，执弓，搢三挟一个。宾于堂西亦如之。皆由其阶[2]，阶下揖，升堂揖。主人为下射，皆当其物，北面揖，及物揖，乃射；卒，南面揖，皆由其阶，阶上揖，降阶揖。宾序西，主人序东，皆释弓，说决拾，袭，反位；升，及阶揖，升堂揖，皆就席。

[注释]

①堂东：东堂之下。②皆由其阶：各从其阶。宾从西阶上下，主人从阼阶上下，与三耦由同一阶先后上下不同。

[译文]

宾、主人、大夫相互揖让后，各自从西阶或阼阶下堂，并再次行揖致意。主人到东堂之下脱去左袖，戴上扳指，套上护臂，拿起弓，将三支箭插入腰间，一支箭拿在手中。宾在西堂之下也是如此行事。上堂时也都各自从原阶经过，先在阶下相揖让，到堂上后再次相揖。主人担任下射，以示谦敬，与宾一起走到正对着射位符号的地方，面朝北行揖，踩到射位符号时再次行揖，然后射箭；射毕，双方面朝南而揖，都站在各自的阶上，在阶上行揖，下阶后再次相揖。接着，宾在堂的西夹室墙前，主人在堂的东夹室墙前，各自放下弓，脱下扳指和护臂，穿上衣服，返回原位；接着升堂，走到阶上相揖让，升堂后再次揖让，分别入席。（以上为宾与主人射）

大夫袒决遂，执弓，搢三挟一个，由堂西出于司射之西，就其耦[1]。大夫为下射，揖进；耦少退。揖如三耦[2]。及阶，耦先升。卒射，揖如升射，耦先降。降阶，耦少退。皆释弓于堂西，袭。耦遂止于堂西，大夫升就席。

[注释]

①就其耦：就位于耦之南。耦，指与大夫相配为耦的士。②揖如三耦：揖让之礼与三耦相同。其实"耦少退"的仪节三耦没有，其余相同。

[译文]

大夫脱去左袖，戴上扳指，套上护臂，拿着弓，腰间插着三支箭，手中拿着另一支箭，从西堂之下走出来，经由司射的西侧，站到其合耦者的南面。大夫担任下射，以示谦恭，向上射行揖后前行；其合耦者稍稍后退，以示谦避。彼此揖让的礼节与三耦一样。走到西阶前，合耦者先上堂。射完后，相揖的礼节与升堂射箭时的一样，合耦者先下堂。大夫下堂时，合耦者稍稍后退，以示谦避。大夫和士都在西堂之下放下弓，接着穿上衣服。合耦者就此在西堂之下止步，大夫则登堂入席。（以上为大夫与耦射）

众宾继射①，释获皆如初。司射所作，唯上耦②。卒射，释获者遂以所执馀获，升自西阶，尽阶，不升堂。告于宾曰："左右卒射。"降，反位，坐委馀获于中西；兴，共而俟。

[注释]

①众宾：指不与大夫配合为耦的众宾。②众宾也两两相配成耦，因耦数多，所以司射所作（命）只有上耦，其余之耦则顺序而射。

[译文]

于是由众宾接着射，释筹者计中靶次数的方法与刚才一样。司射下令射箭，只对众耦中的上耦。射毕，释筹者拿着剩余的算筹，从西阶往堂上走，但走到最后一级便停止，不登堂。然后向宾禀告说："周围的人都已射毕。"接着下堂，返回原位，坐下，将剩余的算筹放在盛筹器的西侧；再起身，恭恭敬敬地等待数算筹。（以上为众宾射）

司马袒决执弓①，升命取矢，如初。获者许诺，以旌负侯，如初。司马降，释弓，反位。弟子委矢，如初。大夫之矢，则兼束之以茅②，上握焉③。司马乘矢如初。

[注释]

①此句中的"决"字为衍文。②兼束之以茅：大夫之箭不必如其他人那样——数取，有司已四支一束用茅草扎好。③上握：束茅之处在箭中部手握处的下面，所以说是"上握"。手握在束箭处之上，则离箭镞近而离箭羽远，不易损坏羽毛。

[译文]

司马袒去左袖拿起弓，上堂命令取回射出的箭，其间仪节与先前一样。报靶者闻声应诺，拿着旌旗到靶中央站好，如同先前所做的一样。接着司马下堂，放下弓，返回原位。弟子们往箭架上放置箭，方式与先前一样。大夫用的箭，则每四支用茅草裹束，位置在箭中部手握处的下面。司马的四支箭像先前那样数取。（以上为司马命取箭）

司射遂适西阶西，释弓，去扑，袭；进由中东，立于中南，北面视算。释获者东面于中西坐，先数右获。二算为纯，一纯以取，实于左手①；十纯则缩而委之②，每委异之③；有馀纯，则横于下④。一算为奇⑤，奇则又缩诸纯下。兴，自前适左，东面；坐，兼敛算⑥，实于左手；一纯以委，十则异之，其馀如右获。司射复位。释获者遂进取贤获⑦，执以升，自西阶，尽阶，不升堂。告于宾。若右胜，则曰："右贤于左。"若左胜，则曰："左贤于右。"以纯数告⑧；若有奇者，亦曰奇。若左右钧⑨，则左右皆执一算以告，曰："左右钧。"降复位，坐，兼敛算，实八算于中，委其馀于中西；兴，共而俟。

[注释]

①右手按两筹为纯数而取之，再放到左手上。②缩：纵。释获者面朝东而坐，所以以东西方向为纵，南北方向为横。缩指算筹放置的方向是纵向的。③每委异之：每十纯则另放一堆，以便于计数。④横于下：横向放在每十纯一堆的西侧。释获者面朝东，故以西为下。⑤奇：单数，意为不足。⑥兼敛算：计算左获的算筹时，先将所有的算筹抓在左手上，此即"兼敛"，再用右手计算数量。⑦贤获：胜方的算筹。贤，胜方，胜者为贤。⑧向宾报告胜负情况，只要告知胜方净胜数。若净胜数为双数，就以"纯数"报告；若是单数，则要将单数也报出。例如：胜方净胜十等，则报以"五纯"；净胜九筹，则报以"四纯一奇"。⑨左右钧：左获与右获的筹数相等。

[译文]

于是司射走到西阶之西，放下弓和刑杖，穿上衣服；接着向北走往盛筹器的东侧，再转而走到它的南侧，面朝北指导并监督统计算筹的数量。释筹者在盛筹器的西侧面朝东坐下，先数右面那一堆算筹。计数时，以两根算筹为一"纯"，右手一纯一纯地取起放在左手上；取满十纯则作一堆竖向放在盛筹器的西侧，再取满十纯应另作一堆分开放；剩下的筹，如果是双数，就按"纯"为单位，横向放在十纯一堆的西侧，如果是单数，则要把零单的筹竖向放在"纯"的西侧，使总数一目了然。然后起身，从右获的算筹前走到左获的算筹前，面朝东；坐下，先将地上所有的左获的筹拿起来放在左手上；再用右手两根两根地数着往地上放，放满十纯就另起一堆再放，剩余的算筹按上述计算右获时的办法放置。计毕，司射回复到原位。释筹者将胜方净胜的算筹取在手上，拿着往堂上走，从西阶上，走到最后一级台阶停住，不再往堂上去。在这里向宾报告比赛结果。如果是右获一方胜，就说："右胜了左。"如果是左获一方胜，就说："左胜了右。"净胜数如果是双数，要以"纯"为单位报告；如果有单数，则在纯数之后再报单数。如果左、右获算筹的数量相等，就从双方的算筹中各取出一根报告宾，说："左、右方算筹的数量相等。"接着下堂回到原位，坐下，再将地上的算筹放在左手中，数出八根放入盛筹器的孔中，剩下的全部放在盛筹器的西侧；然后起身，恭恭敬敬地等待下一个命令。（以上为统计算筹）

司射适堂西，命弟子设丰①。弟子奉丰升，设于西楹之西，乃降。胜者之弟子洗觯，升酌，南面坐奠于丰上；降，袒执弓，反位。司射遂袒执弓，挟一个，搢扑，北面于三耦之南，命三耦及众宾："胜者皆袒决遂，执张弓②。不胜者皆袭，说决拾，却左手，右加弛弓于其上③，遂以执弣。"司射先反位。三耦及众射者皆与其耦进立于射位④，北上。司射作升饮者，如作射。一耦进，揖如升射，及阶，胜者先升，升堂，少右。不胜者进，北面坐取丰上之觯；兴，少退，立卒觯；进，坐奠于丰下；兴，揖。不胜者先降，与升饮者相左，交于阶前，相揖；出于司马之南，遂适堂西；释弓，袭而俟。有执爵者⑤。执爵者坐取觯，实之，反奠于丰上。升饮者如初。三耦卒饮。宾、主人、大夫不胜，则不执弓，执爵者取觯，降洗，升实之，以授于席前，受觯，以适西阶上，北面立饮；卒觯，授执爵者，反就席。大夫饮，则耦不升。若大夫之耦不胜，则亦执弛弓，特升饮⑥。众宾继饮，射爵者辩，乃彻丰与觯。

[注释]

①丰：放爵、觯等饮酒器的器具，形似豆而低。②张弓：弦拉紧的弓。③弛弓：弦放松的弓。④射位：最初射箭的位置，在司射和司马位置的西南方。⑤执爵者：指赞者。执爵酌酒本由弟子担任其事，因弟子都参与射事，此时要洗觯及饮酒，而赞者未射，所以代弟子行事。⑥特升饮：单独上堂饮酒。上射与下射一般应同时上、下堂，但大夫位尊，其耦为士，位卑，所以不必同时上堂饮酒。相反，如果士上堂饮酒，大夫也不上堂。

[译文]

司射走到西堂之下，命令弟子摆设放置饮酒器的器具丰。弟子捧着丰走上堂，将它放置在西侧楹柱的西面，然后下堂。胜方的弟子在堂下洗濯觯，接着上堂酌上酒，面朝南坐下，将觯放在丰的上面；再下堂，袒去左袖，拿着弓，返回原位。于是，司射袒去左袖，拿着弓，又拿着一支箭，将刑杖插在腰间，面朝北站在三耦之南，命令三耦和众宾："胜方的射手一律袒去左袖，戴上扳指，套上护臂，拿起拉紧弦的弓。负方的射手一律穿上衣服，脱下扳指和护臂，空出左手，右手将一把弦松开的弓放在左手上，使左手握住弓把的中部。"命毕，司射先返回原位。三耦以及其余的射手都和各自的合耦者一起走到射礼开始时所立的位置，以北面的位置为尊。司射命令他们升堂饮酒的仪节，与此前命令他们射箭一样。每一耦的射手上前时，都要像此前升堂射箭时那样相互揖让，走到西阶前，胜方的射手先登阶，走到堂上后，要稍稍向右站立，以避让负方的射手上堂。负方的射手上堂后，面朝北坐下，将丰上的觯取在手中；接着起身，稍稍后退，站着将觯中的酒喝完；再上前，坐下将觯放在丰的下面；然后起身，向胜方的射手行揖致意。下堂时，由负方的射手先走，在西阶之前与接着上堂饮酒的下一耦射手交错而过，对方都在各自的左侧，此时，双方都互相行揖致意；接着从司马的南侧走过，并直至西堂之下；再放下弓，穿上衣服待命。堂上的执爵者由赞者代理。执爵者坐着取过觯，酌上酒，再将它放到丰的上面。其后上堂饮酒的耦，仪节与此相同。于是，三耦都已上堂饮酒完毕。宾、主人和大夫如果是负方，那么不必拿弓，以示尊优，由执爵者拿了觯，下堂洗濯，再上堂酌酒，并在他们的席前敬授，他们接过觯后，走到西阶之上，面朝北站着饮酒；将觯中的酒饮毕，将觯交给执爵者，然后返回就席。大夫是尊者，上堂饮酒时，作为其合耦者的士不能随之而上。如果大夫的合耦者是负方,那么也应拿着弦松弛的弓,单独上堂饮酒。于是,众宾像三耦那样继续上堂饮酒,等负方的射手全部上堂饮过罚酒后,再撤去堂上的丰和觯。(以上是罚负方的射手)

司马洗爵,升实之以降,献获者于侯。荐脯醢,设折俎,俎与荐皆三祭①。获者负侯,北面拜受爵,司马西面拜送爵。获者执爵,使人执其荐与俎从之②;适右个③,设荐俎。获者南面坐,左执爵,祭脯醢,执爵兴;取肺,坐祭,遂祭酒;兴,适左个,中皆如之。左个之西北三步④,东面设荐俎。获者荐右东面立饮,不拜既爵。司马受爵,奠于篚,复位。获者执其荐,使人执俎从之,辟设于乏南⑤。获者负侯而俟。

[注释]

①这一节记祭侯。在侯的中部及左、右等三处设荐与俎,并以酒祭之,故称"三祭"。②人:主人的赞者,即前面设荐俎的人。③个:偏,侧。侯朝北,以东为右,所以称"右个"。④左个之西北三步:侯左侧西北方向三步。这是报靶者受献的正位,所以执爵立于此。⑤辟设于乏南:将荐、俎迁设于乏的南面,以避开侯中间的举、放旌旗处。

[译文]

于是,司马在堂下洗濯酒爵,接着上堂酌酒,再下堂,到箭靶前向报靶者献酒。赞礼者准备干肉、肉酱和盛有节解的牲体的小案,到靶前的左、中、右三处致祭。报靶者站在靶的前面,面朝北拜谢司马,并接过酒爵,司马则面朝西拜而送别受爵者。报靶者捧着酒爵,让赞礼者捧着干肉、肉酱和肉俎跟随其右;先到靶的右侧,将干肉、肉酱和肉俎放好。报靶者面朝南坐下,左手执持酒爵,祭干肉和肉酱,接着执爵起身;从俎上取过祭肺,再坐下祭祀,又祭酒;祭毕,起身到靶的左侧祭祀,最后到靶的中部祭祀,仪节都是如此。然后,在靶左侧祭祀之处的西北三步的地方,面朝东摆放好干肉、肉酱和肉俎。报靶者站在干肉和肉酱的右侧,面朝东饮酒,饮毕不需拜谢司马。司马接过已喝空的酒爵,放入竹筐中,再回到原位。报靶者又捧着干肉和肉酱,让赞礼者捧着肉俎跟随其后,将祭食全部迁设于挡箭牌的南面。报靶者又走到靶的前面,站着等候命令。(以上为司马向报靶者献酒)

司射适阶西,释弓矢,去扑,说决拾,袭①;适洗,洗爵;升实之,以降,献释获者于其位,少南②。荐脯醢,折俎③,有祭。释获者荐右东面拜受爵,司射北面拜送爵。释获者就其荐坐,左执爵,祭脯醢;兴,取肺,坐祭,遂祭酒;兴,司射之西,北面立饮,不拜既爵。司射受爵,奠于筐。释获者少西辟荐④,反位。

[注释]

①"说决拾,袭"的地点在西堂之下,此处有省略。②少南:稍向南站,以靠近荐。③"折俎"之前原脱一"设"字。④少西:稍向西站,以免再射时妨碍司射督察统计算筹的视线,同时也是为避开放荐、俎的地方。

[译文]

司射走到西阶之西,放下手中的弓箭,除去腰间的刑杖,脱下扳指和护臂,穿上衣服;走到庭中的洗的前面,洗濯酒爵;接着上堂酌酒,然后捧着酒爵下堂,在释筹者的席位前向他献酒,释筹者站时略向南偏,以便靠近祭食。有司们摆上干肉、肉酱和肉俎,并进行祭祀。释筹者在祭食的右侧,面朝东拜司射并接过酒爵,司射则面朝北拜送受爵者。释筹者就近靠着祭食坐下,左手执酒爵,右手祭干肉和肉酱;接着起身,从肉俎上取了祭肺,再坐下祭祀,又祭酒;然后起身,走到司射的西面,面朝北站着饮酒,喝完后不必拜谢。司射接过喝干的酒爵,放入竹筐中。释筹者稍向西站,以避开放荐、俎的地方,然后返回原位。(以上为司射向释筹者献酒。

第二番射至此完毕）

司射适堂西，袒决遂，取弓于阶西，挟一个，搢扑，以反位①。司射去扑，倚于阶西，升请射于宾，如初。宾许。司射降，搢扑，由司马之南适堂西，命三耦及众宾："皆袒决遂，执弓就位②！"司射先反位。三耦及众宾皆袒决遂，执弓，各以其耦进，反于射位。

[注释]

①司射返位后，接着开始第三番射，本节及其后的八节均记此间仪节。第三番射的重点是以乐节射。②位：射位，在司马的西南方，面朝东。

[译文]

于是，司射走到西堂之下，袒去左袖，戴上扳指，套上护臂，再从西阶之西拿起倚靠着的弓，手持一箭，将刑杖插在腰间，然后返回原位。第三番射开始，司射将腰间的刑杖取下，倚靠在西阶之西，再登堂请示宾：下一轮射仪是否可以开始？其间的仪节与前二番射时一样。宾表示同意。司射便走下堂，将刑杖插入腰间，从司马的南面走过，走至西堂之下，命令三耦和众宾："都袒去左袖，戴上扳指，套上护臂，执着弓各就各的射位！"命毕，司射先返回原位。三耦和众宾都遵命行事，袒去左袖，戴上扳指，套上护臂，拿着弓，与各自的合耦者一起前行，返回到射位。（以上为司射命令三耦等进入射位）

司射作拾取矢①。三耦拾取矢如初，反位。宾、主人、大夫降揖如初。主人堂东，宾堂西，皆袒决遂，执弓；皆进，阶前揖②，及楅揖③，拾取矢如三耦。卒，北面搢三挟一个，揖退。宾堂西，主人堂东，皆释弓矢，袭；及阶揖，升堂揖，就席。大夫袒决遂，执弓，就其耦；揖皆进，如三耦。耦东面，大夫西面。大夫进坐，说矢束④，兴反位。而后耦揖进坐，兼取乘矢⑤，顺羽而兴，反位，揖。大夫进坐，亦兼取乘矢，如其耦，北面，揖三挟一个，揖退。耦反位。大夫遂适序西，释弓矢，袭；升即席。众宾继拾取矢，皆如三耦，以反位。

[注释]

①拾取矢的命令，司射只对上耦宣布，其余人则依次进行，不再一一命之。②宾和主人分别在堂下的东、西袒决遂等，然后再向各自的阶前走去，到阶前面朝南作揖。③及福揖：宾和主人自阶前向南走，走到福的东西两侧站住，宾面朝东，主人面朝西，彼此行揖。④说矢束：将四支一束的箭解开。四支箭束在一起，是尊敬大夫的礼节，意思是不敢劳他一支一支地取箭。大夫将它拆开则是表示不敢当，愿意与合耦者一样，逐一取箭。⑤兼取乘矢：一次取四支箭。大夫将束矢拆开，表示要与合耦者轮流取箭，合耦者位卑，不敢与大夫尊者行此礼，所以一次将箭取完，然后大夫也一次将箭取完。

[译文]

司射向上耦宣布：开始轮流取箭。三耦像前二番射已做过的那样，顺序轮流取箭，取毕回到原位。接着，宾、主人和大夫像此前所做的那样相互行揖，然后下堂。主人在东堂之下，宾在西堂之下，都袒去左袖，戴上扳指，套上护臂，拿着弓；再分别向庭中走去，当主人走到东阶之前，宾走到西阶之前时，双方转而面向南行揖，接着一起向南走，走到箭架两侧时，两人转身，面对面行揖，然后像三耦那样轮流取箭。取毕，转身面朝北，将三支箭插在腰间，另一支拿在手中，相揖后退下。宾回到西堂之下，主人回到东堂之下，都将手中的弓箭放下，再穿上衣服；双方又走到各自的阶前，相揖致意，接着上堂，再次相揖致意，然后入席。大夫在西堂之下袒去左袖，戴上扳指，套上护臂，拿起弓，走到其合耦者的旁边；双方相互行揖后一起去取箭，就像方才三耦所做的那样。走到箭架旁，合耦者站在左侧，面朝东而立；大夫站在右侧，面朝西而立。大夫先上前坐下，将箭架上为自己束好的箭解开，然后起身退回原位。接着，合耦者向大夫行揖致意后上前坐下，将自己的四支箭一次取出，将箭羽理顺并起身，退回原位，又再次向大夫行揖致意。大夫又上前坐下，也将四支箭一次取完，就像其合耦者刚才所做的那样，然后面朝北，将三支箭插入腰间，另一支拿在手中，行揖后退回原位。接着，合耦者先返回射位。大夫则走到西序之下，放下弓箭，穿上衣服；再上堂入席。众宾顺着次序，以耦为单位上前轮流取矢，就像三耦已经做过的那样，然后拿着箭返回射位。（以上为三耦、宾、主人、大夫等取箭）

司正犹挟一个以进，作上射如初①。一耦揖升如初。司马升，命去侯。获者许诺。司马降，释弓反位。司射与司马交于阶前，去扑，袭；升，请以乐乐于宾。宾许诺。司射降，搢扑，东面命乐正，曰："请以乐乐于宾，宾许。"司射遂适阶间，堂下北面命曰："不鼓不释②！"上射揖。司射退反位。乐正东面命大师，曰："奏《驺虞》③，间若一④。"大师不兴，许诺。乐正退反位。

[注释]

①作上射如初：当作"作射如初"，"上"字为衍文。②不鼓不释：不按照鼓的节奏发射者，不得释筹计数。乡射礼的鼓敲五次，第一次敲鼓，射者听而不发。从第二次敲鼓起，上、下射都应在两次敲鼓之间的时间内轮流射箭。犯规者，即使射中也不计数。③《驺虞》：《诗经·召南》中的诗篇名。④间若一：乐节的间隔始终如一。

[译文]

司正手中依然拿着一支箭上前，像第二番射时那样，命令上射开始射箭。每一耦都要像第二番射时那样，互相揖让后上堂。接着司马上堂，命令报靶者从靶中央离开，报靶者闻声应诺。司马下堂，放下弓，回到原位。司射上堂时，在西阶之前与下堂的司马交错而过，司射取下腰间的刑杖，穿上衣服，走到堂上，请示宾：能否用乐曲来使您欢娱？宾表示同意。司射走下堂，将刑杖插在腰间，面朝东命令乐正，说："请用乐曲让宾欢娱，宾已答应这样做。"接着，司射又走到东阶与西阶之间，在堂下面朝北命令说："不按鼓的节奏射箭的，不得计数！"上射向司射行揖致意。司射退回原位。乐正面朝东命令大师，说："奏《驺虞》，乐节的间隔要前后一致。"大师不必起身，只在自己的位置上应诺。于是乐正退回原位。（以上为司射请求以乐节射）

乃奏《驺虞》以射。三耦卒射，宾、主人、大夫、众宾继射，释获如初。卒射，降①。释获者执馀获，升告左右卒射，如初。

[注释]

①降：下堂脱去扳指、护臂等。降者包括宾、主人、大夫和众宾。

[译文]

于是在乐工奏《驺虞》乐章的过程中又开始射箭。三耦射完后，宾、主人、大夫和众宾相继而射，凡是应着鼓和歌的节拍射中者，就抽出算筹扔到地上，如同最初所做的那样。射毕，都下堂脱去扳指、护臂。释筹者拿着剩下的算筹，上堂禀告宾，所有的人都已射完。其间的仪节与第二番射时一样。（以上为三耦、宾、主人等射箭）

司马升，命取矢，获者许诺。司马降，释弓反位。弟子委矢，司马乘之，皆如初。

司射释弓视算，如初①；释获者以贤获与钧告，如初。降复位。

司射命设丰，设丰、实觯如初；遂命胜者执张弓，不胜者执弛弓，升饮如初。

[注释]

①如初：指其间司射命设丰等仪节与第二番射时一样。

[译文]

于是司马上堂，下令取靶位的箭，报靶者闻声应诺。命毕，司马下堂，放下手中的弓，回到原位。弟子们往箭架上摆放箭，司马将大夫用的箭每四支捆成一束，其间仪节与第二番射时一样。

司射放下手中的弓，指导和监督统计算筹的事，其间的仪节和第二番射时一样；释筹者根据统计的结果禀告宾，胜方赢若干筹，或者是双方射平，其间的仪节也与第二番射时一样。然后下堂回到原位。

司射命令弟子陈设饮酒器的底座丰，陈设丰以及往觯中酌酒的仪节都和第二番射时一样；于是又命令胜方的射手执弦拉紧的弓，负方的射手执弦放松的弓，然后上堂让负方射手喝罚酒，其间的仪节与第二番射时一样。（以上为司射命取矢、视算和罚负方射手）

司射犹袒决遂，左执弓，右执一个，兼诸弦①，面镞②；适堂西，以命拾取矢，如初。司射反位。三耦及宾、主人、大夫、众宾皆袒决遂，拾取矢，如初；矢不挟，兼诸弦弣以退③，不反位，遂授有司于堂西。辩拾取矢，揖，皆升就席。

[注释]

①兼诸弦：将箭与弓弦同一方向并排着拿在手中。②面镞：箭镞向上。③三耦及宾、主人、大夫和众宾拿箭的方式与司射不尽相同，司射只取一箭，与弦并执于手；三耦等则还需将另外三支箭与弓把相并列执于手。

[译文]

司射此时还是袒着左袖，戴着扳指，套着护臂，左手拿着弓，右手拿着一支箭，然后将箭与弓弦并列着拿着，箭头朝上；又走到西堂之下，命令轮流取箭，其间的仪节和第二番射时一样。命毕，司射返回原位。三耦和宾、主人、大夫、众宾都袒去左袖，戴着扳指，套着护臂，轮流交替地从箭架上取箭，其间的仪节也和第二番射时一样；只是箭不拿在手中，而是分别与弓弦和弓把并列在一起拿着，然后退下，但不返回射位，接着在西堂之下将弓箭交给有司，表示射事已毕。在所有的射手都轮流交替地取完箭并交给有司后，堂上有席位者彼此行揖，相继上堂入席。（以上为三耦及宾主等取箭交有司）

司射乃适堂西，释弓，去扑，说决拾，袭，反位。司马命弟子说侯之左下纲而释之①，命获者以旌退，命弟子退楅。司射命释获者退中与算，而俟。

[注释]

①释之：松开。箭靶左下方的绳索在射仪开始前是翻至右上方系着的，此时射事已毕，所以将左下方的绳索解开，但不再系于右上方，以示区别。

[译文]

于是司射走到西堂之下，放下手中的弓，去掉腰间的刑杖，脱下扳指和护臂，穿上衣服，返回原位。司马命令弟子将箭靶左下方的绳索松开，又命令报靶者拿着旌旗退下，再命令弟子将箭架撤去。司射则命令释筹者将盛筹器和算筹全部撤走，在堂西待命。（以上为撤除射器）

司马反为司正①，退复觯南而立。乐正命弟子赞工即位。弟子相工，如其降也，升自西阶，反坐②。宾北面坐，取俎西之觯③，兴，阼阶上北面酬主人。主人降席，立于宾东。宾坐奠觯，拜；执觯兴；主人答拜。宾不祭，卒觯，不拜，不洗；实之，进东南面。主人阼阶上北面拜，宾少退。主人进受觯，宾主人之西北面拜送。宾揖，就席。主人以觯适西阶上酬大夫；大夫降席，立于主人之西，如宾酬主人之礼。主人揖，就席。若无大夫，则长受酬④，亦如之。司正升自西阶，相旅，作受酬者曰："某酬某子⑤。"受酬者降席。司正退立于西序端，东面。众受酬者拜、兴、饮，皆如宾酬主人之礼。辩，遂酬在下者⑥；皆升，受酬于西阶上。卒受者以觯降，奠于篚。

[注释]

①这一节及以下四节记射事结束后的饮酒仪节，与乡饮酒之礼大体相同。司马反为司正：射事开始前，司正立于中庭觯南，射事开始后改任司马，此时射事毕，所以又重任司正。反，通"返"。②反坐：回到原先奏乐时坐的位置。③俎西之觯：即射事开始前，宾从一人手中接过后放在荐西的觯。④长受酬：三位众宾之长以长幼之序受主人酬。⑤某：指代酬者之字。某子：指代受酬者之氏。称氏为尊，酬者为表示对受酬者的尊敬，所以称其氏。⑥在下者：指主人一方的有司、执事、赞礼者等人。

[译文]

司马重新担任司正之职，并退回到庭中觯南之处站立。乐正命令弟子们搀扶和帮助乐工即位。弟子扶助乐工时，要像先前降到东阶前避射时那样，左手挟持乐器，右手搀扶其人。乐工从西阶上堂后，回到先前各自坐的位置。宾面朝北坐下，取过放在肉俎之西的觯，再起身，到阼阶之上面朝北酬主人。主人离席，站到宾的东侧。宾坐下放好觯，拜主人；接着执觯起身；主人答拜还礼。宾不祭荐俎和酒，直接将觯中的酒喝完，之后不必拜谢主人，也不必洗觯；而是在觯中酌酒，然后上前，面朝东南捧觯而立。主人在阼阶之上面朝北拜谢宾，宾稍稍后退，以示谦避。主人上前从宾手中接过觯，宾在主人的西侧面朝北拜送之。宾行揖致意，然后入席。接着主人又捧着觯到西阶上向出席的大夫劝酒；于是大夫离席，站到主人的西侧，其间的仪节，和刚才宾向主人劝酒时一样。劝毕，主人行揖致意，入席。如果没有大夫出席，那么主人就向三位众宾之长依次劝酒，其间的仪节与向大夫劝酒一样。于是，司正从西阶上堂，协助宾和主人等劝酒，劝酒时要向对方说："我向您敬酒。"接受劝酒的一方要离席接酒。司正退至堂西夹室墙的端头，面朝东而立。各位接受劝酒者拜谢、起身、饮酒的仪节，都和宾向主人劝酒的仪节一样。宾、主人、大夫、众宾都劝过酒后，再向各位有司等劝酒；有司等都走上堂，在西阶之上接受劝酒。最后一位接受劝酒的人，要将喝空的觯带下堂，放在庭中的竹筐内。（以上是旅酬）

司正降复位，使二人举觯于宾与大夫①。举觯者皆洗觯，升实之；西阶上北面，皆坐奠觯，拜，执觯兴。宾与大夫皆席末答拜。举觯者皆坐祭，遂饮，卒觯，兴；坐奠觯，拜，执觯兴。宾与大夫皆答拜。举觯者逆降，洗，升实觯，皆立于西阶上，北面，东上。宾与大夫拜。举觯者皆进，坐奠于荐右。宾与大夫辞②，坐受觯以兴。举觯者退反位，皆拜送，乃降。宾与大夫坐，反奠于其所，兴。若无大夫，则唯宾。

[注释]
①二人：主人的赞礼者。射事开始前，这二人曾举觯献给宾和大夫，因射事即将开始，宾与大夫将觯置于荐右未饮，所以二人再次献觯于此，请宾与大夫饮毕。②举觯者坐奠于荐右，表示宾与大夫位尊，不敢亲授以觯；宾与大夫则表示不敢以尊自居，所以要"辞"。

[译文]
司正下堂回到原位，命二位赞礼者上堂，向宾和大夫举觯致意。接着二位赞礼者下堂洗手、洗觯，再上堂酌酒；又到西阶之上面朝北坐下，放好觯，礼拜宾和大夫，然后执觯起身。宾和大夫都在席的末端答拜还礼。于是，二位赞礼者又都坐下祭酒，接着饮

酒，将觯中的酒饮完后，起身；又坐下放好觯，礼拜宾和大夫，再执觯起身。宾和大夫在席的末端再次答拜还礼。接着二位赞礼者下堂洗觯，下去的顺序与上堂时相反，上堂后往觯中酌酒，都是立在西阶上进行的，两人面朝北而立，以东面的一位为尊。宾和大夫拜而谢之。两位赞礼者一起上前，将觯放在席的西侧。宾和大夫辞而谢之，然后坐下取过觯，再起身。二位赞礼者退回到西阶之上，并拜送宾和大夫，然后下堂。于是宾和大夫坐下，将觯放回到席的西侧，再起身。如果出席的贵宾中没有大夫，那么就仅仅向宾一人举觯即可。（以上为二位赞礼者向宾、大夫举觯致意）

司正升自西阶，阼阶上受命于主人，适西阶上，北面请坐于宾，宾辞以俎。反命于主人，主人曰："请彻俎。"宾许。司正降自西阶，阶前命弟子俟彻俎。司正升立于序端。宾降席，北面。主人降席自南方，阼阶上北面。大夫降席，席东南面。宾取俎，还授司正。司正以降自西阶，宾从之降，遂立于阶西，东面。司正以俎出，授从者①。主人取俎，还授弟子。弟子受俎，降自西阶，以东。主人降自阼阶，西面立。大夫取俎，还授弟子②；弟子以降自西阶，遂出授从者；大夫从之降，立于宾南。众宾皆降，立于大夫之南，少退，北上。

[注释]

①授从者：授给宾的随从人员。古人请贵客饮酒，饮毕都要将席上最尊贵的物品送给客人，以示敬重。俎是菜肴中最贵重的物品，故以送人。②这一节宾取俎还授司正、主人取俎还授弟子、大夫取俎还授弟子是同时进行的，没有先后之分。

[译文]

司正从西阶上堂，又走到阼阶之上请主人发令，接着奉命走到西阶之上，面朝北请宾安坐，宾推辞说，堂上有俎，不敢安坐。司正又请示主人，主人说："去请问宾，是否将俎撤走。"司正转告宾，宾表示同意。接着司正从西阶下堂，在阶前命令弟子准备撤俎。然后司正上堂站在堂西夹室墙的端头。宾离席，面朝北而立。主人从南方离席，在阼阶上面朝北而立。大夫离席后，在席东面朝南而立。宾拿起俎，授还司正。司正拿着俎走下西阶，宾跟着下堂，并站立在西阶的西侧，面朝东。司正拿着俎出门，交给宾的随从。与此同时，主人拿了俎，授给弟子。弟子接过俎，从西阶下堂，再往东走。主人随即从阼阶下堂，面朝西而立。大夫取过俎，也授给弟子；弟子拿着俎从西阶下堂，并出门交给大夫的随从；这时大夫也已跟着下堂，站在宾的南侧；堂上的三位众宾之长也都下堂，站在大夫的南侧，但要略向后退，表示不敢与宾、大夫并列，三人的位置以北面的为尊。（以上为请宾安坐并撤俎）

主人以宾揖让，说屦①，乃升。大夫及众宾皆说屦，升，坐。乃羞。无算爵。使二人举觯②。宾与大夫不兴，取奠觯饮，卒觯，不拜。执觯者受觯，遂实之。宾觯以之主人，大夫之觯长受③，而错④，皆不拜。辩，卒受者兴，以旅在下者于西阶上。长受酬，酬者不拜，乃饮，卒觯，以实之。受酬者不拜受。辩旅，皆不拜。执觯者皆与旅。卒受者以虚觯降奠于篚；执觯者洗，升实觯，反奠于宾与大夫。无算乐。

[注释]

①说屦：脱鞋。将要坐下饮酒。所以先脱鞋，而鞋脏且贱，不宜在堂上，所以都脱在阶前。②二人：即前面的二位赞礼者，负责在堂上举觯、执觯等。③长：众宾之长。④错：二觯交错相酬。堂上的旅酬由二位执觯者分别酌酒相劝。受觯者则坐在各自的席位上饮，所以二觯同时并行。

[译文]

主人与宾相互揖让后，在阶前脱鞋，然后上堂。与此同时，大夫和众宾也都脱鞋，并在主人与宾之后上堂，入席坐下。于是有司进上佐酒的食品。此时饮酒，不限爵数，醉而后止。二位赞礼者取觯酌酒先敬宾和大夫。宾和大夫不必起身，直接将放在席上的觯端起来饮，饮毕，不必拜谢赞礼者。赞礼者接过觯后，再酌上酒放在席上。宾端起觯敬主人，大夫也端起觯敬众宾之长，按照尊卑之序，两只觯分别向下敬酒，所有接酒者都不必拜谢。如此，将堂上所有的宾客都敬了酒，最后一位接酒者起身，到西阶之上向堂下的众宾劝酒。先由众宾中的一位长者接酒，此时劝酒者可以不拜就饮酒，并将觯中的酒喝完，接着在觯中酌酒。接酒者不必拜谢，就可以接觯而饮。然后，依尊卑之序一一劝酒，直至全部轮遍，所有接酒者都不必拜谢。赞礼者一直在旁协助劝酒。最后一位接酒者要将喝干的觯拿到堂下，放进庭中的竹筐中；赞礼者又取出洗濯，再上堂酌酒，然后放在宾和大夫的席前，准备下一轮劝酒。整个劝酒的过程中，堂上堂下的音乐或间或合，歌奏不已，尽欢而止。（以上为饮酒礼）

宾兴，乐正命奏《陔》。宾降及阶①，《陔》作。宾出，众宾皆出，主人送于门外，再拜②。

[注释]

①降：离席。②主人拜送宾于门外东侧，面朝西。

[译文]

宾醉而起身告辞，此时乐正命乐工奏《陔》的乐曲。宾离席走到西阶时，《陔》的乐声开始响起。宾走出大门，众宾也都随之出门，主人到门外相送，行再拜之礼。（以上为主人送宾）

明日，宾朝服以拜赐于门外，主人不见①。如宾服，遂从之，拜辱于门外。乃退。

主人释服,乃息司正。无介②。不杀。使人速③。迎于门外,不拜;入,升。不拜至,不拜洗。荐脯醢,无俎。宾酢主人,主人不崇酒,不拜众宾;既献众宾,一人举觯,遂无算爵。无司正④。宾不与。征唯所欲,以告于乡先生、君子可也。羞唯所有。乡乐唯欲⑤。

[注释]

①主人不见:古礼的原则之一是不能过于频繁,以免渎乱,主人与宾头天已见过,当天已无辞可致,所以不再请宾入门相见。②无介:劳礼的礼数低于乡饮酒之礼,所以不设副介。③速:催请。④无司正:行礼当有司正赞礼,但此时是酬劳司正,所以不宜另设司正。⑤乡乐:指乡饮酒礼中演奏的《周南》、《召南》中的六首乐曲。

[译文]

次日,宾穿着朝服到主人门外拜谢头日的恩赐,主人不再请宾入门相见,而只是穿着与宾相同的衣服,随即到门外拜谢宾的屈尊光临。然后退回。

主人脱去朝服,换上便服,开始慰劳司正。慰劳的仪节比较简约,以司正为宾,不设陪客,也不杀牲。但是要派人去催请。司正到来时,主人要到门外迎接,而不必拜;接着入门、上堂。宾不必拜谢主人的迎接,也不必拜谢他为自己洗爵。送上的食品有干肉和肉酱,但没有俎。宾用酒回敬主人时,主人不必感谢宾饮了自己的薄酒,也不必拜众宾;向众宾献完酒后,由一名赞礼者扬觯致意,于是开始随意饮酒,不限爵数,至醉方休。不设司正,头日射礼的宾也不必再与此会。头日无法邀请的亲友,当天可随意邀请,对于乡中已经退休或还在职的卿大夫,只需向他们通报一下,来不来都行。佐酒的菜肴用家中现有的就行。宴饮时,六首乡乐可以随意点奏。(以上为宾拜谢主人和主人慰劳司正)

记

大夫与，则公士为宾①。使能②，不宿戒。

其牲，狗也。亨于堂东北。

尊，绤幂。宾至，彻之。

蒲筵，缁布纯。西序之席③，北上。

献用爵，其他用觯。以爵拜者，不徒作。

荐：脯用笾④，五胁⑤，祭半胁⑥，横于上。醢以豆，出自东房。胁长尺二寸。

[注释]

①公士：在官的士。乡射礼的宾一般由处士担任，但如果有大夫前来参加，则宾由公士担任，因处士与大夫的地位过于悬殊。②能：有德行道艺而且能射箭者。③西序之席：众宾之长的席位在宾之西，排至西序处。④笾(biān)：竹编的盛食器，形如豆。一般用以盛水果或肉干一类的食物。⑤胁(zhí)：或作"脂"，一端弯曲，另一端挺直的干肉条。⑥半胁：胁的挺直的部分。

[译文]

记

如果有大夫参加乡射之礼，则必须由在官的士担任宾。要选择有德行道艺而又能射的人，行礼前一天不必再往邀请。

乡射之礼用的牲，是狗。烹煮的地点在堂的东北。

酒尊，要用粗葛布覆盖。宾到来时，再将它撤去。

蒲席，用黑布缀边。西序前的席位，以北端为尊。

献酒时用爵，其他情况用觯。拿着爵拜主人者，起身后必须酢主人，不能不酢而起。

进荐食品：干肉要用竹编的器皿盛放，干肉条用五根，祭祀用的干肉条只截取其挺直的那一半，横放在笾上。肉酱则要用瓦制的豆盛放，并且从东房拿出来。干肉条每根长一尺二寸。

俎由东壁，自西阶升。宾俎：脊、胁、肩、肺。主人俎：脊、胁、臂、肺。肺皆离。皆右体也。进腠。

凡举爵，三作而不徒爵。

凡奠者于左，将举者于右。

众宾之长，一人辞洗，如宾礼。

若有诸公，则如宾礼，大夫如介礼。无诸公，则大夫如宾礼。乐作，大夫不入。

[译文]

狗肉煮熟后放在俎上，从东壁端进来，再从西阶端上堂。端给宾的俎上有：脊骨、肋骨、肩、肺。端给主人的俎上有：脊骨、肋骨、臂、肺。肺要用刀划成块，但不切断。狗肉一律用它右侧那一半的。摆放时肉皮朝上。

主人取爵之后，总共有三次执爵起身，每次都要往爵中酌酒，不能空爵。

凡是安放爵觯，一律放在席的左边，凡是将要举起的爵觯，则应放在席的右边，以便于使用者。

主人向三位众宾之长献酒时，只为其中一人洗爵，所以只有他一人可以辞谢主人，其间的仪节与宾辞谢主人洗爵一样。

行礼时，堂上如果有诸公在，则主人的礼节和对待宾一样；如果有大夫在，则礼节和介一样。如果没有诸公而只有大夫，则对待大夫的礼节与宾一样。乐声响起后，大夫不能再入内。

乐正，与立者齿。

三笙一和而成声①。

献工与笙，取爵于上篚。既献，奠于下篚。其笙，则献诸西阶上。

立者，东面北上。司正既举觯，而荐诸其位。

三耦者，使弟子②。司射前戒之。

司射之弓矢与扑，倚于西阶之西。

[注释]

①和：一种只有十三片簧片的小笙。普通的笙有十九片簧片。②弟子：众宾中的年轻人。三耦是司射教射的对象，所以选年轻人担任。

[译文]

乐正饮酒，要与在堂下站着的众宾一起按年齿排序。

三人吹笙，一人吹和，然后才能成声。

向乐工及吹笙者献酒，要从堂上的竹筐中取爵。献酒毕，要将空爵放入堂下的竹筐内。对吹笙者，则要在西阶上献酒。

在堂下站立的众宾，面朝东由北向南排列，以北首的位置为尊。司正是主人的助手，所以不向他献酒，但在他举觯时要将馔送到他的席位前。

三耦之人，要选择众宾中的年轻人。司射在教射之前要告诫注意事项。

司射的弓箭和刑杖，倚靠在西阶的西侧。

司射既袒决遂而升，司马阶前命张侯，遂命倚旌①。

凡侯：天子熊侯②，白质③；诸侯糜侯，赤质；大夫布侯，画以虎豹；士布侯，画以鹿豕。凡画者④，丹质。

射自楹间，物长如笴⑤。其间容弓，距随长武⑥。序则物当栋，堂则物当楣。

命负侯者，由其位⑦。

凡适堂西，皆出入于司马之南。唯宾与大夫降阶，遂西取弓矢。

[注释]

①这一句是要说明，司射与司马所做的事是同时进行的，而非先后进行

的。因为经文记司马命张侯、倚旌，是在司射比三耦之后，容易被误解成先后关系。②熊侯：侧面用熊皮装饰的箭靶。箭靶用布制作，称为"布侯"。凡以兽皮为饰者，则以兽名名之，如"熊侯"、"麋侯"等。③质：箭靶的中心部位，是射击的目标。④凡画者：指大夫和士的箭靶。⑤笴（gě）：箭杆，长三尺。⑥距随：射位符号的横画。武：足迹，长一尺二寸。⑦位：在司射之南。

[译文]

在司射袒去左袖、戴上扳指、套上护臂后，上堂请射于宾的同时，司马在西阶前命令打开掩折着的箭靶，接着命令报靶者将旌旗倚靠在箭靶的中央。

所有箭靶的样式分别是：天子的箭靶，侧面饰有熊皮，靶心涂成白色；诸侯的箭靶，侧面饰有麋皮，靶心涂成赤色；大夫的箭靶，用布制作，侧面无饰物，但在布面上画有虎豹；士的箭靶也用布制作，侧面无饰物，但布面上画有鹿和猪。凡是画有野兽的箭靶，靶心都涂成浅红色。

如果是在庠举行射礼，射手站在两楹柱之间，射位符号纵画的长度与箭杆相等。两位射手的射位符号之间的距离，等于一把弓的长度，射位符号横画的长度与人的足迹相等。射位符号的位置是：如果在序，则正对着屋的大梁；如果是在庠，则正对着前梁。

司马命令报靶者到靶前就位，是在他的礼仪之位上宣布的，即司射之南的地方。

凡是到西堂之下去，都要从司马之南经过。唯一的例外是，宾和大夫下堂后，到西堂之下取弓箭，可以直接前往，不必绕至司马之南。

旌，各以其物①。无物②，则以白羽与朱羽糅，杠长三仞③，以鸿脰韬上，二寻④。

凡挟矢，于二指之间横之⑤。

司射在司马之北。司马无事不执弓。

始射⑥，获而未释获，复⑦，释获；复，用乐行之。

上射于右。

楅，长如笴，博三寸，厚寸有半，龙首，其中蛇交，韦当⑧。楅髹⑨，横而奉之，南面坐而奠之，南北当洗。

[注释]

①旌，各以其物：旌是旗的总称，据《周礼》记载，天子、诸侯、大夫等所用的旗各不相同，共有九种，称为"九物"，行射礼时应根据射手的身份使用相应的"物"。②无物：没有相应旗物的人，指无命之士。③杠：旗杆。仞：长度单位，七尺。④脰（dòu）：颈脖。韬（tāo）：套住。寻：长度单位，八尺。⑤二指：食指和中指。⑥始射：第一番射中的三耦射。⑦复：再次，此指第二番射，下面的"复"字指第三番射。⑧韦当：箭架上承箭用的革衣，形似后世的背心。⑨髹（xiū）：赤黑色的漆。

[译文]

报靶用的旌旗，应该用与射者身份相称的旗种。没有资格使用任何一种旌旗的士，则可以用白色的羽毛和红色的羽毛相杂缀于旗杆的顶部，旗杆长二丈一尺，在一丈六尺以上的部位用帛缝制成状如鸿雁颈脖的长条套上。

凡是用手指夹箭，应在中指与食指之间横放。

司射的礼仪之位在司马的北面。司马不管射事，所以一般情况下不拿弓。

在第一番射时，三耦的射击具有练习的意思，所以即使射中，也不必抽算筹于地；第二番射时，可以抽算筹；第三番射，要根据音乐的节奏来进行。

上射站在右方的射位。

箭架的形制是，长度与箭杆相当，宽三寸，厚一寸半，两端雕成龙首形，中部为两蛇之身相交，上面覆以革衣。箭架刷有赤黑色的漆，拿的时候要横向捧着，到了指定的位置，要面朝南坐下再将它放下，它的南北方向应该正对着盥洗用的盆。

射者有过则挞之①。

众宾不与射者②，不降。

取诱射之矢者，既拾取矢，而后兼诱射之乘矢而取之。

宾、主人射，则司射摈升降，卒射即席，而反位卒事。

鹿中：髤，前足跪，凿背容八算。释获者奉之，先首。

大夫降，立于堂西以俟射③。大夫与士射，袒缥襦④。耦少退于物。

司射释弓矢：视算与献释获者释弓矢。

［注释］

①过：射箭时过失伤人。挞：用刑杖责打。②众宾：指堂上的三位众宾之长。③宾、主人下堂时，大夫尚不能射，但不宜独自在堂上，所以随之下堂。由于大夫是尊者，可不在射位旁待射，而在西堂下等着。④襦（rú）：穿在内衣外的短衣。

［译文］

射者如果误伤他人，则在中庭用刑杖责打。

堂上的众宾之长，如果不参加射箭，可以不下堂。

为司射取教练用箭的人，在与合耦者轮流取完四支箭后，接着将四支教练用箭一并取之。

宾和主人去射箭，上下堂时由司射导引，射毕，宾和主人入席，司射则返回原位继续将事做完。

鹿形盛筹器的形制是：刷有赤黑色的漆，鹿的前足跪曲，背上凿有能放八支算筹的孔。释筹者捧着时，鹿头朝前。

大夫随宾、主人下堂后，可以站在西堂之下待射。大夫与士合耦射箭时，只需袒去浅红色的短衣，内衣可以不裼。在射位站立时，合耦者要略向射位符号的后方退步，表示不敢与大夫并列。

在射礼中，司射只有两次放下弓箭：一次是指导并监督统计算筹，另一次是向释筹者献酒。

礼射不主皮[①]。主皮之射者，胜者又射，不胜者降。
主人亦饮于西阶上。
获者之俎，折脊、胁、肺、臑。
东方谓之右个。释获者之俎，折脊、胁、肺。皆有祭[②]。
大夫说矢束，坐说之。
歌《驺虞》，若《采蘋》，皆五终[③]。射无算。

[注释]
①古代射击有主皮之射与不主皮之射两类：主皮之射的箭靶用牛皮或犀皮等坚厚的皮革做成，没有靶心，以射穿为胜；不主皮之射的箭靶用布制作，以射中靶心为胜，而且讲究形体合于礼，动作合于乐，所以又称"礼射"。②"释获者之俎，折脊、胁、肺。皆有祭"当接在"获者之俎，折脊、胁、肺、臑"一句之后，原书误置于此。③终：唱一篇诗或奏一曲乐，此指歌唱诗篇。每一耦射时，要歌诗五遍。

[译文]
礼射的目的不在于射力的强弱，而在于举动都能合于礼乐。如果是主皮之射，则射穿兽皮者接着射，射不穿者下堂不再射。

主人如果属于负方，也在西阶之上饮罚酒。

报靶者的俎上有：折断的脊骨、肋骨、肺、前腿。

箭靶面朝北方的堂，所以称东方为右侧。释筹者的俎上有：折断的脊骨、肋骨、肺。报靶者和释筹者都另有祭肺。

大夫解开箭束上的绳子时，要坐着解它，表示不敢自尊。

每一耦射时，乐工歌唱《驺虞》或《采蘋》之诗，都要五遍。众宾射则不必计算唱的遍数。

古者于旅也语。凡旅，不洗。不洗者，不祭。既旅，士不入。

大夫后出。主人送于门外，再拜。

乡侯，上个五寻①，中十尺②。侯道五十弓③，弓二寸以为侯中④。倍中以为躬，倍躬以为左右舌⑤。下舌半上舌⑥。

箭筹八十⑦。长尺有握⑧，握素⑨。

楚扑长如笴⑩。刊本尺⑪。

[注释]

①上个：箭靶的上幅。②中：靶心的布。③弓长六尺，即一步的长度，五十弓即五十步。④弓二寸以为侯中：以每一弓取二寸的比例累加，来决定靶心的大小。靶心的大小根据侯道的长短来决定，这一句说计算靶心大小的方法。⑤躬：身，指靶心的上下幅。舌：靶向左右上下伸出的部分。⑥下舌伸出躬的部分是上舌伸出躬的部分的一半。⑦箭筹：竹筹，即算筹。⑧握：一握为四指宽，一指宽一寸，握为四寸。⑨握素：筹的手握处被刮削为素白色。⑩楚扑：刑杖名。⑪刊本尺：手持处一尺经过刊削。

[译文]

古人行礼，旅酬完毕才开始说话。凡是旅酬，不必洗濯。不洗濯，是因为众宾不必祭祀。旅酬开始后，晚到的士就不得再入场。

大夫要在宾离开回家后再出门。主人送大夫要送至门外，行再拜之礼。

乡射用的箭靶尺寸是：最上端的一块布为四丈，靶心的布为一丈见方。如果箭道有五十把弓那样长，那么按每一把弓取二寸的方法累计，所得结果就是靶心的大小。靶心宽度的一倍就是靶心上、下幅的宽度，上、下幅宽度的一倍就是最上端那块布的宽度。下舌向左右伸出的长度只有上舌的一半。

算筹一次准备八十支。每支长一尺四寸，手握处刮削成白色。

刑杖的长度与箭杆相当。手握处约一尺，被刮削成白色。

君射,则为下射。上射退于物一笴,既发,则答君而俟①。君乐作而后就物。君袒朱襦以射。小臣以巾执矢以授。若饮君,如燕,则夹爵②。君,国中射③,则皮树中④,以翿旌获⑤,白羽与朱羽糅;于郊,则闾中⑥,以旌获;于竟⑦,则虎中,龙旜⑧。大夫,兕中,各以其物获。士,鹿中,翿旌以获。唯君有射于国中,其馀否。君在,大夫射,则肉袒。

[注释]

①答君而俟:君的射位在东,上射的射位在西,上射射箭时背对着君,所以射毕要转身面对君,并等待君射。答,对。②夹爵:侍射者先酌酒自饮,饮毕酌酒献君,君饮毕再酌酒自饮。③国中射:在城中燕射。④皮树:兽名。⑤翿(dào):即纛,旗名,旗杆顶部有鸟羽聚合如伞盖。⑥闾:兽名。⑦于竟:在边境与邻国之君相遇而射。竟,通"境"。⑧龙旜(zhān):画有龙的曲柄旗。

[译文]

如果国君来参加射礼,那么应该按照礼仪惯例担任下射。与国君合耦的上射,应该从射位符号处后退一箭长的距离再射,表示不敢与国君并列,每箭射出后,要转身面对国君,并且等待他射。国君在奏乐声起后再踏上射位符号。国君射箭时只需袒去内衣外的红色短衣即可。小臣为国君递箭时,要以巾包裹着,表示不敢亵渎国君使用的东西。如果国君属于负方要饮罚酒,那么应该像燕礼中那样让国君喝完爵中的酒之后,再自酌自饮。国君如果在城中燕射,则用"皮树"这种野兽的皮做靶心,用纛旌之旗报靶,旗的顶部用白色和红色的羽毛相杂;如果在城郊大射,则用"闾"这种野兽的皮做靶心,用旌旗报靶;如果在边境与邻国之君相遇而会射,则用虎皮做靶心,用龙旜之旗报靶。大夫们参加的射礼,用兕皮做靶心,报靶用的旗则根据大夫的等级来选用。士参加的射礼,用鹿皮做靶心,用纛旌之旗报靶。只有国君能在城中燕射,其他人都不允许。如果有国君在场,则大夫射箭时要袒露左臂。

燕礼第六

燕礼①。小臣戒与者②。膳宰具官馔于寝东③。乐人县④。设洗篚于阼阶东南⑤，当东霤⑥。罍水在东⑦，篚在洗西，南肆。设膳篚在其北⑧，西面。司宫尊于东楹之西⑨，两方壶，左玄酒，南上。公尊瓦大两⑩，有丰⑪，幂用绤若锡⑫，在尊南，南上。尊士旅食于门西，两圆壶。司宫筵宾于户西，东上，无加席也。射人告具。

[注释]

①燕礼：古代贵族宴请下属的礼节。燕，通"宴"，义为安闲、休息。燕礼的对象有出使而归的臣僚、新建功勋的属官、聘请的贵宾等，也可以是无事而宴请群臣。天子、诸侯、族人各有燕礼，但多已亡佚，本篇为诸侯宴请臣下之礼。燕礼比飨礼、食礼简约，以饮酒为主，有折俎而没有饭，只行一献之礼，行礼场所在路寝。②与者：参与燕礼的群臣。群臣朝诸侯完毕将退归，国君命小臣留下群臣，并告诫有关事项。③膳宰：掌饮食和膳事的小吏。官馔：国君的肴馔，指酒、牲、脯醢等。寝：路寝。④县：通"悬"，悬挂钟磬等乐器。⑤洗篚：盛放诸臣饮酒器的竹篚。⑥霤（liù）：屋檐的滴水处。⑦罍（léi）：盛酒或水的器皿。⑧膳篚：盛放国君饮酒器的竹篚。⑨司宫：掌管宫寝事务的官员。⑩瓦大：即瓦甒，酒尊名。⑪丰：形状似豆，但低而大的器皿，作酒器的托盘用。⑫锡："緆"的假借字，细麻布。

[译文]

国君宴请臣属的礼节是：退朝时，小臣代表国君请各位大臣留下，准备参加宴请。膳宰将国君提供的肴馔陈放在路寝之东。乐工们悬挂好钟磬。放诸臣酒器的篚陈设在阼阶的东南方，正对着堂屋东侧屋檐的滴水处。盛着水的罍放在洗的东面，篚在洗的西面，向南陈列。放国君酒爵的篚，放在洗的北面，朝西。司官在东楹柱的西方放置两只方壶，左侧的是玄酒，左侧即南方，表示尊重，这是卿大夫们的酒尊。公的酒尊是两只叫"瓦大"的尊，下面有托盘，覆盖在酒尊上的布用粗葛布或细麻布，依季节而定，其位置在卿大夫的酒尊之南，方向以南为上。众士的食物则放在门的西侧，盛酒器是两只圆壶。司官将宾的席位铺设在室户之西，席位以东端为尊，上面不再铺加席。于是，射人禀告国君，燕礼所用器具已陈设完毕。（以上是陈设燕礼的器具）

小臣设公席于阼阶上，西乡①，设加席。公升，即位于席，西乡。小臣纳卿大夫②，卿大夫皆入门右，北面东上。士立于西方，东面北上。祝史立于门东，北面东上。小臣师一人在东堂下③，南面。士旅食者立于门西，东上。公降立于阼阶之东南，南乡尔卿④，卿西面北上；尔大夫，大夫皆少进。

[注释]

①乡：通"向"。②纳：使之入内，这里指奉国君之命引入。③小臣师：小臣有数名，开首提到的小臣是小臣之长，小臣师是小臣之长的副手。④尔：通"迩"，移近。

[译文]

小臣在阼阶之上为国君铺席，席位朝西，席上加铺一层坐席。国君上堂后即席，面朝西。小臣奉命导引卿大夫入内，卿大夫入门后站在门内右侧，面朝北并排而立，以东首为尊。士站在门内的左侧，面朝东，以北首为尊。祝史站在门内右侧，面朝北，以东首为尊。小臣师一人在东堂之下面朝南而立。士旅食者站在门内左侧面朝北而立，以东首为尊。作揖时，国君下堂立于阼阶东南，向南走近卿，卿转而面朝西，以北首为尊；国君走近大夫时，大夫都要稍稍上前。（以上为君臣即位）

射人请宾。公曰："命某为宾①。"射人命宾。宾少进，礼辞②。反命，又命之。宾再拜稽首，许诺。射人反命。宾出③，立于门外，东面。公揖卿大夫，乃升就席。

[注释]

①某：某一大夫。②礼辞：以自己才德不配而谦辞。③宾出：宾此时刚择定，所以被选定者必须出门，以便按照宾的礼节入门。

[译文]

射人请问本次燕礼的宾是谁。国君说："命某大夫为宾。"射人向宾转达国君的命令。宾稍稍上前，婉言推辞。射人回禀国君，接着向宾重申国君的命令。宾再拜磕头，表示同意。射人向国君复命。于是宾出门，在大门外面朝东而立，等待主人的正式邀请。国君在庭中向卿大夫作揖致意，然后上堂入席。（以上是确定宾的人选）

小臣自阼阶下，北面，请执幂者与羞膳者①。乃命执幂者，执幂者升自西阶，立于尊南，北面，东上。膳宰请羞于诸公卿者。

[注释]

①执幂者：执"瓦大"之幂的人。方壶、圆壶有盖，不需要幂。膳：指国君的膳食，脯醢。

[译文]

小臣从阼阶下堂，面朝北，请问国君由谁担任执幂者和羞膳者。于是小臣奉国君之命任命执幂者，执幂者受命后从西阶上堂，站立在酒尊之南，面朝北并列，而以站在东首者为尊。膳宰请问各位公卿，是否可以进上肴馔。（以上为任命执幂者和羞膳者）

射人纳宾。宾入，及庭，公降一等揖之。公升就席。

宾升自西阶。主人亦升自西阶①，宾右北面，至再拜；宾答再拜。主人降洗，洗南。西北面。宾降，阶西，东面。主人辞降，宾对。主人北面盥，坐取觚洗；宾少进，辞洗。主人坐奠觚于篚，兴对。宾反位。主人卒洗，宾揖，乃升。主人升。宾拜洗。主人宾右奠觚答拜，降盥。宾降，主人辞，宾对。卒盥，宾揖升。主人升，坐取觚。执幂者举幂，主人酌膳，执幂者反幂。主人筵前献宾。宾西阶上拜。筵前受爵，反位。主人宾右拜送爵。膳宰荐脯醢，宾升筵。膳宰设折俎。宾坐，左执爵，右祭脯醢，奠爵于荐右，兴；取肺，坐绝祭，嚌之，兴加于俎；坐挩手，执爵，遂祭酒，兴；席末坐啐酒，降席，坐奠爵，拜，告旨，执爵兴。主人答拜。宾西阶上北面坐卒爵，兴；坐奠爵，遂拜。主人答拜。

[注释]

①主人：指宰夫。宰夫是掌管国君饮食的小吏，国君位尊，不能亲自向宾献酒等，所以由宰夫代理主人。

[译文]

于是，射人导引宾入门。宾入门后，走到庭中，国君从堂上走下一级阼阶，向宾行揖致意。礼毕，国君转身上堂入席。

宾从西阶上堂。主人也随之从西阶上堂，在宾右侧，面朝北而立，宾上堂后，主人行再拜之礼；宾以再拜之礼作答。主人下堂洗手、洗酒器，到庭中后站在洗的南方。面朝西北。宾随之下堂，表示不敢安居在堂，在西阶之西，面朝东而立。主人辞谢宾的下堂，宾谦辞作答。主人面朝北洗手，接着坐下，从筐中取出觚洗濯；宾稍稍上前，辞谢主人亲自洗觚。主人又坐下，将觚放入筐中，起身作答。宾退回原位。主人洗濯完毕后，宾行揖致意，然后上堂。主人接着上堂。宾再次拜谢主人亲为洗觚。主人在宾的右侧放入觚答拜还礼，然后下堂洗手。宾随之下堂，主人辞谢宾，宾谦辞相答。主人洗完手，宾行揖致意，然后上堂。主人随之上堂，接着坐下取出筐中已洗净的觚。执幂者将覆盖在国君酒尊上的布撤去，主人酌酒后，执幂者又将布盖上。主人在宾的席前向宾献酒。宾在西阶之上拜谢，然后走到席前接过爵，再返回到西阶之上的位置。主人在宾的右侧拜而送之。膳宰将干肉和肉酱送到席上，于是宾入席。膳宰又摆上折俎。于是，宾坐下，左手执爵，右手拿干肉和肉酱祭祀，祭毕，将爵放在席右，再起身；接着取肺，坐下，将肺的下端扯断，放在口中尝一尝，再起身将它放到俎上；然后坐下擦手，又拿起爵，祭酒，接着起身；走到席的末端坐下尝一口酒，再离席，坐下放好爵，拜谢主人，并告知酒极甘美，然后执爵起身。主人答拜还礼。宾在西阶之上面朝北坐下，将爵中的酒喝完，起身；又坐下放好爵，拜谢主人。主人答拜还礼。（以上是主人向宾献酒）

宾以虚爵降。主人降。宾洗南坐奠觚^①，少进，辞降。主人东面对。宾坐取觚，奠于筐下，盥洗。主人辞洗。宾坐奠觚于筐，兴对，卒洗；及阶，揖，升。主人升，拜洗如宾礼。宾降盥，主人降。宾辞降，卒盥，揖升；酌膳，执幂如初，以酢主人于西阶上。主人北面拜受爵，宾主人之左拜送爵^②。主人坐祭，不啐酒，不拜酒，不告旨；遂卒爵，兴；坐奠爵，拜，执爵兴。宾答拜。主人不崇酒，以虚爵降奠于筐。

[注释]

①爵是饮酒器的统称,觚也可以称爵,所以文中觚、爵互用。②宾主人之左拜送爵:宾将爵授给主人后,走到主人左侧,面朝北拜而送之。

[译文]

宾执空爵下堂。主人随之下堂。宾到洗的南面坐下放好觚,然后起身稍稍上前,辞谢主人下堂。主人面朝东谦辞作答。宾又坐下取觚,放在筐的南方,接着洗手。主人辞谢宾将亲为洗觚。宾坐下将觚放入筐内,起身谦辞作答,然后将觚洗濯干净;宾主走到阶前,宾向主人行揖致意,接着上堂。主人随之上堂,主人拜谢宾亲为洗觚,礼节与刚才宾拜谢主人时一样。宾又下堂洗手,主人随之下堂。宾辞谢主人下堂,洗完手后,向主人行揖致意,接着上堂;在觚中酌酒,执幂者像方才那样,先撤去酒尊上的布,然后又盖上,宾执觚在西阶上回敬主人。主人面朝北拜谢宾,并接过觚,宾走到主人左侧拜送之。主人坐着祭酒,祭毕不用尝酒,不必拜谢宾敬酒,也不必告谢酒的甘美;最后将酒喝完,起身;再坐下放好爵,拜谢宾,然后执爵起身。宾答拜还礼。主人不必感谢宾不嫌弃自己的薄酒,拿着空爵下堂,将它放入庭中的筐内。(以上是宾用酒回敬主人)

宾降①,立于西阶西。射人升宾,宾升立于序内,东面。主人盥,洗象觚②,升实之,东北面献于公。公拜受爵。主人降自西阶。阼阶下北面拜送爵。士荐脯醢,膳宰设折俎,升自西阶。公祭如宾礼,膳宰赞授肺。不拜酒,立卒爵,坐奠爵,拜,执爵兴。主人答拜,升受爵以降,奠于膳筐。

[注释]

①宾降:主人与宾的献酢之礼已结束,接着主人与国君行献酢之礼,宾不敢在堂上,所以下堂候立。②象觚:饰有象牙的觚,是国君专用的饮酒器。

觚，古代的饮器，酒杯。

[译文]

接着由主人与国君行献酢之礼，宾下堂回避，站立在西阶的西侧。射人奉国君之命请宾上堂，宾上堂后站在西序的内侧，面朝东。主人下堂洗手，接着洗象觚，然后上堂酌酒，面朝东北献给国君。国君拜谢后接过酒爵。主人从西阶下堂，再走到阼阶前，面朝北拜送之。于是，士进上干肉和肉酱，膳宰摆上折俎，都由西阶上堂。国君祭酒和干肉、肉酱的礼节与宾一样，只是由膳宰协助递给祭肺。国君不必拜谢主人的敬酒，站着将象觚中的酒喝完，再坐下放好象觚，拜谢主人，然后执象觚起身。主人答拜还礼，上堂接过喝空的象觚，然后下堂放入为国君专设的筐中。（以上是主人向国君献酒）

更爵①，洗，升酌膳酒以降；酢于阼阶下，北面坐奠爵，再拜稽首。公答再拜。主人坐祭，遂卒爵，再拜稽首。公答再拜，主人奠爵于筐。

[注释]

①国君尊贵，不能向臣下回敬酒，所以主人只能自酢。自酢不敢使用国君的象觚，所以要更换他爵，但所酌之酒仍是国君的膳酒。

[译文]

主人另取一爵，下堂洗濯，再上堂酌以国君的膳酒，然后下堂；在阼阶之下自酢，接着面朝北坐下放好爵，向国君再拜磕头。国君以再拜之礼相答。主人坐下祭祀，祭毕，将酒饮完，又向国君再拜磕头。国君仍以再拜之礼相答，主人将空爵放入筐中。（以上是主人自酢）

主人盥洗，升媵觚于宾①；酌散②，西阶上坐奠爵，拜宾。

宾降筵，北面答拜。主人坐祭，遂饮；宾辞③。卒爵，拜；宾答拜。主人降洗，宾降，主人辞降，宾辞洗。卒洗，揖升。不拜洗。主人酌膳，宾西阶上拜，受爵于筵前，反位。主人拜送爵。宾升席，坐祭酒，遂奠于荐东。主人降复位。宾降筵西，东南面立。

[注释]

①媵（yìng）：致送。②散：方壶中的酒。③宾辞：如果是国君酬宾，应该坐着将酒喝完，此处由主人代为酬宾，应该降低礼数，站着将酒饮完，但主人坐而不立，表示不降其礼，所以宾以不敢当相辞。

[译文]

主人下堂洗手、洗觚，接着上堂将觚送交给宾；酌的酒应是方壶中的，然后在西阶上坐下放下觚，向宾行拜礼。宾离席，面朝北答拜还礼。主人代替国君坐下祭酒，接着又饮酒；宾不敢当此大礼而推辞。主人将爵中的酒饮完后，拜宾；宾答拜还礼。主人又下堂洗觚，宾也随之下堂，主人辞谢宾的下堂，宾辞谢主人亲为洗觚。主人洗完觚，宾向他行揖致意后上堂。宾上堂后不必再拜谢主人亲为洗觚。主人在觚中酌以国君的酒，宾在西阶之上拜谢，并在筵席前接过觚，然后回到自己的席位。主人拜而送之。宾入席后，坐下祭酒，祭毕，将觚放在席的东侧。主人下堂回到原位。宾离席站至筵席的西侧，面朝东南而立。（以上是主人酬宾）

小臣自阼阶下请媵爵者①，公命长②。小臣作下大夫二人媵爵。媵爵者阼阶下，皆北面再拜稽首；公答再拜。媵爵者立于洗南，西面北上，序进③，盥洗角觯，升自西阶，序进，酌散；交于楹北，降；阼阶下皆奠觯，再拜稽首，执觯兴。公答再拜。媵爵者皆坐祭，遂卒觯，兴；坐奠觯，再拜稽首，执觯兴。公答再拜。媵爵者执觯待于洗南。小臣请致者④。若君命皆致，则序进，奠觯于篚，阼阶下皆再拜稽首；公答再拜。媵爵者洗象觯，升实之；序进，坐奠于荐南⑤，北上；降，阼阶下皆再拜稽首，送觯。公答再拜。

[注释]

①请媵爵者：献酬之礼结束后，旅酬即将开始，所以要选定向国君进爵的人，此处的爵即觯。②长：下大夫之长。上大夫即卿，位尊而不便差使。③序进：依次序上前。④致者：致送爵的人。⑤荐南：即国君的右手处。

[译文]

小臣在阼阶之下向国君请问送爵者的人选，国君命令由下大夫之长担任。于是小臣请二位下大夫之长去送爵。送爵者走到阼阶下，都面朝北向国君再拜磕头；国君以再拜之礼作答。送爵者在庭洗南侧面朝西并排而立，以站在北面的为尊，然后依次上前洗手、洗角觯，又从西阶上堂，依次上前，从方壶中酌酒；两人在西边楹柱的北侧交错而过，接着先后下堂；两人在阼阶之下放好觯，向国君再拜磕头，然后执觯起身；国君以再拜之礼作答。于是二送爵者都坐下祭酒，接着将觯中的酒喝完，然后执觯起身；再坐下放好觯，向国君再拜叩头，然后执觯起身。国君以再拜之礼作答。送爵者持觯在庭洗之南等待国君命令。小臣请问国君是否开始致爵。如果国君命令两人都致爵，则两人依次序上前，将觯放入筐中，在阼阶下向国君再拜磕头；国君以再拜之礼作答。送爵者洗濯象觯，接着上堂酌酒；再依次上前，坐下将它放在国君席位的右侧，以北面的觯为尊；然后下堂，在阼阶前向国君再拜磕头，送受觯者。国君以再拜之礼作答。（以上是向国君致送爵）

公坐取大夫所媵觯，兴以酬宾。宾降，西阶下再拜稽首。公命小臣辞，宾升成拜。公坐奠觯，答再拜，执觯兴，立卒觯。宾下拜①，小臣辞。宾升，再拜稽首。公坐奠觯，答再拜，执觯兴。宾进受虚爵，降奠于篚，易觯洗。公有命，则不易不洗。反升酌膳觯，下拜[2]。小臣辞。宾升，再拜稽首。公答再拜。宾以旅酬于西阶上[3]。射人作大夫长升受旅。宾大夫之右坐奠觯，拜，执觯兴；大夫答拜。宾坐祭，立饮，卒觯不拜。若膳觯也，则降更觯洗，升实散。大夫拜受，宾拜送。大夫辩受酬，如受宾酬之礼，不祭。卒受者以虚觯降奠于篚。

[注释]

①下拜：下堂拜国君。宾下堂将要拜，但下文有"小臣辞。宾升，再拜稽首"语，所以宾要拜而未拜时，即为小臣所阻，然后上堂拜之。②同①。③旅酬：依次序劝卿大夫饮酒。旅，次序。

[译文]

国君坐下取过大夫所送的觯，起身劝宾饮酒。宾下堂，在西阶下准备行再拜磕头之礼。国君命令小臣劝阻，于是宾上堂完成再拜磕头之礼。国君坐下放好觯，以再拜之礼作答，然后执觯起身，站着将觯中的酒喝完。宾又下堂准备拜国君，小臣劝阻。于是宾上堂，对国君再拜磕头。国君坐下放好觯，以再拜之礼作答，再执觯起身。宾上前从国君手中接过空爵，下堂放入篚中，然后另取一觯洗濯。如果国君有命令，则可以不更换爵，也不洗濯它。接着，宾转身上堂，在觯中酌膳酒，然后下堂，准备拜国君。小臣又加劝阻。于是宾上堂，对国君再拜磕头。国君以再拜之礼作答。宾在西阶之上依序向卿大夫劝酒。射人请大夫之长上堂接受劝酒。宾在大夫的右侧坐下放好觯，拜大夫，然后执觯起身；大夫答拜还礼。宾坐下祭祀，站着饮酒，将觯中的酒喝完后不必拜谢。如果宾用的是膳觯，那么劝酒时应该下堂更换他觯并洗濯，因为膳觯是尊者所使用的，然后上堂酌方壶中的酒。大夫拜而受觯，宾拜而送之。大夫一一受到宾的劝酒，其间仪节与公卿受宾劝酒一样，也不必祭酒。最后一位被劝酒者，要拿着空爵下堂，将它放入篚中。（以上是国

君酬宾，宾遍酬大夫）

主人洗，升，实散，献卿于西阶上。司宫兼卷重席①，设于宾左，东上。卿升，拜受觚；主人拜送觚。卿辞重席，司宫彻之，乃荐脯醢。卿升席坐，左执爵，右祭脯醢，遂祭酒，不啐酒；降席，西阶上北面坐卒爵，兴；坐奠爵，拜，执爵兴。主人答拜，受爵。卿降复位。辩献卿，主人以虚爵降，奠于篚。射人乃升卿，卿皆升就席。若有诸公②，则先卿献之，如献卿之礼；席于阼阶西，北面东上，无加席。

[注释]

①兼卷重席：将卿的上下两重席一并卷起。②诸公：泛指国君之外有公爵的人。

[译文]

主人到庭中洗觚，接着上堂，在觚中酌方壶中的酒，然后在西阶之上向卿献酒。司宫将卿的两重席一并卷起，放在宾的左侧，以席的东端为尊。卿上堂，拜谢主人并接过觚；主人拜而送之。卿请求撤去上面的一重席，司宫遵命撤之，再将下面一重席铺设好。于是有司进上干肉和肉酱。卿入席坐下，左手执爵，右手拿着干肉和肉酱祭祀，接着祭酒，祭毕不用尝酒；然后离席，在西阶之上面朝北坐下，将爵中的酒饮完，再起身；接着又坐下放好爵，拜谢主人，再执爵起身。主人答拜还礼，从卿手中接过爵。卿下堂回到原位。如此，一一向卿献酒，最后主人拿着空爵下堂，将它放入篚内。于是，射人导引卿上堂，众卿都上堂入席。如果有诸公在场，则应在卿之前向他们献酒，其间仪节与向卿献酒时一样；他们的席位设在阼阶之西，面朝北，以东侧为尊，筵席只有一重，上面不再加席。（以上是主人向卿献酒）

小臣又请媵爵者①，二大夫媵爵如初。请致者。若命长致②，则媵爵者奠觯于篚，一人待于洗南。长致，致者阼阶下再拜稽首，公答再拜。洗象觯，升实之，坐奠于荐南，降，与立于洗南者二人皆再拜稽首送觯。公答再拜。

公又行一爵③，若宾，若长，唯公所酬④，以旅于西阶上，如初。大夫卒受者以虚觯降奠于篚。

[注释]

①因即将为公卿、大夫举爵劝酒，需要另取他爵，所以又要选送爵者。②长：二位大夫中的尊者。③公又行一爵：前面，两位媵觯者曾将二觯置于主人右侧，其中的上觯已被宾用以劝酒。公又行一爵，是举起下觯。④公的酒量如已不胜，可以将觯授给宾或卿、大夫中的长者，由他们去劝酒。

[译文]

小臣又请问国君下一轮送爵者的人选，国君仍然命令二位下大夫担任，他们送爵的仪节与刚才一样。小臣又请问国君致爵的人选。如果由二位下大夫中的尊长者致爵，则送爵者将觯放入篚内，另一人在庭洗之南等待。尊长者致爵，致者要在阼阶之下向国君再拜磕头，国君以再拜之礼作答。接着在庭中洗濯象觯，再上堂酌酒，然后坐下放在主人席位的右侧，又走下堂，与站在庭洗之南的送爵者一起对国君再拜磕头，礼送受觯者。国君用再拜之礼作答。

国君举起方才放着的另一只觯，准备劝卿、大夫饮酒，如果自己已不胜酒量，则可以命宾或卿、大夫之长代替自己劝酒。国君在西阶上依次向卿、大夫劝酒，就像刚才所做的那样。最后一位接受劝酒的大夫拿着空觯下堂，再将它放入篚中。（以上为再请二大夫送爵以及国君向卿劝酒）

主人洗，升，献大夫于西阶上。大夫升，拜受觚。主人拜送觚。大夫坐祭，立卒爵，不拜既爵。主人受爵。大夫降复位。胥荐主人于洗北①，西面，脯醢，无脀②。辩献大夫，遂荐之，继宾以西，东上。卒，射人乃升大夫；大夫皆升，就席。

[注释]

①胥：膳宰的属吏。②脀（zhēng）：盛有牲体的俎。

[译文]

主人在庭中洗觚，接着上堂斟酒，在西阶之上向大夫献酒。大夫上堂，拜谢主人后接过觚。主人拜送受觚者。大夫坐着祭祀，站着将爵中的酒饮完，饮完后不必拜谢。主人接过空爵。大夫下堂回到原位。胥将主人的食品进至庭洗之北，面朝西，有干肉和肉酱，但没有盛着牲体的俎。向大夫们一一献酒之后，接着也分别进以食品，他们的位置排列在宾的西侧，而以紧挨着宾的东方为尊。进陈食品毕，射人便导引大夫上堂；大夫们上堂后，一一入席。（以上是主人向大夫献酒）

席工于西阶上，少东。乐正先升，北面立于其西。小臣纳工，工四人，二瑟。小臣左何瑟，面鼓①，执越，内弦，右手相入，升自西阶，北面东上坐。小臣坐授瑟，乃降。工歌《鹿鸣》、《四牡》、《皇皇者华》。

[注释]

①面鼓：瑟可以鼓的部分朝前。

[译文]

乐工的席位设在西阶之上，稍稍靠东的地方。乐正先上堂，面朝北站在工席之西。接着小臣导引乐工入席，乐工有四人，其中二人是鼓瑟者。小臣左手挟瑟，瑟可以鼓的一端朝前，手指钩入瑟底的孔中，瑟弦朝内，右手搀扶着乐工入内，从西阶上堂，然后面朝北并列而坐，以东面的位置为尊。小臣坐下将瑟授给乐工，然后下堂。乐工们歌奏《鹿鸣》、《四牡》、《皇皇者华》等乐曲。（以上是

乐工上堂歌奏）

卒歌，主人洗，升献工。工不兴，左瑟；一人拜受爵。主人西阶上拜送爵。荐脯醢。使人相祭。卒受，不拜。主人受爵。众工不拜，受爵；坐祭，遂卒爵。辩有脯醢，不祭。主人受爵，降奠于篚。

公又举奠觯。唯公所赐。以旅于西阶上，如初。

卒，笙入，立于县中。奏《南陔》、《白华》、《华黍》。

[译文]

歌奏完毕，主人洗爵，上堂向乐工献酒。乐工不必起身，但要将瑟移向左侧，以示谦避；乐工之长拜谢主人后接过爵。主人在西阶之上拜送受爵者。于是，有司为乐工进上干肉和肉酱。主人命人帮助乐工祭祀。乐工之长将爵中的酒饮毕，不必拜谢主人。主人接过空爵。其他乐工不必拜谢，就可以接过酒爵；再坐下祭祀，接着将爵中的酒饮完。每位乐工席前都进有干肉和肉酱，都不必祭祀。主人接过乐工们的空爵，下堂放入篚中。

国君又举起送爵者放置在席南的觯。国君将觯赐给某位大夫，请他代为劝酒。受赐者在西阶上依次向大夫们劝酒，其间仪节与先前所做的一样。

劝酒毕，吹笙者走到堂下，站立在所悬钟磬的中间。吹奏的乐曲是《南陔》、《白华》、《华黍》。（以上是大夫向工献酒，公向大夫劝酒及奏乐）

主人洗，升，献笙于西阶上。一人拜，尽阶，不升堂；受爵，降；主人拜送爵。阶前坐祭，立卒爵，不拜既爵，升授主人。众笙不拜，受爵，降。坐祭，立卒爵。辩有脯醢，不祭。

[译文]

主人在庭中洗爵后,上堂,在西阶之上向吹笙者献酒。吹笙者中的一位年长者拜谢主人,走到西阶的最后一级,但不上堂;在这里从主人手中接过爵,然后走下西阶;主人拜送受爵者。长者在西阶前坐下祭祀,接着站着将爵中的酒饮完,饮毕不必拜谢主人,然后上堂将空爵奉还主人。其他的吹笙者不必拜谢主人,就可以接过酒爵,然后走下西阶,坐着祭祀,站着将爵中的酒饮完。每位吹笙者席前都进有干肉和肉酱,但不必祭祀它。(以上为向吹笙者献酒)

乃间歌《鱼丽》,笙《由庚》;歌《南有嘉鱼》,笙《崇丘》;歌《南山有台》,笙《由仪》。遂歌乡乐①:《周南·关雎》、《葛覃》、《卷耳》,《召南·鹊巢》、《采蘩》、《采蘋》。大师告于乐正曰:"正歌备。"乐正由楹内、东楹之东,告于公,乃降复位。

[注释]

①乡乐:地方民歌。《诗经》的《颂》是天子庙堂的乐曲,《雅》是诸侯、贵族的乐曲,《风》是各地民歌,《周南》、《召南》都属于《风》的范畴。文中所说都是《诗经》的篇名,也是乐歌名。

[译文]

于是堂上堂下交替歌奏乐曲:堂上鼓瑟唱《鱼丽》之歌,堂下则笙奏《由庚》之曲;堂上鼓瑟唱《南有嘉鱼》之歌,堂下则笙奏《崇丘》之曲;堂上鼓瑟唱《南山有台》之歌,堂下则笙奏《由仪》之曲。接着歌奏地方乐曲:《周南》中的《关雎》、《葛覃》、《卷耳》,《召南》中的《鹊巢》、《采蘩》、《采蘋》。奏毕,大师报告乐正说:"指定的乐曲都已奏完。"于是乐正从楹柱的内侧走到东楹柱之东,报告国君乐曲奏毕,然后下堂回到原位。(以上是奏乐)

射人自阼阶下，请立司正，公许。射人遂为司正。司正洗角觯，南面坐奠于中庭；升，东楹之东受命，西阶上北面命卿、大夫：君曰："以我安①！"卿、大夫皆对曰："诺！敢不安？"司正降自西阶，南面坐取觯，升酌散；降，南面坐奠觯；右还，北面少立，坐取觯，兴；坐不祭，卒觯，奠之；兴，再拜稽首；左还，南面坐取觯，洗，南面反奠于其所；升自西阶，东楹之东，请彻俎，降②，公许。告于宾，宾北面取俎以出。膳宰彻公俎，降自阼阶以东。卿、大夫皆降，东面北上。宾反入，及卿、大夫皆说屦，升就席。公以宾及卿、大夫皆坐，乃安。羞庶羞。大夫祭荐。司正升受命，皆命：君曰："无不醉！"宾及卿、大夫皆兴，对曰："诺！敢不醉？"皆反坐。

[注释]

①以我安：即以我之命安之。②"降"字当在下文"告于宾"之后。

[译文]

射人在阼阶下，请国君设立司正，以监察即将开始的宴饮的仪法，国君表示同意。于是射人奉命兼任司正。司正洗濯角觯，然后面朝南坐下，将它放在两阶之间的庭中；接着上堂，在东楹柱的东侧领受国君之命，然后到西阶之上面朝北命令卿、大夫：国君说："以我的命令让卿大夫安坐！"卿、大夫都应答说："是！岂敢不安坐？"司正从西阶下堂，到庭中面朝南坐下取觯，接着上堂酌方壶中的酒；又下堂，面朝南坐下放好觯；向右转身，面朝北而立，并稍稍端正自己的站姿，坐下取觯后起身；坐时不必祭祀，将觯中的酒饮完后放下；再起身，向国君再拜磕头；接着向左转身，面朝南坐下取觯，洗濯后又面朝南坐下，将觯放在原处；然后从西阶上堂，走到东楹柱的东侧，请求撤去席上的俎，国君同意撤去俎。司正转告宾，接着下堂，宾面朝北取俎后出门。膳宰撤去国君席上的俎，从阼阶以东下堂。卿、大夫都下堂，面朝东并排而立，以北面的位置为尊。宾从门外返回庭中，与卿、大夫都脱下鞋，上堂入席。国君和宾以及卿、大夫都坐下，于是堂上都安坐。有司进上各种佐酒的肴馔。大夫祭干肉和肉酱。司正上堂请命于国君，然后对所有的人命令：国君说："一定要喝醉！"宾和卿、大夫都起身，回答说："是！岂敢不喝醉？"又重新坐下。（以上是司正奉命留宾安坐）

主人洗，升，献士于西阶上。士长升，拜受觯；主人拜送觯。士坐祭，立饮，不拜既爵。其他不拜①，坐祭，立饮。乃荐司正与射人一人、司士一人、执幂二人②，立于觯南，东上。辩献士。士既献者立于东方，西面北上。乃荐士。祝史，小臣师，亦就其位而荐之。主人就旅食之尊而献之。旅食不拜，受爵，坐祭，立饮。

若射，则大射正为司射③，如乡射之礼。

[注释]

①其他：指众士。②司正、射人、司士和执幂都属于士。③大射正：射人之长。

[译文]

主人在庭中洗觯，接着上堂在西阶之上向士献酒。众士之长上堂拜谢主人，并接过觯；主人拜送受觯者。士坐下祭祀，站着饮酒，饮毕不必拜谢主人。其他的士，受觯时也不必拜谢，坐着祭祀，站着饮酒。于是先为即将行事的几位士进肴馔：司正与射人一人、司士一人、执幂者二人，他们都在觯的南侧并排而立，以东侧的位置为尊。接着一一向士献酒。已接受过献酒的士，都站到东方，面朝西并排而立，以北端的位置为尊。于是为其他的士进肴馔。对祝史、小臣师，则就其席位而进肴馔。主人用旅食之尊的酒献士。众士依次序就食时不必拜谢，就可接过酒爵，坐着祭祀，站着饮酒。

如果要用射箭来乐宾，则由大射正担任司射，其间的仪节，与乡射之礼一样。（以上是主人向士献酒）

宾降洗，升滕觚于公①，酌散，下拜。公降一等，小臣辞。宾升，再拜稽首；公答再拜。宾坐祭，卒爵，再拜稽首；公答再拜。宾降洗象觯，升酌膳，坐奠于荐南，降拜。小臣辞。宾升成拜，公答再拜。宾反位。公坐取宾所滕觯，兴。唯公所赐。受者如初受酬之礼，降更爵洗，升酌膳，下拜。小臣辞。升成拜，公答拜。乃就席，坐行之②，有执爵者。唯受于公者拜。司正命执爵者爵辩，卒受者兴以酬士。大夫卒受者以爵兴，西阶上酬士。士升，大夫奠爵拜，士答拜。大夫立卒爵，不拜，实之。士拜受，大夫拜送。士旅于西阶上，辩。士旅酌③。卒。

[注释]

①滕觚本应由下大夫为之，宾不敢以宾自尊，所以以滕觚表示对国君的恭敬。②坐行之：坐着相互劝酒。③士旅酌：士依次序自己酌酒，并互相劝饮。

[译文]

宾下堂洗觚，接着上堂将觚送给国君，酒是从方壶中酌取的，然后下堂准备拜国君。国君从阼阶上走下一级台阶，小臣劝阻宾在堂下拜礼。于是宾又上堂，对国君行再拜磕头之礼；国君以再拜之礼作答。宾坐下祭祀，将爵中的酒饮毕后，又向国君再拜磕头；国君仍答以再拜之礼。宾下堂为国君洗象觯后，上堂酌上膳酒，又坐下将觯放在国君的右手前，接着下堂准备拜国君。小臣劝阻宾到堂下拜。于是宾上堂完成拜礼，国君以再拜之礼作答。宾返回原位。国君坐下取宾所送的觯，起身。国君将觯赐给他选中的人。接受国君赐觯的人，要像最初接受国君劝酒的人那样行礼，接着下堂更换一爵，表示不敢与国君用同一件酒器，然后将爵洗净，再上堂酌上膳酒，下堂准备拜国君。小臣加以劝阻。于是又上堂完成拜礼，国君答拜还礼。然后入席，坐着与左右的士互相劝酒，执爵者代为酌酒。只有从国君手中受爵者才需行拜礼。司正命令执爵者为每位劝酒，最后一位受爵者起身用这爵劝士饮酒。最后一位受爵的大夫执爵起身，在西阶之上向士劝酒。士之长上堂，大夫置爵行拜礼，士答拜还礼。大夫站着将爵中的酒饮完，不必拜谢，但要在爵中再酌上酒。士拜而受爵，大夫拜而送之。士在西阶之上依次序一一劝酒。士依次序自己酌酒，互相劝饮。直至饮事完毕。（以上为国君向士劝酒）

主人洗，升自西阶，献庶子于阼阶上①，如献士之礼。辩，降洗，遂献左右正与内小臣②，皆于阼阶上，如献庶子之礼。无算爵。士也，有执膳爵者，有执散爵者。执膳爵者酌以进公，公不拜，受。执散爵者酌以之公，命所赐。所赐者兴受爵，降席下，奠爵，再拜稽首。公答拜。受赐爵者以爵就席坐，公卒爵，然后饮。执膳爵者受公爵，酌，反奠之。受赐爵者兴，授执散爵③，执散爵者乃酌行之。唯受爵于公者拜。卒受爵者兴，以酬士于西阶上。士升，大夫不拜，乃饮，实爵。士不拜，受爵。大夫就席。士旅酬，亦如之。公有命彻幂，则卿大夫皆降，西阶下北面东上，再拜稽首。公命小臣辞。公答再拜，大夫皆辟。遂升，反坐。士终旅于上，如初。无算乐。

[注释]

①庶子：官名，掌诸侯、卿大夫之庶子的教育。②左右正：指乐正、仆人正等。内小臣：官名，掌后宫或夫人事务。③"执散爵"后脱一"者"字。

[译文]

主人在庭中洗爵，接着从西阶上堂，到阼阶之上向庶子献酒，其间的仪节与向士献酒一样。一一献遍后，下堂洗爵，然后又到阼阶之上向左右正和内小臣献酒，其间的仪节和向庶子献酒一样。此时饮酒，不再计算行爵次数，可以随意酌饮、相劝，至醉而休。执爵者都是士，有专为国君执爵的，也有为卿大夫执爵的。为国君执爵者在爵中酌酒后进献给国君，国君不必拜谢就可以接爵。为卿大夫执爵者，在爵中酌酒后先要进给国君，国君再下令将此爵赐给某人。受赐者要起身接爵，离席下堂，将爵放在地上，对国君再拜磕头。国君答拜还礼。受赐爵者拿着爵入席就座，等国君将爵中的酒饮完后，再开始饮。为国君执爵者接过国君饮干的空爵，酌上酒，再放回原处。受赐爵者起身，将一爵授给执爵者，执爵者酌上酒之后依次进于众宾客的席前。只有从国君手中接爵者才需要行拜礼。最后一位受爵者要起身，拿着爵到西阶之上向堂下的众士劝酒。众士之长上堂，大夫不必向他行拜礼，就将爵中的酒饮完，然后再酌上酒。众士之长也不必向大夫行拜礼，就可以接过爵。之后，大夫入席就座。众士依次酌酒，也是如此。如果国君命令撤去覆盖在酒尊上的布，则卿、大夫都应该下堂，在西阶之下面朝北并排而立，以东面的位置为尊，准备对国君行再拜磕头之礼。国君命小臣劝阻。卿、大夫仍在堂下行再拜磕头之礼。国君以再拜之礼作答，大夫皆回避，表示不敢当。然后，卿、大夫们上堂，回到各自的席位坐下。士依次酌饮、劝酒，直至兴尽，最后在西阶之上告终，仪节与当初一样。其间歌唱与吹奏相互交替无数次，兴尽方止。（以上是主人向庶子等献酒，畅饮奏乐无数）

宵，则庶子执烛于阼阶上，司宫执烛于西阶上，甸人执大烛于庭①，阍人为大烛于门外②。宾醉，北面坐取其荐脯以降。奏《陔》。宾所执脯，以赐钟人于门内霤，遂出。卿、大夫皆出。公不送。

[注释]

①甸人：掌供薪木、柴草的小吏。②阍（hūn）人：守门人。

[译文]

入夜，负责内外照明的是：庶子执烛站在阼阶之上，司宫执烛站在西阶之上，甸人执大烛站在庭中，阍人设大烛在门外。宾微醉时，面朝北坐下，从自己席上拿取干肉后下堂。乐工奏《陔》的乐曲。宾将所取的干肉，在门内屋檐的滴水处赐给敲钟的乐工，然后出门。卿、大夫随之出门。国君不必相送。（以上是宴毕宾客出门）

公与客燕①。曰："寡君有不腆之酒②，以请吾子之与寡君须臾焉③；使某也以请。"对曰："寡君，君之私也④。君无所辱赐于使臣⑤，臣敢辞。""寡君固曰'不腆'，使某固以请！""寡君，君之私也。君无所辱赐于使臣，臣敢固辞！""寡君固曰'不腆'，使某固以请！""某固辞，不得命，敢不从？"致命曰："寡君使某，有不腆之酒，以请吾子之与寡君须臾焉！""君贶寡君多矣⑥，又辱赐于使臣，臣敢拜赐命！"

[注释]

①客：异国的使臣。②腆（tiǎn）：丰厚，美好。③须臾：片刻。④君之私：君之私属。意思是，自己的国君是贵国之君的私属，自己不敢以匹敌之国的使臣自居。⑤无所辱赐于使臣：无故而辱赐于我。⑥贶（kuàng）：赐予。

[译文]

国君准备宴请异国的使臣，事先要派卿、大夫去邀请。卿、大夫说："我们寡君准备了薄酒，请您能与他一起小饮片刻，所以派我前来邀请。"使臣回答说："我的寡君，是贵国国君的私属。贵国国君无故下请于我，我岂敢前往？"卿、大夫说："我们寡君一再说'酒不好'，让我一定请您去！"使臣说："我们寡君是贵国国君的私属。贵国国君无故下请于我，请允许我再次推辞！"卿、大夫说：

"我们寡君一再说'酒不好',让我一定请您去!"使臣说:"我一再地推辞,但不能得到您的允许,敢不从命?"于是卿、大夫正式向使臣转达国君的邀请说:"我们寡君派我前来,他已备下薄酒,以此邀请您前往与他小饮片刻!"使臣回答说:"贵国国君给我的寡君的恩赐已经很多了,今天又下赐于我,我谨拜谢国君的恩赐之命!"(以上是卿、大夫邀请异国使臣时的辞令)

记

燕,朝服于寝。其牲狗也,亨于门外东方①。

若与四方之宾燕,则公迎之于大门内,揖让升。宾为苟敬②,席于阼阶之西,北面;有脀,不啐肺,不啐酒;其介为宾。无膳尊,无膳爵。

[注释]

①古代寝庙的门外都有灶,吉礼在门东,凶礼在门西。②苟敬:礼仪简约而内心恭敬。

[译文]

记

燕礼,君臣都穿着朝服在路寝进行。所用的牲是狗,在门外东方的灶上烹煮。

如果国君与异国来聘的使臣燕饮,则国君要在大门之内迎接,相互揖让后上堂。宾为了频频向主人行礼,并表示亲近,将自己的席位安排在阼阶之西,紧挨着主人的地方,面朝北;进上的肴馔中有盛着牲体的俎,不必尝肺,也不必尝酒;使臣的副手充当宾,坐在西阶之上宾的位置。不设国君专用的酒尊和酒爵。

与卿燕,则大夫为宾。与大夫燕,亦大夫为宾。羞膳者与执幂者,皆士也。羞卿者,小膳宰也①。

若以乐纳宾，则宾及庭，奏《肆夏》②；宾拜酒，主人答拜，而乐阕③。公拜受爵，而奏《肆夏》；公卒爵，主人升，受爵以下，而乐阕。升歌《鹿鸣》，下管《新宫》④，笙入三成⑤，遂合乡乐⑥；若舞，则《勺》⑦。

[注释]

①小膳宰：膳宰的副手。②《肆夏》：乐诗名，已佚。③阕（què）：乐终。④管：以管乐吹奏。⑤笙入三成：笙奏《南陔》、《白华》、《华黍》等三篇乐诗。⑥乡乐：指《诗经》中《周南》和《召南》的六篇乐诗。⑦《勺》：《诗经·周颂》中的诗篇。

[译文]

国君与卿燕饮，则以大夫为宾，目的是让卿不劳于仪节，能与之尽欢。如果国君与大夫燕饮，则也以大夫为宾。

进膳酒者与执幂者，都由士担任。向卿进酒食者，由小膳宰担任。

如果以乐曲迎宾，则在宾走到中庭时，奏《肆夏》的乐曲；宾拜主人后接酒，主人答拜时，乐曲终止。国君拜而接过酒爵时，再奏《肆夏》；国君将爵中的酒饮毕，主人上堂，接过空爵下堂时，乐曲终止。歌手们上堂歌唱《鹿鸣》之诗，接着下堂用管乐奏《新宫》之诗，然后吹笙者奏《南陔》、《白华》和《华黍》之诗，紧接着堂上堂下合奏六篇乡乐之诗；如果有舞蹈，则奏《勺》的乐曲。

唯公与宾有俎。

献公，曰："臣敢奏爵以听命①。"

凡公所辞，皆栗阶②。凡栗阶，不过二等。

凡公所酬，既拜，请旅侍臣。

凡荐与羞者③，小膳宰也。

有内羞④。

[注释]

①奏爵：进爵。听命：听君受爵与否之命。②栗阶：或称"历阶"，快速登上台阶的方式：左脚踩第一级台阶，右脚随即踩上第二级台阶，左脚又踩上第三级台阶，如此一直到堂上。通常上台阶时，左脚踩第一级台阶，接着右脚也踩第一级台阶；再用左脚踩第二级台阶，接着右脚也踩上第二级台阶，直至堂上。③荐：进。与：以。④内羞：房内的佐酒食品。

[译文]

只有国君与宾的席上可以有俎。

主人持爵向国君献酒，说："臣谨进上酒爵，听凭取用。"

凡是国君要劝阻宾或他人在堂下行礼时，主人要连步走上台阶。凡是连步走上台阶，一次不能跨二级。

凡是国君酬宾，宾接过空爵，自行酌酒后，上堂拜谢，此时向国君请求行酒予侍饮之臣。

凡是进以各种佐酒的食品，都由小膳宰负责。

房内也同时进以各种佐酒的食品。

君与射，则为下射，袒朱襦，乐作而后就物。小臣以巾授矢，稍属①。不以乐志②。既发，则小臣受弓以授弓人。上射退于物一笴，既发，则答君而俟。若饮君，燕，则夹爵。君在，大夫射，则肉袒。

若与四方之宾燕，媵爵曰："臣受赐矣。臣请赞执爵者。"相者对曰："吾子无自辱焉。"

有房中之乐③。

[注释]

①稍属：授箭的动作稍稍连续，国君每射一箭，小臣随即递上一箭，直至四箭射完。②不以乐志：不必完全按音乐的节奏射箭。志，识，记。③房中之乐：奏于房中的音乐，用管弦而不用钟鼓，与堂上堂下之乐不同。

[译文]

　　如果国君参与射箭，则应按礼仪惯例担任下射，只需褪去内衣外的红色短衣即可，当奏乐声起时再踏上射位符号。小臣用巾包着箭递送给国君，动作要连贯。射箭时不一定跟随音乐的节奏。四支箭射完后，小臣从国君手中接过弓，交给弓人。与国君合耦的上射，射箭时应从射位符号处后退一箭长的距离，表示不敢与国君并列，每射出一箭，都要转身面对国君，等待他射。如果国君属于负方要饮罚酒，则应像燕礼那样，先自饮，再让国君饮，接着又自饮。国君在场时，大夫射箭要袒露左臂。

　　如果国君与异国的使臣燕饮，使臣送爵时说："我已受到国君恩赐之酒。我请求协助执爵者行事。"国君的辅佐者回答说："您不要去做那些有辱于您的事。"

　　堂上、堂下奏乐时，房中也安排有管弦之乐。

大射仪第七

大射之仪①。君有命戒射。宰戒百官有事于射者。射人戒诸公、卿、大夫射。司士戒士射与赞者。

[注释]

①大射是诸侯为即将进行的祭祀、朝觐、盟会等选定人员,或者纯粹是为了与群臣练习射技而在大学举行的活动。大射的主要内容是"三番射",因此,其基本仪节与乡射礼相同,只是大射的参加者身份比乡射要高,掌礼执事者的官职也更高,人数也更多。大射与燕射、宾射的主要区别是,后两者侧重于敬宾尽欢,前者则侧重于射的容体、动作等是否合于礼乐。本篇详尽记述大射的仪节,故名"大射仪"。

[译文]

大射的仪节是:首先,国君下令,命有司向有关人士预告即将举行大射。于是,宰告知百官中将参与射事的人。射人告知公、卿和大夫参加大射。司士则告知士中参加大射和执事的人。(以上是通知百官等)

前射三日,宰夫戒宰及司马。射人宿视涤。司马命量人量侯道与所设乏以狸步①,大侯九十②,参七十③,干五十④;设乏各去其侯西十、北十。遂命量人、巾车张三侯⑤:大侯之崇,见鹄于参⑥；参见鹄于干，干不及地武。不系左下纲。设乏西十、北十。凡乏用革。

[注释]

①侯道：从堂上射箭处至箭靶的距离。狸步：丈量距离的工具，上面刻有狸的形状，故名，一狸步长六尺。②大侯：国君用的箭靶。③参：大夫用的箭靶。④干：士用的箭靶。⑤量人：官名，掌丈量道路、巷陌等的长度。巾车：官名，车官之长，掌诸侯的车辆、衣巾，以及张设箭靶等。⑥鹄（gǔ）：箭靶的中心。

[译文]

大射的前三天，宰夫再次告诫宰和司马，射期将临。射人在大射的前一天检查打扫射宫和洗涤器皿的情况。司马命令量人用狸步测量堂到箭靶的距离，以及到报靶者避箭用的乏的距离，诸侯的箭靶距离堂九十狸步，大夫的箭靶距离堂七十狸步，士的箭靶距离堂五十狸步；乏设立的位置是，分别在每一箭靶以西十狸步，再向北十狸步。接着命令量人和巾车张设上述三种箭靶，其高度是：诸侯箭靶的靶心，要高于大夫的箭靶；大夫箭靶的靶心要高于士的箭靶，箭靶下端的绳索距离地面不得少于一尺二寸。箭靶左下方的绳索可以先不拴上。报靶者藏身用的乏设在箭靶之西十狸步、再向北十狸步的地方。乏用皮革制作。（以上为射前的准备）

乐人宿县于阼阶东，笙磬西面①，其南笙钟，其南镈②，皆南陈。建鼓在阼阶西③，南鼓；应鼙在其东④，南鼓。西阶之西，颂磬东面⑤，其南钟，其南镈，皆南陈。一建鼓在其南，东鼓；朔鼙在其北⑥。一建鼓在西阶之东，南面。荡在建鼓之间⑦。鼗倚于颂磬⑧，西纮⑨。

[注释]

①笙磬：即"生磬"，陈设在东面的磬。古人认为东方是万物生长之处，故名。下面的"笙钟"也在东方，只是稍靠南，故也名为"笙钟"。②镈

(bó)：乐器名，形如钟而较大，奏乐时打节拍用。③建鼓：鼓名。鼓较大，鼓身有方孔，用木柱贯穿其中而立之，柱顶饰有鸾鸟及华盖，柱下有四足，饰以兽形。④应鼙（pí）：与朔鼙相应和的鼓，奏乐时先击朔鼙，再击应鼙以应之。鼙，鼓名。⑤颂磬：悬挂在西方的磬，古人认为万物所成之处，有成功之义，故名。⑥朔鼙：鼓名。朔，开始，朔鼙是奏乐时最先敲击的鼓，故名。⑦荡（dàng）：乐器名，属笙箫一类的管乐器。⑧鼗（táo）：小鼓名，有柄，形如后世的拨浪鼓。⑨纮（hóng）：鼗两旁悬耳上的绳子。

[译文]

大射的前一天，乐人在阼阶之东悬架各种乐器，笙磬设在东侧，面朝西，笙磬的南侧是笙钟，再往南是镈钟，都是由北向南陈设。建鼓陈设在阼阶之西，鼓面朝南；应鼙在它的东侧，鼓面也朝南。颂磬陈设在西阶之西，面朝东，它的南面是颂钟，再往南是镈钟，也都由北向南陈列。另外又有一个建鼓在镈钟的南侧，但鼓面朝东；它的北面则是朔鼓。还有一个建鼓设立在西阶之东，鼓面朝南。称为"荡"的管乐器则陈放在这两个建鼓之间。有柄的小鼓鼗则倚靠颂磬的架子上，小鼓一侧悬耳上的绳子朝西。（以上是射前一日陈设乐器）

厥明，司宫尊于东楹之西，两方壶；膳尊两甒在南。有丰。幂用锡若绤①，缀诸箭②。盖幂如勺，又反之③。皆玄尊④。酒在北。尊士旅食于西镈之南⑤，北面，两圆壶。又尊于大侯之乏东北，两壶献酒。设洗于阼阶东南，罍水在东，篚在洗西，南陈。设膳篚在其北，西面。又设洗于获者之尊西北，水在洗北，篚在南，东陈。小臣设公席于阼阶上，西乡。司宫设宾席于户西，南面，有加席。卿席宾东，东上。小卿宾西⑥，东上。大夫继而东上。若有东面者，则北上。席工于西阶之东，东上。诸公阼阶西，北面，东上。官馔⑦。羹定。

[注释]

①绤（chī）：细葛布。②缀：装饰，标记。箭：小竹条。③又反之：将覆盖在酒尊上的布再向上翻卷，用以遮盖布上的勺。④玄尊：玄酒之尊。⑤士旅食：指庶人在官者。旅，众。⑥小卿：担任卿的副手的大夫。⑦官馔：膳宰为百官进上各自有的肴馔。

[译文]

陈设乐器的次日，司官在东楹柱的西侧陈设酒尊，是两把方壶，供百官诸臣用；国君用的酒尊是两只瓾，在方壶之南。下面都有托盘。覆盖在瓾上的织物根据季节而定，或用细布，或用细葛布，上面都缀饰有小竹条。器盖上覆盖织物，上面再放勺，然后将织物的边角向上翻折，遮住勺。两方壶和两瓾中都有一个是玄水之尊。酒放在北侧。士众食用的酒陈设在西南的镈钟之南，面朝北，是两把圆壶。又在国君箭靶旁的乏的东北陈放酒尊，是两壶特别滤过的沙酒。洗陈设在阼阶的东南，盛着水的罍在洗的东侧，盛饮酒器用的篚在洗的西南，由北向南陈放。盛国君的饮酒器的篚陈放在它的北侧，朝西。又在报靶者的酒尊的西北陈放一个洗，盥洗用的水在它的北侧，篚在它的南侧，都自西向东陈放。小臣在阼阶上为国君铺席，席位的方向朝西。司官在室户之西为宾铺席，席位的方向朝南，席上再加有一重席。卿的席位在宾的东侧，由西向东排列，以东首为尊。卿的副手的席位在宾的西侧，由西向东排列，以东首为尊。大夫的席位接着卿的副手的席位向西排列，以东首为尊。如果排不下，则折而向南排列，席位的方向朝东，而以北首为尊。接着在西阶之东为乐工铺席，由西向东排列，以东首为尊。诸公的席位在阼阶之西，面朝北，由东向西排列，以东首为尊。有司为百官诸臣进上各自应有的肴馔。此时，狗肉羹已经煮熟。（以上为准备宴席）

射人告具于公。公升，即位于席，西乡。小臣师纳诸公、卿、大夫。诸公、卿、大夫皆入门右，北面东上。士西方，东面北上。大史在干侯之东北，北面东上。士旅食者在士南，北面东上。小臣师从者在东堂下，南面西上。公降，立于阼阶之东南，南乡。小臣师诏揖诸公、卿、大夫①，诸公、卿、大夫西面北上；揖大夫，大夫皆少进。大射正摈。摈者请宾，公曰："命某为宾。"摈者命宾，宾少进，礼辞。反命，又命之。宾再拜稽首，受命。摈者反命。宾出，立于门外，北面。公揖卿、大夫，升就席。小臣自阼阶下，北面。请执幂者与羞膳者。乃命执幂者。执幂者升自西阶，立于尊南，北面东上。膳宰请羞于诸公卿者。

[注释]

①诏：告知。揖：有揖之使其靠近之意。"大夫"为衍文，应删，后文的"诸公、卿、大夫"，"大夫"也为衍文。

[译文]

射人禀告国君，燕饮所需的器具已陈设完毕。于是，国君上堂，就位入席，面朝西。小臣师导引诸公、卿、大夫入门。诸公、卿、大夫入门后都站在门的右侧，面朝北，自东向西排列，以东首为尊。士站在门内的西侧，面朝东，从北向南排列，以北方为尊。太史站在士的箭靶的东北，面朝北，自东向西排列，以东首为尊。庶人在官者站在士的南边，面朝北，自东向西排列，以东首为尊。小臣师的随从站在东堂之下，面朝南，自西向东排列，以西首为尊。于是，国君走下堂，在阼阶的东南面朝南而立。小臣师向诸公和卿行揖，告诉他们上前稍靠近国君，诸公、卿便转而面朝西，自北向南排列，以靠近国君的北首为尊；小臣师又向大夫行揖，大夫也都稍稍上前靠近国君。接着，国君命令大射正兼任摈者。摈者向国君请问宾的人选，国君说："命令某人为宾。"摈者向被命为宾的人转达王命，宾便稍稍上前，以自己德疏才浅为由而谦辞。摈者转身向国君复命，国君重申前命。于是宾向国君行再拜磕头之礼，接受任命。摈者向国君复命。接着，宾出门，在大门外面朝北而立，等待国君以宾礼正式邀请。国君向卿、大夫行揖致意后，上堂入席。小臣在阼阶之下面朝北，向国君请问执幂者与羞膳者的人选。于是，国君任命执幂者。执幂者从西阶上堂，站在酒尊之南，面朝北，以东首为尊。膳宰请问诸公和卿，是否可以进上肴馔。（以上为任命并迎接宾）

摈者纳宾，宾及庭，公降一等揖宾，宾辟；公升，即席。奏《肆夏》。宾升自西阶。主人从之，宾右北面至再拜。宾答再拜。主人降洗，洗南，西北面。宾降阶西，东面。主人辞降，宾对。主人北面盥，坐取觚洗。宾少进，辞洗。主人坐奠觚于篚，兴对。宾反位。主人卒洗，宾揖，乃升。主人升，宾拜洗。主人宾右奠觚答拜，降盥。宾降，主人辞降，宾对。卒盥。宾揖升。主人升，坐取觚。执幂者举幂，主人酌膳，执幂者盖幂。酌者加勺，又反之。筵前献宾。宾西阶上拜，受爵于筵前，反位。主人宾右拜送爵。宰胥荐脯醢。宾升筵。庶子设折俎。宾坐，左执觚，右祭脯醢，奠爵于荐右；兴取肺，坐绝祭，嚌之，兴加于俎，坐挩手，执爵，遂祭酒，兴；席末坐啐酒，降席；坐奠爵，拜，告旨，执爵兴。主人答拜。乐阕。宾西阶上北面坐，卒爵，兴；坐奠爵，拜，执爵兴。主人答拜。

[译文]

于是，摈者导引宾入内，宾走到庭中时，国君从堂上走下一级阼阶，向宾行揖致意，宾退避，表示不敢当；国君转身上堂，入席。此时，乐工们奏《肆夏》的乐曲。宾从西阶上堂。主人也随之从西阶上堂，在宾的右侧面朝北而立，向宾行再拜之礼。宾以再拜之礼作答。主人下堂准备洗濯饮酒器,走到庭中后,站在洗的南方,面朝西北。宾随之下堂,表示不敢安居于堂,在西阶之西,面朝东而立。主人辞谢宾的下堂,宾谦辞作答。主人面朝北洗手,接着坐下,从筐中取出觚洗濯。宾稍稍上前,劝阻主人亲自洗觚。主人又坐下,将觚放入筐中,起身作答。宾退回原位。主人洗濯完毕后,宾向他行揖致意,然后上堂。主人上堂后,宾再次拜谢主人亲为洗濯。主人在宾的右侧放下觚,答拜还礼,接着又下堂洗手。宾随之下堂,主人辞谢,宾谦辞作答。主人洗完手时,宾向他作揖致意,然后上堂。主人随之上堂,接着坐下,从筐中取出已洗净的觚。执幂者将覆盖在国君酒尊上的布撤去,主人酌酒后,执幂者又将布盖上。酌酒者将勺放在布上,再将布向上翻折,盖上勺。主人在宾的席前向宾献酒。宾先在西阶之上拜谢,再走到席前接过爵,然后回到西阶之上的位置。主人在宾的右侧拜送受爵者。此时,宰胥将干肉和肉酱送到宾的席上。于是宾入席。庶子又摆上盛有节解过的牲体的俎。宾坐下,左手执觚,右手拿着干肉和肉酱祭祀,祭毕,将觚放在席右;又起身取了肺,再坐下,将肺的下端扯断,放在口中尝一尝,然后起身将它放在俎上,接着坐下擦手,又拿觚祭酒,再起身;走到席的末端坐下尝一口酒,然后离席;坐下放好觚,拜谢主人,称赞酒的甘美,再执爵起身。主人答拜还礼。此时乐曲终止。宾在西阶之上面朝北坐下,将觚中的酒喝完后起身;接着又坐下放好觚,拜谢主人,再执爵起身。主人答拜还礼。(以上是主人向宾献酒)

宾以虚爵降。主人降。宾洗南西北面坐奠觚,少进,辞降。主人西阶西东面少进对。宾坐取觚,奠于筐下,盥洗。主人辞洗。宾坐奠觚于筐,兴对,卒洗;及阶,揖升。主人升,拜洗如宾礼。宾降盥,主人降。宾辞降,卒盥,揖升。酌膳、执幂如初，以酢主人于西阶上。主人北面拜受爵。宾主人之左拜送爵。主人坐祭，不啐酒，不拜酒，遂卒爵，兴；坐奠爵，拜，执爵兴。宾答拜。主人不崇酒，以虚爵降，奠于篚。宾降，立于西阶西，东面。摈者以命升宾。宾升，立于西序，东面。

[译文]

宾执空觚下堂。主人随之下堂。宾到洗的南方面朝西北坐下放好觚，然后起身稍稍上前，辞谢主人下堂。主人在西阶之西面朝东，稍稍上前作答。宾坐下取觚，放在篚的南方，接着洗手，准备为主人洗觚。主人辞谢宾。宾又坐下，将觚放入篚中，再起身谦辞作答，然后将觚洗濯干净；宾主走到阶前，宾向主人行揖致意后上堂。主人随之上堂，拜谢宾亲为洗觚，其间仪节与刚才宾拜谢主人时一样。于是，宾又下堂洗手，准备为主人酌酒，主人随之下堂。宾辞谢主人下堂，洗手完毕，宾向主人行揖致意后上堂。其后酌膳酒，执幂者撤幂、覆幂等仪节与此前所做的一样。宾执觚在西阶上回敬主人。主人面朝北拜而谢之。宾走到主人的左侧拜而送之。主人坐着祭酒，祭毕不用尝酒，也不必拜谢宾的敬酒，就可以将觚中的酒喝完，然后起身；接着又坐下放好爵，拜谢主人，再执爵起身。宾答拜还礼。主人不必感谢宾不嫌弃自己的薄酒，拿着空爵下堂，将它放入庭中的篚内。接着，宾下堂，站在西阶之西，面朝东而立。摈者奉命导引宾上堂。宾上堂后站在堂的西夹室的墙前，面朝东。（以上是宾用酒回敬主人）

主人盥，洗象觚，升酌膳，东北面献于公。公拜受爵，乃奏《肆夏》。主人降自西阶，阼阶下北面拜送爵。宰胥荐脯醢，由左房。庶子设折俎，升自西阶。公祭，如宾礼；庶子赞授肺。不拜酒，立卒爵；坐奠爵，拜，执爵兴。主人答拜。乐阕。升受爵，降奠于篚。

[译文]

主人下堂洗手，接着洗濯象觚，又上堂酌膳酒，面朝东北献给国君。国君拜谢后接过象觚，此时乐工奏《肆夏》的乐曲。主人从西阶下堂，走到阼阶前，面朝北拜而送之。于是，宰胥在国君席前进上干肉和肉酱，都从左房端出来。庶子摆上盛有折断的牲体的俎，是从西阶端上堂的。国君祭酒等的礼节与宾一样，只是由庶子协助递上祭肺。国君不必拜谢主人的敬酒，站着将象觚中的酒喝完；然后坐下放好象觚，拜谢主人，再执象觚起身。主人答拜还礼。此时乐曲终止。于是，主人上堂接过喝空的象觚，下堂放入篚中。（以上是主人向国君献酒）

更爵洗，升酌散以降；酢于阼阶下，北面坐奠爵，再拜稽首。公答拜。主人坐祭，遂卒爵，兴；坐奠爵，再拜稽首。公答拜。主人奠爵于篚。

[译文]

主人在堂下更换一只酒爵，洗净后上堂酌方壶中的酒，然后下堂；在阼阶之下自酢，再面朝北坐下放好爵，向国君再拜磕头。国君答拜还礼。主人坐下祭祀，接着将爵中的酒饮完，起身；然后又坐下放好爵，向国君再拜磕头。国君答拜还礼。主人将空爵放入篚中。（以上是主人自酢）

主人盥洗，升媵觚于宾，酌散，西阶上坐奠爵，拜。宾西阶上北面答拜。主人坐祭，遂饮。宾辞。卒爵兴，坐奠爵，拜，执爵兴。宾答拜。主人降洗，宾降。主人辞降，宾辞洗。卒洗。宾揖升，不拜洗。主人酌膳。宾西阶上拜，受爵于筵前，反位。主人拜送爵。宾升席，坐祭酒，遂奠于荐东。主人降，复位。宾降筵西，东南面立。

[译文]

主人下堂先洗手再洗觚,然后上堂将觚送交给宾;酒是从方壶中酌取的,接着在西阶上坐下放好觚,向宾行拜礼。宾在西阶之上面朝北答拜还礼。主人代替国君坐下祭酒,接着又饮酒。宾不敢当此大礼而推辞。主人将觚中的酒饮完后起身,又坐下放好爵,拜宾,然后执爵起身。宾答拜还礼。主人又下堂洗觚,宾随之下堂。主人辞谢宾的下堂,宾辞谢主人亲为洗觚。主人洗完觚,宾向他行揖致意,然后上堂,不必再次拜谢主人亲为洗觚。主人在觚中酌以国君的酒。宾在西阶之上拜谢,并在席前接过觚,再回到自己的席位。主人拜送受爵者。宾入席,然后坐下祭酒,祭毕,将觚放在席的东侧。主人下堂,回到原位。宾离席,站到席的西侧,面朝东南而立。(以上是主人酬宾)

小臣自阼阶下请媵爵者,公命长。小臣作下大夫二人媵爵。媵爵者阼阶下皆北面再拜稽首。公答拜。媵爵者立于洗南,西面北上;序进,盥洗角觯,升自西阶;序进,酌散,交于楹北;降,适阼阶下;皆奠觯,再拜稽首,执觯兴。公答拜。媵爵者皆坐祭,遂卒觯,兴;坐奠觯,再拜稽首,执觯兴。公答再拜。媵爵者执觯待于洗南。小臣请致者。若命皆致,则序进,奠觯于篚,阼阶下皆北面再拜稽首。公答拜。媵爵者洗象觯,升实之;序进,坐奠于荐南,北上;降,适阼阶下,皆再拜稽首送觯。公答拜。媵爵者皆退反位。

[译文]

小臣在阼阶下向国君请问送爵者的人选,国君命令由下大夫之长担任。于是,小臣请二位下大夫之长去送爵。送爵者走到阼阶下都面朝北向国君再拜磕头。国君答拜还礼。送爵者在庭洗之南面朝西并排而立,以站在北面者为尊;然后依次上前,先洗手再洗角觯，再从西阶上堂；依次上前，从方壶中酌酒，两人在楹柱的北侧交错而过；接着先后下堂，走到阼阶下；都放下觯，向国君再拜磕头，然后执觯起身。国君答拜还礼。送爵者都坐下祭祀，接着将觯中的酒喝完，起身；再坐下放好觯，向国君再拜磕头，然后执觯起身。国君以再拜之礼作答。送爵者执觯在庭洗之南等待国君的命令。小臣请问国君是否开始致爵。如果国君命令两人都致爵，则两人依次上前，将觯放入篚中，在阼阶之下面朝北向国君再拜磕头。国君答拜还礼。送爵者在庭中洗象觯，然后上堂酌酒；再依次上前，坐下将它放在国君席位的右侧，而以放在北面的觯为尊；接着下堂，走到阼阶前，一起向国君再拜磕头，送受觯者。国君答拜还礼。送爵者都退下回到原位。（以上是向国君致送爵）

公坐取大夫所媵觯，兴以酬宾。宾降，西阶下再拜稽首。小臣正辞，宾升成拜。公坐奠觯，答拜，执觯兴。公卒觯，宾下拜，小臣正辞。宾升，再拜稽首。公坐奠觯，答拜，执觯兴。宾进，受虚觯，降，奠于篚，易觯，兴洗；公有命，则不易不洗。反升酌膳。下拜。小臣正辞。宾升，再拜稽首。公答拜。宾告于摈者，请旅诸臣。摈者告于公，公许。宾以旅大夫于西阶上。摈者作大夫长升受旅。宾大夫之右坐奠觯，拜，执觯兴。大夫答拜。宾坐祭，立卒觯，不拜。若膳觯也，则降、更觯，洗，升实散。大夫拜受。宾拜送，遂就席。大夫辩受酬，如受宾酬之礼，不祭酒。卒受者以虚觯降，奠于篚，复位。

[译文]

国君坐下取过大夫所送的觯，起身向宾劝酒。宾下堂，在西阶下准备行再拜磕头之礼。小臣正劝阻，宾乃上堂完成再拜磕头之礼。国君坐下放好觯，以再拜之礼作答，然后执觯起身。国君将觯中的酒饮毕，宾又下堂准备行拜礼，小臣正又劝阻。于是宾上堂，向国君再拜磕头。国君坐下放好觯，以再拜之礼作答，然后执觯起身。宾上前，从国君手中接过空觯，下堂放入篚中，接着另取一觯洗濯；如果国君有命令，则可以不更换觯，也不洗濯。宾转身上堂酌膳酒，然后下堂准备拜国君。小臣正劝阻。于是宾上堂，对国君再拜磕头。国君答拜还礼。宾告诉摈者，请问国君是否接着为各位大臣劝酒。摈者转告国君，国君同意。宾便站在西阶之上依次向大夫劝酒。摈者则作为大夫之长上堂接受劝酒。宾在大夫的右侧坐下放好觯，礼拜大夫，然后执觯起身。大夫答拜还礼。宾坐着祭祀，站着将觯中的酒喝完，不必拜谢。如果宾用的是膳觯，则应在劝酒前下堂更换他爵并洗濯，然后上堂酌方壶中的酒。大夫拜而受之。宾拜而送之，接着入席。大夫们一一受到宾的劝酒，其间仪节与公卿受宾劝酒一样，也不必祭酒。最后一位被劝酒者要拿着空觯下堂，将它放入篚中，然后回到原位。（以上是国君酬宾，宾遍酬大夫）

主人洗觚，升实散，献卿于西阶上。司宫兼卷重席，设于宾左，东上。卿升，拜受觚。主人拜送觚。卿辞重席，司宫彻之。乃荐脯醢。卿升席。庶子设折俎。卿坐，左执爵，右祭脯醢，奠爵于荐右；兴取肺，坐绝祭，不哜肺；兴加于俎，坐挽手，取爵，遂祭酒，执爵兴；降席，西阶上北面坐卒爵，兴；坐奠爵，拜，执爵兴。主人答拜，受爵。卿降，复位。辩献卿。主人以虚爵降，奠于篚。摈者升卿，卿皆升，就席。若有诸公，则先卿献之，如献卿之礼；席于阼阶西，北面东上；无加席。

[译文]

主人到庭中洗觚，然后上堂酌方壶中的酒，接着在西阶之上向卿献酒。司宫将卿的两重席一并卷起，放在宾的左侧，席的东端为尊。卿上堂，拜谢主人并接过觚。主人拜送受觚者。卿请求撤去上面的一重席，司官遵命撤之，接着将下面的那重席铺好。于是有司进上干肉和肉酱。卿入席。庶子摆上盛有节解的牲体的俎。卿坐下，左手执爵，右手祭干肉和肉酱，祭毕，将爵放在席的右侧；接着起身取肺，再坐下将肺的下端扯断而祭之，不必尝肺；然后起身将它放在俎上，再坐下擦手，于是，又取过酒爵，接着祭酒，又执爵起身；然后离席，在西阶之上面朝北坐下，将爵中的酒喝完，起身；再坐下放好爵，拜谢主人，然后执爵起身。主人答拜还礼，从卿手中接过爵。卿下堂，回到原位。如此，一一向所有的卿献酒。最后，主人拿着空爵下堂，将它放入篚内。于是，摈者导引卿上堂，众卿都上堂入席。如果有诸公在场，则应在卿之前向他们献酒，其间仪节与向卿献酒时一样；诸公的席位设在阼阶之西，面朝北，以东首为尊；筵席只有一重，上面不再加铺第二重席。（以上是主人向卿献酒）

　　小臣又请媵爵者，二大夫媵爵如初。请致者。若命长致，则媵爵者奠觯于篚，一人待于洗南。长致者阼阶下再拜稽首，公答拜，洗象觯，升实之，坐奠于荐南，降，与立于洗南者二人皆再拜稽首送觯。公答拜。

　　公又行一爵，若宾，若长，唯公所赐。以旅于西阶上，如初。大夫卒受者以虚觯降，奠于篚。

[译文]

　　小臣请问下一轮送爵者的人选，国君仍然命令二位下大夫担任，他们送爵的仪节与刚才一样。小臣又请问致爵的人选。如果由二位下大夫中的长者致爵，则送爵者将觯放入篚内时，另一人在庭洗之南等候。长者致爵要到阼阶之下向国君再拜磕头，国君答拜还礼。接着致爵者在庭中洗濯象觯，然后上堂酌酒，再坐下放在主人席位的右侧，又走下堂，与站在庭洗之南的送爵者一起向国君再拜磕头，并礼送受觯者。国君答拜还礼。

国君又举起刚才放着的另一只觯，准备向卿、大夫劝酒；如果国君此时已不胜酒量，则可以将觯赐给宾或卿、大夫之长，请他们代为劝酒。国君在西阶上依次向卿、大夫劝酒，就像前面所做过的那样。最后一位接受劝酒的大夫要拿着空觯下堂，将它放入篚中。（以上为再请二大夫送爵以及国君向卿劝酒）

主人洗觚，升，献大夫于西阶上。大夫升，拜受觚。主人拜送觚。大夫坐祭，立卒爵，不拜既爵。主人受爵。大夫降复位。胥荐主人于洗北。西面。脯醢，无脀。辩献大夫，遂荐之，继宾以西，东上。若有东面者，则北上。卒，傧者升大夫；大夫皆升，就席。

[译文]

主人在庭中洗觚，然后上堂，在西阶之上向大夫献酒。大夫上堂，拜谢主人后接过觚。主人拜送受觚者。大夫坐着祭祀，站着将爵中的酒饮完，之后不必拜谢主人。主人接过空爵。大夫下堂回到原位。胥将主人佐酒的食品放在庭洗之北，面朝西。有干肉和肉酱，但没有盛着牲体的俎。向大夫们一一献酒之后，接着分别向他们进以食品，他们的位置排在宾的西侧，而以挨着宾的东方为尊。如果排不下，则折而向南，面朝东，而以北首的位置为尊。食品进陈完毕，傧者导引大夫上堂；大夫上堂后，一一入席。（以上是主人向大夫献酒）

乃席工于西阶上，少东。小臣纳工，工六人，四瑟。仆人正徒相大师①，仆人师相少师②，仆人士相上工③。相者皆左何瑟，后首，内弦，挎越，右手相。后者徒相入。小乐正从之。升自西阶，北面东上。坐授瑟，乃降。小乐正立于西阶东。乃歌《鹿鸣》三终。主人洗,升实爵,献工。工不兴,左瑟;一人拜受爵。主人西阶上拜送爵。荐脯醢。使人相祭。卒爵,不拜。主人受虚爵。众工不拜,受爵,坐祭,遂卒爵。辩有脯醢,不祭。主人受爵,降奠于篚,复位。大师及少师、上工皆降,立于鼓北,群工陪于后。乃管《新宫》三终。卒管。大师及少师、上工皆东坫之东南④,西面北上坐。

[注释]

①仆人正:仆人之长。徒:徒手。大师:乐工之长。②仆人师:仆人正的副手。少师:乐工之长的副手。③仆人士:仆人正所属的小吏。上工:堂上的乐工。④坫(diàn):室内的土台。坫有多种,此为屋角的坫,是举行冠、丧等仪式的地方。

[译文]

于是在西阶之上为乐工设席,而稍稍靠东。小臣引导乐工们入席,乐工共有六名,其中四名是鼓瑟者。仆人正空手扶着大师,仆人师扶助少师,仆人士扶着堂上的乐工。挽扶乐工者都是左手挟瑟,瑟的上部朝后,瑟弦朝内,手指钩入瑟底的孔中,右手扶着乐工。进入时的顺序正好相反,乐工先入,所以最后进去的是空手挽扶大师的仆人正。小乐正跟随于大师之后。他们都从西阶上堂,然后面朝北并列而坐,以东面的位置为尊。挽扶鼓瑟者的人,要坐着将瑟交给鼓瑟者,然后下堂。小乐正站立在西阶的东侧。于是,歌手唱《鹿鸣》之歌三遍。歌毕,主人下堂洗爵,再上堂酌酒后献给乐工。乐工不必起身,但要将瑟移向左边,以示谦避;乐工之长拜谢主人后接过酒爵。主人在西阶之上拜送受爵者。于是,有司为乐工们进上干肉和肉酱。主人命人帮助乐工祭祀。乐工之长将爵中的酒饮毕,不必拜谢主人。主人接过空爵。其他乐工不必拜谢主人,就可以接过酒爵,再坐下祭祀,接着将爵中的酒饮完。每位乐工的席前都进有干肉和肉酱,但不必祭它。主人接过乐工们的空爵,下堂放入筐中，再回到原位。至此，堂上的乐事完毕，大师、少师和堂上的乐工都下堂，站在庭西的建鼓之北，众乐工都陪立于后。接着堂下吹奏《新官》之乐三遍。吹奏毕，大师、少师和堂上的乐工都站在堂角土台的东南，面朝西并排而坐，以北首为尊。（以上是乐工上堂、奏乐娱宾及主人向乐工献酒）

摈者自阼阶下请立司正。公许，摈者遂为司正。司正适洗，洗角觯，南面坐奠于中庭；升，东楹之东受命于公，西阶上北面命宾、诸公、卿、大夫。公曰："以我安！"宾、诸公、卿、大夫皆对曰："诺！敢不安？"司正降自西阶，南面坐取觯，升酌散；降，南面坐奠觯；兴，右还，北面少立；坐取觯，兴；坐，不祭，卒觯，奠之，兴；再拜稽首，左还，南面坐取觯，洗，南面反奠于其所，北面立。

[译文]

摈者在阼阶下请国君设立司正。国君表示同意，于是摈者奉命兼任司正。司正走到庭洗前，洗涤角觯，然后面朝南坐下，将它放在两阶之间的庭中；接着上堂，在东楹柱的东侧领受国君之命，然后走到西阶之上面朝北命令宾、诸公、卿、大夫。国君说："以我的命令让他们都安坐！"宾、诸公、卿、大夫都应答说："是！岂敢不安坐？"司正从西阶下堂，在庭洗前面朝南坐下取觯，然后上堂酌方壶中的酒；接着下堂，面朝南坐下放好觯；再起身，向右转身，面朝北而立，并稍稍端正自己的站姿；又坐下取觯，起身；然后又坐下，不必祭祀，将爵中的酒饮完后放下，起身；向国君再拜磕头，接着向左转身，在庭洗前面朝南坐下再取觯，洗濯后面朝南坐下，将觯放在原处，再面朝北而立。（以上是司正奉命留宾安坐）

司射适次[①]，袒决遂，执弓，挟乘矢，于弓外见镞于弣，右巨指钩弦。自阼阶前曰："为政请射。"遂告曰："大夫与大夫，士御于大夫。"遂适西阶前，东面右顾②，命有司纳射器。射器皆入。君之弓矢，适东堂；宾之弓矢与中、筹、丰，皆止于西堂下。众弓矢不挟。总众弓矢、楅③，皆适次而俟。工人、士与梓人升自北阶④。两楹之间疏数容弓⑤，若丹，若墨，度尺而午⑥。射正莅之。卒画，自北阶下。司宫扫所画物，自北阶下。太史俟于所设中之西，东面以听政。司射西面誓之曰⑦："公射大侯，大夫射参，士射干。射者非其侯，中之不获！卑者与尊者为耦，不异侯！"太史许诺。遂比三耦。三耦俟于次北，西面北上。司射命上射，曰："某御于子。"命下射，曰："子与某子射。"卒，遂命三耦取弓矢于次。

[注释]

①次：更换衣服的地方，四周有帐帏，地上铺有席。②右顾：向右看，因有司在其右侧。③总：将物件合在一处后捆束之。众弓矢：除三耦和卿大夫之外的人用的弓箭。④工人、士与梓人：都是匠人的职名。⑤疏数：指两个射位符号的竖画之间的距离大小。⑥度尺而午：纵画和横画都以一尺为度，相交成"午"。古文"午"字略如后世的"十"字。⑦誓：告诉。

[译文]

司射走到更衣处，袒去左袖，戴上扳指，套上护臂，拿起弓，将四支箭一起放在弓上拿着，在弓的外侧可以看到箭头搭在弓把的中部，右手的拇指钩住弓弦。司射走到阼阶前对国君说："为了政典请允许射箭。"接着又禀告国君说："堂上的人合耦的方法是，大夫与大夫相合耦，如果人数不足，可以让士与大夫合耦。"接着又走到西阶之前，面朝东而立，向右看着有司，命令他将射箭用的器具搬进来。于是，射箭的器具全部搬了进来。国君的弓箭放在东堂；宾的弓箭以及盛筹器、算筹、酒器托盘，都放在西堂之下。三耦和卿、大夫之外的人用的弓箭不夹持，但要把这些弓箭和箭架捆在一起，全部送到更衣处待用。工人、士和梓人从堂的北阶走上来，在东、西楹柱的中间画射位符号，两个射位符号的纵画之间相距一把弓的长度，再用浅红色或黑色画它，纵画和横画都以一尺长为度，交叉成午字。射正亲至现场监察。画毕，工人、士和梓人从北阶下堂。司宫清扫射位符号处，使之更加清晰，扫毕，也从北阶下堂。太史则在将要放盛筹器的地方的西面候立，面朝东而听司射等发令。司射面朝西，告诉在场的人说："国君射的箭靶是'大侯'，大夫射的箭靶是'参侯'，士射的箭靶是'干侯'。如果射者射中的不是自己的箭靶，即使射中也能计数！地位低者与高者合为一耦者，射同一个箭靶！"太史听后表示同意。于是选定三耦的成员。被选中的三耦之人在更衣处的北侧等候，面朝西并排而站，以北首为尊。司射命令上射说："某人侍射于您。"命令下射说："你和某人合射。"命毕，接着命三耦之人到更衣处取弓箭。（以上为准备射器和选定三耦）

　　司射入于次，搢三挟一个，出于次，西面揖，当阶北面揖，及阶揖，升堂揖，当物北面揖，及物揖；由下物少退，诱射。射三侯，将乘矢，始射干，又射参，大侯再发。卒射，北面揖。及阶，揖降，如升射之仪。遂适堂西，改取一个挟之。遂取扑搢之，以立于所设中之西南，东面。

[译文]

　　司射走进更衣处准备，腰间插三支箭，食指和中指间夹一支箭，然后走出更衣处，面朝西行揖，走到正对着西阶的小路前又面朝北行揖，走到西阶前行揖，上堂后行揖，走到正对着射位符号的地方面朝北行揖，踩上射位符号时行揖；再从下射的射位符号处稍稍后退，开始向三耦做射箭的动作及仪容的示范。司射先后射三个箭靶，用四支箭，先射士的箭靶干侯，又射大夫的箭靶参侯，最后两箭射国君的箭靶大侯。射毕,面朝北行揖。走到西阶前,行揖后下堂,其间的仪节与方才上堂射箭时一样。接着走到西堂之下,重新取一支箭,夹在食指与中指间。然后又取刑杖插在腰间,再走到将要放盛筹器的地方的西南,面朝东而立。(以上是司射做射箭的示范)

司马师命负侯者执旌以负侯。负侯者皆适侯,执旌负侯而俟。司射适次,作上耦射。司射反位。上耦出次,西面揖进。上射在左,并行。当阶北面揖,及阶揖。上射先升三等,下射从之,中等。上射升堂,少左。下射升,上射揖,并行。皆当其物北面揖,及物揖。皆左足履物,还,视侯中,合足而俟。司马正适次,袒决遂,执弓,右挟之,出;升自西阶,适下物,立于物间;左执弣,右执箫,南扬弓,命去侯。负侯皆许诺,以宫趋,直西;及乏南,又诺以商;至乏,声止。授获者,退立于西方。获者兴,共而俟。司马正出于下射之南,还其后,降自西阶;遂适次,释弓,说决拾,袭,反位。司射进,与司马正交于阶前,相左;由堂下西阶之东,北面视上射,命曰:"毋射获!毋猎获!"上射揖。司射退,反位。乃射,上射既发,挟矢;而后下射射,拾发以将乘矢。获者坐而获,举旌以宫,偃旌以商;获而未释获。卒射,右挟之,北面揖,揖如升射。上射降三等,下射少右,从之;中等,并行,上射于左。与升射者相左,交于阶前,相揖。适次,释弓,说决拾,袭,反位。三耦卒射亦如之。司射去扑,倚于阶西,适阼阶下,北面告于公,曰:"三耦卒射。"反,搢扑,反位。

[译文]
司马师命令报靶者拿着旌旗到箭靶前面站着,为射手指示靶的位置。三位报靶者分别走到各自的箭靶前,手持旌旗,背靠箭靶,

等候司马的命令。司射走到更衣处，命上耦的射手去作射箭的准备。然后司射返回原位。上耦从更衣处出来，面朝西相揖后一起上前。上射走在左侧，并排而行。走到正对着西阶的地方，两人面朝北相揖，走到西阶下再次相揖。于是，上射先登阶，走上第三级台阶时，下射再走上第一级台阶，两人之间要空一级台阶。上射走到堂上后，要略向左侧站立，以便为下射让出登堂的地方，并在此等候。下射上堂后，上射要向他行揖致意，然后并排向东走去。当两人走到正对着射位符号的地方时，面朝北相揖，走到射位符号时再次相揖。两人都用左足踩住射位符号，再转身向西，并扭头察看南方的箭靶的中央，然后并足立正，等待司马的命令。司马正走到更衣处，袒去左袖，戴上扳指，套上护臂，左手执弓，右手指间夹着箭，走了出来；接着从西阶上堂，走到下射的射位符号前停下，然后站立在上射和下射的射位符号之间；左手握住弓把，右手执持弓的末端，向南举起弓，命令站立在箭靶中央的报靶者迅速离开。报靶者都闻声应诺，应诺声开始时要高，用宫调，一边喊着，一边朝正西方向走；走到屏障的南方，应诺声要降为商调；走到屏障前，应诺声再停止。于是，大侯的报靶者将旌旗授予另一人，由他代替报靶，自己则退立于西方。另外两个箭靶的报靶者则起身，恭立等候。司马正从下射的南侧走过，绕到他身后，然后从西阶下堂；接着走到更衣处，放下弓，脱去扳指和护臂，穿上衣服，回到原位。与此同时，司射上前，在西阶前与下堂的司马正交错而过，对方都在各自的左侧；司射站在堂下西阶的东侧，面朝北注视着上射，命令道："不得射伤报靶者！不得惊吓报靶者！"上射听后向司射行揖致意。于是司射退下，回到原位。接着，射击开始，上射每射完一箭，就从腰间再抽出一支箭搭上，然后由下射发射，如此轮流更替，直至将各自的四支箭射完。报靶者坐着向堂上报告射中的情况，报靶的声调要有变化，举旗报喊时，声调高而为宫调，垂旗时声调降而为商调。由于此时是习射,所以即使射中,也不统计各人射中的次数。射毕,射手用右手执持弓弦,面朝北行揖下堂,其间仪节与相揖上堂时一样。上射走下第三级台阶时,下射要稍稍向右侧退避,并跟随而下,但两人之间仍要隔开一级台阶。下堂后两人并列而行,上射走在左侧。此时,中耦已开始离位上堂,在西阶前与下堂的上耦交错而过,对方都在各自的左侧,双方相揖致意。上耦走到更衣处,放下弓,脱去扳指和护臂,穿上衣服,回到原位。三耦射完后的仪节都是如此。于是,司射抽下腰间的刑杖,将它倚靠在西阶的西侧,然后走到阼阶之下,面朝北向国君禀告说:"三耦都已射毕。"接着回到西阶之西,抽上刑杖,返回原位。(以上是三耦的第一番射)

司马正袒决遂,执弓,右挟之,出;与司射交于阶前,相左。升自西阶,自右物之后,立于物间;西南面,揖弓,命取矢。负侯许诺,如初去侯,皆执旌以负其侯而俟。司马正降自西阶,北面命设楅。小臣师设楅。司马正东面,以弓为毕①。既设楅,司马正适次,释弓,说决拾,袭,反位。小臣坐委矢于楅②,北括。司马师坐乘之,卒。若矢不备,则司马正又袒执弓,升,命取矢如初,曰:"取矢不索!"乃复求矢,加于楅。卒,司马正进坐,左右抚之,兴,反位。

[注释]

①毕:形略如弓,长三尺,竹或木制,用以指画放置器物位置的工具。②"小臣"之后当脱一"师"字。

[译文]

司马正袒去左袖,戴上扳指,套上护臂,左手执弓,右手的指间夹着箭,走出更衣处;在西阶之前与司射交错而过,对方都在各自的左侧。司马正从西阶上堂,走到右侧的射位符号之后停下,再在左、右射位符号之间立定；面朝西南，双手持弓而揖，命令弟子取箭。报靶者闻声应诺，就像第一番射时离开箭靶那样，都执持旌旗，站到各自的箭靶前等候。司马正从西阶下堂，面朝北命令陈放箭架。小臣师奉命在庭中陈放箭架。司马正面朝东，用弓代替毕，指示箭架陈放的准确位置。箭架陈放完毕，司马正又走到更衣处，放下弓，脱去扳指和护臂，穿上衣服，回到原位。小臣师坐着将箭摆到箭架上，箭尾朝北。司马师坐着将箭按四支一份分好，直至全部分完。如果箭的数量准备不足，则司马正要袒去左袖拿起弓，上堂，像起初那样命令取箭，说："箭的数量没有取足！"于是再去将不足的箭取来，摆在箭架上。取毕，司马正上前坐下，用左右手将上、下射用的箭分开，然后起身，回到原位。（以上是陈放箭矢）

司射适西阶西，倚扑；升自西阶，东面请射于公。公许。遂适西阶上，命宾御于公，诸公、卿则以耦告于上，大夫则降，即位而后告。司射自西阶上，北面告于大夫，曰："请降！"司射先降，搢扑，反位。大夫从之降，适次，立于三耦之南，西面北上。司射东面于大夫之西，比耦。大夫与大夫，命上射曰："某御于子。"命下射曰："子与某子射。"卒，遂比众耦。众耦立于大夫之南，西面北上。若有士与大夫为耦，则以大夫之耦为上，命大夫之耦曰："子与某子射。"告于大夫曰："某御于子。"命众耦，如命三耦之辞。诸公、卿皆未降。

[译文]

司射走到西阶的西侧，将刑杖斜倚着；然后从西阶上堂，面朝东请问国君，是否让三耦以外的宾客都来射箭。国君表示同意，司射走到西阶之上，命令宾与国君合为一耦，诸公、卿合耦的原则在堂上宣布，大夫的合耦原则，则要在他们下堂即位后再宣布。司射在西阶之上，面朝北告诉大夫说："请下堂！"然后司射先下堂，接着将刑杖插在腰间，再回到原位。大夫随司射之后下堂，先到更衣处准备，然后站在三耦的南侧，面朝西排列，以北首为尊。司射面朝东站在大夫之西，将他们一一配合为耦。凡是大夫与大夫合耦，司射在告知合耦者姓名时，对上射说："某人将侍射于您。"对下射说："您与某人合射。"说完，再将众多的士配合为耦。士之耦站在大夫的南侧，面朝西并列，以北首为尊。如果有士与大夫合为一耦的，要以大夫的合耦者为上射，司射告知双方合耦者的姓名时，对士说："你和某人合射。"对大夫说："某人侍射于您。"向士之耦的双方通告合耦者姓名的辞令，与通告三耦时一样。诸公、卿都没有下堂。（以上是为卿、大夫、士合耦）

遂命三耦各与其耦拾取矢，皆袒决遂，执弓，右挟之。一耦出，西面揖，当福北面揖，及福揖。上射东面，下射西面。上射揖进，坐横弓，却手自弓下取一个，兼诸弣，兴；顺羽，且左还，毋周，反面揖。下射进，坐横弓，覆手自弓上取一个，兼诸弣，兴；顺羽，且左还，毋周，反面揖。既拾，取矢梱之①。兼挟乘矢，皆内还，南面揖，适福南，皆左还，北面揖，搢三挟一个，揖，以耦左还，上射于左。退者与进者相左，相揖。退释弓矢于次，说决拾，袭，反位。二耦拾取矢，亦如之。后者遂取诱射之矢，兼乘矢而取之，以授有司于次中。皆袭，反位。

[注释]

① 梱（kǔn）：向下叩击，使四支箭整齐。

[译文]

于是命令三耦各与其合耦者从箭架上轮流取箭，然后都袒去左袖，戴上扳指，套上护臂，左手执弓，右手夹箭。每一耦的两位射手出来后，先面朝西相互揖让，走到正对着箭架的地方，面朝北行揖，走到箭架前又行揖。接着两人转身相向而立，上射面朝东，下射面朝西。然后，上射向下射行揖致意，进至箭架的西侧，坐下，将弓横放在身前，弓背朝上，弓弦向下，右手掌心向上，从弓弦下向前伸出，从箭架上取一支箭，将箭的前部并在左手与弓把之间，起身；一边用右手理顺箭后部的羽毛，一边向左转身，但不要转一周至原位，而是向右转至面朝东的方向，向下射行揖致意。下射进至箭架的东端，坐下，将弓南北向横放在身前，右手掌心向下，从弓的上方伸向箭架的左侧，取一支箭，将箭的前部并在左手与弓把之间，起身；一边用右手理顺箭后部的羽毛，一边向左转身，但不要转一周回到原位，而要再向右转至面朝西的方向，向上射行揖致意。两人轮流取完箭后，将各自的四支箭一齐向下扣击，使之齐整。再将四支箭一起夹持在指间，并分别向内侧转身，面朝南行揖，并略向箭架靠近。走到箭架的南侧，两人都向左转身，面朝北行揖，接着将手中的三支箭插入腰间，另一支箭夹持在手指间。两人相揖之后，上射与他的合耦者向左转身，然后并排退下，上射走在左侧。退下之耦与上前之耦在途中交错而过，对方都在各自的左侧，此时要相互行揖致意。退下之耦在更衣处放下弓箭，脱去扳指和护臂，再穿上衣服，回到原位。其余二耦轮流取箭的仪节，也是这样。最后取箭者，要将诱射用的四支箭和自己用的四支箭一起取来，并在更衣处将诱射的箭交给有司。然后都穿上衣服，回到原位。（以上是三耦取箭）

司射作射如初。一耦揖、升如初。司马命去侯，负侯许诺如初。司马降，释弓，反位。司射犹挟一个，去扑；与司马交于阶前，适阼阶下，北面请释获于公；公许。反，搢扑；遂命释获者设中；以弓为毕，北面。大史释获。小臣师执中，先首，坐设之，东面，退。大史实八算于中，横委其馀于中西，兴，共而俟。司射西面命曰："中离维纲①，扬触②，梱复③，公则释获，众则不与！唯公所中，中三侯皆获。"释获者命小史，小史命获者。司射遂进由堂下，北面视上射，命曰："不贯不释！"上射揖。司射退，反位。释获者坐取中之八算，改实八算，兴，执而俟。乃射。若中，则释获者每一个释一算，上射于右，下射于左。若有馀算，则反委之。又取中之八算，改实八算于中。兴，执而俟。三耦卒射。

[注释]

①离：通"丽"，附着。维纲：固定箭靶的绳索。②扬触：箭射中靶的周围的其他部件，扬举后，再触箭，表示射中。③梱（kǔn）复：箭射到靶上后又弹回在地上。

[译文]

司射像第一番射时那样命令开始射击。每一耦也都像第一番射时那样相揖、上堂。司马命令报靶者离开靶位，报靶者像第一番射时那样应诺。接着司马下堂，放下弓，回到原位。司射手中依然夹着一支箭，只是将刑杖除去了。司射走到西阶前时，与下堂的司马交错而过，接着走到阼阶下，面朝北请问国君，是否可以抽算筹计数；公表示同意。司射回到西阶之西，将刑杖插入腰间；接着命令释筹者摆放盛筹器，并以弓代替毕，指画放置盛筹器的确切位置，站立时面朝北。太史负责抽算筹计数。小臣师手持盛筹器，让它的首部朝前，然后坐下放置好，面朝东，放毕退下。太史将八支算筹放入盛筹器的孔中，剩余的算筹则横放在盛筹器的西侧，再起身，恭敬地等候射事开始。司射面朝西命令说："射中箭靶上下的绳索，射中其他物件而飞弹到靶上，射中箭靶后反弹回落，这三种情况对于国君都可以视为射中，其他人则一概不算！凡是国君射中的，无论是三个箭靶中的哪一个都按射中计数。"释筹者将这一命令转告小史，小史又转告报靶者。接着，司射走到堂下，面朝北注视着上射，命令说："不射穿箭靶者不得计数！"上射作揖示意。司射退下，回到原位。释筹者坐着将盛筹器中的八支筹取出来，又另外放入八支筹，这是为下一耦射准备的，然后起身，手持算筹等待射事开始。于是，射击开始。如果射中，则每中一箭释筹者就抽出一支筹扔在地上，上射的筹在右方，下射的筹在左方。射毕，如果手中还有多余的算筹，就放回盛筹器的西侧。接着，又将盛筹器中的八支筹抽出来，重新放入另外八支筹。然后起身，手持算筹等候下一耦射击。如此，三耦全部射毕。（以上是为国君及三耦计算射中次数的方法）

宾降，取弓矢于堂西。诸公、卿则适次，继三耦以南。公将射，则司马师命负侯，皆执其旌以负其侯而俟。司马师反位，隶仆人扫侯道。司射去扑，适阼阶下，告射于公；公许。适西阶东，告于宾；遂摺扑，反位。小射正一人，取公之决拾于东坫上。一小射正授弓拂弓，皆以俟于东堂。公将射，则宾降，适堂西，袒决遂，执弓，摺三挟一个；升自西阶，先待于物北，北一笴，东面立。司马升，命去侯如初；还右，乃降，释弓，反位。公就物，小射正奉决拾以笴①，大射正执弓，皆以从于物。小射正坐奠笴于物南，遂拂以巾，取决，兴；赞设决、朱极三②。小臣正赞袒，公袒朱襦。卒袒，小臣正退俟于东堂，小射正又坐取拾，兴。赞设拾，以笴退奠于坫上，复位。大射正执弓，以袂顺左右隈③，上再下壹④，左执弣，右执箫，以授公。公亲揉⑤之。小臣师以巾内拂矢，而授矢于公，稍属。大射正立于公后，以矢行告于公：下曰留，上曰扬，左右曰方。公既发，大射正受弓而俟，拾发以将乘矢。公卒射，小臣师以巾退，反位；大射正受弓；小射正以笴受决拾，退奠于坫上，复位。大射正退，反司正之位。小臣正赞袭。公还而后宾降，释弓于堂西，反位于阶西东面。公即席，司正以命升宾；宾升复筵，而后卿、大夫继射。

[注释]

①筒：竹器名。司正所奉。大射正兼司正之职，此时为行使大射正之职，而将司正所奉之筒交给小射正拿着。②极：射箭时套在右手食指、中指、无名指上的皮套，便于引弦。用朱色皮革做的，称为朱极。三：食指、中指、无名指。③隈（wēi）：弓的两端的弯曲处。④上：弓把的内侧。下：弓把的外侧。⑤揉：试弓的强弱。

[译文]

于是，宾下堂，到西阶之西取弓箭。诸公、卿则到更衣处作准备，然后紧挨着三耦向南排列。国君将要射击时，司马师命令报靶者，一律手执旌旗站到靶前待命。命毕，司马师回到原位，隶仆之人清扫箭道。司射抽去腰间的刑杖，走到阼阶之下，禀告国君，下一轮射击即将开始。国君表示同意。司射又走到西阶之东，禀告宾；然后在腰间抽上刑杖，回到原位。小射正中的一位，到东边的土台上为国君取扳指和护臂。另一位小射正将国君的弓授给大射正，大射正拂去弓上的灰尘，然后都站在东堂待命。国君将要射击时，宾下堂，走到西堂之下，袒露左臂，戴上扳指，套上护臂，左手持弓，将三支箭插入腰间，右手指间夹一支箭；接着从西阶上堂，先在射位符号之北等待，在射位符号以北约一支箭的距离，面朝东而立。司马上堂后，像第一番射时那样，命令报靶者离开靶位；再向右转身，于是下堂，放下弓，回到原位。国君踩到射位符号上，小射正用筒盛了国君的扳指和护臂，捧在手上，大射正拿着弓，都站在射位符号之后。接着，小射正坐下，将筒放在射位符号之南，并用巾布擦拭筒中之物，然后拿着扳指起身；又协助国君戴上扳指和能套住三个手指的红色皮革指套。小臣正协助袒去左袖，国君只需要袒去内衣外朱色的短袄即可。袒袖完毕，小臣正退至东堂待命，小射正又坐下拿护臂，起身，协助国君套上护臂，然后捧着空筲退下,将它放在东边的土台上,再回到原位。大射正拿着弓,用衣袖顺着弓左右两端的弯曲处擦拭,内侧擦两下,外表擦一下,然后左手握住弓把中部,右手执住弓的末梢,授给国君。国君亲自拉弦,试弓力的强弱。小臣师用巾向自身内侧拭去箭上的灰尘,以免弄脏国君的衣服,然后将箭递给国君,递四支箭的动作都稍稍连贯,一支接着一支。大射正站在国君身后,将箭发出后的走向告诉国君:偏低就说"留",偏高就说"扬",偏左右两侧就说"方"。国君射出一支箭,大射正就接过弓等候着,国君与宾轮流射击,直至将各自的四支箭全部射出。国君射完后,小臣师拿着巾退下,回到原位;大射正接过弓;小射正用筲收下国君脱下的扳指和护臂,然后退下放在东边的土台上,再回到原位。大射正退下后,回到司正站的位置。小臣正协助国君穿上衣服。国君转身之后宾再下堂,将弓放在西堂之下,然后回到西阶之西,面朝东而立。国君入席,司正以国君之命请宾上堂;宾上堂后回到筵席上,而后,卿、大夫继续射击。(以上是国君与宾射)

诸公、卿取弓矢于次中,袒决遂,执弓,搢三挟一个,出;西面揖,揖如三耦,升射;卒射,降如三耦;适次,释弓,说决拾,袭,反位。众皆继射,释获皆如初。卒射,释获者遂以所执馀获,适阼阶下,北面告于公,曰:"左右卒射。"反位,坐委馀获于中西,兴,共而俟。

[译文]

诸公、卿到更衣处取弓箭,然后袒去左袖,戴上扳指,套上护臂,左手执弓,将三支箭插入腰间,右手指间夹着一支箭,走出更衣处;接着面朝西行揖,其后行揖的地点、方式等都和三耦一样,然后上堂射箭;射毕,下堂的仪节也和三耦一样;最后走到更衣处,放下弓,脱下扳指和护臂,穿上衣服,回到原位。其余的人都依顺序接着射击，抽筹计数的方法也和第一番射一样。射毕，释筹者拿着剩余的筹，走到阼阶之下，面朝北禀告国君说："周围的人都已射完。"接着，回到原位，坐下将剩余的算筹放入盛筹器的西侧，再起身，恭立待命。（以上是诸公、卿等射）

司马袒执弓，升，命取矢如初。负侯许诺，以旌负侯如初。司马降，释弓如初。小臣委矢于楅，如初。宾、诸公、卿、大夫之矢皆异束之以茅；卒，正坐左右抚之①，进束②，反位。宾之矢，则以授矢人于西堂下。司马释弓，反位，而后卿、大夫升就席。

[注释]

①正：司马正。左右抚之：用左右手数箭。②进束：将已裹束的箭放到箭架上。

[译文]

司马袒去左袖拿起弓，上堂，像先前那样命令取回射出的箭。报靶者闻声应诺，像先前那样，手持旌旗到箭靶前站好。接着司马下堂，像先前那样放好弓。小臣则像先前那样将箭放在箭架上。宾、诸公、卿、大夫的箭，每四支用茅草裹束；裹毕，司马正坐下数箭，然后上前，将已裹束好的箭放到箭架上，再返回原位。接着，将宾的箭，在西堂之下交给执箭的有司，以备再用。于是，司马放下弓，回到原位，然后卿、大夫上堂入席。（以上是射毕取箭）

司射适阶西，释弓，去扑，袭；进由中东，立于中南，北面视算。释获者东面于中西坐，先数右获。二算为纯，一纯以取，实于左手。十纯则缩而委之，每委异之。有馀纯，则横诸下。一算为奇，奇则又缩诸纯下。兴，自前适左，东面坐①；坐，兼敛算，实于左手：一纯以委，十则异之，其馀如右获。司射复位。

释获者遂进取贤获，执之，由阵阶下，北面告于公。若右胜，则曰"右贤于左"。若左胜，则曰"左贤于右"。以纯数告；若有奇者，亦曰奇。若左右钧，则左右各执一算以告，曰"左右钧"，还复位，坐，兼敛算，实八算于中，委其馀于中西；兴，共而俟。

[注释]

①此处的"坐"字是衍文。

[译文]

于是，司射走到西阶之西，放下弓，取下腰间的刑杖，穿上衣服；然后走到盛筹器的东侧，再转而走到其南侧站着，监督并指导有司统计算筹。释筹者在盛筹器之西面朝东坐下，先数右面那堆算筹。计数时，以两支算筹为一纯，右手一纯一纯地从地上拿起来放在左手上。取满十纯，则作一堆纵向放在盛筹器之西，再取满十纯则要另作一堆分开放。剩余的算筹，如果是双数，就以纯为单位，横向放在十纯一堆的西侧；如果是单数，就把零单的筹纵向放在纯的西侧，使总数一目了然。然后起身，从右方这堆算筹前走到左方那堆算筹之前，面朝东坐下；先将左方所有的算筹拿起来放在左手上，再用右手一纯一纯地数着往地上放，放满十纯就另起一堆再放，剩余的算筹按上述计算右方算筹时的方法放置。计数完毕，司射回到原位。释筹者将胜方净胜的算筹拿在手中，走到阵阶之下，面朝北禀告国君。如果右方的算筹多于左方，就说："右胜过左。"如果是左方的算筹多于右方，就说："左胜过右。"净胜数如果是双数，就以纯为单位禀告；如果有单数，则在纯数之后再报单数。如果左、右方算筹的数量相等，就从双方的算筹中各取出一支来禀告，说："左右方的算等相等。"然后回到原位，坐下，将地上的算筹拿起来放在左手上，数出八支放入盛筹器的孔中，剩下的全部放到盛筹器的西侧；接着起身，恭立待命。（以上是统计算筹）

司射命设丰。司宫士奉丰，由西阶升，北面坐设于西楹西，降复位。胜者之弟子洗觯，升酌散，南面坐奠于丰上，降反位。司射遂袒执弓。挟一个，揎扑，东面于三耦之西，命三耦及众射者："胜者皆袒决遂，执张弓。不胜者皆袭，说决拾，却左手，右加弛弓于其上，遂以执弣。"司射先反位，三耦及众射者皆升饮射爵于西阶上。小射正作升饮射爵者，如作射。一耦出，揖如升射，及阶，胜者先升，升堂，少右。不胜者进，北面坐取丰上之觯，兴；少退，立卒觯，进；坐奠于丰下，兴，揖。不胜者先降，与升饮者相左，交于阶前，相揖；适次，释弓，袭，反位。仆人师继酌射爵，取觯实之，反奠于丰上，退俟于序端。升饮者如初。三耦卒饮。若宾、诸公、卿、大夫不胜，则不降，不执弓，耦不升。仆人师洗，升实觯以授；宾、诸公、卿、大夫受觯于席，以降，适西阶上，北面立饮，卒觯，授执爵者，反就席。若饮公，则侍射者降，洗角觯，升酌散，降拜；公降一等，小臣正辞，宾升、再拜稽首，公答再拜。宾坐祭，卒爵，再拜稽首，公答再拜。宾降，洗象觯，升酌膳以致，下拜，小臣正辞，升，再拜稽首，公答再拜；公卒觯，宾进受觯，降洗散觯，升实散，下拜，小臣正辞，升，再拜稽首，公答再拜。宾坐，不祭，卒觯，降奠于篚，阶西东面立，摈者以命升宾，宾升就席。若诸公、卿、大夫之耦不胜，则亦执弛弓，特升饮。众皆继饮射爵，如三耦。射爵辩，乃彻丰与觯。

[译文]

司射命令摆上放置饮酒器的托盘。司宫士捧着托盘，从西阶走上堂，在西楹柱之西坐下并放好托盘，然后下堂回到原位。胜方的弟子在庭中洗觯，再上堂酌方壶中的酒，又面朝南坐下，将觯放在托盘内，然后下堂回到原位。接着，司射袒去左袖，左手执弓，右手指间夹一支箭，将刑杖插在腰间，面朝东站在三耦之西，命令三耦和各位射手："胜方的射手一律袒去左袖，戴上扳指，套上护臂，拿起拉紧弦的弓。负方的射手一律穿上衣服，脱下扳指和护臂，空出左手，右手将一把弦松开的弓放在左手上，使左手握住弓把的中部。"命毕，司射先返回原位。三耦和其他射手都上堂到西阶之上饮罚酒。小射正像先前命令他们射箭那样，命令上堂饮罚酒者。每一耦的射手走上前时，都要像先前上堂射箭那样相互揖让，走到西阶前，胜方的射手先上堂，上堂后，要稍稍向右站立，以避让负方的射手上堂。负方射手上堂后继续向前，走到托盘前面朝北坐下，取过托盘上的觯，再起身；又稍稍后退，站着将觯中的酒饮完，再上前；坐下将空觯放在托盘中，然后起身，向胜方射手行揖致意。下堂时，负方的射手先走，在西阶之前与正要上堂的下一耦射手交错而过，双方互相行揖致意；接着又走到更衣处，放下弓，穿上衣服，回到原位。此时，堂上的仆人师接着酌罚酒，取过空觯酌上酒，再放回托盘上，然后退至夹墙的端头处待命。接着上堂饮罚酒的中耦、下耦，所行的仪节与上耦相同。如此，三耦都上堂饮过罚酒。如果宾、诸公、卿、大夫属于负方，则不必下堂，也不执弓，以示尊优，与大夫合耦的士不必上堂。由仆人师洗觯后，上堂酌酒，再递给他们；宾、诸公、卿、大夫在各自的席前接过觯，再离席，走到西阶之上，面朝北站着饮酒，饮毕，将空觯交给执爵的有司，然后回转入席。如果让国君饮罚酒，则由侍射者宾下堂，洗涤角觯，接着上堂酌方壶中的酒，然后下堂，准备向国君行拜礼；国君从堂上走下一级台阶，小臣正劝阻宾，于是宾上堂，向国君再拜磕头，国君以再拜之礼作答。接着，宾坐下祭祀，将觯中的酒饮完，再次向国君再拜磕头，国君以再拜之礼作答。宾又下堂洗涤象觯，再上堂酌上膳酒，致送给国君，并再次下堂准备行拜礼。小臣正劝阻后，宾上堂向国君再拜磕头，国君以再拜之礼作答。国君将象觯中的酒饮完，宾上前接过空觯，然后下堂取散觯洗涤，再上堂酌以方壶中的酒，又下堂准备行拜礼，小臣正加以劝阻，宾上堂向国君再拜磕头，国君以再拜之礼作答。于是宾坐下，不必祭酒，直接将觯中的酒喝完，然后下堂将觯放入篚中，在西阶之西，面朝东而立。摈者奉国君之命导引宾上堂，宾上堂后入席。如果诸公、卿、大夫的合耦者是负方，则应手持弦松弛的弓，单独上堂饮罚酒。最后，堂下的众士之耦——上堂接着饮罚酒，其仪节与三耦一样。在负方射手全部饮过罚酒后，有司撤去堂上的托盘和觯。（以上是负方射手饮罚酒）

司宫尊侯于服不之东北①，两献酒，东面南上②，皆加勺；设洗于尊西北，篚在南，东肆，实一散于篚③。司马正洗散，遂实爵，献服不。服不侯西北三步，北面拜受爵。司马正西面拜送爵，反位。宰夫有司荐④，庶子设折俎。卒错⑤，获者适右个，荐俎从之。获者左执爵，右祭荐俎，二手祭酒⑥；适左个，祭如右个，中亦如之。卒祭，左个之西北三步，东面。设荐俎，立卒爵。司马师受虚爵，洗献隶仆人与巾车、获者，皆如大侯之礼。卒，司马师受虚爵，奠于篚。获者皆执其荐，庶子执俎从之，设于乏少南。服不复负侯而俟。

[注释]

①侯：指大侯、参侯、干侯。这一节记祭侯（靶）。服不：报靶者的异称。②南上：两壶献酒中有一壶是玄酒，玄酒尊，故放在南侧。③散（sǎn）：一种容量为五升的大爵，又名罍。④宰夫有司：宰夫的属吏。⑤错：放置。⑥二手祭酒：报靶者祭酒时，须持散（一种酒器）从外向内侧注酒，由于散的体积大，一手难以举注，所以要二手祭酒。

[译文]

　　祭箭靶时，司官将献给报靶者的酒，放在他的东北，是两壶滤过的浊酒，朝东排放，以南侧那壶为尊，上面都放着勺；洗放在酒壶的西北，篚在南方，向东陈列，又将一把大爵放在篚中。接着，司马正洗大爵，然后酌上酒，献给报靶者。报靶者在靶的西北方三步处，面朝北拜谢司马正，并接过大爵。司马正面朝西拜送受爵者，然后返回原位。宰夫的属吏送上佐酒的食品，庶子则摆上盛有节解的牲体的俎。摆放完毕，报靶者走到靶的右侧，赞礼者捧着佐酒的食品和肉俎跟随其后。报靶者左手执爵，右手拿了肉俎上的祭肺祭祀，祭酒时用两只手向内侧倒酒；接着，报靶者又走到靶的左侧，祭祀的方法与在靶右侧一样，在靶的中间祭祀也是如此。在靶前的左、右、中三处祭祀完毕，报靶者又到箭靶左侧祭祀处西北方三步的地方，面朝东而立，接着摆放好干肉、肉酱和肉俎，然后站着将爵中的酒饮完。司马师接过空爵，洗涤后酌上酒，分别献给隶仆人与巾车、参侯和干侯的报靶者，其间礼节都和向大侯的报靶者献酒一样。献毕，司马师接过空爵，将它放入篚中。三个靶的报靶者都拿着干肉和肉酱，庶子则捧着肉俎跟随其后，全部设于挡箭牌偏南的地方。然后，报靶者又站到靶前待命。（以上是祭靶以及向报靶者献酒）

　　司射适阶西，去扑；适堂西，释弓，说决拾，袭；适洗，洗觚，升实之；降，献释获者于其位，少南。荐脯醢、折俎，皆有祭。释获者荐右东面拜受爵。司射北面拜送爵。释获者就其荐坐，左执爵，右祭脯醢，兴取肺，坐祭，遂祭酒；兴，司射之西，北面立卒爵，不拜既爵。司射受虚爵，奠于篚。释获者少西辟荐，反位。司射适堂西，袒决遂，取弓，挟一个；适阶西，揖扑以反位。

[译文]

　　司射走到西阶之西,抽去腰间的刑杖;又到西堂之下放下弓,脱去扳指和护臂,穿上衣服;接着走到庭中洗的前面,洗觚,然后上堂酌酒;接着又下堂,在释筭者的席位前向他献酒,释筭者要略向南站,以便靠近祭食。有司摆上干肉、肉酱和盛着折断的牲体的俎,都有祭祀。释筭者在祭食的右侧面朝东拜谢司射,并接过酒爵。司射则面朝北拜送受爵者。释筭者就近靠着祭食坐下,左手执爵,右手执干肉和肉酱而祭,接着起身,从肉俎上取过祭肺,再坐下祭祀,然后又祭酒;祭毕起身,走到司射的西面,面朝北站着将爵中的酒饮完,之后不必拜谢。司射接过空爵,放入筐中。释筭者稍向西站,以避开放祭食和俎的地方,接着回到原位。司射走到西堂之下,袒去左袖,戴上扳指,套上护臂,左手取弓,右手指间夹一支箭;然后走到西阶之西,将刑杖插在腰间再返回原位。(以上是向释筭者献酒。第二番射至此完毕)

　　司射倚扑于阶西,适阼阶下,北面请射于公,如初。及揖扑,适次,命三耦皆袒决遂,执弓,序出取矢。司射先反位。三耦拾取矢如初,小射正作取矢如初。三耦既拾取矢,诸公、卿、大夫皆降,如初位;与耦入于次,皆袒决遂、执弓,皆进当楅,进坐,说矢束。上射东面,下射西面,拾取矢如三耦。若士与大夫为耦,士东面,大夫西面。大夫进坐,说矢束,退反位。耦揖进坐,兼取乘矢,兴;顺羽,且左还,毋周,反面揖。大夫进坐,亦兼取乘矢,如其耦;北面搢三挟一个,揖进①。大夫与其耦皆适次,释弓,说决拾,袭,反位。诸公、卿升就席。众射者继拾取矢,皆如三耦;遂入于次,释弓矢,说决拾,袭,反位。

[注释]

①揖进:当是"揖退"之误。

[译文]

　　第三番射开始。司射取下腰间的刑杖，倚靠在西阶之西，再走到阼阶下，面朝北请示国君：第三番射是否可以开始？其间仪节与前两番射时一样。在国君表示同意后，司射将刑杖插在腰间，又走到更衣处，命令三耦都袒去左袖，戴上扳指，套上护臂，拿起弓，顺序而出取箭。命毕，司射先返回原位。三耦像前两番射时那样，轮流取箭；小射正则像前两番射时那样，命三耦轮流取箭。三耦轮流取箭完毕，诸公、卿、大夫都下堂，按前两番射时的位置站立；接着与自己的合耦者一起进入更衣处，都袒去左袖，戴上扳指，套上护臂，拿着弓，又都走到正对着箭架的地方，再上前坐下，将束好的箭解开。坐时上射面朝东，在箭架的西侧；下射面朝西，在箭架的东侧，然后像三耦那样轮流从箭架上取箭。如果是士与大夫合耦，则士面朝东而坐，大夫面朝西而坐。大夫先上前坐下，解开束着的箭，就可以退下回到原位。然后，大夫的合耦者向大夫行揖致意后上前坐下，将自己的四支箭一起拿取，再起身；一边理顺箭羽，一边向左转身，但不能转身至原位，而应适时回转朝西，向合耦者行揖致意。接着大夫再次上前坐下，也是一次将自己的四支箭拿起来，和他的合耦者一样；然后面朝北将三支箭插在腰间，手指间夹一支箭，行揖后退下。接着，大夫与合耦者都到更衣处，放下弓，脱下扳指和护臂，穿上衣服，回到原位。诸公、卿上堂入席。堂下的众士之耦则继续顺序上前轮流取箭，其间仪节都和三耦所做的一样；取箭毕，再进入更衣处，放下弓箭，脱去扳指和护臂，穿上衣服，回到原位。（以上是三耦及卿、大夫等取箭）

　　司射犹挟一个以作射，如初。一耦揖升如初。司马升，命去侯，负侯许诺。司马降，释弓反位。司射与司马交于阶前，倚扑于阶西，适阼阶下，北面请以乐于公。公许。司射反，搢扑，东面命乐正曰:"命用乐!"乐正曰:"诺。"司射遂适堂下,北面视上射,命曰:"不鼓不释!"上射揖。司射退反位。乐正命大师,曰:"奏《狸首》,间若一!"大师不兴,许诺。乐正反位。奏《狸首》以射,三耦卒射。宾待于物如初。公乐作而后就物,稍属,不以乐志。其他如初仪,卒射如初。宾就席。诸公、卿、大夫、众射者皆继射,释获如初;卒射,降反位。释获者执馀获进告,左右卒射,如初。

[译文]

司射手指间依然夹着一支箭,此时像前一番射时那样,上前命令上射开始射击。每一耦上堂前都要像前一番射时那样相互揖让。接着司马上堂,命令报靶者离开靶位,报靶者闻声应诺。于是司马下堂,放下弓,回到原位。司射与下堂的司马在西阶前交错而过,司射将腰间的刑杖抽出,倚靠在西阶之西,然后走到阼阶下,面朝北请示国君:能否奏乐?国君表示同意。于是司射返回西阶之西,将刑杖插在腰间,面朝东命令乐正说:"国君命令奏乐!"乐正说:"是。"于是司射走到堂下,面朝北注视着上射,命令说:"不按照鼓的节奏射击的,即使射中也不得计数!"上射向司射行揖致意。司射退回原位。乐正又命令大师说:"奏《狸首》的乐曲,乐节的间隔要前后一致!"大师不必起身,在自己位置上应诺即可。于是乐正回到原位。接着,在乐工奏《狸首》的乐曲声中开始第三番射,如此,三耦全部射完。宾和国君射时,宾要像前一番射时那样,先在射位符号上等候。国君在奏乐声起之后再踩上射位符号,有司为国君递箭的动作要比较连贯,射箭的动作不一定要合乎乐节。其余的仪节都和前一番射时一样,从国君射毕,至宾在西阶之西站立等仪节也和第一番射时一样。然后宾上堂入席。诸公、卿、大夫、众射者继续按射仪的程序射箭,抽算筹计射中次数的方法,也和前一番射时一样;射毕,下堂回到原位。释筹者拿着剩下的算

筹上前禀告国君，所有的人都已射完，就像前一番射时那样。（以上是按乐节射箭）

司马升，命取矢，负侯许诺。司马降，释弓反位。小臣委矢，司马师乘之，皆如初。司射释弓、视算，如初。释获者以贤获与钧告，如初。复位。

司射命设丰、实觯，如初。遂命胜者执张弓，不胜者执弛弓，升、饮如初；卒，退丰与觯，如初。

[译文]

司马上堂，下令拾取靶位的箭，报靶者闻声应诺。司马下堂，放下弓回到原位。小臣将箭放到箭架上，司马师将卿、大夫们用的箭每四支一束扎好，与前一番射时一样。司射放下弓，监督和指导统计算筹，与前一番射时一样。释筹者根据统计结果禀告国君：某方胜或双方平，就像前一番射时那样。然后回到原位。

司射命令有司在堂上陈设饮酒器的托盘，往觯中酌酒，为饮罚酒准备，就像前一番射时那样。接着命令胜方射手执弦拉紧的弓，负方射手执弦松弛的弓，然后上堂让负方射手饮罚酒，就像前一番射时那样；饮毕，撤去托盘和觯，也像前一番射时那样。（以上是统计射箭结果以及负方饮罚酒）

司射犹袒决遂，左执弓，右执一个，兼诸弦，面镞；适次，命拾取矢，如初。司射反位。三耦及诸公、卿、大夫、众射者，皆袒决遂以拾取矢，如初，矢不挟，兼诸弦，面镞；退适次，皆授有司弓矢，袭，反位。卿、大夫升就席。

司射适次，释弓，说决拾，去扑，袭，反位。司马正命退楅解纲。小臣师退楅，巾车、量人解左下纲。司马师命获者以旌与荐俎退。司射命释获者退中与算而俟。

[译文]

司射依然袒着左袖，戴着扳指，套着护臂，左手执弓，右手指间夹着一支箭，此时将箭与弓弦并在一起拿着，箭头朝上；接着走到更衣处，命令正在此作准备的三耦等到庭中轮流取箭，就像前一番射那样。命毕，司射返回原位。三耦以及诸公、卿、大夫和众射者，都袒去左袖，戴上扳指，套上护臂，轮流从箭架上取箭，就像前一番射时那样，只是箭不夹在指间，而是将它与弓弦并在一起拿着，箭头朝上；接着退至更衣处，将弓箭交给有司，表示射事已毕。接着穿上衣服，回到原位。卿、大夫则上堂入席。

司射走到更衣处，放下弓，脱去扳指和护臂，取下腰间的刑杖，穿上衣服，回到原位。司马正命令有司撤走箭架，松开箭靶左下方的绳索。小臣师奉命撤去箭架，巾车和量人松开箭靶左下方的绳索。司马师命令报靶者拿着旌旗和祭余的食品退下。司射命令释筹者撤去盛筹器和算筹，然后待命。（以上是三耦等取箭交有司以及撤去射器）

公又举奠觯，唯公所赐。若宾，若长，以旅于西阶上，如初。大夫卒受者以虚觯降，奠于篚，反位。

[译文]

国君又举起此前放在席右的觯，由他决定将觯赐给哪位。或者赐给宾，或者赐给大夫之长，由他们代替国君到西阶上向大夫们劝酒，就像此前所做过的那样。最后一位接受劝酒的大夫要拿着空觯下堂，将它放入篚中，然后回到原位。（以上是向大夫们劝酒）

司马正升自西阶，东楹之东，北面告于公，请彻俎，公许。遂适西阶上，北面告于宾。宾北面取俎以出。诸公、卿取俎如宾礼，遂出，授从者于门外。大夫降复位。庶子正彻公俎，降自阼阶以东。宾、诸公、卿皆入门，东面北上。司正升宾。宾、诸公、卿、大夫皆说屦，升就席。公以宾及卿、大夫皆坐，乃安。羞庶羞。大夫祭荐。司正升受命，皆命。公曰："众无不醉！"宾及诸公、卿、大夫皆兴，对曰："诺！敢不醉？"皆反位坐。

[译文]

  司马正从西阶上堂，走到东楹柱的东侧，面朝北禀告国君，射事已毕，众宾客都已劳倦，请将席上之俎全部撤去，以便燕坐，国君表示同意。接着，司马正走到西阶之上，面朝北将国君的决定转告宾。于是，宾面朝北将自己席上的俎端起来出门。诸公、卿取自己席前的俎的礼节与宾一样，然后出门，在门外将它交给随从人员。大夫们的席上没有俎，但在宾和诸公、卿下堂送俎时，不敢安然在堂，也随之下堂，回到门东之位，面朝北而立。庶子正将国君席上的俎撤去，接着从阼阶下堂，再往东藏之。宾、诸公、卿将俎送走后，又都入门，站在门的左侧，都面朝东，而以北首为尊。接着，司正导引宾上堂。宾和诸公、卿、大夫都脱下鞋，依次上堂入席。国君和宾以及卿、大夫都坐下，至此，主宾等已安坐。于是，有司们进上各种肴馔。大夫的身份较低，至此方开始祭祀所进的食品。然后，司正上堂请命于国君，国君命令宾、卿、大夫都朝着自己的席位而坐。国君又说："大家要一醉方休！"宾和诸公、卿、大夫都起身离席，回答说："是！岂敢不醉？"然后都入席而坐。（以上是撤俎安坐）

  主人洗、酌，献士于西阶上。士长升，拜受觯，主人拜送。士坐祭，立饮，不拜既爵。其他不拜，坐祭，立饮。乃荐司正与射人于觯南，北面东上，司正为上。辩献士。士既献者立于东方，西面北上。乃荐士。祝史、小臣师亦就其位而荐之。主人就士旅食之尊而献之。旅食不拜，受爵，坐祭，立饮。主人执虚爵，奠于篚，复位。

[译文]

主人在庭中洗觯，再上堂酌酒，接着在西阶之上向士献酒。士之长上堂，拜谢主人后接过觯，主人拜而送之。士之长要坐着祭酒，站着饮酒，饮毕不必拜谢。其余众士接觯时不必拜谢主人，坐着祭祀，站着饮酒即可。接着又将司正和射人的佐酒食品放在他们的觯的南侧，他们以年齿为序面朝北并排而坐，以东首为尊，一般司正坐在东首。向士遍献酒。已经接受过献酒的士站在东方，面朝西而立，以北首为尊。接着向士进献佐酒的食物。对祝史、小臣师，也就在他们的位置而进献。主人就近用众士用的酒尊中的酒献士。众士依次序而饮酒时，不必拜谢，就可以从主人手中接过爵，然后坐下祭祀，站着饮酒。最后，主人接过空爵，放入篚中，再回到原位。（以上是向士献酒）

宾降洗，升媵觯于公，酌散，下拜。公降一等，小臣正辞，宾升再拜稽首，公答再拜。宾坐祭，卒爵，再拜稽首，公答再拜。宾降，洗象觚①，升酌膳，坐奠于荐南，降拜。小臣正辞。宾升成拜，公答拜。宾反位。公坐取宾所媵觚②，兴。唯公所赐。受者如初受酬之礼，降，更爵，洗；升酌膳；下，再拜稽首。小臣正辞，升成拜。公答拜。乃就席，坐行之。有执爵者。唯受于公者拜。司正命执爵者爵辩。卒受者兴以酬士。大夫卒受者以爵兴，西阶上酬士。士升，大夫奠爵拜，士答拜。大夫立卒爵，不拜，实之。士拜受，大夫拜送。士旅于西阶上，辩。士旅酬。

[注释]

①②"觚"为"觯"字之误。

[译文]

宾下堂洗觯,然后上堂送给国君,接着酌上方壶中的酒,再下堂,准备对国君行拜礼。国君走下一级台阶,小臣正劝阻宾,于是宾又上堂,向国君行再拜磕头之礼,国君以再拜礼作答。宾坐下祭祀,然后将爵中的酒饮毕,又向国君再拜磕头,国君以再拜之礼作答。接着,宾下堂洗涤象觯,再上堂酌上膳酒,然后坐下放在国君席位的南侧,又下堂准备拜国君,小臣正再次劝阻。于是,宾上堂完成再拜磕头之礼,国君答拜还礼。宾回到原位。国君坐下端起宾送上的觯,然后起身,将它赐给某人,请他代替自己向卿、大夫劝酒,人选由国君自己选择。接受国君赐觯的礼节,与接受国君劝酒一样,然后下堂,从筐中另取一爵,洗涤后上堂酌以膳酒,然后下堂,准备向国君再拜磕头。小臣正劝阻后,受觯者上堂完成拜礼。国君答拜还礼。于是受觯者入席,坐下相与劝酒。席间有执爵者为劝酒者酌酒。只有从国君手中受爵者才需行拜礼。司正命令执爵者为每一位大夫酌酒。最后一位接受劝酒的大夫要起身向士劝酒。大夫中最后接受劝酒者,要执爵起身,到西阶之上向众士献酒。士之长上堂,大夫放下爵行拜礼,士之长答拜还礼。大夫站着将爵中的酒饮完,不必行拜礼,直接酌上酒。士之长拜谢后接过爵,大夫拜而送之。士之长站在西阶之上向众士劝酒,一一轮遍。然后众士依次自酌自饮。(以上是向士劝酒)

若命曰:"复射!"则不献庶子。司射命射,唯欲。卿、大夫皆降,再拜稽首。公答拜。壹发,中三侯皆获。

主人洗,升自西阶,献庶子于阼阶上,如献士之礼。辩献。降洗,遂献左右正与内小臣,皆于阼阶上,如献庶子之礼。

[译文]

最后的仪节是向庶子献酒。如果国君命令说:"再射!"则向庶子献酒要暂停。然后司射请宾和卿、大夫射，被请者可射可不射，根据自己的兴趣而定。卿、大夫都要下堂向国君再拜磕头，感谢他不断地让自己娱乐。国君以再拜之礼作答。由于此时已不是正射，所以射者都只发射一箭，射中三个箭靶中的任何一个，都算射中。

于是，主人下堂洗爵，然后从西阶上堂，再走到阼阶之上向庶子献酒，其礼节与向士献酒一样。要一一向庶子献遍。接着又下堂洗爵，向左右正和内小正献酒，都是在阼阶上献，其礼节与向庶子献酒一样。（以上是向庶子等献酒）

无算爵。士也，有执膳爵者，有执散爵者。执膳爵者酌以进公；公不拜，受。执散爵者酌以之公，命所赐。所赐者兴受爵，降席下，奠爵，再拜稽首；公答再拜。受赐爵者以爵就席坐，公卒爵，然后饮。执膳爵者受公爵，酌，反奠之。受赐者兴，授执散爵者。执散爵者乃酌行之。唯受于公者拜。卒爵者兴以酬士于西阶上。士升。大夫不拜乃饮，实爵；士不拜，受爵。大夫就席。士旅酬，亦如之。公有命彻幂，则宾及诸公、卿、大夫皆降，西阶下北面东上，再拜稽首。公命小臣正辞，公答拜。大夫皆辟。升，反位。士终旅于上，如初。无算乐。

[译文]

此时饮酒，不限爵数，醉而后止。士，有执膳爵的，也有执散爵的。执膳爵者酌酒后进献给国君，国君不拜就接了。执散爵者酌酒后到国君前，由国君命令赐给某人。接受赐爵者要起身而接，再离席下堂，放好爵，向国君再拜磕头；国君以再拜之礼作答。接受赐爵者持爵入席坐下，等国君将爵中的酒饮毕，然后再开始饮。执膳爵者接过国君饮干的空爵，酌上酒，再放下。接受赐爵者起身，把它授给执散爵者。执散爵者再转授给所喜欢的人。只有从国君手中接爵者才需要行拜礼。最后一位将酒饮完的大夫，要起身到西阶之上向士劝酒。士之长上堂,大夫不必行拜礼,就可饮酒,然后在空爵中酌上酒;士之长也不必拜谢,就可以接爵。然后大夫回身入席。众士依次序自酌自饮,也和大夫一样可以不拜而饮,饮毕在爵中酌酒。国君为了使大家畅饮,命令将覆盖在酒尊上的巾撤去,此时宾和诸公、卿、大夫都要下堂,在西阶之下面朝北而立,以东首为尊,接着向国君行再拜磕头礼。国君命小臣正劝阻,并答拜还礼。大夫都回避。然后,卿、大夫都上堂,回到各自的席位。士像最初那样结束饮酒于西阶上。在整个劝酒过程中,堂上堂下的音乐或间或合,歌奏不已,尽欢而止。(以上是燕饮尽欢而终)

宵,则庶子执烛于阼阶上,司宫执烛于西阶上,甸人执大烛于庭,阍人为烛于门外。宾醉,北面坐取其荐脯以降。奏《陔》。宾所执脯,以赐钟人于门内霤,遂出。卿、大夫皆出。公不送。公入,《骜》。

[译文]

入夜,庶子执烛站在阼阶之上,司宫执烛站在西阶之上,甸人执大烛站在庭中,阍人执烛站在门外。宾已微醉,于是面朝北而坐拿起席上的干肉下堂。此时乐工奏《陔》的乐曲。宾在门内的屋檐滴水处将手中的干肉赐给钟人,然后出门。卿、大夫也都随之出门。国君也出门,但不送别。最后,国君转身入门,乐工奏《骜》的乐曲。(以上是宾与卿、大夫返归)

聘礼第八

聘礼①。君与卿图事②,遂命使者。使者再拜稽首,辞。君不许,乃退。既图事,戒上介③,亦如之。宰命司马戒众介④,众介皆逆命,不辞。

[注释]

①"聘",问候的意思。古代天子与诸侯、诸侯与诸侯之间,在长期没有盟会等机会相见时,往往派卿大夫相互问候,以联络感情。天子与诸侯相聘问的礼节今已不能得知,本篇所记,是诸侯之间的聘礼。聘礼是贵族之间的高级会见礼,所以极为郑重,前往聘问的使者要带着礼物,并有执玉、郊劳、辞玉、受玉、私觌、问卿、还玉等一系列仪节。②图事:商定所要聘问的国家以及使者的人选。这一程序在上朝时进行,所以能接着任命使者。③戒:任命。上介:副使,由大夫担任。④宰:诸侯的执政大臣。众介:随行人员,由士担任,故又称"士介"。

[译文]

诸侯之间互相聘问的礼节是:首先,国君在上朝时与卿商定往聘的国家和使者的人选,接着任命使者。使者向国君再拜磕头,谦称自己的才能不足以当此大任而加以推辞。国君不准其推辞,使者便退下。聘问之事决定后,任命上介也是如此,上介先要谦辞,然后国君不许。宰命令司马去任命随行的众介,众介都接受任命,不

必像使者和上介那样谦辞。（以上是任命使者）

宰书币①，命宰夫官具②。及期，夕币③。使者朝服，帅众介夕④。管人布幕于寝门外⑤。官陈币：皮北首西上⑥，加其奉于左皮上⑦；马则北面，奠币于其前。使者北面，众介立于其左，东上。卿、大夫在幕东，西面北上。宰入，告具于君。君朝服出门左，南乡。史读书展币⑧。宰执书，告备具于君，授使者。使者受书，授上介。公揖入。官载其币⑨，舍于朝⑩。上介视载者，所受书以行。

[注释]

①书币：写出玉帛币马等礼品的名目及数量。②宰夫：宰下属的小吏。官具：众官分别具办所需的物品。③币：陈列币帛等礼品，加以检视。④夕：暮夕时见国君的专称，与前"夕"字不同。⑤管人：掌馆舍事务的小吏。布：通"敷"，铺设。寝门外：国君治朝的地方。⑥皮北首：皮革的首部朝北，因为国君在北。西上：以西为尊。献给聘问国国君的皮革放在西侧，献给夫人的皮革放在东侧。⑦奉：指奉献给国君的束帛和奉献给夫人的玄纁等礼品。⑧读书展币：读礼品单并核验与实物是否相符。⑨载：装载于车。⑩朝：寝门外朝之地。

[译文]

宰开列礼品的清单，又命令宰夫交各部门官员备办。到出行之日前一天的傍晚，要检视礼品。使者身穿朝服，率领随行人员去见国君。管人在寝门外的地方铺设幕巾。众官将礼品陈列在幕巾上的方式是：皮革的首部要朝北，由西向东一张一张地放，献给聘问国国君的要放在西侧，再将布帛之类的礼品放在西侧的皮革上面；如果礼品中有马匹，也让它朝北，币帛之类放在马的前面。使者在幕巾之南面朝北而立，随行人员站在他的左侧，也都面朝北，而以东首为尊。卿、大夫在幕巾的东侧，面朝西而立，以北首为尊。宰走进路门，禀告国君礼品已准备完毕。国君身穿朝服，走出路门往左站立，面朝南。史官读清单，并一一核验实物。然后宰手执礼单，禀告国君礼品齐备无误，并将礼单交给使者。使者接过礼单，又交给副使。国君向众臣行揖致意后，转身走进路门。于是，有关官员将礼品装载上车，车就停在外朝之地。副使监视装载完毕，拿着礼单退归。（以上为行前准备礼品）

厥明，宾朝服释币于祢①。有司筵几于室中。祝先入，主人从入。主人在右，再拜；祝告，又再拜。释币，制玄纁束②，奠于几下，出。主人立于户东。祝立于牖西，又入，取币降；卷币实于笲③，埋于西阶东④。又释币于行⑤。遂受命。上介释币亦如之。

[注释]

①宾：即使者，因将成为聘问国之宾，故称。释币：一种较简单的告庙形式，只有币帛而没有牲牢，也不必祭祀，只要将事由告知庙主即可，但要像祭祀时那样盥洗，以示洁敬。祢（mí）：父庙。②制：布匹的长度，一般为一丈八尺。束：五匹。③笲（fán）：竹器名。④西阶东：西阶之东即东阶之西，实际是指两阶之间。⑤行：行神，即道路神，在大门外之西。

[译文]

次日，宾身穿朝服在祢庙进行告庙仪式。有司在庙中铺席设几。祝首先进庙门，主人随之进入。主人在祝的右侧，向庙主行再拜之礼，祝向庙主报告宾将行聘之事，又行再拜之礼。接着，祝将带来的币帛放下，是长一丈八尺的玄纁，共五匹，放在小几的前面，然后祝与宾退出。主人站在室户之东。祝站在窗户之西，接着再次入门，将刚才放下的币帛取起下堂，再将币帛卷起来，放在竹器中，然后埋在东、西阶之间的地方。又在道路神前放下币帛。于是，前往朝中接受国君的命令。副使到祢庙放下币帛告庙的仪式也是如此。（以上是临行前告庙）

上介及众介俟于使者之门外。使者载旜①，帅以受命于朝②。君朝服，南乡。卿、大夫西面北上。君使卿进使者③。使者入，及众介随入，北面东上。君揖使者进之；上介立于其左，接闻命。贾人西面坐启椟④，取圭垂缫⑤，不起而授宰。宰执圭屈缫，自公左授使者。使者受圭，同面⑥，垂缫以受命。既述命，同面授上介。上介受圭屈缫，出授贾人；众介不从。受享束帛加璧，受夫人之聘璋，享玄纁束帛加琮，皆如初。遂行，舍于郊，敛旜。

[注释]

①旜：旗名。②朝：治朝，在路门外。③进使者：使者在库门外等候，国君命他入内。④贾人：掌管交易物价的小吏。椟（dú）：匣子。⑤缫：同"藻"，垫圭的彩色木板。⑥同面：面朝同一方向。

[译文]

副使和随行人员在使者的门外等候。使者在车上插上旜旗，表示将要出使，并率领副使和随行人员前往治朝接受国君的命令。国君身穿朝服，面朝南而立。卿、大夫面朝西而立，以靠近国君的北首为尊。国君请卿召使者。使者入门，随行人员也相继而入，都面朝北而立，以东首为尊。国君行揖致意，让使者上前；副使站在使者左侧，接续而听君命。贾人面朝西坐下，打开藏玉的匣子，取出圭，让垫圭璧的彩绘木板向下垂着，之后不必起身，直接交给宰。宰拿着圭，将垫圭璧的彩绘木板放在手中，在国君的左侧将它交给使者。使者接过圭，站立的方向与宰相同，然后将垫圭璧的彩绘木板向下垂着，同时听取国君之命。接着，使者将国君之命复述一遍，再将圭授给在左侧同方向而立的副使。副使接过圭，将彩绘木板放在手上，出门授还贾人，随行人员不必跟随副使之后。接着，使者接过献给聘问国国君的璧，这是加在束帛之上的，又接过聘问国君夫人时用的璋，和加在玄纁束帛上的琮，授受的仪节都和刚才

一样。于是使者启程，走到郊外时要脱下朝服换上深衣，并将车上的旌旗收起来。（以上是使者受命、启程）

若过邦①，至于竟②，使次介假道③。束帛将命于朝④，曰："请帅⑤。"奠币。下大夫取以入告，出许，遂受币。饩之以其礼⑥：上宾大牢⑦，积唯刍禾⑧，介皆有饩。士帅，没其竟。誓于其竟⑨：宾南面，上介西面，众介北面，东上；史读书，司马执策立于其后⑩。

[注释]

①过邦：途中经过其他国家。②竟：通"境"。③次介：士，位在上介之后。假道：借路。④将命：奉命。⑤帅：引路。⑥饩（xì）：赠送。⑦上宾：使者。大牢：牛、羊、豕三牲。⑧积：积聚。刍禾：喂牲口的草料。⑨此指在过境前使者与随员起誓，不行暴力，不得掳掠等。⑩策：马鞭。

[译文]

出使途中，如果要经过其他国家的领土，那么在到达边境时，要派次介前往借路。次介带着五匹帛，以奉国君之命的口吻，到路过国国君之朝请命，曰："请派人为我们引路。"然后放下币帛。路过国的下大夫拿起币帛入内禀告国君，出来时告知国君已经同意，接着收下币帛。路过国国君依照礼节给过境人员以馈赠：使者是上宾，所以馈以牛、羊、豕三牲，路上备用的东西就只有喂牲口的草料，其他随行人员都有馈赠。然后派一位士带路，直至走出国境。使者和随行人员进入国境前要郑重起誓决不扰民，起誓时，宾面朝南而立，副使面朝西而立，众随员都面朝北，以东首为尊；史官宣读誓词，司马手持马鞭站在他身后。（以上是向路过国借路）

未入竟①，壹肆②。为壝坛③，画阶④，帷其北，无宫。朝服无主⑤，无执也⑥。介皆与，北面西上。习享，士执庭实⑦。习夫人之聘享，亦如之。习公事⑧，不习私事⑨。

[注释]

①竟：聘问国国境。②肄（yì）：演习。③壝（wéi）：堆土。④画阶：土堆成的坛很低，所以只能画出台阶，以便演习上下堂的仪节。⑤无主：不假设主人。主人是一国之君，不敢让随员装扮。⑥无执：不执玉。玉是重器，不敢在非正式场合陈放。⑦庭实：陈设于庭的礼品，此指皮革。⑧公事：指对国君和夫人等的聘问。⑨私事：私下与卿、大夫的会见。

[译文]

在进入聘问国国境之前，要演习一次聘问的威仪。先堆土为坛，再画上台阶，北面设置帷围，象征国君所在的方位，不必画地为宫墙。使者换上朝服，但不让人模拟国君，也不必执玉。随行人员都要参与演习，一律面朝北而站，以西首为尊。接着演习向主人献礼品，随行人员手持皮革。演习向夫人聘问献礼，仪节也是如此。只演习国君命令的聘问等事，不得演习私下会见卿、大夫的事。（以上是演习威仪）

及竟，张旜，誓。乃谒关人①。关人问从者几人，以介对。君使士请事②，遂以入竟。

入竟，敛旜，乃展③。布幕，宾朝服立于幕东，西面；介皆北面，东上。贾人北面，坐拭圭，遂执展之。上介北面视之，退复位。退圭。陈皮，北首，西上；又拭璧，展之；会诸其币，加于左皮上。上介视之，退。马，则幕南、北面，奠币于其前。展夫人之聘享，亦如之，贾人告于上介，上介告于宾。有司展群币以告。及郊④，又展，如初。及馆，展币于贾人之馆，如初。

[注释]

①关人：管理边关的官员。②请事：请问入境的缘由。③展：展陈所带礼物，并再次核验。④郊：远郊。王城外方圆百里以内的地方。

[译文]

到达国境时，要张开旂旗，所有人员起誓，决不违反聘问国的礼法。接着谒见关人。关人询问随行的人数，使者让副使回答。国君让士询问来者入境的事由，然后使者等得以入境。

入境后，要收起旂旗，然后再次展陈和核验所带的礼品。先在地上铺设幂巾，宾身穿朝服站在它的东侧，面朝西；随行人员都站在南侧，面朝北，以东首为尊。贾人也面朝北，坐着将圭取出擦拭，然后持圭起身，告诉使者圭还在。副使上前看过后，退回原位。贾人将圭放回匣内。接着展陈皮革，皮革的首部朝北，献给国君的皮革放在西侧；贾人又擦拭璧，然后向使者展示；再将璧和其他币帛一起放在西侧的皮革上。副使上前检视后退回。如果有马匹，就牵至幂巾之南，马首朝北，币帛放在它的前面。展示献给国君夫人的礼品，仪节与此相同，只是贾人在擦拭璋和琮之后要禀告副使，副使再禀告使者。有司展示使者等私见卿、大夫的礼品，然后禀告国君。走到远郊时，又一次展陈所有礼物，并加以核验，其仪节与前一次相同。到达馆舍时，要在贾人的馆舍第三次展示、核验礼品，其仪节与前一次相同。（以上是入境及三次核验礼品）

宾至于近郊①，张旂。君使下大夫请行②，反。君使卿朝服，用束帛劳。上介出请，入告。宾礼辞，迎于舍门之外，再拜。劳者不答拜。宾揖，先入，受于舍门内。劳者奉币入，东面致命。宾北面听命，还，少退，再拜稽首，受币。劳者出。授老币③。出迎劳者，劳者礼辞。宾揖，先入，劳者从之。乘皮设④。宾用束锦傧劳者⑤，劳者再拜稽首受。宾再拜稽首，送币。劳者揖皮出，乃退。宾送再拜。夫人使下大夫劳以二竹簠方⑥，玄被纁里，有盖；其实枣蒸栗择⑦，兼执之以进。宾受枣，大夫二手授栗。宾之受，如初礼；傧之如初。下大夫劳者遂以宾入。

[注释]

①近郊：王城周围方圆五十里的地方。②请行：请问行动的目的地。国君明知而故问，是表示谦敬。③老：使者的家臣。④乘皮：四张皮革。此指麋鹿皮。⑤傧：傧礼。使者以馆舍为家，自己为主人，而以前来慰劳者为宾，故称。⑥簋（guǐ）：食器名。⑦择：剥壳。枣、栗都有皮壳或核，蒸或剥之表示尊敬对方。

[译文]

使者到达近郊，要张开旌旗。国君派下大夫前往询问客往何方，然后回去复命。于是，国君让卿身穿朝服，带着五匹帛前往慰劳。上介出馆舍门询问卿缘何而来，然后入内禀告使者。使者谦辞一次后，到馆舍门外迎接，行再拜之礼。慰劳者不必答拜。使者向慰劳者行揖致意，接着先行入门，在馆舍的门内接受慰劳。慰劳者捧着币帛入门，在门内西侧面朝东而立，代致国君慰问之辞。使者面朝北恭听，然后转身稍向后退，行再拜叩头之礼，再接过币帛。慰劳者出门等候。使者将布帛交给家臣。副使出门请慰劳者入内，慰劳者谦辞不入。于是使者亲自出门揖请慰劳者，然后先行入内，慰劳者随之而入。使者将送给慰劳者的四张麋鹿皮陈设在门内，又用五匹锦送给来客，慰劳者再拜磕头后表示收下。使者再拜磕头后，致送币帛。慰劳者行揖后执皮而出，接着退归。使者送慰劳者出，行再拜之礼。国君夫人派下大夫拿两方簋食品前往慰劳，簋子上罩有巾，表面为玄黑色，里子为绛色，簋子有盖；里面放着蒸熟后去掉皮核的枣栗，下大夫一手提枣，一手提栗上前。使者接过盛有枣的簋子，下大夫便用两只手提着盛有栗的簋子授给使者。使者接受礼物的礼节，与刚才接受卿的礼物一样；接着，使者又像刚才回赠卿以礼物那样，回赠给下大夫礼物。于是，来慰劳的下大夫为使者带路，进入国门。（以上是在近郊慰劳使者）

至于朝，主人曰："不腆先君之祧①，既拚以俟矣②。"宾曰："俟闲③。"大夫帅至于馆，卿致馆。宾迎、再拜。卿致命，宾再拜稽首。卿退，宾送再拜。宰夫朝服设飧④：饪一牢，在西，鼎九，羞鼎三⑤；腥一牢⑥，在东，鼎七。堂上之馔八⑦，西夹六。门外米、禾皆二十车，薪刍倍禾。上介：饪一牢，在西，鼎七，羞鼎三；堂上之馔六；门外米、禾皆十车，薪刍倍禾。众介皆少牢。

[注释]

①祧（tiāo）：庙。②拚：洒扫。③俟闲：等国君空闲时再行礼。主人说洒扫以待宾，表示对宾的尊重；宾说俟闲，是谦敬，表示不敢急劳主人，同时也委婉地表示，自己远道而来，需要沐浴休息。④飧（sūn）：简单的饭食。⑤羞鼎：陪鼎。⑥腥：生肉。⑦八：指豆的数目。陈设食物时，以豆数为标准：八豆则配有八簋、六铏两簠、八壶；六豆则配以六簋、四铏两簠、六壶。

[译文]

使者来到外朝，国君说："敝先君之庙，早已洒扫完毕，等待您的到来。"使者说："不必如此匆忙，还是等您闲暇时再来吧。"大夫奉国君之命导引使者到馆舍，上卿在此致礼。使者迎受，并答以再拜之礼。卿代国君致辞，使者再拜磕头。卿退下，宾以再拜之礼作答。宰夫身穿朝服陈设食品：煮熟的牛、羊、豕各一，在庭西，有九鼎，另有三个陪鼎；生的牛、羊、豕各一，在庭东，有七鼎。堂上的食品都以八为数，西夹室前的食品以六为数。门外有米、禾草各二十车，薪草的数量是禾草的一倍。这是为使者准备的。为副使准备的食品是：煮熟的牛、羊、豕各一，陈设在庭西，有七鼎，另有三个陪鼎；堂上的食品都以六为数；门外的米、禾草都是十车，薪草是禾草的一倍。随行人员的食品都是牛、羊各一。（以上是在馆舍向使者致礼）

厥明，讶宾于馆①。宾皮弁聘②，至于朝。宾入于次，乃陈币。卿为上摈③，大夫为承摈④，士为绍摈⑤。摈者出请事。公皮弁，迎宾于大门内。大夫纳宾⑥。宾入门左。公再拜，宾辟，不答拜。公揖入，每门每曲揖⑦。及庙门，公揖入，立于中庭，宾立接西塾⑧。几筵既设，摈者出请命。贾人东面坐启椟，取圭垂缫，不起而授上介。上介不袭⑨，执圭屈缫，授宾。宾袭，执圭。摈者入告，出辞玉。纳宾，宾入门左。介皆入门左，北面西上。三揖，至于阶，三让。公升二等；宾升，西楹西，东面。摈者退中庭。宾致命；公左还，北乡。摈者进。公当楣再拜。宾三退，负序。公侧袭⑩，受玉于中堂与东楹之间。摈者退，负东塾而立。宾降，介逆出⑪。宾出，公侧授宰玉；裼⑫，降立。摈者出请。宾裼，奉束帛加璧享。摈者入告，出许。庭实：皮则摄之⑬，毛在内；内摄之，入设也⑭。宾入门左，揖让如初，升致命，张皮⑮。公再拜受币。士受皮者自后右客；宾出，当之坐摄之。公侧授宰币，皮如入，右首而东。聘于夫人，用璋，享用琮，如初礼。若有言⑯，则以束帛，如享礼。摈者出请事，宾告事毕。

[注释]

①讶（yà）：迎接。②皮弁：皮弁之服，详见《士冠礼》。皮弁之服尊于朝服，朝聘时穿，表示相敬。③摈：国君派去迎接宾的人。④承摈：上摈的副手。承有承继上摈之意。⑤绍摈：协助上摈和承摈者。绍也是承继之意。⑥大夫：指上宾。上宾是卿，卿即上大夫，大夫是上大夫、下大夫的统称。⑦每门：指库门、雉门。每曲：每逢拐弯处，入雉门后转身向东走，到正对着庙门处又转身向北走。⑧接：靠近。西塾：门西侧的堂。⑨袭：加衣。⑩侧：单独。无人在旁赞助，亲自为之，表示对使者的尊重。⑪逆出：先入者后出，后入者先出。⑫裼（xī）：穿在裘皮衣服外面的衣服。⑬皮：虎豹之皮。摄之：右手执住兽皮的两只前足，左手则执住两只后足。⑭入设：入庭陈设。陈设的

位置是：将庭的南北长度三等分，南占1/3、北占2/3之处。⑮张皮：将并在一起的兽皮打开。⑯若有言：如果还有需要向国君告请的事，如请求出兵、借粮等。

[译文]

次日，下大夫奉国君之命到馆舍迎接使者。使者身穿皮弁之服前往聘问，到达治朝。使者进入更衣处休息等候，有司在庙门外陈设带来的礼品。国君任命卿为上摈，大夫为承摈，士为绍摈，去迎接使者。摈者出门请问使者为何事而来，然后迎他入门。国君身穿皮弁之服，在大门外迎接使者。承摈导引使者进门。使者进门后站在左侧。国君向使者行再拜之礼，使者避让，表示不敢当，也不必答拜。国君向使者行揖致意后先入门，为之引路，每走进一门，或每逢拐弯处，国君都向使者行揖示意。走到庙门前，国君又行揖后先进门，接着在中庭站立，等候使者，宾进门后站在靠近西塾的地方。有司在庙中将几席铺设完毕，摈者出门向国君请命。于是，贾人面朝东坐下，打开玉匣，取出圭而让垫圭的彩绘木板垂着，不必起身，直接授给副使。副使不必穿加衣，手执圭而将垫圭的彩绘木板放在掌上，转递给使者。使者在裘皮衣上加穿一件衣服，然后持圭。摈者入内禀告国君，接着又出来向使者推辞所赠之圭。然后，摈者导引使者进庙门，使者入门后站在左侧。副使等入门后也都站在门左，面朝北，以西首为尊。国君与使者三次相揖，来到阶前，然后三次相让。国君先走上二级台阶；接着使者再开始走上第一级台阶，走到堂上西楹柱之西，面朝东而立。摈者退至中庭。使者代替自己的国君致辞；国君向左转身，面朝北而立，准备行拜礼。摈者上前。国君在正对着前梁的地方向使者行再拜之礼。使者三次向后避退，到西夹室墙前站定。国君亲自在裘衣外加衣，在堂中间与东楹柱之间亲手接过圭。摈者退下，背靠东塾而立。使者下堂，随行人员按与入内时相反的次序退出。接着使者也退出。国君亲手将圭授给宰，然后去掉外衣露出裼衣，再下堂立在庭中。摈者又出门请问使者是否有事。使者去掉外衣露出裼衣，然后捧着五匹帛，上面放着一块璧，准备献给国君。摈者进门禀告国君，接着出门告诉使者，国君同意他入内。放在庭中的礼品，如果是兽皮，则应左手执两前足，右手执两后足，将兽毛朝里对折；再放到庭中。使者进门后站在左侧，接着与国君像刚才那样互相揖让，然后上堂致辞，同时将对折着的兽皮打开。国君行再拜之礼后接过币帛。在堂下接受兽皮的士，从执皮者身后走到其右侧；使者退出，士在对着使者站过的地方坐下，表示兽皮是受之于使者，然后将兽皮依原样对折好。国君亲手将币帛交给宰，士执兽皮退出时，要像刚才执皮者进来时那样，为首者立在右侧，向东行进。聘问夫人时，玉器用璋，献礼时则用琮，其间仪节与刚才向国君献礼一样。至此，如果使者还有其他事要禀告国君，则要像向国君献礼那样，再奉五匹帛。于是，摈者出门请问使者是否还有事，使者告知公事已完毕。（以上是向国君和夫人聘问、献礼）

宾奉束锦以请觌①。摈者入告，出辞②。请礼宾；宾礼辞，听命。摈者入告。宰夫彻几改筵③。公出，迎宾以入，揖让如初。公升，侧受几于序端。宰夫内拂几三，奉两端以进。公东南乡，外拂几三，卒，振袂④，中摄之，进，西乡。摈者告。宾进，讶受几于筵前，东面俟。公壹拜送。宾以几辟，北面设几，不降，阶上答再拜稽首。宰夫实觯以醴，加柶于觯，面枋。公侧受醴。宾不降，壹拜，进筵前受醴，复位。公拜送醴。宰夫荐笾豆脯醢，宾升筵，摈者退负东塾。宾祭脯醢，以柶祭醴三；庭实设。降筵，北面，以柶兼诸觯，尚擸⑤，坐啐醴；公用束帛。建柶，北面奠于荐东。摈者进相币⑥。宾降辞币，公降一等辞。栗阶升，听命；降拜；公辞。升，再拜稽首，受币，当东楹，北面；退，东面俟。公壹拜，宾降也。公再拜。宾执左马以出⑦。上介受宾币，从者讶受马。

[注释]

①觌（dí）：相见。使者向国君聘享，是奉行公事，无法表达本人的敬意，所以又私下求见国君。②国君认为使者已行过聘享之礼，应该由他向使者致礼，不能再由使者来行礼，所以辞见。③几、筵本是为神而设，所以必须撤换。④袂（mèi）：衣袖。⑤擸（liè）：理持。⑥进：从东塾走到阼阶之西。⑦左马：左侧的马。庭上的马共四匹，朝北并列，以左首之马为尊。

[译文]

使者捧着五匹锦请求私见国君。摈者入门禀告国君，接着出门推辞使者来见。国君请使者允许他致礼，使者先谦语而辞，接着表示听从国君之命。摈者入内禀告国君。于是宰夫将庙中的几和席撤去，重新为使者设席。国君出门，迎接使者入内，双方像聘问时那样相互揖让。国君上堂，在夹室墙的南头亲手接过漆几。宰夫向自己内这一侧拂几上的灰尘，以免弄脏国君的衣服，一共拂三次，然后捧着漆几的两端上前。国君面朝东南，向外侧拂漆几上的灰尘，一共三次，拂毕，振落衣袖上的灰尘，然后双手执住漆几的中部，上前面朝西而立。摈者禀告使者，国君将要授漆几于他。使者上前，在席前迎受漆几，面朝东等候。国君向使者一拜之后，送上漆几。使者拿着漆几避让，表示不敢当国君之礼，然后面朝北放下漆几，由于仪节未完，此时不必下堂，只需在西阶之上以再拜磕头之礼作答。宰夫在觯中酌醴酒，再在觯上加一把勺，勺把朝前。国君亲手接过醴酒。使者仍不必下堂，只需对国君行一拜之礼，然后走到席前接过醴酒，再回到西阶之上的位置。国君拜送接受醴酒的使者。于是，宰夫进上笾豆和干肉、肉酱，使者入席，摈者退至东塾之前。使者祭干肉和肉酱，又用勺酌醴酒而祭，一共酌、祭三次；接着有司在庭中陈设作为礼物的四匹马。使者离席，面朝北，将勺和觯并在一起，一手执住上方的勺把，坐着尝一口醴酒；国君用五匹帛送给使者。使者将勺插入觯中，然后面朝北放在席的东侧。摈者上前协助国君向使者赠送币帛。使者下堂推辞，国君则走下一级台阶，不让使者下堂，也不同意他的推辞。于是，使者连步登阶上堂，表示听从国君的命令；接着又下堂，准备拜国君；国君不允许。然后使者上堂，向国君行再拜磕头之礼，再接过币帛，在正对着东楹柱的地方，面朝北；然后退下，面朝东立候。国君向使者拜一次，使者下堂。国君又拜两次。于是，使者牵着庭中最左侧的那匹马出门。副使接过使者手中的币帛，随员牵着其余的马，随后出门。（以上是国君向使者致礼）

宾觌，奉束锦，总乘马①；二人赞②。入门右，北面奠币，再拜稽首。摈者辞，宾出。摈者坐取币出，有司二人牵马以从，出门，西面于东塾南。摈者请受。宾礼辞，听命。牵马右之③。入设，宾奉币，入门左；介皆入门左，西上。公揖让如初，升。公北面再拜。宾三退，反还，负序；振币进授④，当东楹北面。士受马者，自前还牵者后⑤，适其右，受。牵马者自前西，乃出。宾降阶东拜送。君辞。拜也，君降一等辞。摈者曰："寡君从子，虽将拜，起也。"栗阶升。公西乡。宾阶上再拜稽首。公少退。宾降出。公侧授宰币。马出。

[注释]

①总乘马：将四匹马的八根缰绳合于一手牵着。乘马，四匹马，每匹马两根缰绳。②赞：在两匹马之间协助牵马。③右之：右手牵马。人在马的左侧，右手牵便于控制马。④振币：用衣袖拂去币帛上的灰尘。⑤自前还牵者后：受马者由南向北行进，走到牵马者之前时，向左转身，绕至牵马者身后。

[译文]

使者私下去见国君时，要捧着五匹锦，一手牵着四匹马的缰绳；

另有两人在两马之间协助牵马。进门后站在右侧，面朝北放下币帛，行再拜磕头礼。摈者以其是臣见君之礼，不敢当而加以推辞。使者出门恭候。摈者坐下取使者的币帛而出，两位有司则牵着马跟随其后，然后出门，面朝西站在门外东塾之南。摈者请使者以客礼相见。使者谦辞后，表示从命。于是，使者的随员用右手牵马，进入庭中，面朝北站好。使者捧着币帛，进门后站在左侧；随行人员入门后也都站在左侧，以西首为尊。国君像先前那样与使者相互揖让，然后上堂。国君面朝北行再拜之礼。使者三次后退，表示不敢当，接着转身，走到夹室墙前站好；然后用袖子拂去币帛上的灰尘，上前授给国君，位置是在正对着东楹柱之处的北面。接受马匹的士，走到牵马者的前面，再向左转身走到其身后，又走到其右侧，然后接过马匹。牵马者稍向前走，再折向西行，然后出门。使者下堂，在西阶之东准备拜送受币帛者。国君不让使者在堂下行拜礼。使者依然在西阶之东行拜礼，以表示敬意，于是国君走下一级台阶再次劝阻。摈者说："寡君已经跟着您走下台阶，您即使要行拜礼，也请起身上堂。"于是使者连步走上堂。国君面朝西。使者在西阶之上向国君行再拜磕头之礼。国君稍稍后退，表示不敢当。使者下堂后出门。国君亲手将币帛授给宰。宰将它在庭东收藏起来，只有马匹牵出门，以保持庙中的清静。（以上是使者私见国君）

公降立。摈者出请。上介奉束锦，士介四人皆奉玉锦束[1]，请觌。摈者入告，出许。上介奉币，俪皮[2]，二人赞；皆入门右，东上，奠币，皆再拜稽首。摈者辞，介逆出。摈者执上币，士执众币；有司二人举皮，从其币。出请受。委皮南面；执币者西面北上。摈者请受。介礼辞，听命。皆进，讶受其币。上介奉币，皮先[3]，入门左，奠皮。公再拜。介振币，自皮西进，北面授币，退复位，再拜稽首送币。介出。宰自公左受币，有司二人坐举皮以东。

[注释]

①玉锦：纹绣缜密如玉的锦。②俪：两张。皮：麋鹿皮。③皮先：执皮者先入。

[译文]

国君下堂而立。摈者出门请问在此等候的副使等为何事而来。副使捧着五匹锦，四位随行人员每人都捧着五匹玉锦，请求私见国君。摈者入内禀告国君，接着出门告知国君已同意相见。副使捧着币帛，另有两张麋鹿皮，有两人协助执持；进门后都在右侧站着，以东首为尊，然后放下币帛，都向摈者行再拜磕头之礼。因为这是臣见君的礼节，摈者不敢当而推辞。于是随行人员按与入门时相反的次序退出门。摈者拿着副使赠送的锦，士拿着随行人员赠送的玉锦，两位有司举起两张麋鹿皮，跟在他们后面。出门后，摈者请副使以客礼相见。有司将麋鹿皮放在门中朝南之处；执持币帛者面朝西而列，以北首为尊。摈者请副使以客礼相见。副使谦辞不允，然后从命。接着副使和随行人员都上前，迎受各自的币帛。副使捧着币帛，跟在执皮者之后，进门后站在左侧，接着放下麋鹿皮。国君行再拜之礼。副使用衣袖拂去币帛上的灰尘，从麋鹿皮的西侧向北行，再折而向东，走到对着君站立处，再折而向北行，然后面朝北将币帛献给国君，接着退回原位，向国君再拜磕头，并礼送受币帛者。副使出门。宰在国君的左侧接过币帛，两位有司坐着取麋鹿皮，然后举着向东走去。（以上是副使私见国君）

摈者又纳士介。士介入门右，奠币，再拜稽首。摈者辞，介逆出。摈者执上币以出，礼请受①宾固辞②。公答再拜。摈者出，立于门中以相拜，士介皆辞。士三人，东上，坐取币，立。摈者进。宰夫受币于中庭，以东；执币者序从之。

[注释]

①礼请受：请求一次未获允许，便不再坚持，而接受对方意见。②"固"字为衍文，应删去。

[译文]

摈者又导引随行人员入内。随行人员入门后站在右侧，接着放下币帛，行再拜稽首之礼。这是臣见君之礼，摈者不敢当而推辞，随行人员按与入门时相反的次序退出。于是摈者拿着随行人员之长的币帛出门，谦辞请求他们收回，使者代表随行人员推辞，于是摈者收下。摈者入内禀告国君，国君遥相答拜。摈者又出门站在门的中间协助双方行拜礼，随行人员都退避，表示不敢当国君之礼。国君一方的三位士由东向西并立，而以东首为尊，接着坐下取起币帛，然后起身。摈者入门。宰夫在庭中从士手中接过币帛，然后藏于庭东；三位执币帛的士依次序一一将币帛交给宰夫。（以上是随行人员私见国君）

摈者出请，宾告事毕。摈者入告，公出送宾。及大门内，公问君①。宾对，公再拜。公问大夫，宾对。公劳宾②，宾再拜稽首，公答拜。公劳介，介皆再拜稽首，公答拜。宾出，公再拜送，宾不顾③。

[注释]

①君：使者本国的国君。②劳宾：宾远道而来，备为辛苦，故公慰劳之。③顾：回顾，回头。

[译文]

摈者出门请问使者还有何事，使者说事已办完。摈者入内禀告国君，于是国君出庙门送使者。走到大门内时，国君询问对方国君的起居情况。使者回答后，国君行再拜礼，祝他平安无恙。国君又问及对方卿大夫的情况，使者一一回答。国君对使者辛劳而来表示慰问，使者向国君行再拜磕头之礼，以示感谢，国君答拜还礼。国君又慰问随行人员，随行人员都行再拜磕头之礼，感谢国君，国君答拜还礼。使者出大门，国君以再拜之礼相送，直至使者不再回头，然后返归。（以上是私见完毕后，国君送使者）

宾请有事于大夫。公礼辞，许。宾即馆。卿、大夫劳宾，宾不见。大夫奠雁再拜，上介受。劳上介，亦如之。

君使卿韦弁①，归饔饩五牢②。上介请事，宾朝服礼辞。有司入陈③。饔：饪一牢，鼎九，设于西阶前，陪鼎当内廉④，东面北上，上当碑⑤，南陈；牛、羊、豕、鱼、腊、肠、胃同鼎，肤⑥、鲜鱼⑦、鲜腊⑧，设肩鼏⑨。胾、臐、膮⑩。盖陪牛、羊、豕。腥二牢，鼎二七⑪，无鲜鱼、鲜腊，设于阼阶前，西面，南陈如饪鼎，二列。堂上八豆，设于户西，西陈，皆二以并⑫，东上韭菹⑬，其南醓醢⑭，屈⑮。八簋继之，黍其南稷，错⑯。六铏继之⑰，牛以西羊、豕，豕南牛，以东羊、豕。两簠继之，粱在北。八壶设于西序，北上，二以并，南陈。西夹六豆，设于西墉下⑱，北上韭菹，其东醓醢，屈。六簋继之，黍其东稷，错。四铏继之，牛以南羊，羊东豕，豕以北牛。两簠继之，粱在西。皆二以并，南陈。六壶西上，二以并，东陈。馔于东方⑲，亦如之，西北上。壶东上，西陈。醓醢百瓮，夹碑，十以为列，醢在东。饩二牢，陈于门西，北面东上。牛以西羊、豕，豕西牛、羊、豕。米百筥⑳，筥半斛㉑，设于中庭，十以为列，北上。黍、粱、稻皆二行，稷四行。门外：米三十车，车，秉有五籔㉒。设于门东，为三列，东陈；禾三十车。车，三秅㉓。设于门西，西陈；薪刍倍禾。

[注释]

①韦弁：用柔皮做的冠，此指韦弁服。韦弁服尊于皮弁服而次于祭服。②归：通"馈"，赠送。饔（yōng）：已杀的牲口。饩（xì）：活的牲口。③入：入使者下榻的馆舍的庙门。④内廉：西阶的东廉。每阶都有东西两廉，靠堂中部者为内廉。廉，堂屋的侧边。⑤上当碑：正鼎以牛鼎为上，陪鼎以膷鼎为上，两鼎都列于北首，与碑对齐。碑，观测日影的石柱。⑥胾：细切的猪肉。⑦鲜鱼：刚死的鱼。⑧鲜腊：切好后尚未晒干的肉。⑨扃（jiōng）：抬鼎用的木杠。鼏（mì）：鼎的盖子，此指正鼎的盖子。陪鼎的盖子称"盖"。⑩膷（xiāng）：牛肉羹。臐（xūn）：羊肉羹。膮（xiāo）：猪肉羹。⑪二七：每牢七鼎，共二列。⑫二以并：两两并列而设。⑬菹（zū）：腌菜。⑭醓（tǎn）：肉酱的汁。⑮屈：弯曲。豆的陈列，由东向西，然后再折而向东。⑯错：交错。⑰铏（xíng）：盛羹的器皿。⑱墉（yōng）：墙垣。⑲东方：指东夹室。⑳筥（jǔ）：竹器名，圆形。㉑斛（hú）：容量单位，一斛为十斗。㉒秉：古代容量单位，一秉为十六斛。籔（shù）：古代容量单位，一籔为十六斗。㉓秅（chá）：计数禾稼的单位，一秅为四百把。

[译文]

出庙门时，使者请求聘问对方的卿、大夫。国君谦辞一次后表示同意。于是，使者回到馆舍稍事休息。对方的卿、大夫前往馆舍慰问使者，使者以不敢劳卿、大夫登门而加以推辞。卿、大夫将带来作为见面礼的鹅放在地上，并且行再拜之礼，副使代表使者收下礼物。卿、大夫前往慰问副使的礼节，也是如此。

国君派卿身穿韦弁之服，向使者馈赠杀好的以及活的牛、羊、猪总共五牢。副使禀告使者，请问如何处置，使者身穿朝服，谦辞，然后表示收下。有司进入馆舍的庙门内陈设五牢。已杀的牛、羊、豕一共三牢：其中煮熟的一牢，正鼎共九个，陈设在西阶之前，陪鼎放在正对西阶东廉的地方，一律朝东摆放，以北首的鼎为尊，北首的正鼎与陪鼎都与碑对齐，由北向南排列。九鼎内分别盛有牛、羊、猪、鱼、腊肉，牛、羊的肠、胃在同一鼎内，细切的猪肉、新鲜的鱼、尚未晒干的腊肉等，鼎旁放有鼎杠和盖。三个陪鼎内分别盛着牛肉羹、羊肉羹、猪肉羹，鼎旁放着鼎盖，这是牛、羊、豕的陪鼎。尚未煮的牛、羊、豕为二牢，共十四鼎，分两行排列，每列七鼎，与西阶前陈设的九鼎相比，只是没有新鲜鱼和未晒干的腊肉，其余都相同，全都陈设在阼阶之前，朝西摆放，从北向南像九个熟食鼎那样排列，只是分成两行。堂上陈设的食品，按照豆数为八的规格，陈设在室户之西，全部朝西陈放，都按两个食器并列为一组的方式摆放。最东首是腌制的韭菜，它的南侧是肉汁很多的肉酱，如此两两相并朝西陈放，放不下时再曲而向东陈放。接着摆放八簋，黍在北，稷在南，交错陈放。再接着陈设盛羹的六铏，牛羹之西为羊羹和猪羹，猪羹之南又是牛羹，再往东是羊羹和猪羹。再接着放两簠，盛梁者在北侧，盛稻者在南侧。八壶陈放在西序之前，以北首为尊，两两并列，向南摆放。西夹室的六豆，陈设在西墙之下，腌韭菜最尊，放在北首，其东是肉汁很多的肉酱，也是由东向西陈设，放不下时，再曲而向东陈设。接着放六簋，黍在西，稷在东，交错着陈设。再接着陈设四铏，牛羹之南是羊羹，羊羹之东是猪羹，猪羹之北是牛羹。再接着陈设两簠，梁簠在西，稻簠在东。都是两两相并，向南摆放。六壶的摆放，以西首为尊，两两相并，向东陈放。在东夹室陈放食品的方式也是如此，以西北为尊。壶以东首为尊，向西陈放。肉汁多的肉酱共有一百瓮，在碑的两侧，十瓮为一列地陈放，肉汁在东侧。尚未杀的牛、羊、豕共二牢，陈列在庙门之西，头朝北，以东首为尊。牛的西侧是羊、猪，猪的西侧又是牛、羊、猪。米一共一百筥，每筥的容量为五斗，陈设在庭中，以十筥为一列陈放，都以北首为尊。黍、梁、稻都摆成两行，稷摆成四行。门外陈放的物品有：米三十车，每车为八十斗。都陈设在门外东侧，排成三行，向东陈列；禾草三十车，每车一千二百把。都陈放在门外西侧，向西陈放；柴薪和草料的数

量是禾草的一倍。(以上是卿慰问使者,又奉命馈赠使者)

宾皮弁迎大夫于外门外①,再拜;大夫不答拜。揖入。及庙门,宾揖入。大夫奉束帛,入,三揖,皆行②。至于阶,让,大夫先升一等。宾从,升堂,北面听命。大夫东面致命;宾降,阶西再拜稽首,拜饩亦如之。大夫辞,升成拜。受币堂中西③,北面。大夫降,出。宾降,授老币④,出迎大夫。大夫礼辞,许。入,揖让如初。宾升一等,大夫从。升堂。庭实设,马乘。宾降堂,受老束锦;大夫止。宾奉币西面,大夫东面。宾致币。大夫对,北面当楣,再拜稽首;受币于楹间,南面,退,东面俟。宾再拜稽首送币。大夫降,执左马以出。宾送于外门外,再拜。明日,宾拜于朝,拜饔与饩,皆再拜稽首。

[注释]

①大夫:即上节奉国君之命馈赠使者的卿。卿即上大夫,故以大夫称之。外门:即大门。②皆行:并排而行。③堂中西:堂中央至西楹柱之间。④老:家臣。

[译文]

使者身穿皮弁之服在大门外迎接大夫,行再拜之礼;大夫不必答拜。双方相互揖让后入门。走到庙门前,使者向大夫行揖致意后先入门。接着,大夫捧着五匹帛,进入庙门,与使者三次行揖后并排而行。走到阶前,双方揖让后,大夫先走上一级台阶。使者随后走上阼阶,上堂,面朝北听命于大夫。大夫在西阶之上面朝东致辞;使者下堂,准备在阼阶之西行再拜磕头之礼,拜谢大夫馈赠活牲的礼节也是如此。大夫不同意使者下堂行礼,于是使者上堂完成拜礼。使者在堂中央的西侧接受大夫赠送的币帛,面朝北。大夫下堂,然后出庙门。使者下堂,将币帛交给家臣,又出门迎请大夫。大夫谦辞,然后应允。入庙门时,双方像刚才那样相互揖让。使者走上一级台阶后,大夫随后跟着,走到堂上。陈设在庭中的礼物是四匹马。使者下堂,从家臣手中接过五匹锦准备回赠大夫;大夫在堂上劝阻。使者面朝西捧着币帛,大夫面朝东而立。使者向大夫致送币。大夫站在正对着前梁的地方面朝北以词相答,并且行再拜磕头之礼;接着在两楹之间接受币帛,再面朝南,然后退回,面朝东待命。使者再拜磕头,礼送受币者。大夫下堂后,牵着庭中最左侧的那匹马出门。使者一直送到大门之外,行再拜之礼。次日,使者在大门外拜谢国君,拜谢他馈赠杀牲和活牲,都是行再拜磕头之礼。(以上是使者回赠卿)

上介:饔饩三牢,饪一牢,在西,鼎七,羞鼎三①,腥一牢,在东,鼎七;堂上之馔六。西夹亦如之。筥及瓮,如上宾。饩一牢。门外米、禾视死牢②,牢十车,薪刍倍禾。凡其实与陈,如上宾。下大夫韦弁,用束帛致之。上介韦弁以受,如宾礼。傧之两马束锦。士介四人,皆饩大牢,米百筥,设于门外。宰夫朝服,牵牛以致之。士介朝服,北面再拜稽首受。无傧。

[注释]

①羞鼎:即陪鼎。②死牢:已杀死的牛、羊、猪。

[译文]

馈送给副使的食物有:已杀死的和活的牛、羊、猪共三牢,其中杀死的牛、羊、猪有一牢已经煮熟,陈列在西侧,正鼎是七个,陪鼎是三个;未煮的牛、羊、猪也是一牢,陈列在东侧,有七个鼎;陈设在堂上的食品都以六为数。在西夹室陈设的食品也是如此。筥和瓮的数量,都与馈赠使者的一样。活的牛、羊、猪一牢。陈设在大门外的米、禾的数量根据已杀死的牛、羊、猪的牢数来决定,每牢配以十车米或禾,柴薪与草料的数量则是禾草的一倍。所有上述陈设于庭内外的礼物,都与送给使者的一样。下大夫向副使赠送礼物时，身穿韦弁之服，送以五匹帛。副使接受币帛时，也要穿韦弁之服，其间仪节与使者一样。回赠给下大夫的礼物是两匹马和五匹锦。赠送给四位随行人员的是，活的牛、羊、猪各一，米一百筥，陈设在门外。宰夫身穿朝服，牵牛致送。随行人员身穿朝服，面朝北再拜磕头后接受礼物。以上仪节都没有摈者协助。（以上是馈赠副使等人礼物的情况）

宾朝服问卿。卿受于祖庙。下大夫摈。摈者出请事；大夫朝服迎于外门外，再拜，宾不答拜。揖，大夫先入，每门每曲揖。及庙门，大夫揖入。摈者请命。庭实设四皮，宾奉束帛入。三揖，皆行，至于阶，让。宾升一等；大夫从，升堂，北面听命。宾东面致命。大夫降，阶西再拜稽首。宾辞，升成拜。受币堂中西，北面。宾降，出。大夫降，授老币，无摈。

[译文]

使者身穿朝服前往聘问卿。卿在祖庙接受使者的问候。下大夫担任卿的摈者。摈者先出门请问使者为何事而来；接着卿身穿朝服到大门之外相迎，行再拜之礼，使者不必答拜。双方行揖致意后，卿先入门为使者引路，每到一门或每逢拐弯处，卿都向使者行揖示意。走到庙门前，卿行揖后先入内。接着摈者出门请问使者还有何事。使者命人将赠给卿的四张麋鹿皮陈设在庭中。接着，使者捧着五匹帛入庙门，与卿三次揖让后，并排而行，走到阶前，又相互礼让。于是，使者先走上一级台阶；卿再接着上台阶，然后上至堂上，面朝北听命于使者。使者在西阶之上面朝东致辞。于是卿下堂，在阼阶之西准备行再拜磕头之礼。使者劝阻后，卿上堂完成拜礼。接着卿在堂中央的西侧接受币帛，面朝北。然后使者下堂，出门。卿随后下堂，将币帛授给家臣，没有摈者协助。（以上是使者问候卿）

摈者出请事。宾面①，如觌币②。宾奉币，庭实从③，入门右。大夫辞。宾遂左。庭实设，揖让如初。大夫升一等，宾从之。大夫西面，宾称面④。大夫对，北面当楣再拜；受币于楹间，南面，退，西面立。宾当楣再拜送币，降，出。大夫降，授老币。

[注释]

①面：使者私见大夫。②觌：使者私见国君。③庭实：四匹马。④称面：致相见之辞。

[译文]

摈者出门请问使者有何事。使者为私见大夫，所准备的币帛与私见国君时一样。使者捧着币帛，随行人员牵着四匹马跟随其后，进门后站在右侧。大夫认为这是使者谦虚降礼，因而不同意。于是使者站在门的左侧。有司将四匹马牵入庭中。双方像先前那样相互揖让来到阶前。大夫先走上一级台阶，使者随后登阶。大夫在阼阶之上面朝西，使者在西阶之上面朝东，致相见之辞。大夫应对之后，面朝北在前梁之下行再拜之礼；接着在东西楹柱之间接受币帛，再面朝南，然后退回原位，面朝西而立。使者在前梁下再拜，礼送受币帛者，然后下堂，出门。接着大夫下堂，将币帛交给家臣。（以上是使者私见大夫）

摈者出请事。上介特面①，币如觌。介奉币。皮，二人赞。入门右，奠币，再拜。大夫辞，摈者反币。庭实设，介奉币入，大夫揖让如初。介升，大夫再拜受。介降拜，大夫降辞。介升，再拜送币。摈者出请。众介面，如觌币。入门右，奠币，皆再拜。大夫辞，介逆出。摈者执上币出，礼请受，宾辞。大夫答再拜。摈者执上币，立于门中以相拜，士介皆辟。老受摈者币于中庭，士三人坐取群币以从之。摈者出请事。宾出，大夫送于外门外，再拜。宾不顾。摈者退，大夫拜辱。

[注释]

①特面：上介单独见大夫。特面时没有随行人员跟从，也没有随行人员执币帛一起进门，礼数比宾见卿要低。

[译文]

摈者出门请问还有何事。副使请求私见大夫，准备的币帛与使者私见大夫时一样。副使手捧币帛。一对麋鹿皮，由两人协助拿着。入门后站在右侧，接着放下币帛，行再拜之礼。大夫辞谢后，副使出门。于是摈者出门将币帛交还副使。副使命人将麋鹿皮陈放在庭中，自己又捧着币帛入门，大夫像先前那样与副使相揖让。然后，副使升堂，在堂上将币帛赠送给大夫，大夫再拜之后收下。副使下堂，准备行拜礼，大夫下堂劝阻。于是副使上堂，行再拜之礼，送受币帛者，然后出门。摈者又出门请问客人还有何事。使者的随行人员请求私见大夫，准备的币帛与使者私见大夫时一样。进门后站在右侧，然后放下币帛，都行再拜之礼。大夫辞谢后，随行人员按照与进门时相反的次序退出。摈者拿着随行人员之长的币帛出门，谦辞请收回，使者辞谢。摈者入门禀告，大夫在门内致再拜之礼。摈者拿着随行人员之长的币帛，站在庙门中央协助行拜礼，随行人员不敢当面都回避。家臣在庭中从摈者手中接过币帛，另外三位士坐下将随行人员的币帛取起，然后跟随在家臣之后。摈者又出门请问还有何事。使者说私见已完毕，于是出大门，大夫一直送到大门之外，行再拜之礼。大夫直到使者不再回头时再转身进门。摈者亦告退，大夫拜谢他屈尊相助。（以上是副使及随员私见大夫）

下大夫尝使至者，币及之。上介朝服、三介①，问下大夫，下大夫如卿受币之礼。其面，如宾面于卿之礼。

[注释]

① 使者私见卿带四名随行人员,副使只带三名,表示礼数低于使者。

[译文]

如果有某位下大夫曾经作为使者聘问过自己的国家,则此时要由副使带着币帛去问候,表示不忘旧交。副使身穿朝服,带着三名随行人员,前往问候下大夫,下大夫接受币帛的仪节与卿一样。彼此相见的仪节,与使者私见卿一样。(以上是问候下大夫)

大夫若不见①,君使大夫各以其爵为之受,如主人受币礼,不拜。

[注释]

① 大夫:泛指所有大夫,包括卿在内。

[译文]

如果大夫中有因故不能与使者等相见的,则国君派与这位大夫爵位相同的人代为接受礼物,与国君接受对方礼物的仪节一样,但不必拜谢对方,因为是代替的,不敢当主人之礼。(以上是代替大夫接受礼物的规定)

夕①,夫人使下大夫韦弁归礼②。堂上笾豆六,设于户东,西上;二以并,东陈。壶设于东序,北上,二以并,南陈。醙、黍、清③,皆两壶。大夫以束帛致之。宾如受饔之礼,傧之乘马束锦。上介四豆、四笾、四壶,受之如宾礼;傧之两马束锦。明日,宾拜礼于朝。

[注释]

① 夕:指使者问候卿的当天的傍晚。② 夫人:国君夫人。③ 醙(sōu):白酒。此处陈设的酒为稻、黍、粱三种,每种都有清、白二色,为行文简洁,稻写为"醙",粱写为"清",表示三种酒都有清有白。

[译文]

　　傍晚,国君夫人派下大夫穿韦弁之服向使者回礼。堂上摆放的笾豆都以六为数,陈设在室户之东,以西首为尊;两两相并,由西向东陈放。壶陈设在东夹室,以北首为尊,两两相并,由北向南陈放。稻、黍、粱三种酒,都有清有白,每种酒都是两壶。大夫向使者致送五匹帛。使者像当初接受馈赠时那样,回赠四匹马和五匹锦。为副使准备的食品则是四豆、四笾、四壶,副使接受时的礼节与使者一样;但回赠的礼物为两匹马和五匹锦。次日,使者要到朝上拜谢国君夫人的惠赐。(以上是国君夫人向使者等回礼)

　　大夫饩宾大牢①,米八筐②。宾迎,再拜。老牵牛以致之③,宾再拜稽首受。老退,宾再拜送。上介亦如之。众介皆少牢,米六筐④,皆士牵羊以致之⑤。

[注释]

　　①饩:馈赠。大牢:牛、羊、豕各一。②米八筐:指黍两筐、粱两筐、稷四筐。③老:室老,大夫的贵臣。④米六筐:黍两筐、稷四筐。⑤少牢为一羊、一豕,没有牛,所以牵羊致送。

[译文]

　　大夫馈赠给使者的礼物陈设在门外,有大牢和八筐粮食。使者出门迎接,行再拜之礼。室老牵着牛,将大牢致送给使者,使者再拜磕头后收下。室老退归,使者以再拜之礼相送。大夫向副使馈赠礼物的仪节也是如此。大夫馈赠随行人员的礼物都是少牢,粮食为六筐,都是由士牵着羊致送。(以上是大夫向使者等馈赠礼物)

　　公于宾,壹食,再飨①。燕与羞②,俶献③,无常数。宾介皆明日拜于朝。上介壹食壹飨。若不亲食,使大夫各以其爵、朝服致之以侑币④,如致饔,无傧。致飨以酬币⑤,亦如之。大夫于宾，壹飨壹食。上介，若食，若飨；若不亲飨，则公作大夫致之以酬币，致食以侑币。

[注释]

①壹食，再飨：食礼一次，飨礼两次。食礼在两次飨礼之间。飨礼是献上大牢，请客人饮酒之礼。②羞：禽羞，用禽类做成的食品。③俶（chù）：开始。④侑币：用以劝客人进食的币帛。⑤酬币：用以劝客人饮酒的币帛。

[译文]

国君宴请使者，食礼一次，飨礼两次。宴请时用的禽羞，应该是当令的新物，禽羞的数目没有一定之规，视双方感情的深浅而定。使者和副使都要在次日到朝上拜谢国君。如果是宴请副使，则食礼一次、飨礼一次。如果国君因故不能亲往参加宴会，则要请爵位与使者相同的大夫参加，大夫要身穿朝服，用币帛劝使者进食，其仪节与向使者致送食物时一样，只是没有傧者协助。行飨礼时用币帛劝使者饮酒，仪节也是这样。大夫宴请使者，也是飨礼一次、食礼一次。大夫宴请副使，则或用食礼，或用飨礼；如果大夫因故不能亲自参加，则国君要另派一名爵位相同的大夫参加，也是用酬币劝酒，用侑币劝食。（以上是国君和大夫宴请使者等的礼节）

君使卿皮弁，还玉于馆①。宾皮弁，袭，迎于外门外，不拜；帅大夫以入。大夫升自西阶，钩楹。宾自碑内听命②，升自西阶，自左，南面受圭，退负右房而立。大夫降中庭。宾降自碑内，东面，授上介于阼阶东。上介出请，宾迎；大夫还璋，如初入。宾裼，迎。大夫贿用束纺③。礼玉、束帛、乘皮，皆如还玉礼。大夫出，宾送，不拜。

[注释]

①玉：圭。依礼，使者来聘问时，主人要受玉，使者将返回时，主人要还玉。②碑内：碑的内侧，即北侧。③贿：赠送财物给别人。纺：丝制的

织物。

[译文]

国君派卿身穿皮弁之服，到使者的馆舍归还玉圭。使者身穿皮弁之服，外面又加一层衣服，在大门外迎接卿，不必行拜礼；接着引领大夫入门。大夫从西阶上堂，走到楹柱的北侧。使者在堂下碑的北侧听命于大夫，然后从西阶上堂，站到大夫的左侧，与大夫面朝南并排而立，接着从大夫手中接过圭，然后退至右房的前面站立。于是，大夫下堂来到庭中。使者下堂来到碑的北侧，面朝东，将圭授给站在阼阶之东的副使。副使又出门请问大夫还有何事，接着回禀使者，使者出门相迎；大夫像前一次进来时那样，将璋交还使者。使者在皮衣外加着罩衣，上前接璋。大夫赠送的财物是五匹纺。国君还聘对方国君的礼物是：礼玉、五匹帛、四张虎豹皮，其仪节与还圭璋时一样。于是大夫出门，使者相送，但不必行拜礼。（以上是卿奉命还玉、璋和赠物）

公馆宾①，宾辟，上介听命。聘享，夫人之聘享，问大夫，送宾，公皆再拜。公退，宾从，请命于朝。公辞，宾退。

[注释]

①这一节记使者返国的前一日，国君亲往馆舍拜见使者。

[译文]

国君亲往馆舍拜见使者，使者谦避，副使上前听命于国君。国君向使者的国君聘问、献礼，向国君夫人聘问、献礼，问候各位大夫，对使者即将归国表示送别，这四件事，每说完一件国君都行再拜之礼。国君退归，使者跟随其后，直至朝上，并再次请命于国君。国君谦辞，使者退归。（以上是国君前往馆舍送别使者）

宾三拜乘禽于朝①，讶听之②。遂行，舍于郊。公使卿赠，

聘礼第八 247

如觌币。受于舍门外,如受劳礼;无傧。使下大夫赠上介,亦如之。使士赠众介,如其觌币。大夫亲赠,如其面币;无傧。赠上介亦如之。使人赠众介,如其面币。士送至于竟。

[注释]

①乘禽:成双飞行的禽,如雉、雁等。②讶:国君派去侍奉使者的人。

[译文]

国君曾在使者行前赐以成对成双的飞禽。使者到朝上连续三拜,表示不胜感激,侍者听后禀告国君。于是使者一行踏上归途,当日在近郊住宿。国君又派卿前往赠物送行,其仪节与私见国君时赠送币帛一样。使者在馆舍门外接受礼物,其仪节与入境时接受慰问一样;只是没有傧者协助。国君又派下大夫向副使赠物送行,仪节也是如此。又派士向使者的随行人员赠物送行,其仪节与私见国君时赠送币帛一样。大夫要亲自向使者赠送物品,与当初私见时赠送币帛的礼节一样;没有傧者相助。向上介赠送礼物也是如此。派人向各位随行人员赠送物品,与当初私见时赠送币帛一样。士要一直将使者一行送到国境。(以上是卿、大夫奉命向离去的使者等赠物送别)

使者归,及郊,请反命。朝服,载旜。襛①,乃入。乃入陈币于朝,西上:上宾之公币、私币皆陈②,上介公币陈,他介皆否。束帛各加其庭实③,皮左。公南乡。卿进使者,使者执圭垂缫,北面;上介执璋屈缫,立于其左。反命,曰:"以君命聘于某君,某君受币于某宫,某君再拜。以享某君,某君再拜。"宰自公左受玉。受上介璋,致命亦如之。执贿币以告,曰:"某君使某子贿。"授宰。礼玉亦如之。执礼币,以尽言赐礼。公曰:"然。而不善乎④!"授上介币,再拜稽首;公答再拜。私币不告。君劳之。再拜稽首。君答再拜。若有献,则曰:"某君之赐也。君其以赐乎?"上介徒以公赐告⑤,如上宾之礼。君劳之。再拜稽首。君答拜。劳士介亦如之。君使宰赐使者币,使者再拜稽首。赐介,介皆再拜稽首。乃退。介皆送至于使者之门,乃退揖。使者拜其辱。

[注释]

①禳(ráng):除去灾凶的祭祀。②公币:国君赐给的币帛。私币:卿大夫赠给的币帛。③束帛各加其庭实:束帛都放在庭中各自的礼物内。束帛一般应放在皮革之上,这里分开放有炫耀礼物多的意思。④而:通"尔",你。⑤徒:空手,不拿币帛。

[译文]

使者回国,走到近郊时,请郊人禀告国君,使者已经归来。于是穿上朝服,将旂旗插在车上。接着又举行禳祭,然后才入城中。于是进入寝门,将带回的币帛陈列在治朝上,以西首为尊:对方国君、卿大夫赠送给使者的币帛全部要陈设,对方国君赠送给副使的币帛也要陈设,赠送给随行人员的币帛则不必陈设。使者和副使的五匹帛,放在庭中各自的礼物内,在皮革的左侧。国君面朝南站立。接着,国君命令卿传呼使者入内,使者手执圭,让垫圭的彩绘木板垂着,面朝北而立;副使手执璋,将垫璋的彩绘木板放在掌上,站在使者的左侧。使者向国君复命,说:"奉国君之命前往聘问某国国君,某国国君在某一宫庙接受我方赠送的币帛,并且行再拜之礼。我方又向某国国君献礼,国君接受后行再拜之礼。"宰从国君的左侧接过圭。又接过副使的璋,副使向国君复命的仪节也是如此。使者又捧着五匹纺说:"某国国君让某大夫赠送此物。"然后将纺交给宰。拿着对方赠送的礼玉向国君禀告的礼节也是如此。拿着对方国君初次接见使者时所赠送的币帛,要将从郊劳到赠物的每个细节都详尽禀告。国君听后说:"好,你不是很善于奉命出使吗?"接着赏给副使币帛,副使向国君再拜磕头;国君以再拜之礼作答。私见对方卿大夫时收下的币帛可以不报告国君。接着，国君慰问使者，使者向国君再拜磕头。国君以再拜之礼作答。如果对方还有向国君特意进献的礼物，则要说："这是某国国君赠给的，不一定合您用，您用它再赐给别人吗？"副使可以空着手向国君禀告对方赐物的详细情况，就像刚才使者汇报时那样。国君又慰劳副使。副使再拜磕头。国君以再拜之礼作答。国君慰劳随行人员的仪节也是如此。国君命宰赐给使者币帛，使者向国君再拜磕头。赐给副使及随行人员币帛，也都向国君再拜磕头。于是，使者等都退归。随行人员等要一直送到使者的家门口，然后才能退归，并行揖告别。使者拜谢他们屈尊随行出使。（以上是使者复命）

释币于门。乃至于祢，筵几于室，荐脯醢。觞酒陈①。席于阼，荐脯醢，三献②。一人举爵③，献从者④，行酬，乃出。上介至，亦如之。

[注释]

①觞（shāng）酒陈：用觞酌酒进奠，这是一献。觞，酒器名，属爵类。②三献：主人一献，室老二献，士三献。③一人：主人之吏。一人举爵表示旅酬开始。④从者：随主人出使的家臣。

[译文]

使者在自家的大门旁用币帛告庙，告知出使归来。接着来到祢庙，在室中为神铺设席和小几，并进上干肉和肉酱。使者用觞酌酒放在神席前，是为一献。然后在阼阶之上为主人铺席，并荐上干肉和肉酱，室老和家臣中的一位士接着完成三献之礼。于是，主人之吏奉主人之命举起酒爵，向跟随主人出使的家臣献酒，家臣按次序互相劝酒，饮毕出门。副使回到自己家中，也要如此举行告庙仪式。（以上是使者告庙）

聘遭丧①,入竟,则遂也②。不郊劳。不筵几。不礼宾。主人毕归礼③,宾唯饔饩之受④。不贿,不礼玉,不赠。遭夫人、世子之丧⑤,君不受,使大夫受于庙,其他如遭君丧。遭丧⑥,将命于大夫,主人长衣练冠以受⑦。

[注释]

①遭丧:遇到聘问国有丧事,指国君去世。②遂:继续进行聘问活动。③主人毕归礼:主人一方将使者一行所需的食物全部送上。礼,指按礼节必须供给的各种食物。④饔、饩属于正礼,可以接受;此外的食物都属于加礼,因国有大丧,可以不接受。⑤世子:嫡长子。⑥遭丧:指国君、夫人、嫡长子之丧。⑦主人:即大夫,国有大丧时,国君或已死亡,或者为丧主,不能见使者,所以由大夫权作主人。长衣:平时穿在内衣之外的衣服,上衣与下裳连为一体,边缘是素色的,特别长大,故名。练冠:练布做的冠,是父母去世周年致祭时所戴的丧冠。主人本服衰麻丧服,是凶服,使者远道来聘,属吉礼,主人不宜以纯凶之服对纯吉之礼,所以脱去外面的丧服,露出长衣,头戴练冠见使者,这是一种变通的礼法。

[译文]

聘问国如果适逢国君新丧,而使者已进入其国境,则应继续进行聘问活动。不过,礼数都要降低:下派大夫到近郊慰劳使者,由于尸柩停在庙中,使者无法依常礼在此向国君致命,所以不再为神铺设席和小几。聘享完毕,也不再用醴酒礼请使者。使者一行滞留期间所需食物,主人要按礼仪规定全部送去,但使者只能收下其中已烧熟的食物和未杀的牲口。卿大夫不再向使者等赠送纺等礼品,不赠送礼玉之类,也不赠送币帛。如果适逢国君夫人或嫡长子之丧,国君作为丧主不能接受聘礼,便让卿大夫在庙中接受之,其他的仪节都和遇到国君之丧一样。遇到大丧时,使者向大夫陈述自己国君的命辞时,主人要脱下丧服,穿着丧衣和练冠接受使者致礼。(以上是聘问国有大丧时行聘的仪节)

聘，君若薨于后①，入竟则遂。赴者未至②，则哭于巷③，衰于馆④；受礼，不受飨食。赴者至，则衰而出，唯稍受之⑤。归，执圭复命于殡⑥，升自西阶，不升堂。子即位，不哭。辨复命，如聘。子臣皆哭。与介入，北乡哭。出，袒括发⑦。入门右，即位踊⑧。

[注释]

①君：指本国国君。薨于后：死于使者出发之后。②赴者：通报凶讯的人。赴，通"讣"。③哭于巷：本国国君死，使者在异国无法就丧主之位而哭，所以只能哭于巷门。④衰于馆：在馆舍内穿衰麻丧服，因为讣闻未到，使者不能在异国身穿丧服见人。⑤稍：粮食与草料。⑥殡：入殓而未下葬的尸体。⑦括发：束发。⑧踊：向上跳。

[译文]

奉命出国聘问，如果出发后得到本国国君的死讯，则应根据当时所在的位置来决定今后的行动。如果已经进入聘问国境内，则应按原计划继续进行聘问活动；如果仍在国内，则应返回奔丧。报告讣闻的人尚未到达时，使者一行只能在巷门号哭，在馆舍内穿丧服；接受对方馈赠的食物时，不能接受加礼之食。报告讣闻者到达后，则可以穿着丧服走出馆舍，接受食物时，只能接受粮食和草料之类。出使完毕回到国内，要捧着圭到国君的遗体前复命，从西阶走上去，但不到堂上。世子在阼阶上即位时，为保持复命时的清静，不号哭。使者像平时出聘归来一一向国君复命那样，一一向世子复命。于是，世子和群臣都开始哭泣。使者与副使及随行人员走入堂内，面朝北哭泣。出来时，要袒臂束发。入门时，站在右侧，然后在阼阶下的臣位上边哭边跳。（以上是出国行聘时国君去世时的礼节）

若有私丧①，则哭于馆，衰而居，不飨食②。归，使众介先，衰而从之。

[注释]

①私丧：使者父母去世。②不飨食：国君宴请时不参加。

[译文]

如果使者出国聘问时，恰逢自己的父母去世，则在馆舍内哭泣，居住时穿衰麻丧服，不参加国君的宴请。归国途中，让随行人员走在前，自己穿着丧服跟随于后。（以上是使者有私丧时的仪节）

宾入竟而死，遂也。主人为之具而殡①。介摄其命。君吊，介为主人。主人归礼币，必以用。介受宾礼，无辞也。不飨食。归，介复命，柩止于门外。介卒复命，出，奉柩送之。君吊，卒殡。若大夫介卒，亦如之。士介死，为之棺敛之，君不吊焉。若宾死，未将命，则既敛于棺，造于朝，介将命。若介死，归复命，唯上介造于朝。若介死，虽士介，宾既复命，往，卒殡乃归。

[注释]

①主人：聘问国的国君。

[译文]

如果使者在进入聘问国境内后死去，则聘问仍要继续进行。国君为死者备办殓殡的所有物品，并且殡之。副使接替使者之命。国君前往吊唁，副使担任丧主。丧主从对方赠送的物品中选择丧葬所必需的物品带回国。国君以使者之礼对待副使，副使不必推辞。副使不参加国君的宴请。回国后，副使向国君复命，而将使者的灵柩停在大门外。副使复命完毕，出大门，奉灵柩到使者的家。国君前往吊唁，直至殓殡完毕方才归去。如果是副使死亡，其仪节也是如此。如果是随行人员死亡，则殓之入棺，国君不往吊唁。如果使者死时，聘问已进行到即将行聘享之礼时，则必须将使者殓入棺，送至朝上,由副使完成聘享之礼。如果副使或随行人员死亡,归国复命时,只有副使的灵柩可以送到朝上。如果副使或随行人员死亡,即使是随行人员,使者在复命之后,都要前往送柩,到殡殓完毕方才回归。(以上是出聘时使者与副使等死亡时的仪节)

小聘曰问①。不享,有献,不及夫人。主人不筵几,不礼。面不升。不郊劳。其礼,如为介,三介。

[注释]

①小聘:聘有大小之分,大聘之礼及于国君和夫人,并享以玉帛等;小聘之礼只对国君,不及于夫人,而且只献以本国特产。

[译文]

小聘称为问。小聘时不享以玉帛之类,只献以本国特产,而且不献及夫人。主人不铺设席和几,不用醴酒为礼。私见大夫时不上堂。使者到达近郊时,国君不派人慰劳。国君接待使者的礼节,与大聘中的副使相同,介只能有三个。(以上是小聘的礼节)

记

久无事①,则聘焉。若有故②,则卒聘。束帛加书将命,百名以上书于策③,不及百名书于方④。主人使人与客读诸门外。客将归,使大夫以其束帛反命于馆。明日,君馆之。

既受行⑤,出,遂见宰,问几月之资。使者既受行日⑥,朝同位。出祖释軷⑦,祭酒脯,乃饮酒于其侧。

所以朝天子,圭与缫皆九寸⑧,剡上寸半⑨,厚半寸,博三寸⑩,缫三采六等⑪,朱白苍。问诸侯,朱绿缫,八寸。皆玄纁系⑫,长尺,绚组⑬。问大夫之币,俟于郊,为肆,又赍皮马⑭。

[注释]

①事:指盟会之类的活动。②故:指灾害之类的事。③名:文字。策:

将竹简编连起来即成策。④方：用于书写的木板，即"版"。⑤受行：受命出使。⑥"既"字为衍文，当删。⑦祖：开始。䄂（bá）：对道路神的祭祀，古人为祈求行道安全，垒一小土堆，或者再在上面放犬羊一类的牲，出行者祭酒脯并祈告，祭毕，乘车从土堆上碾过。⑧缫：或作藻、璪，垫在玉器底下的木板，大小与玉器相同，外面用熟皮革包裹。⑨剡（yǎn）：锐利，尖。⑩博：宽。⑪采：颜色。等：即"就"，一圈。⑫玄纁（xūn）系：用玄色和纁色的丝带系扣。丝带连在缫板上，上下各一，用以系玉。上方玄色像天色，下方纁色像地色。纁，浅红色。⑬绚组：有纹彩的丝带。⑭赉（jī）：以物赠人。

[译文]

记

诸侯之间如果很久没有盟会，则应该派使者互相聘问。如果国内发生灾难，则应该停止聘问。聘问的书简要放在五匹帛上，捧着向对方国君致命，书简的字数若超过一百字，就写在策上；若不满百字，就写在木版上。对方国君在接受使者致送的书简后，随使者下堂出门。国君让内史与使者在门外宣读书简内容。使者将要回国时，国君派大夫到馆舍，将使者致送的五匹帛归还。次日，国君将回复的书简送到馆舍，请使者早日送达。

使者接受国君命令后准备出使，出门后，接着去见宰，请问付给路途几个月的费用。受命出行之日，使者与副手及随行人员和上朝时站的方位一样，都是面朝北。出行开始，要以物祭道路神，在土堆旁祭酒和干肉，接着饮酒。

用以朝见天子的玉器，圭和托板都是九寸长，顶部左右各削去一寸半，使之呈锐角形，厚是半寸，宽为三寸，托板上有三种颜色的丝线，绕六圈，三种颜色的顺序是朱色、白色和苍色。聘问诸侯时用的托板，只有朱色和绿色两种，长度为八寸。这两种托板都用玄色和浅红色的丝带将玉器系住，丝带长一尺，上有彩纹。聘问大夫用的币帛，由宰拿着在近郊等待，并预先陈列好，等待使者到来，并将赠送给对方大夫的皮革和马匹交付给使者。

辞无常，孙而说①。辞多则史②，少则不达。辞苟足以达，义之至也。辞曰："非礼也。敢？"对曰："非礼也。敢辞③？"

卿馆于大夫，大夫馆于士，士馆于工商④。管人为客⑤，三日具沐，五日具浴。

飧不致⑥，宾不拜，沐浴而食之。

卿⑦，大夫讶⑧。大夫⑨，士讶。士⑩，皆有讶。宾即馆，讶将公命，又见之以其挚⑪。宾既将公事，复见讶以其挚。

凡四器者⑫，唯其所宝，以聘可也。

[注释]

①孙：通"逊"，顺于心意。说：通"悦"。②史：策祝。③"辞"字为衍文，应删。④奉命出使，馆舍一定要在对方的宗庙内，但为了表示对主人的尊敬，馆舍一般在比自己级别低的官员的宗庙内。古代士以上都有寝有庙，庙在前，寝在后。庶人、工商则有寝无庙。⑤管人：管理馆舍的人。⑥飧：使者刚到时举行的食礼。不致：不用束帛致命。⑦卿：使者。⑧讶：国君派去迎接宾客的人。⑨大夫：副使，即"上介"。⑩士：随行人员，即"众介"。⑪根据所要见的人的身份高低，所执的挚也不同，大夫讶者执雁，士讶者执雉。⑫四器：圭、璋、璧、琮。

[译文]

大夫出聘，接受使命而不接受辞令，因为聘问的辞令没有固定的内容，只要顺从对方心愿，并且使他愉悦即可。辞令若太啰唆，就有点像宗庙中的策祝了，若太少则又不足以表达意思。如果辞令能足以表达意思就止，那就是应答场合中的极高水平了。遇有不能接受的事时推辞说："不符合礼。岂敢接受？"如果主人仍坚持，则回答说："不符合礼。岂敢接受？"

出聘时不能在与自己身份相同的人的宗庙中下榻，而应该降一等，卿住在大夫的宗庙，大夫住在士的宗庙，士则住在工商之人的舍中。管人接待来客，要满足客人三天洗一次头，五天洗一浴的要求。

主人用飨礼招待来宾时，不必用束帛来致命，来宾也就不用拜谢，但要沐浴之后再就食，以示对国君赐食的尊重。

聘问之日，国君派到馆舍去迎接客人的人的级别，根据对方的身份而定，使者是卿，所以派大夫去迎接。副使是大夫，所以派士去迎接。至于随行人员，都是士，但也有专门去迎接的。使者至馆时，迎接者要告诉使者，国君让自己在此等候他，然后又拿着礼物去拜见使者。使者的公事完毕之后，用迎接者送来的礼物去回见。

凡是圭、璋、璧、琮，可以根据五等诸侯所宝，而选取行聘。

宗人授次[1]，次以帷。少退于君之次。

上介执圭，如重，授宾。宾入门，皇[2]；升堂，让[3]；将授，志趋[4]；授如争承，下如送；君还，而后退。下阶，发气[5]，怡焉；再三举足，又趋。及门，正焉。执圭，入门，鞠躬焉，如恐失之。及享，发气焉，盈容[6]。众介北面，跄焉[7]。私觌，愉愉焉。出，如舒雁[8]。皇，且行；入门主敬，升堂主慎。

凡庭实，随入[9]，左先，皮马相间[10]，可也。宾之币，唯马出[11]，其馀皆东[12]。多货[13]，则伤于德。币美，则没礼。贿，在聘于贿[14]。

凡执玉，无藉者袭[15]。

[注释]

①宗人：掌宗庙及礼事的官员。②皇：矜持、庄严。③让：举手与胸口相平。④志趋：举步快而小。⑤发气：舒气。⑥盈容：和气满面。⑦跄：容貌舒扬。⑧舒雁：鹅。⑨随入：相随而入，意为不并行。庭实以皮革、马匹为主。两者的数量都是四，进门时是前后相贯而入，到庭中后都是面朝北而立，以西为尊，所以由西边的那匹马或皮先入内。西为左，所以下文说"左先"。

聘礼第八　257

⑩间：代替。有无可以相取代，如无马之国可用皮，无皮之国可用马。⑪出：出门入马厩。⑫东：指庭东的内府。⑬货：指玉。⑭在聘于贿：视聘礼的厚薄决定回赠的费用水平。⑮藉：垫，将璧琮放在束帛之上，则可以将束帛看做是垫在璧琮之下。

[译文]

使者初次到达宗庙大门外时，宗人为他安排休息之处。休息处的四周是用帷布围起来的。使者的休息处的位置要比国君的稍稍靠后，以示区别。

副使执圭，分量虽轻，但要像拿很重的东西似的，授给使者，以示慎重。使者进入庙门时，神色要庄敬；上堂时，持圭的双手要与胸口平；将要把圭授给国君时，脚步要小而快；授圭时要像争着接东西，唯恐掉在地上，放下时好像送走一件东西；国君转身将圭转交给宰，然后使者退下。在堂上时，出于恭敬要屏着气，走到台阶下时才开始舒气，很舒坦的样子；在原地几次踏步后，心气平定，又前行。走到门口，容色回复正常。也有人认为，使者拿着圭入门时，形体犹如鞠躬一样，好像生怕丢失似的。到享礼时才敢舒气，和气溢于面部。随行人员都面朝北而立，容貌也都很舒扬的样子。私见国君时，容貌要很和敬的样子。使者等出门时，要像鹅那样自然而有行列。还有人认为，执玉者行进时要庄敬；入门时的神色以敬为主，上堂时的神色要以谨慎为主。

凡是要陈放在庭中的马匹或皮革，要逐一相随而入，而让陈放在庭左侧的先进入，皮革与马匹不必同时有，可以互相替代。使者向国君赠送的币帛等，只有马被牵至门外马厩，其余物品都送到庭东的内府收藏。聘问的目的在于礼，而不在于礼物的多少、好坏，如果陈设的玉器太多，则变成以玉为主，势必有伤于德行。如果币帛太美，则礼的本意就会被淹没。回赠给对方的礼物，视对方带来的礼物而定，厚薄要相称。

凡是执持玉器，下面没有币帛为衬托，则持玉者要在衣服外再加一件衣服。

礼不拜至①。醴尊于东厢，瓦大一②，有丰。荐脯五胜，祭半胜，横之。祭醴，再扱，始扱一祭，卒再祭。主人之庭实③，则主人遂以出，宾之士讶受之。

既觌，宾若私献，奉献，将命。摈者入告，出礼辞。宾东面坐奠献，再拜稽首。摈者东面坐取献，举以入告，出礼请受。宾固辞④，公答再拜。摈者立于阃外以相拜，宾辟。摈者授宰夫于中庭。若兄弟之国，则问夫人。

若君不见，使大夫受。自下听命，自西阶升受，负右房而立。宾降亦降。不礼。

[注释]

①礼：聘享礼毕，以醴酒礼请使者。②瓦大：瓦尊名。③庭实：指马匹。马共四匹，使者先牵走西侧那匹，其余三匹由士牵走。④"固"字为衍文，可删。

[译文]

聘享完毕，用醴酒礼请使者时，不必行拜始至之礼。因为使者并非于此时始至。醴酒陈放在东厢房，是一个名为"瓦大"的瓦尊，下面有托盘。进上的干肉条共五根，祭祀时则只用其挺直的那一半，横向放置。祭醴酒时，要扱取两次酒，开始时扱一次酒致祭，祭毕再扱一次致祭。国君赠给使者的马匹，在国君出门后，由使者的随行人员迎受并牵走。

使者私见国君之后，如果有珍异之物私相敬献，则要捧而献之，并以君命致之。摈者得知使者将有私献，要入门禀告国君，再出门谦辞，然后表示接受。使者面朝东坐下，放下礼物，向国君再拜磕头，声明因礼物微薄，不敢在刚才私见时呈送。摈者从门东走到使者南侧，面朝东坐下取起使者放下的礼物，举着进门禀告国君，然后出门谦辞请使者收回。使者不允，于是国君以再拜之礼相谢。摈者站在门限之外协助双方行拜礼，使者回避，不敢当此大礼。摈者在中庭将礼物交给宰夫。如果双方是兄弟之国，则还应聘问夫人。

如果国君因故不能接见使者，则命大夫接受聘享。大夫在堂下听命，从西阶上堂接受礼物，然后背靠右房而立。使者下堂时也下堂。大夫不敢像君那样行礼宾之礼。

币之所及，皆劳，不释服①。

赐饔，唯羹饪②，筮一尸③，若昭若穆④。仆为祝，祝曰："孝孙某，孝子某，荐嘉礼于皇祖某甫、皇考某子。"如馈食之礼。假器于大夫。肦肉及廋、车⑤。

聘日致饔。明日，问大夫。大夫不敢辞，君初为之辞矣。夕，夫人归礼。既致饔，旬而稍⑥，宰夫始归乘禽⑦，日如其饔饩之数⑧，士中日则二双⑨。凡献，执一双，委其馀于面。禽羞⑩，俶献⑪。

比归大礼之日，既受饔饩，请观⑫。讶帅之，自下门入⑬。

[注释]

①服：皮弁服。不释服表示来不及脱去服装，急往慰劳。②国君赐给使者的饔食有饪、腥、饩等三种，只有饪一牢需要祭祀。羹饪：即饪一牢，煮熟的牛、羊、豕。③用卜筮的方法从随行的弟子中选择一人担任"尸"。④昭穆是古代宗法制度，它规定了先祖在宗庙或墓域中排列位次的方法，始祖居正中，其子在左，称昭；其孙在右，称穆；孙之子又在左，为昭；孙之孙又在右，为穆，如此反复排列。此处的昭或穆，指离主人最近的一位，父在祭祖，父卒祭祢，其排列位次或昭或穆均可。⑤肦（bān）：同"颁"。廋（sōu）：即廋人。车：指巾车。两者都是掌车马的官名。⑥稍：即禀食，发给粮食。⑦乘禽：雌雄并行的禽。致礼之物重双数，故取用之。⑧日如其饔饩之数：每

日致送乘禽的数量,与饔饩的牢数一致,每牢一双。⑨中日:隔日。⑩禽羞:煮熟并调和其味的禽。⑪俶(chù):开始,此指当令的新鲜之物。⑫观:参观宗庙。⑬下门:便门。

[译文]

凡是受到使者币帛之赠的,在卿大夫前往慰劳时,都要随往,不脱下皮弁之服。

国君赐给的熟肉中,只有牡一牢需要祭祀。从随行的弟子中筮定一位担任尸,祭祀的对象或昭或穆,视父亲是否在世而定。让仆人担任祝告者,祝词说:"孝孙某人,孝子某人,进荐美好的礼物于皇祖某人、皇父某人之前。"其礼节与少牢馈食礼相同。但使用的器物只能借大夫的,而不敢用国君的器物与祭器。分给祭肉时,要及于虞人、巾车之类的贱官。

聘问之日致送饔饩。次日聘问大夫。摈者入内禀告大夫,大夫不敢推辞,因为使者私见国君时,曾请求私见大夫,国君已表示同意。傍晚,向夫人行馈赠之礼。致送饔饩之后,如果过了十天使者还未回归,则要再次赠给粮等,以免接不上。宰夫则开始馈赠乘行之禽,供给的数量与饔饩中牢的数量相同。对于随行人员,不必每人致送,隔日赠送两对乘行之禽即可。凡是呈献乘行之禽,只要拿一双表示意思就行,其余的可以放在面前。煮好的禽,要用新鲜当令的呈献。

到行馈赠大礼之日,使者接受饔饩的各种食物后,可以请他参观宗庙。由前来迎接的大夫引路,从便门进入。

各以其爵,朝服①。

士无饔②,无饔者无摈。

大夫不敢辞,君初为之辞矣③。

·凡致礼④,各以其爵,朝服。皆用其飧之加笾豆。无饔者无飨礼。

凡饩，大夫黍、粱、稷，筐五斛。

既将公事，宾请归。凡宾拜于朝⑤，讶听之。

燕，则上介为宾，宾为苟敬⑥。宰夫献。

无行⑦，则重贿反币。

[注释]

①这一句当在下文"凡致礼"之后，误置于此。②赠送给士的食物只有饩大牢，即活的牛、羊、豕各一，而没有熟食。③这一句应在前文"明日问大夫"之后，误置于此。④凡致礼：国君用酬币向使者等致礼，而非用飨礼招待之。⑤使者受到国君及夫人的赠予等，次日都要到朝上拜谢。⑥苟敬：燕礼注重恩谊而不在崇敬，所以使者辞却宾的身份，由副使担任，自己入诸公之席，与主人交欢，这样不至于专事恭敬，但又不失恭敬，称为苟敬。⑦无行：不再到别国去，意为专聘此国。

[译文]

给使者的随行人员馈赠的食物中没有熟食。没有熟食则礼数较低，也不配以傧者。

凡是国君向使者致送币帛，命大夫按各自的爵位，身穿朝服而致之。都沿用使者、副使飨礼时的加笾、加豆之数。随行人员不赐以熟食，因此也没有飨礼。

凡是赠送食物，大夫送给使者的是黍、粱、稷，都装在筐中，每筐的容积为五斛。

使者在公事完毕之后，请求国君准许回国。凡是使者到朝上拜谢国君、夫人的赐予，都由讶者听而受之。

燕礼时，由副使担任宾，使者则保持一种不专事恭敬，但又不失恭敬的身份。国君则让宰夫担任献主。

如果使者不再去其他国家，则应该重赠礼物并全部归还使者赠送给国君和夫人的礼物。

曰:"子以君命在寡君,寡君拜君命之辱。""君以社稷故,在寡小君,拜。""君贶寡君,延及二三老①,拜。"又拜送。

宾于馆堂楹间,释四皮束帛。宾不致,主人不拜。

大夫来使,无罪,飨之;过,则饩之。其介为介。有大客后至②,则先客不飨食,致之。

唯大聘有几筵③。

十斗曰斛,十六斗曰籔,十籔曰秉。二百四十斗。四秉曰筥。十筥曰稯,十稯曰秅。四百秉为一秅。

[注释]

①老:大夫。②大客:诸侯。③大聘设神位,故设几筵供神凭依。

[译文]

赞者在拜谢使者聘享国君时说:"您奉国君之命前来存问寡君,寡君拜谢国君命您辱临于此。"赞者在拜谢使者聘享夫人时说:"您为了我们的社稷之主,前来存问夫人,拜谢您奉命屈尊来此。"赞者在拜谢使者问候大夫时说:"您的国君赐物于寡君,又延及于各位大夫,拜谢您屈尊来此。"然后又拜送使者。

使者在离开馆舍前,在堂上的东西楹柱之间留下礼物,以示感谢,放下的礼物是四张皮革和五匹帛。使者不必致送,馆舍的主人也不必拜谢。

大夫奉命来聘,如果没有罪行,则国君亲自以飨礼款待;如果犯有过错,则不以飨礼相待,而只赠以杀好的三牲,即饩。飨礼时,以使者的副使为助手。如果有诸侯晚到,则先来的使者不能吃飨礼之食,但可以致礼。

只有大聘问时才设有小几和神席。

量器的递进关系是:十斗为一斛,十六斗叫一籔,十籔叫一秉。一秉二百四十斗,四秉叫一筥,十筥叫一稯,十稯叫一秅。四百秉为一秅。

公食大夫礼第九

公食大夫之礼①。使大夫戒②，各以其爵③。上介出请，入告。三辞。宾出，拜辱。大夫不答拜，将命④。宾再拜稽首。大夫还；宾不拜送，遂从之。宾朝服即位于大门外，如聘⑤。

[注释]

①古代贵族款待宾客的形式有飨礼、食礼、燕礼之别，燕礼以饮酒为主，食礼以吃饭为主，飨礼则两者兼有。就礼数而言，飨礼最隆重，食礼在宗庙举行，劝食用币帛，牲用太牢，而燕礼在寝内举行，劝饮不用币帛，牲用狗，因此食礼重于燕礼而次于飨礼。古代天子与诸侯、诸侯与诸侯、诸侯与本国大臣之间都有食礼，但大多已失传。本篇记诸侯以食礼款待小聘问的使者，兼记大夫相食之礼。公，通指五等诸侯的国君、大夫，指下大夫，小聘问以下大夫为使者。②戒：告知。③各以其爵：戒宾者的爵位与宾相同，宾若为卿，则由卿戒之；宾若为大夫，则由大夫戒之。④将命：致命，致国君请宾参加食礼之命。⑤如聘：如聘礼时那样在大门外进入休息处的仪节。

[译文]

国君用食礼款待大夫的礼节是：首先派大夫前往馆舍通知使者，请他去宗庙参加食礼。通知者的爵位应该与被通知者相同。副使出馆舍门请问大夫为何事而来，然后入门禀告使者，使者三次谦辞，未得允许。于是使者出门，拜谢大夫屈尊前来。大夫不必答拜还礼，转述国君相邀之命。使者再拜磕头表示遵命。接着大夫回去向国君复命，使者不必拜送，但应随后前往。使者身穿朝服在大门外即位，并像聘礼时一样进入休息处等待。（以上是使者应邀，到大门外等待）

即位①。具②。羹定。甸人陈鼎七③，当门，南面西上，设扃鼏，鼏若束若编④。设洗如飨。小臣具槃匜⑤，在东堂下。宰夫设筵，加席、几。无尊。饮酒、浆饮⑥，俟于东房。凡宰夫之具，馔于东房。

[注释]

①即位者指接待使者的卿、大夫、士等。②具：准备完毕，指接待使者用的各种器物。③鼎七：牛、羊、豕、鱼、腊、肠胃、肤各一鼎。④鼏若束若编：鼎盖用白茅制作，长者束其根，短者编连其中央而成。⑤槃（pán）：接水的盘。匜（yí）：盥洗时浇水用的器皿。⑥饮酒：清酒。浆饮：有汁有渣的酒。

[译文]

卿、大夫、士等依次在大门外即位。迎接使者所需的各种器物都准备完毕。肉羹也已经煮熟。甸人在门外将七个鼎陈列在正对着门的地方。鼎都朝南，自西向东排列，而以西首为尊。鼎旁放有鼎杠和盖，鼎盖是将白茅束结或编连成的。洗的位置，与飨礼时一样。小臣在东堂之下准备盥洗用的盘和匜。宰夫铺设筵席，上面再铺加席和小几。不设酒尊。漱口用的清酒、浊酒，都在东房准备着。凡是宰夫掌管的饮食器具，也都陈设在东房。（以上是陈设器具）

公如宾服，迎宾于大门内。大夫纳宾。宾入门左，公再拜；宾辟，再拜稽首。公揖入，宾从。及庙门①，公揖入。宾入，三揖。至于阶，三让。公升二等，宾升。大夫立于东夹南，西面北上。士立于门东，北面西上。小臣②，东堂下，南面西上。宰，东夹北，西面南上。内官之士在宰东北③，西面南上。介，门西，北面西上。公当楣北乡，至再拜④，宾降也，公再拜。宾，西阶东，北面答拜。摈者辞，拜也；公降一等。辞曰："寡君从子，虽将拜，兴也！"宾栗阶升，不拜；命之，成拜；阶上北面再拜稽首。

[注释]

①庙：宗庙，食礼行于宗庙。②小臣：包括小臣正、小臣师等。③内官：庶人之官。④再拜：当是"壹拜"之误。

[译文]

国君和使者一样，身穿朝服，在大门内迎接使者。担任上摈的大夫引导使者进门。使者入门后站在左侧，国君行再拜之礼；使者以不敢当此礼而谦避，然后向国君再拜磕头。国君向使者作揖致意后先入内，使者跟从于后。走到庙门前，国君又作揖后先入。使者入门后先后三次作揖。到阶前，又彼此三次推让。然后国君先从阼阶走上两级台阶，使者才接着走上西阶。大夫都站在堂东夹室之南，面朝西，以北首为尊。士站在门内东侧，都面朝北，以西首为尊。小臣都站在东堂之下，面朝南，以西首为尊。宰，都站在东夹室之北，面朝西，以南首为尊。庶人之官站在宰的东北方，面朝西，以南首为尊。使者的随行人员站在门内西侧，面朝北，以西首为尊。国君在堂上正对着前梁的地方，面朝北而立，使者走至西阶时，国君行一拜之礼，使者下阶，国君行再拜之礼。于是使者在西阶之东面朝北站定，准备答拜。摈者不允，使者不从摈者，仍在堂下行答拜礼；于是国君走下一级台阶。摈者说："寡君将要跟您下堂了，你虽要拜，还是请起身吧！"于是使者一步两阶走上堂，因为已在堂下拜过，所以不再拜。国君认为不敢接受使者在堂下的再拜磕头之礼，所以又命他重新在堂上行礼，于是使者在西阶之上面

朝北行再拜磕头之礼。（以上是国君拜使者之至）

士举鼎①，去鼏于外，次入②。陈鼎于碑南，南面西上。右人抽扃，坐奠于鼎西③，南顺④；出自鼎西，左人待载⑤。雍人以俎入⑥，陈于鼎南。旅人南面加匕于鼎⑦，退。大夫长盥⑧，洗东南，西面北上，序进盥。退者与进者交于前⑨。卒盥，序进，南面匕。载者西面⑩。鱼腊饪⑪。载体进奏⑫。鱼七，缩俎⑬，寝右⑭。肠、胃七，同俎。伦肤七⑮。肠、胃、肤，皆横诸俎，垂之⑯。大夫既匕，匕奠于鼎；逆退，复位。

[注释]

①举鼎：扛鼎。②次入：按次序进入，放在西侧的先入，放在东侧的后入。③鼎西：每鼎之西。④南顺：南北方向摆放。⑤待载：立在鼎的东侧，等待将鼎中之肉放在俎上。载，放置。⑥雍人：掌祭祀时切割、烹煮、陈设鼎俎等事务的小吏。⑦旅人：雍人的属员，掌旅食事务。⑧大夫长：大夫中的年长者。⑨交：交错而过。前：洗盆的南面。⑩载者：即"左人"。⑪鱼：干鱼。腊：干兽肉。饪：熟。⑫体：牲体。奏：通"腠"，肉的纹理。⑬缩俎：纵向放在俎上。缩，纵。⑭寝右：鱼放在俎上，鱼体的右半侧在底下。⑮伦：肉理滑脆。⑯肠、胃等在俎上横放着，放不下，故垂向两边。

[译文]

士扛起鼎，将鼎盖取下放在门外，然后顺序而入。鼎陈设在碑的南侧，都面朝南，以西首为尊。于是在鼎右的人抽去鼎扃，再坐下将它放在鼎的西侧，都是南北方向放置，接着从鼎的西侧出去，鼎左的人在鼎旁站着，等待将鼎中的肉放在俎上。雍人拿着俎进入庭中，将它一一放在鼎的南侧。旅人则面朝南将匕放在鼎上，然后退下。大夫中的年长者洗手，先在洗的东南方站候，都面朝西，以北首为尊，接着依次上前洗手。洗毕退下者与上前盥洗者在洗的南面交错而过。全部洗毕后，又依次上前，走到鼎的北面，面朝南用匕取出鼎中的肉。站在鼎左侧的人则将肉放在俎上，鼎中的干鱼干肉都是煮熟的。放置在俎上的牲体，要将有肉的纹理的一面朝前。鱼有七条，都纵向放在俎上，鱼体的右侧朝下。牛羊的肠和胃各七个，肠胃可以放在同一个俎上。精美的肉七份。肠、胃和细切的猪肉都横放在俎上，放不下就向两边垂着。大夫用匕将鼎内的肉取出后，将匕放入鼎中；再按与上来时相反的顺序退下，回到各自的位置。（以上是往俎上陈放鼎食）

公降盥。宾降，公辞。卒盥，公壹揖壹让，公升，宾升。宰夫自东房授醯酱①，公设之。宾辞，北面坐迁而东迁所。公立于序内，西乡。宾立于阶西，疑立。宰夫自东房荐豆六，设于酱东，西上：韭菹以东，醓醢、昌本②；昌本南麋臡③，以西菁菹④，鹿臡。士设俎于豆南，西上：牛、羊、豕，鱼在牛南，腊、肠、胃亚之⑤，肤以为特⑥。旅人取匕，甸人举鼎，顺出⑦，奠于其所⑧，宰夫设黍、稷六簋于俎西，二以并，东北上。黍当牛俎，其西稷，错以终，南陈。大羹湆⑨，不和，实于镫⑩。宰右执镫，左执盖，由门入；升自阼阶，尽阶，不升堂，授公；以盖降，出，入反位。公设之丁酱西，宾辞，坐迁之。宰大设铏四于豆西，东上：牛以西羊，羊南豕，豕以东牛。饮酒，实于觯，加于丰。宰夫右执觯，左执丰，进设于豆东。宰夫东面，坐启簋会⑪，各却于其西。赞者负东房，南面，告具于公。

[注释]

①醯（xī）：醋。②醓（tǎn）：肉酱的汁。昌本：菖蒲根。③臡（ní）：有骨的肉酱。④菁：蔓菁。菹（zū）：腌制的菜。⑤亚之：次之。⑥特：单独成行。不在豆的南侧。⑦顺出：牛鼎在前，其余顺序而出。⑧其所：指正对着门的地方。⑨湆（qì）：羹汁。⑩镫（dēng）：通"登"，瓦豆（盘），也有用金属制作的。⑪簋会：簋的盖。

[译文]

　　国君下堂洗手，准备设酱。使者随之下堂，国君不允。洗手完毕，国君向使者行揖、推让各一次，然后先上堂，使者随后上堂。宰夫从东房出来，将和着醋的酱交给国君，国君亲自设酱，表示亲手向使者馈食。使者推辞不敢当，然后面朝北跪坐，将国君设的酱一一移到规定的位置。于是，国君站在东夹室墙以内，面朝西而立。使者站在西阶之西，面朝北肃立。宰夫又从东房送上六个食豆，陈设在酱的东侧，以西首为尊：腌韭菜以东，是肉酱、菖蒲根；菖蒲根之南是带骨的糜肉酱，以西是腌蔓菁、带骨的鹿肉酱。士在豆的南侧放俎，以西首为尊：牛、羊、豕为一行，在北侧，鱼在牛的南侧，然后次以腊肉、肠、胃。细切的猪肉单列一行。此时鼎食已取毕，于是旅人拿着匕，甸人扛着鼎，顺序而出，然后将它们放在正对着门的地方。宰夫在俎的西侧放置盛黍、稷的六个簋，簋两两相并地摆放，以东北方的为尊。黍的位置正对着牛俎，西面是稷，如此交错着向南陈列，直至放完。大羹的汁不和，放入镫内。宰右手执镫，左手执盖，从庙门外入内；然后上阼阶，走到最后一级时停下，不上堂，将镫交给国君；然后拿着镫盖走下阼阶，再出门放下盖，又进门回到原位。国君亲自将镫放在酱的西侧，表示亲手为使者馈食，使者不敢当而推辞，国君不允，使者便跪坐着将镫一一移放到指定位置。宰夫又在豆的西侧摆放四个铏，以东首为尊：牛以西是羊，羊以南是豕，豕以东是牛。将要饮用的酒，酌在觯内，再放在托盘上。宰夫右手执觯，左手执托盘，上前放在豆的东侧。接着宰夫面朝东坐下，打开簋的盖子，分别放在每个簋的西侧。于是，赞礼者背靠东房，面朝南而立，禀告国君，正馔已陈设完毕。（以上是为使者陈设正馔）

　　公再拜，揖食。宾降拜。公辞。宾升，再拜稽首。宾升席，坐取韭菹，以辩擩于醢①，上豆之间祭②。赞者东面坐取黍，实于左手，辩；又取稷，辩，反于右手；兴以授宾。宾祭之。三牲之肺不离，赞者辩取之，壹以授宾。宾兴受，坐祭；挩手，扱上铏以柶③，辩擩之，上铏之间祭④；祭饮酒于上豆之间。鱼、腊、酱、湆不祭。

[注释]

①擩（ruì）：调拌，揉和。醢：指醓醢以下的五个豆。②上豆：陈设于豆的上列的韭菹与醓醢二豆。③上铏：上面一列中的牛铏。铏，盛羹的小鼎。④上铏之间：上面一列中的牛铏与羊铏之间。

[译文]

国君以再拜之礼，感谢使者将食器陈设好，然后向使者行揖，请就食。使者下堂准备行拜礼。国君不允。于是使者上堂，行再拜稽首之礼。接着使者入席，坐下取腌韭菜，调和在肉酱以下的五个豆内，然后在韭菹和醓醢两豆之间祭祀。赞礼者面朝东坐下取簋中的黍，放在左手上，六簋取毕；又取稷，六簋取毕，再将左手上的黍稷放到右手上；然后起身交给使者。使者祭黍、稷。牛、羊、豕三牲的肺割划后不切断，赞礼者都拿在手中，一一交给使者。使者起身接受，再坐下致祭；然后擦手，用匙与上面一列的牛鼎中的菜，全都调和，再在牛鼎和羊鼎之间致祭；又在韭菹和肉酱二豆之间祭清酒。鱼、腊、酱、羹汁可以不祭。（以上是使者祭正馔）

宰夫授公饭粱①，公设之于湆西。宾北面辞，坐迁之②。公与宾皆复初位。宰夫膳稻于粱西③。士羞庶羞④，皆有大、盖⑤，执豆如宰。先者反之，由门入，升自西阶。先者一人升，设于稻南簋西，间容人。旁四列，西北上；胾以东，臐、胲、牛炙；炙南醢，以西牛胾、醢、牛鲊⑥；鲊南羊炙，以东羊胾、醢、豕炙；炙南醢，以西豕胾、芥酱、鱼脍。众人腾羞者尽阶⑦，不升堂。

授；以盖降，出。赞者负东房，告备于公。

[注释]

①饭粱：小米做的饭。粱，小米。②迁之：移到西侧。国君亲自将粱放在正当中席处（湆西），使者不敢当国君亲设之礼，故迁之。③膳：进。④士羞庶羞：士进上各种珍味。前一"羞"字是"进上"的意思，后一"羞"字是"珍羞"之羞。⑤皆有大：每品珍味都选取肉肥美者为大脔，放在豆中以待祭祀之用。⑥胾（zì）：大块的肉。鮨（qí）：意思同"脍"，指切细的肉。羊、豕无脍，鱼无炙胾，牛是大牲，故三者兼有。⑦腾：当作"媵"，送。

[译文]

宰夫将小米饭递给国君，国君将它放在羹汁之西。使者不敢当，面朝北推辞，又跪坐着将它移向西侧。于是国君和使者都回到设酱时所站的位置。宰夫用籐进稻于粱的西侧。士进上各种珍羞，每种都以肉肥美者为大脔，放在豆内，并加上盖，然后拿着去送给宰。由于珍羞数量多，取者人手不足，所以先送到者返回再取，从门外入内，再从西阶上堂。先到的一人上堂后，将豆放在稻之南，黍稷之籐的西侧，豆与籐之间的距离要可以容人。庶羞在正馔西侧，排成四行，以西北方为尊；牛肉羹以东，是羊肉羹、猪肉羹、炙牛肉；炙牛肉之南是肉酱，以西是大块的牛肉、肉酱、牛脍；牛脍之南是炙羊肉，以东是大块羊肉、肉酱、炙猪肉；炙猪肉之南是肉酱，以西是大块猪肉、芥子酱、脍鱼。各位进庶羞者只走到西阶的最后一级，不上堂。将豆交给先上堂者；然后拿着盖下堂，出门。赞礼者站在东房之前，向国君禀告，各种美味都已陈放完毕。（以上是为使者设加馔）

赞升宾。宾坐席末①，取粱，即稻②，祭于酱湆间。赞者北面坐，辩取庶羞之大，兴，一以授宾。宾受，兼壹祭之③。宾降拜，公辞。宾升，再拜稽首。公答再拜。

[注释]

①席末靠近加馔，便于祭祀，故坐于此。②即：就。③兼壹：一并。

[译文]

赞礼者奉国君之命请使者入席。使者在席末就座，取粱后又取稻，在酱与羹汁之间祭祀。赞礼者面朝北而坐，遍取众美味中的大脔，然后起身，一一递给使者。使者接受后，一并祭祀之。使者下堂，准备拜谢国君备下各种美味，国君谦辞。于是使者又上堂，向国君再拜磕头。国君以再拜之礼作答。（以上是使者祭加馔）

宾北面自间坐①，左拥簠粱②，右执湆，以降。公辞。宾西面坐奠于阶西，东面对，西面坐取之；栗阶升，北面反奠于其所；降辞公。公许，宾升，公揖退于箱③。摈者退，负东塾而立。宾坐，遂卷加席，公不辞。宾三饭以湆酱④。宰夫执觯浆饮与其丰以进。宾挩手，兴受。宰夫设其丰于稻西。庭实设⑤。宾坐祭，遂饮，奠于丰上。

[注释]

①自间坐：坐于正馔与加馔之间。②拥：抱。粱、湆都是国君亲设，所以左拥右执，以示尊重。③箱：夹室。④三饭：三次举饭而食。以湆酱：每饭饮一次羹汁，用菜肴拌酱。⑤庭实：指四张皮革。

[译文]

使者在正馔与加馔之间面朝北而坐，左手抱起盛着粱的簠，右手拿着羹汁，下堂准备食用，因为国君在堂上站立，自己不敢坐食于席。国君不允，于是使者在西阶之西面朝西坐下，放下粱和羹汁，然后面朝东与国君相对，再面朝西坐下取粱和羹汁；接着连步走上西阶，面朝北将粱和羹汁放回原处；再下堂请国君不要似赞礼者侍食于自己。国君应允，于是使者又上堂，国君则行揖致意后退至东夹室等待。摈者退下，站立在东塾之前。使者坐下后，将加在上面的一重席卷起来，表示不敢居此隆礼，国君不表示反对。使者三次举饭而食，每次都喝羹汁，并用菜肴蘸着酱吃。宰夫拿着盛有浆饮的觯和托盘上前。使者拭手后，起身接受。宰夫将托盘放在稻的西侧。有司将作为礼物的四张皮革陈设在庭中。使者坐下祭祀，接着饮酒漱口，然后将觯放在托盘上。（以上是使者三饭）

公受宰夫束帛以侑①，西乡立。宾降筵，北面。摈者进相币。宾降辞币，升听命，降拜。公辞。宾升，再拜稽首，受币，当东楹，北面；退，西楹西，东面立。公壹拜，宾降也，公再拜。介逆出②。宾北面揖，执庭实以出。公降立。上介受宾币，从者讶受皮③。

[注释]

①侑：劝。使者三饭之后有告退之意。国君用束帛表达内心的殷勤之意，劝使者再食。②介逆出：介先于使者出门。③从者：使者的随行人员。

[译文]

国君从宰夫手中接过五匹帛，用以向使者劝食，在东序内面朝西而立。使者离席，面朝北而立。摈者上前为国君赠币帛并致辞。使者下堂辞谢国君赠以币帛，国君命使者上堂，于是使者上堂听命于国君，接着又下堂，准备拜谢国君。国君不允。使者便上堂，向国君行再拜磕头之礼，然后接过币帛，站立的位置是正对着东楹的地方，面朝北；接着退下，在西楹之西，面朝东而立。国君行一拜之礼后，使者不敢等他再拜，随即下堂，国君行再拜之礼。副使先于使者出门。使者面朝北行揖，向国君致意，然后拿起陈设在庭中的四张皮革出门。国君下堂而立，等待使者返回。副使从使者手中接过皮革，随行人员上前迎受之。（以上是国君用束帛侑使者）

宾入门左，没霤①，北面再拜稽首。公辞，揖让如初，升。

宾再拜稽首，公答再拜。宾降辞公，如初。宾升，公揖退于箱。宾卒食会饭②，三饮，不以酱湆；挩手，兴；北面坐，取粱与酱以降；西面坐奠于阶西；东面再拜稽首。公降，再拜。介逆出，宾出。公送于大门内，再拜。宾不顾。

[注释]

①没霤：门内屋檐滴水处的尽头，在庭南。②会饭：黍稷。盛黍稷的簋有"会"为盖，故称。

[译文]

使者再次入门，站在左侧，屋檐滴水处的尽头，面朝北准备向国君再拜磕头。国君制止，于是宾主像第一次入门时那样相互揖让，然后上堂。使者在堂上向国君再拜磕头，感谢国君的厚待，国君以再拜之礼作答。使者下堂请国君不要再亲临食礼，其间仪节与上一次一样。然后使者上堂，国君向使者行揖致意后，退至东夹室等候。使者将黍稷做的饭吃完后，三次饮酒漱口，不再像吃正馔时那样用酱和羹汁；接着拭手，起身；再面朝北坐下，然后拿着粱和酱下堂，表示亲手撤馔；又面朝西坐在西阶之西，将手中的粱和酱放下；再面朝东向国君再拜磕头。国君下堂，以再拜之礼作答。副使先行出门，接着使者出门。国君送至大门内，行再拜之礼。到使者不再回头时，国君再转身回去。（以上是使者卒食，出门）

有司卷三牲之俎①，归于宾馆。鱼腊不与。

明日，宾朝服拜赐于朝②，拜食与侑币，皆再拜稽首。讶听之。

[注释]

①卷：全部取走。②朝：大门外。

[译文]

有司将三个俎上的牛、羊、豕牲体全部收起来，送至馆舍。

鱼、腊肉等细小食物可以不送去。

次日，使者身穿朝服到大门外拜谢国君，感谢他以食礼款待，并且以币帛劝食，每谢一次都要行再拜磕头之礼。讶者在门口负责传话。（以上是归俎于使者，以及使者向国君拜谢）

上大夫：八豆，八簋，六铏，九俎，鱼腊皆二俎；鱼，肠胃，伦肤，若九，若十有一，下大夫则若七，若九。庶羞，西东毋过四列。上大夫，庶羞二十，加于下大夫，以雉、兔、鹑、鴽①。

[注释]

①鴽（rú）：小鸟名。

[译文]

国君以食礼款待上大夫身份的使者，设食的规格是：八个豆，八个簋，六个小鼎，九个俎，鱼和腊肉都是干鲜各一，所以都是两个俎；鱼、肠胃、细切的猪肉，或九个鼎，或十一个鼎，要根据上大夫的爵命而定，下大夫身份的使者，或七个鼎，或九个鼎，也要视其爵命而定。各种珍羞，数量多少也要视使者的身份而定，但其排列，东西向不得超过四行。为上大夫准备的庶羞共二十个豆，比下大夫多，多出的种类是：野鸡、兔子、鹌鹑和鴽鸟。（以上是款待上大夫的设食规格）

若不亲食，使大夫各以其爵、朝服，以侑币致之。豆实，实于瓮，陈于楹外，二以并，北陈。簋实，实于筐，陈于楹内、两楹间，二以并，南陈。庶羞陈于碑内①，庭实陈于碑外。牛、羊、豕陈于门内，西方，东上。宾朝服以受，如受饔礼。无傧。明日，宾朝服以拜赐于朝。讶听命。

[注释]

① 碑内：碑的内侧，即碑的北面。碑，测日影的石柱。

[译文]

如果国君因故不能亲自参加食礼，则派大夫各自按照自己的爵位，身穿朝服，带着劝食的币帛前往致命。盛在豆内的食品，先放在瓮中，陈放在楹柱的外侧，两两相并，向北陈列。盛在簋中的食品，则先放在筐中，陈放在楹柱的内侧、两楹柱之间的地方，两两相并，向南陈列。各种珍羞则陈放在碑的北侧，准备放在庭中的礼物，先陈设在碑的南侧。牛、羊、豕陈列在门内的西方，以东首为尊。使者身穿朝服接受馈赠，礼节与接受饔饩时一样。没有傧者协助。次日，使者身穿朝服到大门外拜谢国君的赐予。讶者在门口传话。（以上是国君不能参加食礼时的变通方法）

大夫相食，亲戒速①。迎宾于门外，拜至，皆如飨拜。降盥。受酱、湆、侑币束锦也，皆自阼阶降堂受，授者升一等。宾止也。宾执粱与湆，之西序端。主人辞，宾反之。卷加席，主人辞，宾反之。辞币，降一等；主人从。受侑币，再拜稽首。主人送币，亦然。辞于主人，降一等，主人从。卒食，彻于西序端；东面再拜，降出。其他皆如公食大夫之礼。

若不亲食，则公作大夫朝服以侑币致之。宾受于堂。无摈。

[注释]

① 戒：告知。速：召请。

[译文]

大夫之间的食礼是：主人先要亲自去通知宾，在器物准备完毕后再亲自去召请。接着在大门外迎接宾，并拜谢宾的到来，都和大夫相飨之礼的拜仪一样。然后下堂洗手。于是，从家臣手中接过酱、羹汁、劝食用的币帛——五匹锦，都是从阼阶上下堂，走下一级台阶来接受，家臣则登上一级台阶授给。主人每次下堂，宾都制止，表示不敢当。宾拿着梁和羹汁，走到西序的端头，准备在此就食。主人制止，于是宾又返回自己的席位。宾将加设在自己席上的那重席卷起来，表示不敢用两重席。主人不允，于是又将加席铺上。主人以币帛劝食，宾辞谢时要走下一级台阶，主人也走下一级台阶，不许宾推辞。接着，宾接受币帛，向主人再拜磕头。主人送受币帛者，也行再拜磕头之礼，因为双方身份相同。宾感谢主人亲临食礼时，要走下一级台阶，主人也随之走下一级台阶。吃完后，宾要亲自将食品撤至西序的端头，接着面朝东向主人再拜，然后下堂出门。其他仪节都与国君以食礼款待大夫时一样。

如果主人不能亲自参加食礼，则国君要另派一位爵位相同的大夫身穿朝服前往，并用劝食的币帛向宾致命。宾在堂上接受币帛。没有摈者协助。（以上是大夫相食之礼）

记

不宿戒①。戒，不速。不授几。无阼席。

亨于门外东方。

司宫具几②，与蒲筵常缁布纯③，加萑席寻玄帛纯④，皆卷自末。宰夫筵，出自东房。

宾之乘车，在大门外西方⑤，北面立⑥。

铡芼⑦：牛藿⑧，羊苦⑨，豕薇⑩，皆有滑⑪。

[注释]

①宿戒：提前通知。②司宫：太宰的属官，掌管宫庙之事。③常：长度单位，一丈六尺。④萑（huán）：芦类植物，幼小时称为蒹，长成后称为萑。寻："常"的一半，八尺。纯：边缘。⑤西方：宾位。⑥北面立：指卿站的位置。卿入门前，站在门橛偏西处，面朝北，左侧正对着自己的车。⑦芼（máo）：煮肉羹用的菜。⑧藿：豆叶。⑨苦：苦菜。⑩薇：山菜，茎叶都如

小豆。蔓生。⑪滑：柔滑。

[译文]

记

不提前通知来宾，到行礼之日再通知，不提前去召请，通知后即跟着来。国君不向宾授漆几，不设阼席，因为国君不坐。

烹煮之处在门外的东方。

司宫准备漆几，以及一丈六尺长的蒲席，席的边缘缀以黑色的布，加席是芦席，八尺长，边缘缀以玄黑色的帛，都是从席的末端卷起。宰夫铺设席，席从东房取出。

宾的车停在大门外的西侧，宾的位置在门前，面朝北。

煮肉羹用的菜放在小鼎内：煮牛肉羹用的豆叶，煮羊肉羹用的苦菜，煮猪肉羹用的山菜，羹中调以米粉，所以都很柔滑。

赞者盥，从俎升。

笾有盖幂①。

凡炙无酱。

上大夫：蒲筵加萑席。其纯，皆如下大夫纯。

卿摈由下②，上赞③，下大夫也。

上大夫，庶羞。酒饮，浆饮；庶羞可也④。拜食与侑币，皆再拜稽首。

[注释]

①幂：巾。②卿摈：由卿担任的摈者，即上摈。由下：在堂下，不上堂。③上赞：堂上的赞礼者。④"上大夫"至此，疑有阙文，义颇难通。

[译文]

赞礼者洗手后，跟着执俎者上堂。

笾上都有巾盖着。

凡是吃炙肉都不用蘸酱，因为它已加过盐。

上大夫用的席是：蒲席上加芦席。席边缘缀的布帛，都和下大夫的一样。

上摈站在堂下。在堂上的赞礼者，是下大夫。

上大夫为摈者，备有各种珍羞。又有清酒、浊酒；只用庶羞就可以了。向国君拜谢赐食和赠以劝食之币帛时，都要行再拜磕头之礼。

觐礼第十

觐礼①。至于郊，王使人皮弁用璧劳。侯氏亦皮弁迎于帷门之外②，再拜。使者不答拜，遂执玉，三揖。至于阶，使者不让，先升③。侯氏升听命，降，再拜稽首，遂升受玉。使者左还而立，侯氏还璧，使者受。侯氏降，再拜稽首，使者乃出。侯氏乃止使者，使者乃入。侯氏与之让升。侯氏先升，授几。诸侯拜送几；使者设几，答拜。侯氏用束帛、乘马傧使者④，使者再拜受。侯氏再拜送币。使者降，以左骖出⑤。侯氏送于门外，再拜。侯氏遂从之。

[注释]

①觐礼：诸侯见天子之礼。觐是见的意思。汉儒认为：古代天子命四方诸侯按指定的季节前来朝见，春天东方的诸侯来，夏天南方的诸侯来，秋天西方的诸侯来，冬天北方的诸侯来。朝见的名称也不同，春见叫"朝"，夏见叫"宗"，秋见叫"觐"，冬见叫"遇"。《觐礼》是其中仅存的一种。但征诸古籍，先秦时并没有四时朝见的制度。觐礼当是诸侯见天子的通行礼节。本篇所记，约略分为三节：一记在庙中受觐的正礼，二记时会殷同之礼，三记巡狩而盟之礼，而以受觐正礼为重点。②侯氏：来朝见的诸侯。帷门：帷宫之门。帷宫是为接受效劳，而用帷布围成的行礼场所，入口处竖以旌旗，称为帷门。③升：升坛。帷宫内没有堂，用土坛代替。④傧：主人款待客人的一种礼节，通

过赠物，表达敬意。⑤骖（cān）：古代用四匹马驾车，两侧的马叫骖。

[译文]

诸侯觐见天子的礼仪是：首先，当诸侯抵达王城近郊时，天子命使者穿上皮弁之服，拿着璧去慰劳。诸侯也身着皮弁之服，在帷宫的门外迎接，向使者行再拜之礼。使者是作为天子的代表来的，所以不能像天子一样答拜还礼。接着手执玉璧，途中与诸侯三次行揖致意。走到台阶前，使者不必辞让，先登上坛。诸侯接着上坛，使者在西阶之上面朝东致天子之命，诸侯在东阶之上面朝西恭听。然后下堂，行再拜磕头之礼，接着上堂接过玉璧。使者向左转身，面朝南而立，诸侯面朝南将玉璧奉还，使者收下玉璧。于是，诸侯下坛再拜磕头，感谢天子派使者来慰劳。然后，使者出门。诸侯制止，使者又进门。走到台阶前，诸侯与使者礼让上坛。于是诸侯先上坛，接着向使者授以小几。使者接几后，诸侯拜送之；使者将小几放好，答拜还礼。诸侯用五匹帛、四匹马赠送使者，以表达敬意，使者再拜感谢后收下。诸侯则以再拜之礼送受币帛者。使者下坛后，牵着庭中最西侧的那匹马出门。诸侯送至门外，行再拜之礼。诸侯遂跟随使者入朝。（以上是王派使者郊劳）

天子赐舍①。曰："伯父②，女顺命于王所。赐伯父舍！"侯氏再拜稽首，傧之束帛、乘马。

[注释]

①舍：馆舍，供诸侯下榻用。②天子对诸侯的称呼，根据彼此的亲疏关系而定，有伯父、叔父、伯舅、叔舅等。此处举伯父而概括其他称呼。

[译文]

天子派使者赐给诸侯馆舍。使者代致王命说："伯父，您在王这里听命。王赐给伯父您馆舍！"诸侯再拜磕头，感谢天子的恩赐，然后向使者赠送五匹帛、四匹马，以表敬意。（以上是王赐馆舍）

天子使大夫戒①，曰："某日，伯父帅乃初事②。"侯氏再拜稽首。

[注释]

①大夫：指上大夫，即卿。此时担任讶者。②帅：顺，沿。初：故。

[译文]

天子派大夫通知使者觐见的日期，说："某日，伯父您沿行故事。"诸侯再拜磕头，接受觐见的日期。（以上是通知觐见的日期）

诸侯前朝①，皆受舍于朝②。同姓西面北上，异姓东面北上。侯氏裨冕③，释币于祢。乘墨车④、载龙旂⑤、弧韣⑥，乃朝以瑞玉⑦，有缫。天子设斧依于户牖之间⑧，左右几⑨。天子衮冕⑩，负斧依。啬夫承命⑪，告于天子。天子曰："非他⑫，伯父实来⑬，予一人嘉之⑭。伯父其入，予一人将受之。"侯氏入门右⑮，坐奠圭，再拜稽首。摈者谒⑯。侯氏坐取圭，升致命。王受之玉。侯氏降，阶东北面再拜稽首。摈者延之⑰，曰："升！"升成拜，乃出。

[注释]

①诸侯：指来朝的所有诸侯。前朝：觐见的前一天。②受舍于朝：在庙门外接受指定的馆舍。前来觐见的诸侯很多，为了使觐见时井然有序，所以让诸侯提前一天到达馆舍（休息处），馆舍以尊卑亲疏为序，也即次日觐见时的次序。③裨冕：身穿裨衣，头戴冕冠。裨，通"卑"。裨冕是天子六服中等级最低的礼服，故称"裨冕"。④墨车：黑色的车，本为大夫所用，诸侯乘此车有自卑以尊天子之意。⑤龙旂：画有蛟龙的旗。⑥弧：张旗用的竹弓。韣（dú）：藏弓的布套。⑦瑞玉：朝会时作为瑞信的圭、璧等玉器。⑧斧依：绣有斧形花纹的屏风。户牖之间：古人宫室之制是：前堂后室，室的南墙上，东有户，西有牖（窗），户牖之间为堂上最尊处。⑨几：玉几，是就座时凭依身体用的，神设右几，人设左几，天子至尊，所以设左右几。⑩衮冕：衮衣和冕冠，在天子六服中为第二级。⑪啬夫：官名，此时担任末摈。承命：诸侯将请

求觐见天子之辞告诉上介,上介传达给次介,次介传达给下介,天子的末摈承受下介之辞,传达给承摈,承摈又传达给上摈,于是上摈入内禀告天子。天子有回答的话,则以与此相反的顺序传给诸侯。⑫非他:不是他人,意思是自己人,表示亲切。⑬实:是,虚词。⑭予一人:天子的自称。⑮门右:主人之位,宾客之位在门左。诸侯站在门右,是以臣自居,不敢以宾客自居。⑯谒:告知。⑰延:从后面诏告。

[译文]

前来朝见的诸侯,都提前一天到庙门外的馆舍。同姓诸侯的馆舍都面朝西,以北首为尊,异姓诸侯的馆舍都面朝东,也是以北首为尊。觐见之日,诸侯身穿裨冕之服,在祢庙用币帛致祭。乘坐墨车,车上插着龙旗、张旗的弓和弓套,于是用作为瑞信的玉器去觐见,玉器都有托板。天子将绣有斧状花纹的屏风设在室的门、窗之间,两侧有玉几。天子身穿衮冕之服,背朝屏风而坐。啬夫承接过诸侯请求觐见的辞令,层层上传,告于天子。天子说:"不是别人,是伯父来了,我赞赏他。伯父进来吧,我将接见他。"诸侯进门后站在右侧,然后坐下放好圭,向天子再拜磕头。上摈将天子的话告诉诸侯。于是诸侯坐着拿起圭,上堂向天子致奉命而来之意。天子亲自接受诸侯呈上的圭。接着诸侯下堂,在西阶之东面朝北准备向天子再拜磕头。摈者在诸侯身后诏告说:"请登堂!"于是诸侯登堂完成再拜磕头之礼,然后出门。(以上是诸侯觐见天子)

四享①,皆束帛加璧,庭实唯国所有。奉束帛,匹马卓上②,九马随之,中庭西上;奠币,再拜稽首。摈者曰:"予一人将受之。"侯氏升致命。王抚玉。侯氏降自西阶,东面授宰币;西阶前再拜稽首,以马出,授人,九马随之。事毕。

[注释]

①"四"为"三"之误。②卓:超越。上:前。

[译文]

诸侯在庙中的三次享献，都在五匹帛上放着璧，陈放在庭中的礼物，则用本国所出产的。诸侯捧着五匹帛，随员牵着一匹马超越其他马，单独走在前面，剩下的九匹马跟随其后，十匹马都面朝北站在庭中，以西首那匹为尊；接着放下币帛，向天子再拜磕头。摈者传天子的话说："我将亲自接受礼物。"于是诸侯上堂向天子致辞。天子抚摸玉璧，表示收下。然后，诸侯从西阶下堂，面朝东将币帛授给宰；再在西阶之前面朝北向天子再拜磕头，然后牵着庭中最西侧的那匹马出门，交给天子的属员，其余九马随之而出，都在门前交付。三享之事至此完毕。（以上是三享）

乃右肉袒于庙门之东①。乃入门右，北面立，告听事。摈者谒诸天子。天子辞于侯氏，曰："伯父无事，归宁乃邦！"侯氏再拜稽首，出；自屏南适门西②，遂入门左，北面立；王劳之。再拜稽首。摈者延之，曰："升！"升成拜，降出。

[注释]

①右肉袒：袒露右臂。古人请罪时袒露左臂。此处诸侯述职完毕，天子尚未评判，故袒而待罪，表示对天子的警惧，袒右臂是因为入门后站于右侧之故。②屏：天子庙门外的屏风。

[译文]

于是诸侯在庙门外的东侧袒露右臂，表示等待天子发落。然后进门站在右侧，面朝北而立，禀告天子说：自己的国家获罪之处甚多，听凭天子处置。摈者将话转达于天子。天子对侯氏说："伯父您并无获罪之事，安心回您的国家吧！"诸侯向天子再拜磕头，然后出门；接着从门外屏风的南面绕至门的西侧，穿好衣服，再按客礼进门站在左侧，面朝北而立；于是，天子对诸侯路途辛苦表示慰问。诸侯准备在堂下向天子再拜磕头。摈者在诸侯身后诏告说：

"请登堂!"然后诸侯登堂完成拜礼,再下堂出门。(以上是诸侯请罪与天子慰劳)

天子赐侯氏以车服①。迎于外门外,再拜。路先设②,西上;路下四③,亚之④;重赐无数⑤,在车南。诸公奉箧服⑥,加命书于其上⑦;升自西阶,东面;大史是右。侯氏升,西面立。大史述命⑧,侯氏降两阶之间;北面再拜稽首,升成拜。大史加书于服上,侯氏受。使者出。侯氏送,再拜,儐使者:诸公赐服者⑨,束帛、四马;儐大史亦如之。

[注释]

①车服:车辆与礼服。赐给同姓诸侯的车叫金路,赐给异姓诸侯的叫象路。礼服则有衮冕、鹜冕、毳冕等。②路:车的古称。③四:指乘马,乘马四匹,故简称四。④亚之:次之。次于车向东陈设。⑤重:美善。无数:没有定数,由天子视情况而定。⑥箧(qiè):小竹箱。⑦命书:天子命以赐给车服的文书。⑧述命:宣读天子的命书。⑨诸公赐服者:即上文"诸公奉箧服"者。

[译文]

天子派使者赐给诸侯车和礼服。诸侯在外门外迎接,向使者行再拜之礼。先陈设车辆,以西为尊;车下是四匹马,挨着车向东排列;天子加赐的礼物则没有定数,陈设在车的南侧。诸公捧着小竹箱,里面放着礼服,天子的命书就放在衣服之上;从西阶上堂,面朝东而立;太史在其右侧。诸侯上堂后,面朝西而立。太史宣读天子的命书,诸侯下堂站在东阶与西阶之间;面朝北准备向国君行再拜磕头之礼,天子不允,于是上堂完成拜礼。太史宣读完毕,又将命书放在礼服上,诸侯连小竹箱一并接过。使者下堂出门,诸侯相送,并行再拜礼。赠给使者的礼物是:捧小竹箱和礼服者,五匹帛、四匹马;赠给太史的礼物也是如此。(以上是天子赐以车服)

同姓大国，则曰"伯父"；其异姓，则曰"伯舅"。同姓小邦，则曰"叔父"；其异姓小邦，则曰"叔舅"。飨①，礼②，乃归。

[注释]

①飨：飨礼。②礼：用币帛致礼。

[译文]

天子称呼诸侯，如果是同姓的大国，就称"伯父"；异姓的大国，则称"伯舅"。如果是同姓的小国，则称"叔父"；异姓的小国，则称"叔舅"。

天子亲自用飨礼款待诸侯，如果因故不能参加此礼，则派人用币帛向诸侯献礼，然后，诸侯才能回国。（以上是天子对诸侯的称谓和款待的礼节）

诸侯觐于天子①，为宫方三百步②，四门；坛十有二寻③，深四尺④，加方明于其上。方明者⑤，木也。方四尺设六色⑥：东方青，南方赤，西方白，北方黑，上玄，下黄。设六玉⑦：上圭，下璧，南方璋，西方琥，北方璜，东方圭。上介皆奉其君之旂置于宫⑧，尚左⑨。公、侯、伯、子，男，皆就其旂而立。四传摈⑩。天子乘龙⑪，载大旂⑫，象日月、升龙、降龙；出，拜日于东门之外⑬；反祀方明。礼日于南门外，礼月与四渎于北门外⑭，礼山川丘陵于西门外。

祭天，燔柴⑮；祭山、丘陵，升⑯；祭川，沉；祭地，瘗⑰。

[注释]

①本节记会同巡狩之礼，但文字风格与以上经文差异很大，而与记文相似，可能是记文窜入经文所致。②宫：垒土而成的矮墙。③寻：八尺。④深：指坛的高度。⑤方明：上下四方神明的表象。会盟时代表神明监誓。⑥设六色：在木上画上六种颜色。⑦设六玉：在木上嵌入六种玉器。⑧上介：指诸侯

的上介。上介将代表各自国君爵命的旗插在宫中指定的地方，是为其君标明站立之处。⑨尚左：以王的左方为上。诸侯尊于诸伯，东为左，故诸侯在东阶前面朝西而立，诸伯在西阶前面朝东而立；诸子尊于诸男，故诸子在门内东侧，诸男在门内西侧；诸公、诸子、诸男都是面朝北而立，均以东（左）为上。⑩四传摈：公、侯、伯、子、男依次上坛向天子致命。每一位致命完毕，摈者就请下一位准备。五等爵以公、侯、伯分别为一位，子男为一位，共四位，所以摈者只传四次。⑪龙：马高八尺的称为龙。⑫大旂：大常之旗，是天子所建之旗。⑬东门：王城的东门。诸侯会盟因季节不同而内容有别，"拜日于东门之外"是春季会同之礼；下文"礼日于南门外"、"礼月与四渎于北门外"、"礼山川丘陵于西门外"则分别是夏、冬、秋季会同之礼。⑭四渎：长江、黄河、淮河、济水等四条大河。⑮燔（fán）：烧。⑯升：登上。⑰瘗（yì）：埋。

[译文]

诸侯朝见天子，要用土垒成方三百步的矮墙，四方各一门，作为行礼的场所；里面有一个方九十六尺，高四尺的坛，方明就放在坛上。所谓方明，是一块木头，四尺见方，六个面分别画有六种颜色：东面是青色，南面是赤色，西面是白色，北面是黑色，上面是玄黑色，下面是黄色。六个面上又分别嵌有六种玉器：上面是圭，下面是璧，南面是璋，西面是琥，北面是璜，东面是圭。副使们先拿着代表各自国君爵命的旗帜，插在矮墙内的坛前，一律以王的左方为尊。然后，公、侯、伯、子、男五等诸侯都站到各自的旗帜下。五等诸侯分四批上坛向天子致命，摈者四次传令。天子骑着八尺高的马，插着大常之旗，上面画有日月、升龙、降龙等，率领诸侯出城，如果正值春季，则前往东门外礼拜太阳，然后返回城内祭祀方明；如果正值夏季，则前往南门外礼拜太阳；如果正值冬季，则前往北门外礼拜月亮和江、河、淮、济等四条大河；如果正值秋季，则前往西门外礼拜山川和丘陵。

祭天，则在积柴上放牲和玉帛焚烧，使香气上闻于天神；祭山和丘陵，则要登上去进行；祭河流，要将牲或玉帛沉入河底；祭

地，则要将牲和玉帛埋入地下。（以上是会同及巡狩之礼）

记
几①，俟于东箱②。
偏驾不入王门③。
奠圭于繅上。

[注释]

①几：指左右玉几。②俟：等待。东箱：东夹室前。③偏驾：不齐备的车驾。天子的车有五种，即金路、象路、革路、木路、玉路。诸侯只能驾其中之一，不得齐备。

[译文]

记

为天子准备的左右玉几，要等天子入席后再陈设在东夹室前。

诸侯驾乘的金路、象路等车不得进入王门。

将圭放在地上时，下面要垫托板。

丧服第十一

丧服①：斩衰裳②，苴绖、杖、绞带③，冠绳缨，菅屦者④。

传曰：斩者何？不缉也⑤。苴绖者：麻之有蕡者也⑥。苴绖大搹⑦，左本在下⑧，去五分一以为带⑨。齐衰之绖，斩衰之带也，去五分一以为带。大功之绖，齐衰之带也，去五分一以为带。小功之绖，大功之带也，去五分一以为带。缌麻之绖，小功之带也，去五分一以为带。苴杖，竹也。削杖⑩，桐也。杖各齐其心，皆下本。杖者何？爵也⑪。无爵而杖者何？担主也。非主而杖者何？辅病也。童子何以不杖？不能病也。妇人何以不杖？亦不能病也。绞带者，绳带也。冠绳缨，条属，右缝；冠六升，外毕；锻而勿灰⑫。衰三升。菅屦者，菅菲也⑬，外纳。居倚庐⑭，寝苫枕块⑮，哭昼夜无时。歠粥⑯，朝一溢米⑰，夕一溢米。寝不脱绖带。既虞，（翦屏）[赞楄]柱楣，寝有席，食疏食⑱，水饮，朝一哭、夕一哭而已。既练⑲，舍外寝，始食菜果，（饭）[反]素食，哭无时。

[注释]

①本篇旧题《丧服经传》，因除经文之外，还有"传"，即解释经文的文

字，这在《仪礼》十七篇中是仅见的。相传，"传"是孔子的弟子子夏所作。丧是弃亡之意，人死称丧，讳言死，认为亲人是到另外的世界去了，不过看不见罢了。人丧要用服饰来表示哀痛的深浅、礼仪的隆杀，标志生者与死者的亲疏关系。本篇所记丧服制度包括：斩衰、齐衰三年、齐衰杖期、齐衰不杖期、齐衰三月、殇大功、成人大功、繐衰、殇小功、成人小功、缌麻等十一种。②斩：将衣服之布斩断后不缉边。衰：丧服的上衣。衰本指缀于胸前的长六寸、宽四寸的粗麻布条，因丧服上衣多有"衰"，故以"衰"为丧服上衣的统称。裳：丧服的下衣。斩衰裳简称"斩衰"，是五种丧服中最重的一种，用最粗的麻布做成，服期三年，子女为父，嫡孙为祖父，妻为夫服斩衰之服。③苴绖（jū dié）：用粗麻做的丧带，系在头上的叫首绖，系在腰间的叫腰绖。"苴"通"粗"。杖：苴杖，粗糙的竹杖。绞带：苴绞带，用粗麻纠合而成的带子。④菅（jiān）：多年生草本植物名。⑤缉：横缝衣服的边侧。⑥蕡（fén）：大麻的种子，其色粗恶，故用之。⑦搹（è）：手把握物体的最大周长。⑧本：麻的根。下：内。戴首绖的方法是：将麻根的一端置于左耳之上，然后从前额绕至颈后，再回到左耳之上，将麻的末端压在麻根之上，再缀束之。⑨去五分一以为带：腰绖比首绖小五分之一。⑩削杖：齐衰之杖。⑪爵：爵位。有爵者必有德，有德者则能为父母之丧而悲痛致病，所以用杖扶持身体。⑫锻：捶捣。灰：石灰，加石灰制成的麻柔滑。⑬菲：通"屝"，鞋。⑭倚庐：居丧时住的草屋。⑮苫（shān）：居丧时睡的草荐。⑯歠（chuò）：饮。⑰溢：容量单位，一升米的二十四分之一。相当于一把米，手抓一把米，多则溢出，故称溢。⑱疏：粗。⑲练：祭名，父母去世后第十一个月在家庙进行，可以穿练过的布帛，故名。

[译文]

丧服的等级有五种：第一种叫斩衰裳，配以束丧服用的粗麻带、粗糙的竹杖和用粗麻纠合成的绞带，丧冠以绳为缨带，鞋是用菅草织成的。

传文说：斩是什么意思呢？斩就是让衣服边侧的断口露着，不去缝齐它，表示内心悲痛，无心修饰边幅。所谓苴带，苴是指大麻能结子儿的那一种。苴带的大小，首带相当于一握，麻的根在左耳上，绕过额、颈，麻的末端压在根上，将首带的长度减去五分之一，就是腰带的长度。齐衰之服的首带，长度与斩衰腰带的一样，再减去五分之一，就是齐衰腰带的长度。大功丧服又次一等，首带的长度与齐衰之服的腰带一样，再减去五分之一，则是大功腰带的长度。小功丧服又次一等，首带的长度，等于大功腰带的长度，再减去五分之一，才是小功腰带的长度。缌麻是五种丧服中最轻的一种，其首带的长度与小功的腰带相等，减去五分之一，则是缌麻腰带的长度。苴杖，是用竹子做的。削杖，是用桐木做的。杖是扶病用的，杖的高度都要与心脏的位置相平，而让竹或桐木的根朝下。杖是什么呢？就是爵，有爵者才有杖。为什么有人没有爵位却有杖呢？那是因为他担任丧主。有人不是丧主，但也有杖，又是为什么呢？那是为了扶持他因悲痛而致病的身体。少年男子为什么不用杖呢？那是他不会因悲哀而致病。未成年的女子为什么不用杖呢？那是因为她们也不会因悲哀而致病。所谓绞带，是用麻搓成绳后，再绞合而成的带子。丧冠用一条绳屈而绕之，再打结，多余的部分下垂为缨带，绳缀连在冠上，缝在右侧。冠布的密度是六升（每升八十缕），冠前后多余部分向外缝纳，冠布捣捶时不加石灰。衰的密度是二百四十缕。所谓菅屦，是用菅草做的丧鞋，鞋两头多余的部分向外缝纳。居丧期间住在倚庐中，睡在草荐上，头枕土块，哭泣唯哀痛所至，不规定在昼夜的某一时间。最初只能喝粥，早晨煮一把米，傍晚煮一把米。睡眠时不能脱去首带和腰带。虞祭之后，可以将倚庐的门楣遮掩起来，并可以睡在席上，吃粗疏的食物，饮水，哭泣早、晚各一次就可以了。举行过练祭之后，就可以睡到倚庐外面去，可以开始食用蔬菜和水果，吃饭和素食，哭泣没有规定的时间。

父，

传曰：为父何以斩衰也？父至尊也。

诸侯为天子，

传曰：天子至尊也。

君，

传曰：君至尊也。

父为长子，

传曰：何以三年也？正体于上①，又乃将所传重也②。庶子不得为长子三年，不继祖也。

[注释]

①正体：嫡长子是父亲的正体，是继祢的宗子。②重：主祢庙祭祀。

[译文]

（下列情况，丧主应服斩衰之服：）

死者是丧主的父亲，

传文说：为父亲服丧，为什么要服斩衰之服？因为父亲是一家中最尊贵的人。

诸侯为天子服丧，

传文说：天子是天下最尊贵的人。

死者是一国之君，

传文说：国君是一国之中最尊贵的人。

父亲为嫡长子服丧，

传文说：父亲为嫡长子服丧为什么要三年？因为嫡长子是要作为父亲的正体而列于宗庙之上的，又是要主持祢庙之祭的人。庶子不得为嫡长子服三年之丧，因为他们不是继承父祖宗庙的人。

为人后者①。

传曰：何以三年也？受重者，必以尊服服之②。何如而可为之后？同宗则可为之后。何如而可以为人后？支子可也③。为所后者之祖父母、[父母、]妻、妻之父母、昆弟④、昆弟之子，若子。

妻为夫，

　　传曰：夫至尊也。

妾为君⑤，

　　传曰：君至尊也。

[注释]

①为人后者：指大宗之后。②尊服：斩衰。③支子：嫡妻所生除嫡长子以外的诸子，以及妾所生之子。④昆弟：兄弟。⑤君：丈夫。

[译文]

为大宗之后者。

传文说：为大宗之后者，死者并非其父母，为什么也要服三年之丧？大宗之后是承继宗祀的，所以必须服斩衰的丧服。怎样才叫为后？同一大宗就是为后。怎样才叫为人之后？支子就可以。为所后者的祖父母、[父母、]妻子、妻子的父母、兄弟、兄弟之子，或者儿子。

妻子为丈夫，

传文说：丈夫是妻子最尊贵的人。

妾为夫君，

传文说：夫君是妾最尊贵的人。

女子子在室为父①，布总②，箭笄③，髽④，衰，三年。

　　传曰：总六升⑤，长六寸，箭笄长尺，吉笄尺二寸。

子嫁⑥，反在父之室⑦，为父三年。公士、大夫之众臣⑧，为其君布带、绳屦。

　　传曰：公卿、大夫室老、士⑨，贵臣。其馀皆众臣也。君，谓有地者也。众臣杖，不以即位⑩。近臣⑪，君服斯服矣。绳屦者，绳菲也。

[注释]

①女子子：即女子。在室：已许嫁而尚未出嫁者。②总：束发，用巾缠绕头发，然后在发的末端束而垂之，使发不飞蓬。③箭笄：用可以做箭的一种小竹做的笄。④髽（zhuā）：妇人的丧髻。去掉包发的缅布，露出髻，再用麻与头发合结。⑤总六升：女子所用"总"的升数与男子冠布的升数一致，如斩衰男子的冠布为六升，则女子总布也是六升。⑥子：女子。⑦反在父之室：女子出嫁后，在夫家触犯"七出"而被休返回父母家。⑧公士：公卿。⑨室老：家相、家臣之长。士：邑宰。⑩即位：即朝夕哭泣之位。⑪近臣：守门人及内侍等。

[译文]

女子已许嫁而尚在父母之室者为父亲服丧的丧服，用布束发，以小竹为笄，梳丧髻，斩衰，服三年之丧。

传文说：束发用的布，密度为四百八十缕，长度为六寸，斩衰用的笄长一尺，吉礼时用的笄长一尺二寸。

女子出嫁后，被夫家休回父母之室者，为父亲服三年之丧。公卿、大夫的众臣，为其主人服布带、穿绳鞋。

传文说：公卿、大夫的家相和邑宰属于贵臣，其余的家臣都属于众臣。君，是指有封地的公卿、大夫。众臣为主人服丧用丧杖，但不即朝夕哭泣之位。近臣，君服何种丧服则也服之。所谓绳屦，是绳做的丧鞋。（以上是斩衰三年）

疏衰裳齐①，牡麻绖②，冠布缨，削杖，布带，疏屦三年者③，

传曰：齐者何？缉也。牡麻者，枲麻也④。牡麻绖，右本在上，冠者沽功也⑤。疏屦者，藨蒯之菲也⑥。

父卒则为母，继母如母，

传曰：继母何以如母？继母之配父，与因母同⑦，故孝子不敢殊也。

慈母如母，

传曰：慈母者何也？传曰：妾之无子者，妾子之无母者，父命妾曰："女以为子。"命子曰："女以为母。"若是，则生养之，终其身如母，死则丧之三年如母，贵父之命也。

母为长子。

传曰：何以三年也？父之所不降，母亦不敢降也。

[注释]

①疏衰裳齐：即齐衰之服，在丧服中仅次于斩衰，亦用粗麻布制作，但边侧缝齐。疏，粗。②牡麻：不结果实的麻。③疏屦：草屦，草鞋。④枲（xǐ）：不结果实的麻。⑤沽功：大功，指大功之布，冠在首，其布应比衣服更粗，故用大功之布。沽，粗略。⑥藨蒯（biāo kuǎi）：都是草名，比菅草细，茎可以编绳、席，做草鞋等。⑦因母：亲母。

[译文]

穿用粗麻布制作但边侧已缝齐的丧服，用牡麻做的首带和腰带，丧冠以布为缨带，丧杖用桐木削制而成，丧带用布制作，穿草鞋，服三年之丧的有下列情况，

传文说：齐是什么？是缝缉丧服的边侧。所谓牡麻，就是不结果实的大麻。用牡麻做的首带，麻根的一端置于右耳之上，从前额绕至颈后，再回到右耳之上，将麻的末端压在麻根之下，再缀而束之。做丧冠的布要用大功之布，以示与丧服的区别。所谓疏屦，就是用藨蒯草编的鞋。

（如果父亲健在，母丧则只需服一年之丧）如果父亲已先去世，则母亲去世要服三年之丧，为继母服丧的时间与生母一样。

传文说：为继母服丧的时间为什么能像生母那样？继母承接生母与父亲匹配，则与生母一样，因此，孝子不敢另眼相待。

为慈母服丧的时间与生母一样。

传文说：所谓慈母是指什么呢？传文说：有的妾没有子息，而有些妾生的子女已丧母，于是父亲对妾说："你就把这孩子当做自己的孩子吧。"又对孩子说："你就把她当做是自己的母亲吧。"像这种情况，生则奉养之，直至终老，犹如生母，死则服丧三年如亲生母亲，这是敬重父亲的命令。

母亲为长子服丧。

传文说：母亲为长子服丧为什么要三年？因为嫡长子是宗庙的正体，他的父亲都不敢以自己的尊严而降低礼数，夫妻一体，所以其母亲也不敢降低礼数。（以上是齐衰三年）

疏衰裳齐，牡麻绖，冠布缨，削杖，布带，疏屦，期者①，

传曰：问者曰：何冠也？曰：齐衰、大功，冠其受也②。缌麻、小功，冠其衰也③。带缘各视其冠④。

父在为母，

传曰：何以期也？屈也⑤。至尊在，不敢伸其私尊也⑥。

父必三年然后娶，达子之志也。

妻，

传曰：为妻何以期也？妻，至亲也。

出妻之子为母⑦。

传曰：出妻之子为母期，则为外祖父母无服。传曰⑧：绝族无施服，亲者属。出妻之子为父后者，则为出母无服。

传曰：与尊者为一体，不敢服其私亲也⑨。

父卒，继母嫁，从；为之服，报。

传曰：何以期也？贵终也。

[注释]

①期：一年。②冠其受：以受衰之布为冠。③缌麻：五种丧服中最轻的

一种,用细麻布制作,服期三个月。冠其衰:冠与衰相同,因为小功以下无受。④带缘:布带的边缘。⑤屈:父尊母卑,所以母的丧期不能与父同,子自屈于父,所以一年后除母服。⑥私尊:母对于子是至尊,但父在不能对母行至尊之礼,一年后除服,但内心依三年之丧致哀,因此称之为私尊。⑦出妻:触犯"七出"而被休弃的妻子。⑧此处及本节下文中的"传曰",是引证旧说作为证明。⑨私亲:妻被夫休,则再无匹配之情,但于母子之间仍为私亲。

[译文]

身穿用粗麻布制作但边侧已缝齐的丧服,用牡麻做首带和腰带,丧冠以布为缨带,丧杖用桐木削制而成,丧带用布制作,穿草制的丧鞋,服一年之丧的,有下列几种情况,

传文说:有人问道:戴什么样的丧冠?回答说:如果是齐衰和大功的丧服,则以受衰之布为冠。如果是缌麻、小功的丧服,则冠与衰相同。衣带边缘的升数,分别与冠布的升数相同。

父亲尚健在,为母服丧,

传文说:为什么只为母亲服一年之丧?是因为孝子自屈于父亲。作为家中至尊的父亲还健在,孝子不敢将内心对母亲的尊敬扩大到与父亲一样。父亲只为妻子服一年之丧,但一定要在妻子死后三年再续娶,是为了满足儿子为母亲心丧三年的愿望。

丈夫为妻子,

传文说:为妻子服丧为什么也要一年?因为妻子与丈夫共同承祀宗庙,是最亲近的人。

被丈夫休弃的妻子的儿子为其母亲。

传文说:被休弃之妻的儿子为母亲服丧一年,对外祖父、外祖母等母家的人不再服丧。旧传说:对已经断绝关系的族不再服丧,但母子之间是骨肉至亲,不能断绝之。被休弃之妻的儿子如果已被确定为父亲的后嗣,则对被休弃的母亲不再服丧。旧传又说:孝子与至尊的父亲是一体的,所以不敢再为其被休弃的母亲服丧。

父亲死后,继母改嫁,儿子因年幼而随其母;则可为母服丧,并以相同的丧服回报。

传文说:为什么要服一年之丧?因为曾经是母子,所以要以终其恩谊为贵。

不杖,麻屦者:祖父母,

  传曰:何以期也?至尊也。

世父母^①,叔父母;

  传曰:世父、叔父,何以期也?与尊者一体也。然则昆弟之子何以亦期也?旁尊也,不足以加尊焉,故报之也。父子一体也,夫妻一体也,昆弟一体也,故父子首足也,夫妻牉合也^②,昆弟四体也。故昆弟之义无分,然而有分者,则辟子之私也。子不私其父,则不成为子,故有东宫,有西宫,有南宫,有北宫,异居而同财,有馀则归之宗,不足则资之宗。世母、叔母,何以亦期也?以名服也。

大夫之適子为妻,

  传曰:何以期也?父之所不降,子亦不敢降也。何以不杖也?父在,则为妻不杖。

昆弟;为众子,昆弟之子;

  传曰:何以期也?报之也。

[注释]

①世父母:伯父母。②牉(pàn)合:两半相合为一体。

[译文]

服齐衰之服,但不用丧杖,而穿麻鞋的情况是:孙为祖父、祖母,

传文说:孙为祖父、祖母为什么要服丧一年?祖父、祖母是同宗中最尊贵的人。

为伯父母、叔父母;

传文说：对伯父、叔父，为什么服一年之丧？因为他们与父亲是兄弟，兄弟是一体的。那么对兄弟之子为什么也要服一年之丧呢？因为他是旁系的尊者，而非自己正宗的尊者，不足以加礼与自己的尊者一样，所以报之以相同的丧礼。父与子是一体，丈夫与妻子是一体，兄弟也是一体，所以父与子好比是首和足，丈夫与妻子好比是两半相合的整体，兄弟各得父亲之体以为体，如四体本为一体。所以兄弟一体，其义无可分割，然而也有不能不分之时，因为儿子各与其父亲有特殊的恩情，所以要避开这种儿子与父亲的私恩。儿子对其父亲没有私恩，则不能称为儿子。兄弟分居不同宫，所以有东宫、西宫、南宫、北宫，居处不一而财产共有，财用有余则归之于宗子，财用不足则取之于宗子。对伯母、叔母，为什么也要服一年之丧？这是因为她们是伯父、叔父的配偶，因而有了"母"的名分，所以丧期与伯父、叔父相同。

大夫的嫡子为妻子，

传文说：为什么大夫的嫡子要为妻子服一年之丧？父亲看重嫡妻，不肯降低为嫡妻服大功之服的礼数，所以做儿子的也不敢降低这一礼数。为什么不用丧杖？因为父亲还健在，做儿子的不敢在私丧上尽礼。

为兄弟；为长子之弟或妾之子，为兄弟之子；

传文说：为什么要为他们服一年之丧？因为他们与自己都是一体，所以要用相同的丧礼回报。

大夫之庶子为適昆弟[①]，

　　传曰：何以期也？父之所不降，子亦不敢降也。

適孙。

　　传曰：何以期也？不敢降其適也。有適子者，无適孙，孙妇亦如之。

为人后者，为其父母，报。

传曰：何以期也？不贰斩也[2]。何以不贰斩也？持重于大宗者[3]。降其小宗也[4]。"为人后者"，孰后？后大宗也。曷为后大宗？大宗者，尊之统也。禽兽知母而不知父。野人曰："父母何算焉[5]！"都邑之士，则知尊祢矣。大夫及学士，则知尊祖矣。诸侯，及其大祖。天子，及其始祖之所自出。尊者尊统上，卑者尊统下。大宗者，尊之统也。大宗者，收族者也，不可以绝，故族人以支子后大宗也。适子不得后大宗。

[注释]

①嫡子的年龄可能比庶子长，也可能比庶子小，所以这里笼统称为嫡昆弟。②斩：斩衰，是子为父的丧服。父不可有二，所以斩也不可有二。③大宗：百世不迁之宗。④小宗：五世而迁之宗。⑤"算"，殆是"尊"字之误。

[译文]

大夫的庶子为其嫡兄或嫡弟，

传文说：大夫的庶子为其嫡兄或嫡弟为什么要服一年之丧？作为父亲的大夫，虽是尊者，但也不敢降低对嫡长子的丧礼，必为之服三年之丧，因此庶子也不敢降低其规定的礼数。

如果嫡子已死，祖父为嫡长孙。

传文说：为什么祖父要为嫡长孙服一年之丧？这是因为不敢降低其嫡长孙的身份。如果嫡子还健在，则不立嫡孙；嫡子之妇在，嫡孙之妇也不得立为嫡孙妇。

受族于人，出为他人之后者，为自己的亲生父母，以一年之丧相报。

传文说：为什么对亲生父母只服一年之丧？因为父亲不得有二，儿子不得同时为两个父亲服斩衰之服。为什么不能为两个父亲服斩衰之服？过继给他人为后嗣，主持宗庙祭祀之重，则与自己的亲兄弟为宗，成为小宗，所以对自己的亲生父母的礼数也就要降低。"为人后者"，后于谁？后于大宗。什么叫后于大宗？所谓大宗，是族人所尊之统。禽兽不通人性，所以知母而不知父。郊外的野人不懂礼，说："父母有什么可尊贵的！"生活在都邑之中的士民，就知道尊敬父亲了。居官的大夫和学校的学士，则知道尊敬祖父了。诸侯则能将这种尊敬推及于太祖。天子则能再远推及于其始祖所感生的帝。因此，地位越尊，其所尊之祖就越是统于上；地位越低，其所尊之祖就越是统于下。所谓大宗，是族人所尊之统。所谓大宗，是结聚全族的，不能断绝，所以大宗无嫡子时，族人用庶子承继之。小宗的嫡子不得为大宗的嗣子。

女子子适人者为其父母、昆弟之为父后者，

传曰：为父何以期也？妇人不贰斩也。妇人不贰斩者何也？妇人有三从之义，无专用之道，故未嫁从父，既嫁从夫，夫死从子。故父者子之天也，夫者妻之天也。妇人不贰斩者，犹曰不贰天也，妇人不能贰尊也。为昆弟之为父后者，何以亦期也？妇人虽在外，必有归宗，曰小宗，故服期也。

[译文]

女子嫁给士人为妻的为亲生父母、兄弟中立为父亲之后者，

传文说：为父亲为什么只服一年之丧？因为妇人不能两次服斩衰。为什么妇人不能服两次斩衰？因为妇人一生的意义在于服从三个人，而没有自专自用之道，故尚未出嫁时要服从父亲，出嫁之后要服从丈夫，丈夫死后要服从儿子。所以父亲是子女的天，丈夫是妻子的天。妇人不能两次服斩衰，好比是说不能有两个天，妇人不能同时有两个尊者。那么，为兄弟中立为父亲之后的，为什么也要服一年之丧？因为妇人虽已出嫁在外，但难保没有被丈夫休弃的可

能，届时，即使父亲已经去世，也必有可归往之宗，这称为小宗，所以只服一年之丧。

继父同居者，

  传曰：何以期也？传曰：夫死，妻稚①，子幼②。子无大功之亲③，与之适人④，而所适者亦无大功之亲；所适者以其货财为之筑宫庙，岁时使之祀焉；妻不敢与焉。若是，则继父之道也，同居则服齐衰期，异居则服齐衰三月也。必尝同居，然后为异居；未尝同居，则不为异居。

[注释]

①妻稚：妻的年龄尚不足五十岁。②子幼：子女的年龄尚不足十五岁。③大功之亲：可为之服大功之丧的亲戚，此指堂兄弟，未婚的堂姊妹，已婚的姑、姊妹、侄女等。④与之适人：子随其母去往再嫁之夫的家中。

[译文]

继父而与之同居的，

  传文说：继父并非生身之父，为什么要为他服一年之丧？旧传说道：丈夫死时，妻子年龄不足五十岁，子女不足十五岁。子女又没有可为之服大功之丧的亲戚，因而随其母至再嫁之夫家中，而所再嫁之人也没有可服大功之丧的亲戚；则再嫁之夫要用自己的钱财为上门的子女建造宫庙，每年按时让子女祭祀其生父；妻子因已改嫁，与前夫之族已断绝关系，所以不得参与祭事。如此，才是继父同居之道，继父与自己同居的，则要服齐衰一年之丧，如果没有同居，则为之服齐衰三月之丧就可以了。一定要先同居过，后因继父有大功的亲戚，或者自己有大功的亲戚，或者继父不为自己筑造宫庙而异居，则服齐衰三月之丧；如果子女未随其母到继父家中，则不能称为异居，也不需服丧。

为夫之君。

　　传曰：何以期也？从服也。

姑、姊妹、女子子适人无主者，姑、姊妹报。

　　传曰：无主者，谓其无祭主者也。何以期也？为其无祭主故也。

为君之父、母、妻、长子、祖父母。

　　传曰：何以期也？从服也。父、母、长子，君服斩。妻，则小君也。父卒，然后为祖后者服斩。

妾为女君。

　　传曰：何以期也？妾之事女君，与妇之事舅姑等。

[译文]

妻子为丈夫的国君。

　　传文说：妻子为丈夫的国君为什么要服一年之丧？因为丈夫与国君有君臣关系，所以要为之服丧。

　　对姑姑、姐妹、女子已嫁人但没有丧主的，姑姑、姐妹可以加服为一年之丧。

　　传文说：所谓无主，是说没有祭主。为什么要为她们服一年之丧？这是因为家中没有祭主而哀怜她们。

　　为国君的父亲、母亲、妻子、长子、祖父母。

　　传文说：为什么要为国君的父亲、母亲、妻子、长子、祖父母服一年之丧？因为这是从服的一种，死者的亲属是自己的国君。对于自己的父亲、母亲、长子，国君要服斩衰，所以臣降一等，服期年之丧。国君之妻是小君，臣要像为自己的母亲那样服期年之丧。父亲为国君之孙，未及嗣位而早夭，应为之服斩衰。

　　妾为君的嫡妻。

　　传文说：为什么妾为君的嫡妻服一年之丧？因为妾侍奉嫡妻，与妇人侍奉公公、婆婆的礼数相等。

妇为舅姑，

  传曰：何以期也？从服也。

夫之昆弟之子。

  传曰：何以期也？报之也。

公妾、大夫之妾为其子。

  传曰：何以期也？妾不得体君，为其子得遂也。

女子子为祖父母。

  传曰：何以期也？不敢降其祖也。

[译文]

媳妇为公公、婆婆，

传文说：为什么媳妇要为公公、婆婆服一年之丧？这是从服的一种。（死者是自己丈夫的父母，所以降一等服期年之丧。）

为丈夫兄弟的子女。

传文说：为什么要为丈夫兄弟的子女服一年之丧？这是回报的丧礼。

诸侯的妾、大夫的妾为她们的儿子。

传文说：诸侯和大夫的妾为什么为自己的儿子服一年之丧？妾不能与其君为一体，所以得为其子服期年之丧，而不必降低礼数。

女子已嫁人者为祖父母。

传文说：女子已嫁人为什么要为祖父母服一年之丧？祖父是至尊之人，不敢降低礼数服丧。

大夫之子为世父母、叔父母、子、昆弟、昆弟之子，姑、姊妹、女子子无主者，为大夫命妇者①，唯子不报。

  传曰：大夫者，其男子之为大夫者也。命妇者，其妇人之为大夫妻者也。无主者，命妇之无祭主者也。何以言

"唯子不报"也？女子子适人者为其父母期，故言不报也，言其馀皆报也。何以期也？父之所不降，子亦不敢降也。大夫曷为不降命妇也？夫尊于朝，妻贵于室矣。

[注释]

①命妇：有爵命的妇人。受国君的爵命而为大夫者，其妻也受后夫人的爵命而为命妇。

[译文]

大夫之子为伯父母、叔父母、子、兄弟、兄弟之子，姑姑、姐妹、女子家中无祭主者，以上为大夫命妇者可服一年之丧，只有子女不用相同的丧礼回报。

传文说：此处的大夫，是指其男子担任大夫者。所谓命妇，是指这个妇人是大夫之妻者。所谓无主，是指命妇而没有祭主者。为什么说"唯子不报"呢？女子嫁人者为其父母服期年之丧，所以说不报，实际上是说其余的都报。为什么要服期年之丧？父亲不降低丧礼的礼数，子女也不敢降。大夫为什么不像对姑姊妹等那样，降低对命妇的丧礼礼数？因为大夫尊于朝，与妻同尊，妻贵于室，与丈夫同爵。

大夫为祖父母、適孙为士者。

传曰：何以期也？大夫不敢降其祖与適也。

公以及士妾为其父母。

传曰：何以期也？妾不得体君，得为其父母遂也。

[译文]

大夫为祖父母、嫡孙而有士的身份者。

传文说：大夫为祖父母，以及有士的身份的嫡孙，为什么要服期年之丧呢？因为大夫不敢降低其祖与嫡孙的礼数。

诸侯的妾以及士的妾为她们的父母。

传文说：诸侯和士的妾为什么要为自己的父母服期年之丧？因为妾不能与君为一体，因此可以不降低对其父母的礼数。（以上是齐衰一年）

疏衰裳齐，牡麻绖，无受者①：寄公为所寓②，

传曰：寄公者何也？失地之君也。何以为所寓服齐衰三月也？言与民同也。

[注释]

①受：承、接，指接受轻丧之服，换下重丧之服。②寄公：寓公，寓居他国之国君。所寓：所寓居之国的国君。

[译文]

穿用粗麻布制作，但边侧已缝齐的丧服，用牡麻做首带和腰带，三月后即除服，不再换穿轻丧之服者，有下列几种情况：寄寓他国的国君为所在国的国君，

传文说：寄公是指什么？是指黜爵失地，寄寓他国的国君。为什么要为所在国的国君服齐衰之服三个月呢？是说与庶民的丧服相同，庶民为国君服齐衰三个月。

丈夫、妇人为宗子，宗子之母、妻①，

传曰：何以服齐衰三月也？尊祖也。尊祖故敬宗。敬宗者，尊祖之义也。宗子之母在，则不为宗子之妻服也。

[注释]

①丈夫、妇人：指一族之中的所有男女。宗子：即大宗之子。

[译文]

一族中的男女为宗子，以及宗子的母亲和妻子，

传文说：为什么族人要对宗子和宗子的母亲、妻子服齐衰三个月？因为要尊祖，祖是族之本。尊祖就要敬宗子。因此，尊敬宗

子，就是尊祖的意思。如果宗子的母亲健在，就不必为宗子之妻服齐衰三月之丧。

为旧君、君之母、妻①，

传曰：为旧君者，孰谓也？仕焉而已者也。何以服齐衰三月也？言与民同也。君之母、妻，则小君也。

[注释]

①旧君：有旧恩如今已退休的官员。

[译文]

为已致仕而有过厚恩的上司，以及他的母亲和妻子，

传文说：所谓为旧君，指的是什么？是指曾经居官而如今已退休的上司。为什么对他只服齐衰三月之丧？这是说与庶民为国君服丧的礼数相同。上司的母亲、妻子可以视为小君，所以也要为之服丧。

庶人为国君；大夫在外，其妻、长子为旧国君；

传曰：何以服齐衰三月也？妻，言与民同也。长子，言未去也。

[译文]

庶人为国君；大夫离开本国，去往他国，其妻子和长子为本国国君；

传文说：为什么大夫不在国内时，其妻子、长子要为国君服齐衰三月之丧？妻子，是说为国君服丧的礼数与庶民相同。长子，是指未随大夫出国，留在国内的。

继父不同居者①，曾祖父母，

传曰：何以齐衰三月也？小功者②，兄弟之服也。不敢

以兄弟之服服至尊也。

[注释]

①继父不同居：有两种情况，一是指父亲去世后，随母亲到继父家，先曾同居，后来又分居；二是虽与继父同居，但双方都有大功之亲者。②小功：丧服名，为兄弟而服，丧期五个月。

[译文]

与继父不同居的，曾祖父母，

传文说：对不同居的继父和曾祖父母，为什么只服齐衰三月之丧？按照服数安排，曾祖父宜服小功的丧服，但是小功是为兄弟服的丧服。因此，不敢以兄弟的丧服作为至尊的丧服。

大夫为宗子，

传曰：何以服齐衰三月也？大夫不敢降其宗也。

[译文]

大夫为大宗之子，

传文说：以大夫之尊，为什么还要为大宗之子服齐衰三月之丧？虽然有大夫之尊，但也不敢降低对大宗之子的礼数。

旧君①；

传曰：大夫为旧君，何以服齐衰三月也？大夫去，君扫其宗庙，故服齐衰三月也，言与民同也。何大夫之谓乎？言其以道去君而犹未绝也。

[注释]

①旧君：指在郊外等待国君悔悟，而尚未离国的大夫为国君服丧。

[译文]

将要离境的大夫为国君；

传文说：将要见逐的大夫为什么只为国君服齐衰三月之丧？因为大夫离去后，国君派有司于每年春秋时扫除其宗庙，以示仍希望大夫最终能回来守祀之,君臣之恩并未断绝,所以要为国君服齐衰三月之丧,这是说礼数与庶民相同。这个大夫指什么?是指用道规劝国君,屡谏而未被采纳,于是在郊外等待国君悔悟的大夫,此时大夫的爵禄尚未被削夺,君臣之恩未绝。

曾祖父母为士者如众人,

　　传曰:何以齐衰三月也?大夫不敢降其祖也。

[译文]

大夫为曾祖父母而有士的身份者,丧礼与众人相同,

传文说:大夫为曾祖父母而有士的身份者服丧,为什么要齐衰三月?因为大夫不敢降低对他的曾祖的礼数。

女子子嫁者、未嫁者为曾祖父母。

　　传曰:嫁者,其嫁于大夫者也。未嫁者,其成人而未嫁者也。何以服齐衰三月?不敢降其祖也。

[译文]

女子已经出嫁,或尚未出嫁者为曾祖父母。

传文说:所谓嫁者,是指已嫁给大夫为妻者。所谓未嫁者,是指女子已经成年,而尚未出嫁者。为什么她们要为曾祖父母服齐衰三月之丧?因为不敢降低对其曾祖的礼数。(以上为齐衰三月)

大功布衰裳①,牡麻绖,无受者:子、女子子之长殇、中殇②,

　　传曰:何以大功也?未成人也。何以无受也?丧成人者,其文缛。丧未成人者,其文不缛。故殇之绖不樛垂③,盖未成人也。年十九至十六为长殇,十五至十二为中殇,十一至八岁为下殇,不满八岁以下皆为无服之殇。无服之殇以

丧服第十一　　309

日易月。以日易月之殇，殇而无服。故子生三月，则父名之，死则哭之；未名则不哭也。

［注释］

①大功：丧服五服之一，服期九个月。其服用熟麻布制作，布的粗细介于齐衰与小功之间。②殇：未成年而夭亡。③樛（jiū）：缠结。

［译文］

大功的丧服，用熟麻布制作衣裳，用牡麻做首带和腰带，自始至终只用一种丧服，不换轻丧之服。服大功九月之丧的情况有：男子、女子中的长殇和中殇者，

传文说：子女夭亡者，为什么要为之服大功之丧？这是因为他们尚未成年就死亡了。为什么服丧期间不再换轻丧之服？因为为成年人服丧，其礼数繁缛。为未成年人服丧，其礼数不能繁缛。所以，为夭亡者服的首带不必缠结后下垂，因为死者尚未成年。年龄在十九岁至十六岁之间死亡的，称为长殇；十五岁至十二岁之间死亡的，称为中殇；十一岁至八岁死亡的，称为下殇；不满八岁即死亡的，都称为无服之殇。无服之殇用日代替死者年龄的月数。用日代替月数的殇丧，仅仅哀泣而已，不服丧服。所以子女生下三个月后，父亲为之取名，死亡则哀哭之；如果尚未取名，则不必哀哭。

叔父之长殇、中殇，姑、姊妹之长殇、中殇，昆弟之长殇、中殇，夫之昆弟之子、女子子之长殇、中殇，适孙之长殇、中殇，大夫之庶子为适昆弟之长殇、中殇，公为适子之长殇、中殇，大夫为适子之长殇、中殇。其长殇，皆九月，缨绖；其中殇，七月，不缨绖。

［译文］

叔父的长殇、中殇，姑姑、姐妹的长殇、中殇，兄弟的长殇、中殇，丈夫的兄弟之子、女儿的长殇、中殇，嫡孙的长殇、中殇，

大夫的庶子为嫡兄弟的长殇、中殇，诸侯为嫡子的长殇、中殇，大夫为嫡子的长殇、中殇。以上的长殇，服丧的时间都是九个月，首绖上有一条绳，下垂以为缨带；中殇的服丧时间为七个月，绖上没有缨带。（以上是大功之殇九月、七月）

大功布衰裳，牡麻绖缨，布带，三月；受以小功衰，即葛①，九月者：

传曰：大功布，九升。小功布，十一升。

[注释]

①即：就，去旧就新。

[译文]

大功之服，用布制作衣裳，用牡麻作首绖、腰绖，有缨带，以布为带，服三个月，然后脱下大功之服，换上小功布衰裳，脱下麻绖，换上葛制的绖，至九个月然后除去此服，下列情况可照此服丧：

传文说：大功丧服所用的布，密度为七百二十缕。小功丧服所用的布，密度为八百八十缕。

姑、姊妹、女子子适人者，

传曰：何以大功也？出也。

[译文]

姑姑、姐妹、女子已嫁人者，

传文说：姑姑、姐妹、女子已嫁人者，应当为之服一年之丧，为什么只服大功之丧？因为她们已出嫁，所以要降低其本亲丧服的级别。

从父昆弟；为人后者为其昆弟，

　　　　传曰：何以大功也？为人后者降其昆弟也。

[译文]

堂兄弟；出为他人后嗣者为自己的兄弟，

传文说：为人后嗣者为其兄弟应该服齐衰一年之丧，为什么只服大功之丧？因为为为人后嗣者所服之丧应低于其兄弟。

庶孙①；適妇②，

　　　　传曰：何以大功也？不降其適也。

[注释]

①庶孙：包括孙子和孙女。②適妇：嫡子之妻。

[译文]

庶孙；嫡子之妻，

传文说：为什么为庶妇服小功，为嫡子之妻要服大功？因为重视嫡的身份，不能降低其礼数而服小功。

女子子适人者为众昆弟；侄丈夫妇人①，报；

　　　　传曰：侄者何也？谓吾姑者，吾谓之侄。

[注释]

①侄丈夫妇人：侄男侄女。

[译文]

女子已嫁人者为众兄弟；侄男侄女，以相同的丧服回报；

传文说：侄是什么？称呼我为姑者，我则称他为侄。

夫之祖父母、世父母、叔父母，

　　　　传曰：何以大功也？从服也。夫之昆弟何以无服也？其夫属乎父道者，妻皆母道也。其夫属乎子道者 妻皆妇道也。谓弟之妻"妇"者，是"嫂"亦可谓之母乎？故名者，人治之大者也，可无慎乎？

[译文]

丈夫的祖父母、伯父母、叔父母，

传文说：妻与丈夫的祖父母、伯父母、叔父母本无血统关系，为什么要服大功之服？这是从服的一种，因为死者是丈夫的亲人，所以妻子必须降一等为之服丧。丈夫对兄弟服期年之丧，妻子应降一等服大功之丧，为什么此处没有提及妻子的丧服？妻子的尊卑，随丈夫的辈分而定，如果丈夫属于父辈，则妻子属于母辈。如果丈夫属于子辈，则妻子属于妇辈。丈夫的兄弟之妻的辈分与自己相同，既不是自己的母辈，也不是自己的妇辈。如果称丈夫之弟的妻为"妇"，那么丈夫之兄的妻，即"嫂"，岂不也可以称其为母了吗？所以，名分，是人君之治中最重要的，能不慎重吗？

大夫为世父母、叔父母、子、昆弟、昆弟之子为士者；

  传曰：何以大功也？尊不同也。尊同，则得服其亲服。

[译文]

大夫为伯父母、叔父母、庶子、兄弟、兄弟之子有士的身份者；

传文说：大夫为伯父母、叔父母、庶子、兄弟、兄弟之子应该服齐衰一年之丧，为什么只服大功之丧？因为尊卑不同，这里说的是只有士的身份者，而不是有大夫的身份者，所以丧服也就不同。如果伯父母、叔父母等也是大夫，则可以服本亲之服，即期年之丧。

公之庶昆弟、大夫之庶子为母、妻、昆弟，

  传曰：何以大功也？先君馀尊之所厌，不得过大功也。大夫之庶子，则从乎大夫而降也。父之所不降，子亦不敢降也。

[译文]

诸侯的庶兄弟、大夫的庶子为母亲、妻子、兄弟，

传文说：这一类亲属都应服期年之丧，为什么只服大功之丧？其父亲虽已去世，嫡子承继为诸侯，可见先父的余尊犹在，因此丧礼为其所压抑，不能超过大功之丧。至于大夫的庶子，因其父亲尚健在，作为大夫的父亲要降低其妾以及庶子、庶妇的丧服等级，所以大夫的庶子也必须随之将对母亲、妻子、兄弟的丧服降格为大功。父亲所不降低丧礼等级的，子也不敢降低。

皆为其从父昆弟之为大夫者；为夫之昆弟之妇人子适人者①；大夫之妾为君之庶子；女子子嫁者、未嫁者，为世父母、叔父母、姑、姊妹，

传曰：嫁者，其嫁于大夫者也。未嫁者，成人而未嫁者也。何以大功也？妾为君之党服，得与女君同②。下言为世父母、叔父母、姑、姊妹者，谓妾自服其私亲也③。

[注释]

①妇人子：女儿。即前文的女子子。②"何以大功也？妾为君之党服，得与女君同"十六字，当是上经"大夫之妾为君之庶子"的传文，误置于此。③"下言为世父母、叔父母、姑、姊妹者，谓妾自服其私亲也"二十一字，当是郑玄为经文作的注，窜入传文内。

[译文]

都为其堂兄弟有大夫身份者服大功，若只有士的身份则降服小功；为丈夫兄弟的女儿已嫁人者；大夫的妾为国君的庶子；女子已嫁或未嫁者为伯父母、叔父母、姑姑、姐妹，

传文说：所谓嫁，是指嫁大夫。所谓未嫁，是指女子成年而未出嫁的。

大夫、大夫之妻、大夫之子、公之昆弟为姑、姊妹、女子子嫁于大夫者，君为姑、姊妹、女子子嫁于国君者。

　　传曰：何以大功也？尊同也。尊同则得服其亲服。诸侯之子称公子，公子不得祢先君。公子之子称公孙，公孙不得祖诸侯。此自卑别于尊者也。若公子之子孙有封为国君者，则世世祖是人也，不祖公子，此自尊别于卑者也。是故始封之君不臣诸父昆弟，封君之子不臣诸父而臣昆弟，封君之孙尽臣诸父昆弟。故君之所为服，子亦不敢不服也；君之所不服，子亦不敢服也。

[译文]

大夫、大夫的妻子、大夫的儿子、诸侯的兄弟为姑姑、姐妹、女子已嫁给大夫的，诸侯为姑姑、姐妹、女子已嫁给国君的。

　　传文说：上述情况为什么都是服大功之丧？因为尊贵的程度相同。尊贵的程度彼此相同，就可以服其亲服，而不须降等。诸侯的支庶称为公子，公子不得立祢庙而祭其先君。公子所生的儿子称为公孙，公孙不得立太祖庙而祭始封的诸侯。这是由地位卑远者来区别于尊贵者。如果公子的子孙中有被封为国君的，则其后人世世以他为始封的太祖，而不以公子为太祖，这是从地位尊贵者来区别于卑远者。因此，始封之君不行臣礼于诸父、兄弟，封君的儿子不行臣礼于诸父而行臣礼于兄弟，封君的孙子则要对诸父、兄弟都行臣礼。所以国君为之服丧的，子辈不敢不服丧；国君所不服丧的，子辈也不敢服丧。（以上是大功九月之丧）

繐衰裳[①]，牡麻绖，既葬除之者：

　　传曰：繐衰者何？以小功之繐也[②]。

诸侯之大夫为天子。

　　传曰：何以繐衰也？诸侯之大夫以时接见乎天子。

丧服第十一　315

[注释]

①缌：细而疏的麻布。②以：用。

[译文]

身穿用细而疏的麻布做的丧服，用牡麻做首带和腰带，灵柩落葬之后就除去丧服的情况是：

传文说：缌衰是什么意思？就是用小功丧服的布制作的丧服。

诸侯的大夫为天子。

传文说：诸侯的大夫是天子的陪臣，情分疏远，为什么要服缌衰之服？因为诸侯的大夫奉命依时朝见过天子，恩谊犹存。（以上是缌衰既葬除丧）

小功布衰裳，澡麻带绖①，五月者：叔父之下殇，適孙之下殇，昆弟之下殇，大夫庶子为適昆弟之下殇，为姑、姊妹、女子子之下殇，为人后者为其昆弟、从父昆弟之长殇，

传曰：问者曰："中殇何以不见也？"大功之殇，中从上；小功之殇，中从下。

[注释]

①澡：洗去麻皮上的污垢，使之洁白，但不除去麻根。

[译文]

服小功之丧，以布为丧服，用洗过的麻做丧带和首带、腰带，服丧五个月的情况是：叔父的下殇，嫡孙的下殇，兄弟的下殇，大夫的庶子为嫡兄弟的下殇，为姑姑、姐妹、女子的下殇，出为他人后嗣者为他的兄弟、堂兄弟的长殇，

传文说：有人问道："这段经文中只讲上殇、下殇，为什么没有提到中殇呢？"因为大功以上的丧服，中殇与上殇相同；小功以下的丧服，中殇与下殇相同。

为夫之叔父之长殇；昆弟之子、女子子，夫之昆弟之子、女子子之下殇；为侄、庶孙丈夫妇人之长殇；大夫、公之昆弟、大夫之子，为其昆弟、庶子、姑、姊妹、女子子之长殇；大夫之妾为庶子之长殇。

[译文]

为丈夫的叔父的长殇；为兄弟之子、女子，丈夫的兄弟之子、女子的下殇；为侄、庶孙的丈夫或妇人的长殇；大夫、诸侯的兄弟、大夫的儿子，为自己的兄弟、庶子、姑姑、姐妹、女子的长殇；大夫的妾为庶子的长殇。（以上是小功殇五月）

小功布衰裳，牡麻绖，即葛①，五月者：从祖祖父母②，从祖父母③，报；从祖昆弟④，从父姊妹、孙适人者⑤，为人后者为其姊妹适人者，为外祖父母；

传曰：何以小功也？以尊加也。

[注释]

①即葛：去麻就葛。即，就。②从祖祖父母：父亲的伯父母、叔父母。③从祖父母：父亲的堂兄弟及其配偶。④从祖昆弟：父亲的堂兄弟之子。⑤从父姊妹：父亲的兄弟的女儿。

[译文]

服小功之丧，用布做丧服，用洗过的牡麻做首带、腰带，三个月后，除去麻带换上葛带。服丧五个月的情况是：对父亲的伯母、叔父母，父亲的堂兄弟及其妻子，用此服相报；父亲的堂兄弟之子，父亲的兄弟的女儿、孙女已嫁人者，出为他人后嗣者为他已出嫁的姐妹，为外祖父母；

传文说：为外祖父母理应服缌麻之服，为什么要服小功之服？因为外祖父母是母亲的至尊之人，所以加一等服小功之服。

从母①，丈夫妇人报②；

　　传曰：何以小功也？以名加也，外亲之服皆缌也。

[注释]

①从母：母亲的姐妹，俗称姨。②丈夫妇人：未婚嫁的男子、女子。

[译文]

对母亲的姐妹，由自己未尝婚嫁的子女用此服相报；

传文说：母亲的姐妹属于外姓异亲，为什么要服小功之服？因为姨母有母的名分，所以要加服为小功。外姓之亲的正服是缌麻，小功都是加服。

夫之姑、姊妹、娣、姒妇①，报；

　　传曰：娣、姒妇者，弟长也。何以小功也？以为相与居室中，则生小功之亲焉。

[注释]

①姒（sì）：兄之妻称姒，弟之妻称娣。此指丈夫的媵妾，长者称姒，次者称娣。

[译文]

丈夫的姑姑、姐妹，长、少之妾，以此服相报；

传文说：娣、姒妇，是妾年齿少长的不同称谓。娣、姒之间为什么要服小功？因为彼此因丈夫之故而同居于一室之中，所以生出小功之亲。

大夫、大夫之子、公之昆弟为从父昆弟，庶孙，姑、姊妹、女子子适士者；大夫之妾为庶子适人者；庶妇；君母之父母、从母；

　　传曰：何以小功也？君母在，则不敢不从服。君母不在，则不服。

[译文]

大夫、大夫之子、诸侯的兄弟为堂兄弟，庶孙，以及姑姑、姐妹、女子嫁给士的；大夫的妾为庶子嫁给士的；庶妇；国君母亲的父母、国君母亲的姐妹；

传文说：为什么要为国君母亲的父母等服小功之丧？因为国君之母犹在，则不敢不从而服之，因而他们是国君之母的至尊之亲。如果国君的母亲已不在，则不必为他们服丧。

君子子为庶母慈己者①。

传曰：君子子者，贵人之子也。为庶母何以小功也？以慈己加也。

[注释]

①君子子：大夫或公子的嫡妻所生之子。慈己：养育自己。

[译文]

大夫或公子的嫡妻所生之子，为庶母之中作为自己养母的。

传文说：所谓君子子，是指贵人之子。为什么贵人之子要为庶母服小功之丧？因为她作为养母养育了自己，所以要加服。（以上是小功五月）

缌麻①，三月者：

传曰：缌者十五升抽其半②，有事其缕③，无事其布④，曰缌。

族曾祖父母⑤，族祖父母⑥，族父母⑦，族昆弟⑧；庶孙之妇，庶孙之中殇⑨；从祖姑、姊妹适人者⑩，报；从祖父⑪、从祖昆弟之长殇；外孙；从父昆弟侄之下殇，夫之叔父之中殇、下殇；从母之长殇，报；庶子为父后者⑫，为其母；

传曰：何以缌也？传曰：与尊者为一体，不敢服其私亲也。然则何以服缌也？有死于宫中者，则为之三月不举祭，因是以服缌也。

[注释]

①缌麻：丧服名，是五服中最轻的一种，三月灵柩落葬后即除丧，不再换别的丧服。此丧服以缌布制作，又用麻做经，故名缌麻。②朝服用布的密度为十五升（一千二百缕），其半为七升半（六百缕）。③有事其缕：洗濯之使其细洁。事，治。④无事其布：洗濯时不能加石灰而使之爽滑。⑤族曾祖父：曾祖父的亲兄弟，高祖之子。⑥族祖父：祖父的堂兄弟，高祖之孙。⑦族父：父亲的从祖兄弟，高祖的曾孙。⑧族昆弟：同一高祖的同辈兄弟。⑨中殇：当是"下殇"之误。⑩从祖姑：祖父兄弟的女儿，父亲的堂姊妹。从祖姊妹：祖父兄弟的孙女。⑪从祖父：祖父的兄弟。⑫庶子：妾之子。

[译文]

穿缌麻之服，服丧三月的是：

传文说：所谓缌，就是密度为朝服用布的一半的一种布，可以洗濯之使其洁白，但不能加石灰而使之爽滑，这就是缌布。

曾祖父的亲兄弟及其配偶，祖父的堂兄弟及其配偶，父亲的从祖兄弟及其配偶，同一高祖的同辈兄弟；庶孙的配偶，庶孙的下殇；父亲的堂姊妹、祖父兄弟的孙女已嫁人者，以此丧服相报；祖父的兄弟、同祖兄弟的长殇；外孙；堂兄弟之侄的下殇，丈夫的叔父的中殇、下殇；姨母的长殇，以此丧服相报；妾之子承嗣父亲之后者，为其母亲；

传文说：为什么庶子为父后者为其母只服缌麻之服？旧传说：庶子既已承嗣为父亲之后，就与父亲为一体，所以不敢再用母子之服来为生母服丧。那么，既然与父亲为一体，就不应再为妾母服丧，为什么还服缌麻之服？宫中若有臣仆死亡，也必定为他三月不举行祭祀，以示哀伤，因此可以为妾母服缌麻三月之丧。

士为庶母；

传曰：何以缌也？以名服也。大夫以上，为庶母无服。

[译文]

士为父亲的妾；

传文说：为什么士要为父亲的妾服缌麻之服？因为她有母的名分，所以要为她服丧。但是大夫以上的人没有缌服，所以可以不为庶母服丧。

贵臣、贵妾①；

传曰：何以缌也？以其贵也。

[注释]

①贵臣：公士、大夫的室老、士。室老是指家相，士指邑宰。贵妾：媵妾中的生子者。

[译文]

贵臣、贵妾；

传文说：公士、大夫为什么要为贵臣、贵妾服缌麻之丧？因为他们是家臣和媵妾中的贵者，所以要加以区别，并为之服丧。

乳母，

传曰：何以缌也？以名服也。

[译文]

乳母，

传文说：为什么要为乳母服缌麻之丧？因为乳母以乳汁哺育，对自己有母的名分，所以应为之服丧。

从祖昆弟之子，曾孙，父之姑，从母昆弟，

传曰：何以缌也？以名服也。

[译文]

父亲的堂兄弟之子,曾孙,父亲的姑姑,姨所生之子,

传文说:姨所生之子为何也要为之服缌麻之丧?因为姨与母亲为姐妹,有母的名分,所以要为之服丧。

甥,

　　　传曰:甥者何也?谓吾舅者,吾谓之甥。何以缌也?报之也。

[译文]

外甥,

传文说:所谓甥是指什么?称呼我为舅舅的,我称他为外甥。为什么舅舅要为外甥服缌麻之丧?因为外甥为舅服缌麻之丧,所以舅以缌麻之丧相回报。

婿,

　　　传曰:何以缌?报之也。

[译文]

女婿,

传文说:丈人为什么要为女婿服缌麻之丧?因为女婿从妻子为丈人服缌麻之丧,所以丈人以缌麻之丧相回报。

妻之父母,

　　　传曰:何以缌?从服也。

[译文]

妻子的父母,

传文说:为什么丈夫要为妻子的父母服缌麻之丧?因为这是从服的一种,死者是妻子的父母。

姑之子，

  传曰：何以缌？报之也。

[译文]

姑姑的儿子，

传文说：为什么要为姑姑的儿子服缌麻之丧？这也是同服相报。

舅，

  传曰：何以缌？从服也。

[译文]

舅舅，

传文说：为什么外甥要为舅舅服缌麻之丧？因死者是母亲的弟兄，必须从母亲而为之服丧。

之子；

  传曰：何以缌？从服也。

[译文]

舅舅的儿子；

传文说：为什么要为舅舅的儿子服缌麻之丧？因为死者的父亲是自己母亲的兄弟 所以要从母亲而为之服丧。

夫之姑姊妹之长殇；夫之诸祖父母，报；君母之昆弟；

  传曰：何以缌？从服也。

[译文]

丈夫的姑姐妹的长殇；丈夫的从祖祖父母、外祖父母，用缌麻之服回报；国君母亲的兄弟；

传文说：为什么要为国君母亲的兄弟服缌麻之丧？因为国君之母尚在，不敢不从而服之。

从父昆弟之子之长殇，昆弟之孙之长殇。为夫之从父昆弟之妻。

传曰：何以缌也？以为相与同室；则生缌之亲焉。长殇、中殇降一等，下殇降二等。齐衰之殇中从上，大功之殇中从下。

[译文]

堂兄弟之子长殇，兄弟之孙长殇。为丈夫的堂兄弟之妻。

传文说：为什么要为丈夫的堂兄弟之妻服缌麻之丧？因为彼此同处于一室，久之则生缌麻之亲。因为是妻为丈夫从服，所以丧服规格要比丈夫低，如果是长殇、中殇，则降一等，如果是下殇则降二等。如果是齐衰之殇，则中殇从上殇，大功之丧则中殇从下殇。（以上是缌麻三月之服）

记

公子为其母①，练冠，麻②，麻衣縓缘③；为其妻，縓冠，葛绖，带，麻衣縓缘。皆既葬除之。

传曰：何以不在五服之中也？君之所不服④，子亦不敢服也。君之所为服⑤，子亦不敢不服也。

[注释]

①公子：国君的庶子，此指妾之子。②麻：缌麻，此指用缌麻制作的绖。③縓（quàn）：浅红色。④君之所不服：指国君的妾与庶子之妻，国君不为之服丧。⑤君之所为服：指国君的夫人与嫡子之妻。

[译文]

记

国君之妾的儿子为其母亲所服的丧服是，练熟的麻布做的丧冠，用缌麻做绖，三年练祭时换穿的麻布丧衣，边缘为浅红色；为其妻子，浅红色的丧冠，细葛布做的绖，麻布丧衣的边缘是浅红色的。灵柩落葬后就都除去丧服。

传文说：这两种丧服为什么不见于斩衰等五种丧服之中？凡是国君所不为之服丧的对象，其儿子也不敢为之服丧。凡是国君为之服丧的对象，其子不敢不为之服丧。所以，当国君还健在时，妾之子只能在五服之外另制这种丧服，以表达自己对母亲的哀悼之情。

大夫、公之昆弟，大夫之子，于兄弟降一等①。为人后者，于兄弟降一等，报；于所为后之兄弟之子，若子。

[注释]

①兄弟：泛指族亲。

[译文]

大夫、诸侯的兄弟，大夫之子，为族亲服丧的规格都降一等。出为他人后嗣者，为自己的兄弟服丧的规格，也要降一等，这是以对方服丧的规格回报；为承嗣其后之家的兄弟之子服丧，则与为自己的儿子服丧一样。

兄弟皆在他邦，加一等。不及知父母，与兄弟居，加一等。
　　传曰：何如则可谓之兄弟？传曰：小功以下为兄弟。

[译文]

兄弟因出游或避仇等原因都在异国，无家室之亲，若有客死者，生者为之服丧的规格要加一等，以示哀怜。幼年时即丧父母，自己尚不懂事，便与兄弟同居，如果兄弟死了，则为之服丧的规格要提高一等，以报答其养育之恩。

传文说：怎么样才可以说是兄弟之服丧呢？旧传说：兄弟服小功以下的丧服。

朋友皆在他邦，袒免①，归则已。
朋友，麻。

[注释]

①袒免（wèn）：依礼节需要肉袒时，则用"免"代替冠。冠是至尊之物，肉袒时不能戴冠。免，是居丧时的一种束发缠头的方式，用一寸宽的布带，从颈项向上在额上相交，再向后缠在发髻上。

[译文]

朋友都在异国死亡，则丧服要加一等，肉袒而免，以示哀怜，如果其灵柩已归还本国，则停止服丧。

朋友虽非血亲，但有同道之谊，所以相互以缌麻的丧服和麻带服丧。

君之所为兄弟服①，室老降一等。
夫之所为兄弟服，妻降一等。

[注释]

①兄弟服：指小功以下的丧服。

[译文]

国君所为之服小功以下丧服时，室老降一等服丧。
丈夫所为之服小功以下丧服时，妻子降一等服丧。

庶子为后者，为其外祖父母、从母、舅，无服。不为后，如邦人。

[译文]

庶子立为后嗣者，对其外祖父母、姨、舅，不再有丧服。如果没有立为后嗣，则像众人一样，可以服丧。

宗子孤为殇①，大功衰，小功衰，皆三月②。亲③，则月算如邦人④。

[注释]

①孤：无父，未及冠之年而死者。②皆三月：指与宗子已没有亲属关系者，丧期都是三个月。③亲：有五服之亲者。④算：数。

[译文]

大宗之子无父，未及成年而死称为殇，与他没有亲属关系的，丧服都降一等，长殇、中殇用大功之衰，下殇用小功之衰，其丧服都与大功、小功的殇服一样，丧期都是三个月。如果与大宗之子有五服之亲，则其服丧的月数与众人一样，与宗子有期之亲者，成人则服齐衰一年之丧，长殇则服大功衰九月之丧，中殇则服大功衰七月之丧，下殇则服大功衰五月之丧；有大功之亲者，成人则为之服齐衰三月之丧，长殇、中殇服大功衰五月之丧，下殇服小功衰三月之丧；有小功之亲者，成人则为之服齐衰三月之丧，其殇与无亲属关系者相同。

改葬，缌。

[译文]

因坟墓崩塌而重新安葬时，臣为君，子为父，妻为夫服缌麻之丧。

童子，唯当室缌①。

传曰：不当室，则无缌服也。

[注释]

①当室：因无父无兄而主持家事。

[译文]

未成年的童子,只有因故而主持家事者才有缌麻之服。

传文说:不主持家事者,则没有缌麻之服。

凡妾为私兄弟,如邦人。

[译文]

凡是妾为私亲服丧,与众人相同。

大夫吊于命妇,锡衰①。命妇吊于大夫,亦锡衰。

传曰:锡者何也?麻之有锡者也。锡者,十五升抽其半,无事其缕,有事其布,曰锡。

[注释]

①锡衰:用细而滑的麻布做的丧服。锡,即緆(xī),细布。

[译文]

命妇死,大夫前往吊唁其丈夫,穿用细而滑的麻布做的丧服。大夫死,命妇前往吊唁其妻子,也是穿用细而滑的麻布做的丧服。

传文说:五服之中不见有锡衰,锡是什么?锡就是经过整治后变得滑爽的细麻布。所谓锡,其织缕的密度是朝服用布一千二百缕的一半,不整治其缕使之更细,只整治其布,使之滑爽。

女子子适人者为其父母,妇为舅姑,恶笄有首以髽①。卒哭,子折笄首以笄②,布总。

传曰:笄有首者,恶笄之有首也。恶笄者,栉笄也。折笄首者,折吉笄之首也。吉笄者,象笄也。何以言子折笄首而不言妇?终之也。

[注释]

①恶笄:即下文的"栉笄",指柞木,因其粗恶,所以用作丧笄,名之

为"恶笄"。②折笄首：将笄的头部有刻镂的部分折断后去掉。

[译文]

女子已嫁人者为自己的父母，妇人为公公婆婆服丧时的头饰是：用粗恶的柞木做笄，头部有刻镂，插在丧髻上。卒哭之后，女子要将笄的头部折断后去掉，先松开丧髻，再将笄插在发上，用布束发。

传文说：笄有首，是说丧笄的头部有刻镂，吉笄则没有。所谓恶笄，是指用粗恶的柞木做的丧笄。所谓折笄首，是将吉笄头部去掉，因为雕饰过于华丽。所谓吉笄，是用象骨制作的笄。为什么经文说"子折笄"而不说"妇折笄"？因为子是对父母之称，称子是表示对父母终守为子之道。

妾为女君、君之长子，恶笄有首，布总。

[译文]

妾为国君夫人、国君的长子服丧时，头上要插用粗恶的柞木做的丧笄，用布束发。

凡衰①，外削幅②；裳，内削幅③，幅三袧④。若齐⑤，裳内，衰外。负⑥，广出于适寸⑦。适，博四寸，出于衰⑧。衰，长六寸，博四寸。衣带，下尺⑨。衽⑩，二尺有五寸。袂⑪，属幅。衣⑫，二尺有二寸。祛⑬，尺二寸。

[注释]

①本节记丧服上衰下裳的形制及尺寸。②外削幅：将布的边幅向外折倒一寸。③内削幅：将布的边幅向内折倒一寸。④袧（kōu）：裳幅两侧的褶裥。⑤齐：缉边。⑥负：背上的一块方布，上端与衣领相连缀，下端重放。⑦适：衣服的领口处，纵横方向各剪入四寸然后反折向外，覆压在肩上，称为适，一名辟领。⑧衰：当胸的布，与背上的"负"前后相对。⑨下尺：上衣较短（仅二尺二寸），不能遮掩裳的上端，所以在衣服的当腰之处用布连缀，并垂

下一尺，用以遮掩。⑩衽（rèn）：衣的两边掩裳际处。⑪袂（mèi）：衣袖。⑫衣：指袂中。⑬祛（qū）：袖口。

[译文]

五服的上衣，边幅都向外折倒一寸；下裳，边幅都向内折倒一寸，每幅布都只有三个褶裥。如果衰服要缝边，则裳的边要向内折，衣的边要向外折，然后再用针缝。背上的方布，其宽度要超出辟领一寸。辟领，宽四寸，两侧都超出胸前的衰的宽度。衰，长六寸，宽四寸。上衣的当腰带处，缀以布带，并下垂一尺，以遮掩裳的上端。上衣两边遮掩裳际的布，长两尺五寸。衣袖，连着衣幅。上衣，从领至腰长二尺二寸。袖口宽一尺二寸。

衰三升，三升有半。其冠六升。以其冠为受，受冠七升。

齐衰四升，其冠七升。以其冠为受，受冠八升。

繐衰四升有半，其冠八升。

大功八升，若九升。小功十升，若十一升。

[译文]

斩衰用的布的密度是二百四十缕，或二百八十缕。其冠的布为四百八十缕。用做丧冠的布作为变换丧服时穿的轻丧之服的布，轻丧之服的丧冠用布，密度为五百六十缕。

齐衰之服布的密度为三百二十缕，冠的密度为五百六十缕。用冠的布作为变换丧服后的轻丧之服的布，轻丧之服的丧冠用布，密度为六百四十升。

繐衰用的布，密度为三百六十缕，冠的密度为六百四十缕。

大功丧服用布的密度为六百四十缕或七百二十缕。小功丧服用布的密度为八百缕或八百八十缕。

士丧礼第十二

士丧礼①。死于適室②。帾用敛衾③。复者一人④，以爵弁服，簪裳于衣⑤，左何之⑥，扱领于带⑦；升自前东荣、中屋⑧，北面招以衣，曰："皋⑨，某复⑩！"三。降衣于前。受用箧，升自阼阶，以衣尸。复者降自后西荣。

[注释]

①士丧礼：丧礼在古代属于凶礼，因死者身份、等级的不同，其礼节有严格的区别，本篇主要记诸侯之士的父母、妻子、长子丧亡的礼节，故名"士丧礼"。本篇与下篇《既夕礼》本为一体，因篇幅过长，拆分为二。本篇自死者新亡起，至卜择葬日止，都是未启殡的礼节。②適室：正寝之室。③帾（hū）：覆盖。衾（qīn）：覆盖死尸用的单被。④复者：招魂的有司。⑤簪：缀连。⑥左何：将死者的衣服放在左肩上，何，通"荷"，负荷。⑦扱：插。带：指招魂者的衣带。⑧中屋：屋脊之上。⑨皋：呼唤死者魂魄的长声。⑩某：死者的名字，男人称其名，女人则称其字。复：返回。

[译文]

士的丧礼是：死者一定要在正寝之室命终。覆盖尸体的是大殓时用的单被。招魂的只有一人，他拿着死者的爵弁服，将衣和裳缀连在一起，再搭在左肩上，将其交领插入自己的衣带内固定，然后从东边屋檐翘起的地方上房，再到屋脊之上，用死者的衣服面朝北招魂，呼喊道："噢——某人回来吧！"连喊三遍，然后将衣服从屋前扔下，屋下的人用小箱接住衣服，再从阼阶上堂，将衣服覆盖在死者身上，表示魂已回到他身上。招魂者从屋北边西侧的屋檐翘起的地方下去。（以上为招魂）

楔齿用角柶①，缀足用燕几②。奠脯醢、醴酒③。升自阼阶，奠于尸东。帷堂④。

[注释]

①人死后要在口中放入珠玉，为防止尸体僵硬时突然紧闭其口，所以要用角制的匙插入牙齿之间。②缀足：拘束双足，使之正直，以便为之穿鞋。燕几：燕息时用的矮几。③奠：对死者在落葬之前的祭祀。下一"奠"字是放置的意思，与此"奠"字不同。④帷堂：在堂上用帷幕围隔尸体，因此时尚未殓尸。

[译文]

用角质的匙插入死者的牙齿之间，用燕息时用的小几压束住他的双足，使之端正。用干肉、肉酱和醴酒祭祀死者。从阼阶上堂，将祭物放置在尸体之东。在堂上用帷幕围隔尸体。（以上是楔齿、缀足、奠、帷堂）

乃赴于君。主人西阶东，南面，命赴者，拜送。有宾①，则拜之。

[注释]

①宾：指同僚或朋友。

[译文]

于是派使者向国君报丧。丧主站在西阶之东，面朝南，向使者交代报丧的事宜，然后拜而送之。如果有宾客来吊丧，丧主要拜之。（以上是向国君报丧）

入，坐于床东。众主人在其后①，西面。妇人侠床②，东面。亲者在室③。众妇人户外北面④，众兄弟堂下北面。

[注释]

①众主人：主人的庶兄弟。②妇人：妻妾及众子孙。侠床：夹床相对。妇人在床西，与床东的男子相对，故称"夹床"。侠，通"夹"。③亲者：指死者的父亲、叔父、伯父、诸兄、姑姊妹、孙子、孙女等服大功以上丧服的亲属。④众妇人：指服小功以下丧服的亲属。下"众兄弟"同此。

[译文]

丧主入内，坐在尸床的东侧。庶兄弟都站在他的身后，面朝西。妻妾及众子孙在尸床西侧，与男人们夹床而对，面朝东。大功以上的亲属在内室。小功以下的亲属，妇人都在户外堂上面朝北而立，男子则在堂下面朝北而立，都朝向尸床。（以上是尸在室时主人以下的哭位）

君使人吊①，彻帷②，主人迎于寝门外③，见宾不哭，先入，门右北面。吊者入，升自西阶，东面。主人进中庭，吊者致命。主人哭，拜稽颡④，成踊⑤。宾出，主人拜送于外门外。

[注释]

①人：指士。②彻帷：将帷幕开合的部分向上揭起，事毕再放下。③寝门：内门。④拜稽颡（sǎng）：跪拜时以额触地。颡，额头。⑤成踊：有规定次数的顿足，在此之前哭泣、顿足随悲而发，不加限制，此时遵君命节哀，所以有约制，以顿足三次为一节，共三节。

[译文]

国君派士前来吊唁时，要将帷幕开合处向上揭起，丧主要到内门外迎接，刚见到宾时不能哭泣，而是要先行入门，在门内右侧面朝北而立。接着吊唁者入门，从西阶上堂，面朝东而立。于是丧主走进中庭，吊唁者宣告国君之命。致命毕，丧主可以开始哭泣，跪拜时以额触地，并有节制地顿足。宾退出，主人在外门之外拜而送

之。(以上是国君派士吊唁)

君使人襚①。彻帷,主人如初。襚者左执领,右执要②,入,升致命。主人拜如初。襚者入衣尸,出。主人拜送如初。唯君命,出,升降自西阶。遂拜宾,有大夫则特拜之③。即位于西阶下④,东面,不踊。大夫虽不辞⑤,入也。

[注释]

①襚(suì):助丧之礼,赠送殓尸用的衣被。②要:通"腰",指裳的最上端。③特拜:单独行拜礼,这是区别于对士的"旅拜"而言的,旅拜则不一一拜之。④主人之位在阼阶上,丧主不忍心站在主人之位,所以站在西阶下。⑤不辞:依照礼节,主人在门前请宾客入内时,宾客要谦辞一番,然后主宾入门。这里是说,大夫尚未谦辞,主人就先入内,表示不能久离尸床。

[译文]

国君派人致送助丧的衣被时,丧主也要将堂上帷幕的开合处向上揭起,丧主出迎的仪节,与迎接国君派来吊唁的人一样,襚者左手执衣领,右手执裳腰,入门后上堂致国君之命。丧主像迎接国君派来吊唁的人那样行拜礼。襚者入室将衣裳覆盖在殓被上,然后出门。丧主像送别国君派来的吊唁者那样,到外门之外拜而送之。只有奉国君之命前来吊唁、致送助丧用的衣被等时,丧主才出门迎接,上下堂时都从西阶走。接着向宾行拜礼,如果有大夫前来,则要单独行拜礼。丧主在西阶下即位,面朝东而立,只是哭拜,不顿足。邀请大夫入门后,即使大夫尚未谦辞,也不必等待,而是迅速入内,回到尸床旁。(以上是国君派人致送助丧的衣被)

亲者襚①,不将命②,以即陈。庶兄弟襚,使人以将命于室;主人拜于位,委衣于尸东床上。朋友襚,亲以进;主人拜;委衣如初,退;哭,不踊。彻衣者,执衣如襚,以适房。

[注释]

①亲者：大功以上的亲属。②不将命：不派人致命于丧主。

[译文]

大功以上的亲属致送助丧用的衣被，不能派人向丧主传命，而是要亲自拿着衣被到房内的指定陈放处放好。庶兄弟致送助丧用的衣被，要派人到室中向丧主传命，丧主在丧位上拜谢，然后将衣裳放在尸体东侧的床上。朋友致送助丧用的衣被，要亲自拿着进入室内，主人拜而谢之，朋友陈放衣服的方式与庶兄弟一样，然后退下，主人号哭而不顿足。撤走衣裳的有司，拿衣裳的方式与致禭者一样，左手执衣领，右手执裳腰，拿着放到房内。（以上是亲友致送助丧的衣被）

为铭①，各以其物②。亡③，则以缁长半幅，䞓末长终幅④，广三寸。书铭于末⑤，曰："某氏某之柩。"竹杠长三尺，置于宇西阶上⑥。

[注释]

①铭：大夫、士死后所立的旗旌，上书其名。②物：杂色的旗，《周礼》有九旗之物，物的色别、形制因人的等级而不同。③亡：通"无"，不命之士没有旗物。④䞓（chēng）：同"赪"，赤色。终幅：长两尺。⑤此处的"铭"为"名"字之误。⑥宇：屋檐。

[译文]

为死者建旗，用其生前所用之旗，以表明其等级身份。如果是没有资格建旗的不命之士，则用长一尺的黑色的布，其下缀以长两尺的赤色的布，宽都是三寸。死者的名字写在赤色的布上："某氏某人之柩。"用竹子做的旗杆长度为三尺，立在屋檐之下、西阶之上的地方。（以上是建旗旌）

甸人掘坎于阶间①，少西②，为垼于西墙下③，东乡④。新盆，槃，瓶，废敦⑤，重鬲⑥，皆濯，造于西阶下。

[注释]

①甸人：掌田野之事的小吏。坎：祭祀用的地坑。②少西：两阶之间靠西的地方。③墍（yì）：用土块垒成的灶，用以烧浴尸之水。④乡：通"向"。⑤废敦：没有足的瓦敦。用以盛米，器物无足称为"废"。⑥重鬲：悬挂于木架上的瓦锅。

[译文]

甸人在两阶之间挖坎，偏近于西阶；在中庭的西墙下用土块垒灶，灶口朝东。新的瓦盆、瓦盘、瓦瓶、无足的瓦敦、悬挂于架上的瓦锅，都洗濯干净，放在西阶之下候用。（以上是陈设沐浴、饭含等用的器具）

陈袭事于房中①，西领，南上，不绡②。明衣裳③，用布。鬠笄用桑④，长四寸，纋中⑤。布巾⑥，环幅⑦，不凿⑧。掩⑨，练帛广终幅⑩，长五尺，析其末⑪。瑱，用白纩⑫。幎目⑬，用缁，方尺二寸，赪里；著⑭，组系⑮。握手⑯，用玄，纁里；长尺二寸，广五寸，牢中旁寸⑰；著，组系。决⑱，用正王棘⑲，若檡棘⑳，组系，纩极二㉑。冒㉒，缁质㉓，长与手齐；赪杀㉔，掩足。爵弁服㉕，纯衣㉖。皮弁服，褖衣㉗，缁带㉘，韎韐㉙，竹笏㉚。夏葛屦，冬白屦㉛，皆缯缁绚纯㉜，组綦系于踵㉝。庶襚继陈㉞，不用。

[注释]

①袭事：将要为死者穿的衣服。②绡（zhēng）：通"狰"，屈曲，此指衣服太多一行摆不下需转行时，以前行末端的方向为首端，向相反方向摆。③明衣：平日斋居时穿的衣服。因其洁净，殓时贴身穿。④鬠（kuò）：束发。⑤纋（yōu）：两端窄中间宽的笄，用以固定发髻。⑥布巾：饭含时覆盖在死者面部的布。⑦环幅：布巾的长宽都是一幅，一幅为二尺二寸。⑧不凿：不开口子。死者面容可怖，所以要用布巾覆其面。死者如果是士，则其子翻开布巾为其饭含；死者如果是大夫以上，则由宾为之饭含，但不翻开布巾，而在布巾

对着口的地方挖孔。⑨掩：用帛裹住死者的额头以上的部分。⑩练帛：熟帛。⑪析：撕开，剪开。⑫纩（kuàng）：新丝绵。⑬幎（mì）目：遮盖面部的巾，长宽各一尺二寸。幎，同"幂"。⑭著：充塞，用棉絮充入幎内。⑮组系：编结而成的带子。幎的四角都有"组系"，可以系结。⑯握手：套在死者手上的布套，形状略似后世的布袋，一端封口，一端开口，两面缝合。⑰牢中旁寸："握手"的长度自手指至臂，两端均宽五寸，中部左右两旁共缝进一寸，实际宽度为四寸。⑱决：拉弓弦用的扳指，套在右手大拇指上。⑲正：优良，善。王棘：树木名。⑳�[…]（shì）：软枣，似柿而小。㉑极：射箭时套右手食指、中指、无名指上的套子，便于放弓弦。为死者做的"极"只能放两个指头，表示不能实用的明器。㉒冒：尸套，上身、下身各一个。㉓质：方正，上下等宽。㉔杀：狭窄。㉕爵弁服：死者生前戴爵弁时所穿的上衣。死者不戴冠冕，而古人都用冠的名称来称呼衣服，所以称之为爵弁服。㉖纯衣：纁裳，与爵弁服之衣配成一套。㉗襢（tuàn）衣：士的礼服，黑色，边缘镶有红色的边。㉘缁带：黑色的缯带。上述三种衣服共用此带。㉙靺韐：浅红色的皮袜。㉚笏（hù）：面见国君时记事备忘的手板。㉛冬白屦：是"冬白皮屦"的省文；前文的"夏葛屦"是"夏白葛屦"的省文，"白"字互文而见。㉜繶（yì）：饰鞋的圆丝带。絇（qú）：鞋头上的装饰，有穿鞋带的孔。纯（zhǔn）：鞋的镶边。㉝綦（qí）：鞋带。踵：脚后跟。㉞庶禭：亲者及庶兄弟、朋友等赠送的衣被。

[译文]

死者穿的衣服陈列在房中，衣领朝西，南北方向排放，以南首为尊，不转行。贴身的衣裳，用做帷幕的布制作。束发的笄是用桑木做的，长四寸，中间宽，两头窄。饭含时盖在死者面部的布巾，长和宽都是一幅，正对着口部的地方不挖孔。包裹死者额头的，是宽二尺、长五尺的熟帛，末端撕开以便打结。塞在耳朵中的，用的是白色的新丝绵。蒙在死者面部的巾，外表用黑色的布，一尺二寸见方，里子是红色的布；中间填入棉絮，四角有打结用的绳带。套在死者手上的布套，外表用黑色的布，里子用缥色的布，长一尺二寸，宽五寸，中部紧缩一寸；中间填入棉絮，端头有打结用的绳带。戴在拇指上的扳指，用质地优良的王棘木，或柞棘木制作，有打结用的丝带，拉弦用的指套用棉絮制作，套在两个指头上。尸套上下各一，上身的尸套是黑色的，宽度上下一致，长度与死者的双手对齐；下身的尸套是红色的，宽度比上身的窄。先从死者的足部往上套，然后再从其头部往下套另一个尸套。死者身穿三套衣服：生前戴爵弁时穿的上衣，以及缥色的裳；戴皮弁时穿的衣服；镶有红边的黑色礼服。三套衣服的外面用黑色的丝带系束，脚上穿浅红色的皮袜。手板是竹制的。如果时值夏天，死者穿白色的葛屦；如果是冬天，则穿白色的皮屦，但鞋上圆丝带、鞋头的饰物，以及鞋的镶边都是黑色的，再用鞋带系在脚后跟上。亲者和庶兄弟、朋友赠送的衣服等依次陈列，不给死者穿上。（以上是在房中陈放殓尸用的衣服等）

贝三，实于笄。稻米一豆①，实于筐。沐巾一②，浴巾二③，皆用绤，于笄。栉④，于箪⑤。浴衣，于箧。皆馔于西序下，南上。

[注释]

①一豆：四升。②沐：洗头洗发。③浴巾二：上身、下身各用一块巾。浴，洗身。④栉（zhì）：梳篦。⑤箪（dān）：苇编的方筐。

[译文]

饭含用的贝三枚，放在笄内。稻米四升，放在筐内。洗头巾一条，洗身巾两条，都是粗葛布的，放在笄内。梳篦，放在箪内。浴后所穿的衣服，放在箧内。以上竹器都放在西墙之下，从南向北排列，以南首为尊。（以上是陈设沐浴、饭含用的器物）

管人汲①，不说繘②，屈之。祝淅米于堂③，南面，用盆。管人尽阶，不升堂；受潘④，煮于垼，用重鬲。祝盛米于敦，奠于贝北。士有冰，用夷槃可也⑤。外御受沐入⑥。主人皆出，户外北面。乃沐，栉，挋用巾⑦；浴，用巾，挋用浴衣。澳濯弃于坎⑧。蚤，揃如他日⑨。鬠用组，乃笄，设明衣裳。主人入，即位。

[注释]

①管人：掌馆舍事务的小吏。②说：同"脱"。繘（jú）：井绳。③祝：夏祝，前来参与丧事的国君之臣。浙米：淘米。④潘：淘米水。⑤夷槃：盛尸体的漆盘。⑥外御：与"内御"相对，指士生前的侍御仆从等。⑦挋（zhèn）：擦拭身上的水，使之干。⑧澳（nuǎn）濯：为死者沐浴后剩下的水。⑨蚤（zhǎo）：剪指甲。揃（jiǎn）：理顺胡须。

[译文]

管人汲水后，不解脱井绳，而将它盘曲在手上。夏祝在堂上淘米，面朝南，用瓦盆。管人登上最后一级台阶，但不上堂；从夏祝手中接过淘米水，到堂下的灶上煮，用的是挂在木架上的鬲。夏祝将米盛在敦中，再将敦放在盛贝的竹器的北侧。如果时值夏季，国君将冰赐给士，则可以盛放在夷盘中。死者生前的仆御受命入室，为主人洗头。丧主都出门暂避，在室户之外面朝北而立。于是，仆御用煮过的淘米水为死者洗头，梳理头发，再用巾拭干水；接着为死者澡身，用巾洗，用浴衣将身上的水拭干。洗澡水倒入堂下的坎穴中。然后为死者剪指甲，理顺胡须，就像以往为主人所做的那样。用丝带束发后，插上发笄，再穿上贴身的衣服。此时，丧主入室，即其位。（以上是为死者沐浴）

商祝袭祭服①，祶衣次。主人出，南面，左袒，扱诸面之右②；盥于盆上，洗贝，执以入。宰洗柶，建于米，执以从。商祝执巾从入，当牖北面，彻枕③，设巾，彻楔，受贝，奠于尸西。主人由足西④，床上坐，东面。祝又受米，奠于贝北。宰从立于床西，在右。主人左扱米，实于右⑤，三；实一贝。左、中亦如之。又实米，唯盈⑥。主人袭⑦，反位。

[注释]

①商祝：熟悉殷商敬神之礼的祝。袭：将衣服依次放在床上。祭服：爵弁服、皮弁服。②扱诸面之右：将左袖插入右腋下的衣带内。面，面前。③彻枕：撤去枕头，使死者头部上仰，以便于饭含。④由足西：从死者足部一端绕至尸床之西。⑤右：死者口腔右部。⑥唯盈：在口中放满米为止，象征死者饱食。⑦袭：将褪下的左袖重新穿好。

[译文]

商祝将爵弁服、皮弁服依次放在尸床上，接着再放褖衣。丧主出室，面朝南，袒露左臂，将左袖塞在右腋下的衣带中；接着先在盆上洗净双手，再洗贝，然后拿着入室。宰洗濯匙，插在敦里的米中，再端着敦跟在丧主后面入内。商祝拿着巾随其后入内，在正对着窗户的地方面朝北而立，先抽去死者的枕头，再在死者面部用巾覆盖，以免饭含时米粒掉在死者脸上，接着将死者齿间的角匙抽去，又接过饭含用的贝，放在尸体之西。丧主从死者的足部绕至尸床西侧，然后在床边坐下，面朝东。祝又接过米，放在贝的北侧。宰随丧主站在尸床西侧，在丧主之右。丧主左手用匙从敦中取米，放入死者口内右侧，放三次，再放入一枚贝。在死者口内的中间和左侧放米、贝也是如此。最后再往口内放米，直至放满。然后，丧主穿好衣服，回到原位。（以上是饭含）

商祝掩，瑱，设幎目；乃屦，綦结于跗①，连絇。乃袭②，三称③。明衣不在算。设韐带，搢笏。设决，丽于掔④，自饭持之；设握，乃连掔。设冒，囊之⑤，帔用衾。巾、柶、鬠笄⑥，埋于坎。

[注释]

①跗（fū）：足背。②袭：为死者穿衣服。③三称：三套衣服，指爵弁服、皮弁服和褖衣。④掔（wàn）：同"腕"。⑤櫜（gāo）：藏，掩。⑥鬊（shùn）：乱发。

[译文]

商祝将掩布未撕开的部分覆盖在死者的头顶，将后面的两根丝绳向前交叉，在颐下打结，再将前面的两根丝绳从额部向后交叉，在颈后打结，接着用丝绵塞耳，再将幎目覆盖在死者面部，将丝带向脑后系结。然后，为死者穿鞋，鞋带结在足面上，再用剩余的带子将两只鞋的鞋带孔穿结在一起，以免死者的双足分开。接着为死者穿衣服，一共三套，贴身的衣服不在此数。然后，在三套衣之外结以大带，又将手板插在带间。再为死者套上扳指，带子系在手腕处，在拇指根打结；又为死者套上套袖，其丝带与扳指的丝带相连接。再用尸套，将尸体装入，然后在上面盖以大殓时用的衾被。把用过的巾、匙，以及剪下的乱发、指甲埋在堂下的坎穴中。（以上是为死者穿衣）

重木①，刊凿之②。甸人置重于中庭，三分庭一，在南。夏祝鬻馀饭③，用二鬲于西墙下。幂用疏布，久之④，系用靲⑤，县于重；幂用苇席，北面，左衽，带用靲，贺之⑥，结于后。祝取铭置于重⑦。

[注释]

①重木：悬挂器物的横木。②刊：砍削。凿：凿孔眼。③夏祝：熟悉夏人忠信之礼的祝。鬻（yù）：煮。馀饭：饭含所剩余的米。④久：塞。⑤靲（qín）：竹篾织的索带。⑥贺：加，指用苇席上下旋卷于重木之上。⑦祝：周祝，熟悉周礼的祝。

[译文]

悬挂器物的横木，要先斫削再凿眼。甸人将横木放在庭中，庭的南北距离若三等分，则重木在其南侧的一分处。夏祝将饭含所剩的米煮成粥，用两个鬲在西墙之下煮。鬲上的布用粗布，塞在鬲口，系鬲的绳索是竹篾编的，悬挂在横木上；再用苇席将横木掩卷起来，苇席由南朝北卷，同时又从右向左卷，然后以竹篾索为带，加于其上，在后面打结固定。祝取来铭，插在横木上。（以上是设置悬物的横木）

厥明，陈衣于房，南领，西上，綪；绞横三缩一①，广终幅，析其末②。缁衾，赪里③，无纨④。祭服次，散衣次⑤，凡十有九称，陈衣继之⑥，不必尽用。

[注释]

①绞：收紧衣服用的布。缩：纵。②析其末：布的两端均撕成三条，以便于打结，中间部分不撕裂。③赪（chēng）：赤色。④纨（dǎn）：缝在被端的丝带，用以识别前后。⑤散衣：除爵弁服、皮弁服之外的衣服，包括褖衣在内。⑥陈衣：陈列而不用的衣服。

[译文]

次日天明，在房内陈放小殓用的衣服，衣领都朝南，由西向东摆放，以西首为尊，一行放不下时，向相反方向转行；收紧衣服用的布，横向的三幅，纵向的一幅，宽度都是一幅，布的两端都撕开。以缁布为被面的衾被，里子是赤色的，被端不缝被识。接着陈放祭服，再接着放褖衣等衣服，总共十九套，陈列而不用的衣服又陈放于其后，不必都陈列出来。（以上是陈放小殓用的衣服）

馔于东堂下①，脯醢醴酒。幂奠用功布②，实于箪，在馔东。设盆盥于馔东，有巾。

[注释]

①此处的"馔"字当陈设讲，下文的两个"馔"字指脯醢醴酒。②功

布：小功之布。

[译文]

陈设在东堂之下的，有干肉、肉酱和醴酒。遮盖祭品，用小功之布，放在筐内，筐在干肉等的东侧。作为盥洗器的盆，也是放在东侧，另有拭手用的布巾。（以上是陈放小殓用的祭品及盥器）

苴绖①，大鬲②，下本在左，要绖小焉③；散带垂④，长三尺。牡麻绖⑤，右本在上，亦散带垂。皆馔于东方⑥。妇人之带，牡麻结本⑦，在房。

[注释]

①苴绖：斩衰之首绖，用粗恶的苴麻制作。②鬲（è）：双手扼围的最大圆径。③要绖：腰绖，小于首绖五分之一。④散带：用一股麻缠成的带，而不是多股麻绞合成的带。⑤牡麻绖：齐衰至小功的首绖。⑥东方：东坫之南。⑦结本：缠结麻的根。

[译文]

此时尚未成服，小殓时丧服的暂用形式是，斩衰的首绖，要比双手扼围的圆径还大，麻根朝下，在左，腰绖则比首绖小五分之一；用单股麻缠成，向下垂放，长度为三尺。齐衰至小功的首绖，麻根在右，朝上，其腰绖也用单股麻缠成，向下垂放。这些都陈放在东坫之南。妇人的首绖与男人相同，腰带则不同，是用牡麻制作的，麻的根部缠结，陈设在房内。（以上是陈放小殓用的绖）

床笫①，夷衾②，馔于西坫南。西方盥，如东方。

[注释]

①笫（zǐ）：床铺，竹席。②夷衾：覆盖在尸体上的衾被。

[译文]

竹席，覆盖尸体的衾被，陈放在西坫之南。为举尸者在西堂之下放置盥洗用具，与东堂之下一样，有盆有巾。（以上是陈设竹席、

衾被等）

陈一鼎于寝门外，当东塾，少南，西面。其实特豚，四鬄①，去蹄，两胉②、脊、肺。设扃鼏，鼏西末。素俎在鼎西，西顺③；覆匕，东柄④。

[注释]

①四鬄（tì）：将牲体割裂为前面的左肩、右肩，后面的左髀、右髀，共四大块。鬄，通"剔"，割裂牲体。②胉（bó）：胁骨。③西顺：东西向横放。④东柄：匕柄朝东。

[译文]

在正寝的门外陈设一鼎，正对着东塾，而稍稍偏南，鼎的方向朝西。鼎中放有一只被肢解成七块的小猪：前肢左右各一，后髀左右各一，共四块，都已剥去蹄甲，胁骨两块，与脊骨相连的肺。鼎旁放着鼎杠和鼎盖，鼎盖在最西侧。盛素食的俎又在鼎之西侧，东西向横放；俎上放着匕，匕柄朝东。（以上是陈放鼎及食物）

士盥，二人以并，东面立于西阶下。布席于户内，下莞上簟①。商祝布绞、衾、散衣、祭服。祭服不倒②，美者在中③。士举迁尸，反位。设床第于两楹之间，衽如初④，有枕。卒敛，彻帷。主人西面冯尸⑤，踊无算；主妇东面冯，亦如之。主人髺发⑥，袒，众主人免于房⑦。妇人髽于室⑧。士举，男女奉尸，侇于堂⑨，帱用夷衾。男女如室位，踊无算。主人出于足⑩，降自西阶。众主人东即位。妇人阼阶上西面。主人拜宾，大夫特拜，士旅之；即位踊，袭绖于序东⑪，复位。

[注释]

①莞（guān）：草名，圆茎空心，可以织席，俗名"席子草"。簟（diàn）：竹席。②倒：颠倒。衣服叠放时，为使四处厚薄均衡，有的衣服需要

颠倒着放。③中：内。④衽：卧席。⑤冯尸：将殓时，亲属接触死者的仪式，因亲疏及等级的不同，接触的方式有抚、奉、执等多种。⑥髺（kuò）：除去笄、缅，挽束头发。⑦免：用布束发，在此之前用麻束发。⑧髽：麻发合结。⑨侇（yí）：安放。⑩出于足：从死者足部方向绕过。死者头南足北，主人本在东，从死者足前绕行至西。⑪袭绖：披上衣服，围上麻带，戴上麻绖。

[译文]

准备抬尸的士洗手后，两人一排，面朝东站在西阶之下。在室户之内铺席，底下一重是莞草席，上面一重是竹席。商祝在席上依次叠放殓尸用的束带、衾被、散衣、祭服。祭服不得颠倒着放，越是好的祭服，越要贴近死者的身体。抬尸的士入室将死者从尸床上抬至衣服上，再回到堂下西阶前。接着，在堂上的东西楹柱之间安放竹席，死者的寝卧之席，与在室内铺的一样，下面是莞草席，上面是竹席，有枕头。小殓完毕，将帷幕的出入处的帷布向上掀开。丧主面朝西抚尸痛哭，顿足不计次数；丧主之妇，面朝东抚尸痛哭，顿足也不计次数。丧主挽发，袒露左臂，丧主的庶兄弟等在房中用布束发，他们的配偶则在室中用麻与发合结。士抬起死者的尸体，众男女则在旁捧着尸体，然后将尸体安放在堂上，用夷衾覆盖尸体。众男女在尸周围的位置，与在室内时一样，顿足而哭时不计次数。丧主从死者足部走到尸体之西，再从西阶下堂。丧主的庶兄弟也随之下堂，在东阶下即位。妇人们则在阼阶之上面朝西而立。丧主向各位来宾行拜礼，如果是大夫，则要一一拜之，对士，则只要拜三拜，表示全部拜遍了；然后回到东阶下面朝西之位顿足而哭，再到东序前披上衣服，围上麻带，又回到东阶下面朝西的位置。（以上是小殓迁尸以及挽发等仪节）

乃奠。举者盥①。右执匕②，却之；左执俎③，横摄之④；入，阼阶前西面错⑤，错俎北面。右人左执匕，抽扃予左手⑥，兼执之；取鼏，委于鼎北，加扃，不坐。乃枇载⑦。载两髀于两端，两肩亚⑧，两胉亚，脊肺在于中，皆覆。进柢⑨，执而俟。夏祝及执事盥，执醴先，酒、脯、醢、俎从，升自阼阶。丈夫踊⑩。甸人彻鼎，巾待于阼阶下。奠于尸东，执醴酒，北面西上。豆错，俎错于豆东。立于俎北，西上。醴酒错于豆南。祝受巾，巾之，由足降自西阶。妇人踊。奠者由重南，东。丈夫踊。宾出，主人拜送于门外。乃代哭⑪，不以官。

[注释]

①举者：出门举鼎的二人。②右执匕：右边的人用右手兼执匕。③左执俎：左边的人用左手兼执俎。④摄：持。⑤错：放置。⑥予：通"与"。⑦枇(bǐ)：通"匕"、"朼"，用木勺挑起鼎中的牲肉。载：接过牲肉放在俎上。⑧亚：从两端依次向中央。⑨柢(dǐ)：根，本，此指牲骨的根部。⑩丈夫：男子，指丧主及众主人。⑪代哭：更代而哭。为防止孝子悲痛过甚而伤身，让其他亲人轮番号哭，以节其哀。

[译文]

于是举行奠祭。两位将要出门抬鼎的人洗手。右边的抬鼎者用右手执匕，匕仰着；左边的人用左手持俎，横持着；分别用另一只手抬鼎入寝门，在阼阶之前，按面朝西的方向放下鼎，俎按面朝北的方向横放。右边的人左手执匕，右手抽出鼎杠，放在左手上，与匕一起拿着；用右手取下鼎盖，放在鼎的北侧，再将鼎杠放在鼎盖上，不必坐下取放。于是，右边的人用匕从鼎中挑出牲肉，左边的人接过来放在俎上。先将牲后面的左右两髀放在俎的两端，接着往髀的内侧放牲前面的左右两肩，再在其内侧放两胁，带有脊骨的肺放在最中间，牲肉都倒扣着放。牲骨的根部都朝前，放毕，左边的人持俎等候。接着，夏祝和负责奠祭的执事洗手，再拿着醴酒走在前面，执事们分别拿着酒、干肉、肉酱和俎跟随其后，从阼阶上堂。主丧的男子们顿足而哭。甸人将空鼎撤到门外，有司在阼阶下执巾等候。在尸体的东侧举行奠祭，执醴酒者先入内，面朝北，表示以西首的死者为尊。接着放置豆，俎放在豆的东侧。放置的人站在俎的北侧，以西首为尊。醴酒放置在豆的南侧。祝从有司手中接过布巾，遮盖在豆、俎、醴酒之上，然后从尸体的足前绕到西侧，再从西阶下堂。妇人们顿足而哭。奠祭者从重木的南侧绕至东侧。主丧的男子们顿足而哭。祭毕，宾出门，丧主到门外拜而送之。于是亲人们轮流号哭，不得请官员来号哭。（以上为奠祭）

有襚者，则将命。摈者出请，入告。主人待于位。摈者出，告须①，以宾入。宾入中庭，北面致命。主人拜稽颡。宾升自西阶，出于足，西面委衣如于室礼，降，出。主人出，拜送。朋友亲襚，如初仪②，西阶东，北面哭，踊三，降；主人不踊。襚者以褶③，则必有裳，执衣如初。彻衣者亦如之，升降自西阶；以东。宵，为燎于中庭④。

[注释]

①须：等待。②初仪：指本节"则将命"至"主人出，拜送"的仪节。③褶（dié）：上衣。④燎：大烛。

[译文]

小殓之后，如果还有派人来致送助丧的衣被的，则要先让人传命。摈者出门请问宾为何事而来，然后入内禀告丧主。丧主便在阼阶下面朝西之位等候。摈者出门，告诉宾，主人已在等候，然后引导宾入内。宾走进中庭，面朝北致词。丧主拜了又磕头。宾从西阶上堂，从死者的足前绕至东侧，将衣服放在尸体东侧的床上，就像尸体尚未小殓，在室中时一样，然后下堂，出门。丧主也出门，拜而送之。如果是朋友亲自来致送助丧的衣被，其仪节与上述大致相同，所不同的是，不必致词，在西阶之东，面朝北号哭，以顿足三次为一节，一共三节，然后下堂；主人则不用顿足。用上衣来助丧，就一定会有与之配套的裳，执持衣服的方式与前述相同，都是左手执衣领，右手执裳腰。撤走衣服时也是如此，上下堂都从西阶，然后拿着衣服到庭东放好。夜晚，在庭中点燃大烛以照明。（以上是小殓后致送衣服的仪节）

厥明，灭燎。陈衣于房，南领，西上，绪。绞，紟①，衾二。君襚，祭服，散衣，庶襚，凡三十称，紟不在算。不必尽用。东方之馔②：两瓦甒，其实醴酒，角觯，木柶；毼豆两③，其实葵菹芋、蠃醢④；两笾，无縢⑤，布巾，其实栗，不择；脯四脡。奠席在馔北，敛席在其东。掘肂见衽⑥。棺入，主人不哭。升棺用轴⑦，盖在下⑧。熬黍稷各二筐，有鱼腊，馔于西坫南。陈三鼎于门外，北上。豚合升，鱼鱄鲋九⑨，腊左胖，髀不升，其他皆如初。烛俟于馔东。

[注释]

①紟（jīn）：单被。②东方：指东堂之下。③毼（hé）：白色的毛布，引申为白色。④葵菹芋：腌的韭菜不按规定的长度切碎，原大放入。芋，粗大，芋的根叶都很大，故得义。⑤縢（téng）：边缘，此指豆的边缘的纹饰。⑥肂（sì）：埋棺的坎穴。衽：连接棺与盖之缝的木榫，形如衽，故名。⑦轴：升降棺木用的窆车。⑧盖在下：升棺时，棺盖仍在堂下。⑨鱄（zhuān）：鱼名。鲋（fù）：鲫鱼。

[译文]

次日天明，熄灭大烛。在房中陈设大殓用的衣服，衣领朝南，由西向东摆放，以西首为尊，一行放不下时，向相反方向转行。先依次陈放殓尸用的束带、单被一条、絮被两条。接着放国君赠送的衣服，丧主准备的祭服、散衣，亲者及庶兄弟、朋友赠送的衣服，总共三十套，束带、单被、絮被不在此数。陈设的衣服不一定都用上。在东堂下陈设的祭品是：瓦甒两个，里面盛着醴酒，角质的觯，木质的勺；白色的豆两个，里面盛着未经切碎的腌韭菜、螺肉酱；笾两个，没有缘饰，底部垫着布巾，上面放着栗，没有拣选，肉干四条。奠祭用的席在祭品的北侧，大殓用的席则在东侧。在西阶之上挖埋棺的坎穴，其深度以能见到棺与盖之际的木榫为准。放下棺木时，主人不哭，以免影响安放。吊起棺木时用窆车，棺盖仍放在堂下。炒黍和稷各两筐，再在筐中放上鱼和腊肉，放在西坫之南。把三个鼎由北向南陈设在门外，以北首为尊。上鼎内放的是左右体相合为一的小猪，中鼎内放的是九条鲔鱼或鲫鱼，下鼎内放的是风干的兔子的左体，但将髀骨除去，豚肉和匕、俎的陈放，与小殓时一样。执烛者站在祭品的东侧等候。（以上是陈设大殓用品及殡具）

祝彻盥于门外[①]，入，升自阼阶。丈夫踊。祝彻巾[②]，授执事者以待。彻馔，先取醴酒，北面。其馀取先设者，出于足，降自西阶。妇人踊。设于序西南，当西荣，如设于堂。醴酒位如初。执事豆北，南面东上。乃适馔。

[注释]

①彻盥：撤去小殓时的盥洗用具，准备大殓。②巾：指小殓时覆盖在祭品上的巾。

[译文]

祝将盥洗用具撤至大门之外陈设，返入时，从阼阶上堂。男子们顿足而哭。祝又撤去覆盖在祭品上的巾，交给执事者，让他在阼阶下等候。接着撤去小殓用的祭品，祝先取醴酒，然后面朝北而立，等待其他撤物者一起下堂。其余的祭品，先陈设的先撤，撤物者都从死者足前绕过，从西阶下堂。此时妇人们顿足而哭。撤下的祭品都陈设在西序的西南方，正对着堂西檐角的地方，摆放的位置，与堂上一样。执持醴酒者的位置与在堂上时一样，面朝北，以西首为尊。执豆、俎者站在豆的北侧,面朝南,自东向西排列,以东首为尊。放置完毕,祝和执事者一起到东边新设祭品的地方去。(以上是撤除小殓的祭品)

帷堂。妇人尸西,东面。主人及亲者升自西阶,出于足,西面袒。士盥位如初。布席如初。商祝布绞、紟、衾、衣,美者在外。君襚不倒。有大夫,则告①。士举迁尸,复位。主人踊无算。卒敛,彻帷。主人冯如初,主妇亦如之。

[注释]

①大夫来吊唁,丧主应下堂拜迎,但如果正在大殓时有大夫来吊唁,则丧主派人出去告知正在大殓,不能拜迎。

[译文]

于是,为大殓而在堂上张设帷幕。妇人们站在尸体西侧,面朝东。丧主与亲属从西阶上堂,从尸体的足部绕到东侧,面朝西,袒露左臂。抬尸的士洗手的仪节和站立的位置都和小殓时一样。有司在东阶之上铺席,方法也和小殓时一样。商祝依次在席上陈放殓尸用的束带、单被、絮被、衣服,最好的祭服放在外面。国君赠送的衣服不能颠倒着放置。此时如有大夫来吊唁,则派人告知正在大殓,丧主无法下堂迎拜。士将尸体抬到铺好的衣服上后,回到原位。丧主号哭时,顿足不计次数。大殓完毕,撤去帷幕。丧主像小殓时那样抚尸痛哭,丧主之妇也是如此。(以上是大殓)

主人奉尸敛于棺,踊如初,乃盖。主人降,拜大夫之后至者,北面视肂。众主人复位。妇人东复位。设熬,旁一筐①,乃涂,踊无算。卒涂,祝取铭置于肂。主人复位,踊,袭。

[注释]

①旁一筐:棺木的四旁各放一筐炒热的黍稷。

[译文]

丧主将尸体捧入棺木入殓,像小殓时那样号哭,顿足不计次数,接着盖上棺盖。丧主下堂,拜见晚来的大夫,然后上堂,面朝北察看坎穴中的棺木。众主人回到阼阶上之位,妇人则回到阼阶下之位。于是,放置炒熟的黍稷,棺木四旁各放一筐,然后在棺木上用木料覆盖,再在其上涂泥。丧主号哭,顿足不计次数。涂泥毕,祝将标志死者身份的旗旐插在坎穴的东侧。主人回到东阶下之位,顿足而哭,然后穿好衣服。(以上是殡)

乃奠。烛升自阼阶,祝执巾,席从;设于奥①,东面。祝反降,及执事执馔。士盥,举鼎入,西面北上,如初。载,鱼左首,进鬐②,三列;腊进柢。祝执醴如初,酒、豆、笾、俎从,升自阼阶。丈夫踊。甸人彻鼎。奠由楹内入于室,醴酒北面。设豆,右菹,菹南栗,栗东脯。豚当豆,鱼次。腊特于俎北,醴酒在笾南。巾如初。既错者出,立于户西,西上。祝后,阖户;先由楹西,降自西阶。妇人踊。奠者由重南,东。丈夫踊。

[注释]

①奥:室的西南角。②鬐(qí):鱼的脊鳍。

[译文]

于是为大殓设祭席。执烛者从阼阶上堂入室,祝执巾与执席者跟随其后;祭席设在室内西南角,席朝东。祝回身下堂,与执事者一起取设在东方的祭品。士洗手后,扛鼎入内,放置在东阶前,面朝西,以北为尊,如同小殓时那样。往俎上放鼎中的食物时,鱼头朝左,鳍朝前,一共三列,每列三条鱼;腊肉则有骨的一端朝前。祝像小殓时那样执醴酒上堂,执酒、豆、笾、俎的执事者跟随其后,从阼阶上堂。男人们顿足号哭。甸人将空鼎撤走。陈放祭品者从东楹柱的西侧入室,执醴酒者面朝北站在西首。陈设豆的位置是，最右边是盛腌菜的豆，腌菜南边是盛栗脯的笾，栗东边是盛干肉的豆。豚俎在豆的东边，再往东是鱼俎。腊肉单独放在两俎的北边，醴酒放在栗笾之南。与小殓时一样，祭品上要用巾覆盖。祭品放毕，执事者出室，站在室户之西，以西首为尊。祝最后出室，此时要合上门户；并且率先绕经东楹柱的西侧，从西阶下堂，执事者随其后下堂。此时妇人们顿足而哭。祝和执事者从庭中悬挂物品的横木之南向东方走去。此时男子们顿足而哭。（以上是陈设大殓的祭席）

宾出。妇人踊。主人拜送于门外，入，及兄弟北面哭殡①。兄弟出，主人拜送于门外。众主人出门，哭止，皆西面于东方。阖门。主人揖，就次②。

[注释]

①殡：停放着的灵柩。②次：丧次，居丧时的住处，服斩衰者在倚庐，服齐衰者在垩室。

[译文]

来宾退出时，妇人顿足而哭，丧主在寝门之外拜而送之，然后入室，与同族兄弟们面朝北向着灵柩号哭。接着，同族兄弟退出，丧主也在寝门之外拜而送之。众主人出殡宫之门时，哭声停止，大家都在寝门外的东方面朝西而立。有司在室内合上门。丧主向众主人行揖致意，然后各就丧居。（以上是大殓完毕送宾及亲属）

君若有赐焉①，则视敛。既布衣，君至，主人出迎于外门外，见马首，不哭，还，入门右，北面，及众主人袒。巫止于庙门外，祝代之。小臣二人执戈先，二人后。君释采②，入门，主人辟③。君升自阼阶，西乡。祝负墉，南面；主人中庭。君哭。主人哭，拜稽颡，成踊，出。君命反行事，主人复位。君升主人，主人西楹东，北面。升公卿大夫，继主人，东上。乃敛。卒，公卿大夫逆降，复位；主人降，出。君反主人，主人中庭。君坐抚，当心。主人拜稽颡，成踊，出。君反之；复初位；众主人辟于东壁，南面。君降，西乡，命主人冯尸。主人升自西阶，由足，西面冯尸，不当君所；踊。主妇东面冯，亦如之。奉尸敛于棺，乃盖；主人降，出。君反之。入门左，视涂。君升即位，众主人复位。卒涂，主人出；君命之反奠。入门右，乃奠，升自西阶。君要节而踊④，主人从踊。卒奠，主人出，哭者止。君出门，庙中哭。主人不哭，辟。君式之⑤。贰车毕乘⑥，主人哭，拜送。袭，入即位；众主人袭。拜大夫之后至者，成踊。宾出，主人拜送。

[注释]

①指国君亲临大殓。依常礼，国君在士殡后前往吊唁，若国君亲临大殓，则视为恩赐。②释采：脱去吉服。③主人身穿丧服，不敢以此见国君，所以回避。④要节而踊：在需要踊（顿足）的仪节处踊。要，会，遇。⑤式：站在车上，手扶车前横木，略微欠身，向丧主致意。⑥贰车：副车。

[译文]

国君若有对士的恩赐，那就是亲临大殓了。丧主闻讯，要预先铺设好束带、衣被。国君到达时，丧主要到外门之外迎接，看到国君车驾的马头，就不再号哭，转身入门，在右侧面朝北而立，并与众主人一起袒露左臂。男巫走到庙门外立定，丧祝代表国君。两名小臣执戈先行，男巫和丧祝跟随其后。国君脱去吉服，入门，身穿丧服的主人回避。国君从阼阶上堂，面朝西而立。丧祝背靠着墙，面朝南而立；丧主面朝北立在中庭。国君面对死者而哭，丧主也跟着哭，并且向国君拜而磕头，又按规定的次数顿足而哭，然后到门外等候。国君命令丧主返回行大殓之事，于是丧主回到中庭。国君请丧主先上堂，丧主从西阶上堂，在西楹柱的东侧，面朝北而立。

接着，公、卿、大夫依次奉命上堂，站在丧主之西，以东首为尊位。于是开始大殓。殓毕，公、卿、大夫按照与上堂时相反的顺序下堂，回到哭吊之位；接着丧主下堂，出门。国君命丧主返回，丧主回到中庭站立。国君坐下抚摸死者的心口处，丧主拜而磕头，再按规定的次数顿足而哭，然后出门。国君又命丧主返回，丧主回到中庭，众主人都在东墙下回避国君，一律面朝南。接着国君下堂，面朝西而立，命令丧主上前抚尸。丧主从西阶上堂，从死者足前绕至尸床东侧，面朝西抚尸，但不能抚摸国君抚摸过的地方；然后顿足而哭。丧主之妇奉命上堂面朝东抚尸，其仪节也是如此。抬尸入棺时，丧主捧住死者的头部，于是盖上棺盖；然后，丧主下堂，到门外。国君命丧主返回。丧主入门后站在左侧，注视有司往棺上涂泥。国君上堂，即东阶上之位，众主人也都回到原位。涂完泥，丧主出门；国君又命丧主返回察看陈设祭席。丧主入门后站在右侧，于是开始陈设祭席，执事者从西阶上堂。国君在必要时顿足而哭，丧主跟着顿足而哭。执事者将祭席摆设完毕，丧主出门，号哭者停止哭泣。国君出庙后，庙中哭声又起。正在门外的丧主不能哭，因为国君将要离开，应暂避。国君上车后，扶轼欠身，向丧主致意。接着，副车上的人也都上了车，此时，丧主号哭，拜送国君。然后穿好衣服，入门到东阶下即位；众主人也随后穿好衣服。丧主礼拜在国君之后才到的大夫时，要按规定的次数顿足而哭。宾出门时，丧主要拜送。（以上是国君亲临大殓的仪节）

三日[①]，成服[②]，杖，拜君命及众宾。不拜棺中之赐[③]。

朝夕哭，不辟子卯[④]。妇人即位于堂，南上，哭。丈夫即位于门外，西面北上；外兄弟在其南，南上；宾继之，北上。门东，北面西上；门西，北面东上；西方，东面北上。主人即位，辟门。妇人拊心[⑤]，不哭。主人拜宾，旁三[⑥]；右还，入门，哭。

妇人踊。主人堂下，直东序，西面。兄弟皆即位，如外位。卿大夫在主人之南。诸公门东，少进。他国之异爵者门西，少进。敌⑦，则先拜他国之宾。凡异爵者，拜诸其位。彻者盥于门外⑧，烛先入，升自阼阶。丈夫踊。祝取醴，北面；取酒，立于其东；取豆、笾、俎，南面西上。祝先出，酒、豆、笾、俎序从⑨，降自西阶。妇人踊。设于序西南，直西荣。醴酒北面西上；豆西面，错。立于豆北，南面。笾、俎既错，立于执豆之西，东上。酒错，复位。醴错于西，遂先⑩，由主人之北适馔。乃奠，醴、酒、脯、醢升。丈夫踊，入。如初设，不巾⑪。错者出，立于户西，西上。灭烛，出。祝阖门，先降自西阶。妇人踊。奠者由重南，东。丈夫踊。宾出，妇人踊，主人拜送。众主人出，妇人踊。出门，哭止。皆复位。阖门。主人卒拜送宾，揖众主人，乃就次。

[注释]

①三日：从死者死日起算的第三天，即殡后的次日。②成服：死者刚死的两天，丧主与亲属只束发、围绖，从第三日起，则要依规定服各自应服的丧服，丧冠、丧屦及衣服都要穿上，此即"成服"。③棺中之赐：即禭，宾客所赠助丧的衣物。④子卯：子日、卯日，古时的忌日。⑤拊（fǔ）心：捶胸。拊，击、打。⑥旁三：南面、西南、东面，每一面都拜三拜，表示遍拜。⑦敌：双方爵位相同。⑧彻：撤除头天大殓时所陈设的祭品。⑨序从：依次序跟从。⑩遂先：接着先到朝奠之馔处去，不再回到原位。⑪不巾：祭品中如有菹、栗，则必定有俎，俎上必用巾覆盖，而大殓奠没有菹、栗，也没有俎，所以不用巾。

[译文]

第三天，丧主与亲属开始正式服丧，应该有丧杖的要执持丧杖。此时可以出门拜谢国君的吊唁，顺便拜谢众宾客，不必拜谢他们赠送助丧衣物，因为那不是送给自己的。

每天早晚，以及哀痛时，家中的男女都到殡宫号哭，不必避子、卯忌日。妇人们到堂上即位，面朝西从南向北排列，以南首为尊，号哭。男人们在殡宫门外即位，面朝西从北向南排列，以北首为尊；应服丧的异姓男子接着往南排，以南首为尊；再接着是宾客，以北首为尊。站在外门东侧的诸公等，面朝北而立，以西首为尊；站在外门西侧的异国有爵者等，面朝北而立，以东首为尊；站在西方的士，面朝东而立，以北首为尊。丧主在门外东侧即位后，殡宫之门打开。此时，妇人捶胸，但不哭。丧主向众宾客行拜礼，每一方拜三拜，表示已全部拜遍；然后向右转身，入门号哭。妇人们顿足而哭。丧主在阼阶下，对着堂东序的地方，面朝西而立。众兄弟也都即位，站立的方位与在门外时一样。卿大夫站在丧主的南侧。诸公在门东，而稍稍靠前。异国的卿大夫站在门西，稍稍靠前。如果本国卿大夫爵位与异国来宾相同，则要先拜异国的来宾。凡是有各种爵位的，丧主要到其面前一一行拜礼。撤大殓祭品者，在门外洗手，执烛火者先入室，经由东阶上堂。此时，男子顿足而哭。祝先取醴酒，然后面朝北，等候其余的撤者一起下堂；取酒者取毕立在其东侧；取豆、笾、俎者取毕，面朝南而立，以西首为尊。于是，祝先出室，然后执酒、豆、笾、俎等的执事者依次出室，从西阶下堂。此时，妇人们顿足而哭。撤下的祭品放在西序的西南，正对着西端屋翼的地方。执醴酒者面朝北，站在西方上首；执豆者面朝西，放下豆，然后站在豆的北侧，面朝南。执笾和俎者放好后，站在执豆者西侧，以东边为尊；执酒者放下酒后，回到祝的东边，面朝北。祝将醴酒放在西边后，率先从丧主的北侧向东走向设朝奠之馔的地方。于是设朝奠的祭席，祝和执事者们执醴、酒、干肉、肉酱上堂。此时男子们顿足而哭，再进入室内。祭品摆设的方式与大殓时一样，但不设巾。摆完祭品后，执事者们走出室外，并排站在室户之西，以西首为尊。祝熄灭火烛后出门，然后合上门，率先从西阶下堂。此时妇人们顿足而哭。设祭品者从庭中挂物的横木南侧绕过，向东走去。此时，男人们顿足而哭。宾客出门时，妇人们顿足而哭，丧主拜而送之。众主人出来时，妇人们顿足而哭。出门后，哭声停止。众主人在门外东边各复其位。接着合上门。丧主拜送宾客完毕，向众主人行揖致意，然后回到各自的丧居。（以上是朝夕哭奠）

朔月①，奠用特豚、鱼腊，陈三鼎如初。东方之馔亦如之。无笾，有黍稷。用瓦敦，有盖，当笾位。主人拜宾，如朝夕哭，卒彻。举鼎入，升，皆如初奠之仪，卒朼。释匕于鼎，俎行。朼者逆出，甸人彻鼎。其序：醴酒、菹醢、黍稷、俎。其设于室：豆错，俎错，腊特，黍稷当笾位。敦启会②，却诸其南。醴酒位如初。祝与执豆者巾，乃出。主人要节而踊，皆如朝夕哭之仪。月半不殷奠。有荐新，如朔奠。彻朔奠，先取醴酒，其馀取先设者。敦启会，面足③，序出，如入。其设于外，如于室。

[注释]

①朔月：每月朔日，即每月初一。②敦（duì）：古代盛黍稷稻粱的器皿。会：敦盖。③面足：让敦的足间朝前。

[译文]

每月初一，所设祭品为一只小猪、鱼和腊肉，陈放在三只鼎内，与大殓时一样。设在东方的祭品也是如此，只是没有笾，有黍和稷，用瓦敦盛放，有盖子，放置在放笾的地方。丧主拜宾的仪节，与朝夕哭时拜宾一样，拜毕，撤去头日的祭品。执事者扛鼎入门，将牲体放入鼎内的仪节与初奠时一样，接着用匕将牲体从鼎中挑出，放在俎上，放毕，将匕放入鼎中，然后执俎者行。执匕者按与进来时相反的顺序退出，甸人将空鼎撤走。祭品入室的次序是：醴酒、菹醢、黍稷、俎。在室内放设的位置是：盛肉酱的豆在北，盛菹的豆在南，豚俎在两豆之东，鱼俎又在其东，腊肉单独放在俎豆之北。盛黍稷的敦放在大殓时放笾的位置。敦盖打开后，仰置于敦的南侧。放醴酒的位置与大殓时一样。祝和执豆者用巾遮盖在牲肉上，然后退出。丧主在仪节需要时顿足而哭，与朝夕哭时一样。月半时，不再像初一那样盛奠，而仍与朝夕奠一样。祭品中有时新的粮食和果品，就像初一所陈设的那样。撤走初一的祭品，先取醴酒，其余的祭品先设者先撤。敦盖打开，撤走时让敦足之间向前，撤出室外的次序与入室时一样。在室外的摆设如同在室内一样。

筮宅，冢人营之①。掘四隅，外其壤。掘中，南其壤。既朝哭，主人皆往，兆南北面②，免绖。命筮者在主人之右③。筮者东面，抽上韇，兼执之，南面受命。命曰："哀子某，为其父某甫筮宅。度兹幽宅，兆基无有后艰？"筮人许诺，不述命，右还，北面，指中封而筮④。卦者在左。卒筮，执卦以示命筮者。命筮者受视，反之，东面。旅占，卒，进告于命筮者与主人："占之曰从。"主人绖，哭，不踊。若不从，筮择如初仪。归，殡前北面哭，不踊。

[注释]

①冢人：掌墓地的小吏。②兆：兆域，即墓地。③命筮者：指宰。④中封：墓地中央挖出来的土。

[译文]

用卜筮的方法择定死者的安葬处后，冢人度量墓地。挖掘墓地四角，所起的壤土堆在四角之外。挖掘墓地的中央，所起的壤土堆在墓地南侧。朝哭之后，丧主和众主人都前往墓地南侧，面朝北而立，解除首绖。宰站在主人右边。筮者面朝东，抽去筮草筒的上部，与筮草一起拿着，面朝南接受丧主之命。主人命令说："哀子某人，为其父某甫卜筮选择墓地。选定此处为幽冥之宅，墓地始得,将来有灾难吗?"筮者闻命应诺,不再重述丧主之命,向右转身,面朝北,在墓中央所起壤土上卜筮,占卦者在其左边。筮毕,筮者将所得之卦交给宰。宰接来看过后,还给筮者,筮者面朝东,与其下属的筮人共同占筮,占筮毕,上前禀告宰和丧主:"占筮的结果是吉利。"丧主又围上首绖,号哭而不顿足。如果占筮的结果是不吉利,再重新占筮选定,仪节与前面相同。回去后,丧主在殡之前,面朝北号哭,但不顿足。(以上是筮择墓地)

既井椁①,主人西面拜工,左还椁,反位,哭,不踊。妇人哭于堂。献材于殡门外②,西面北上,绠。主人遍视之,如哭椁。献素、献成亦如之③。

[注释]

①井椁:呈井字形构架的椁木。②材:做明器用的木材。③素:外形已成,尚未修饰的明器。成:已是成品的明器。

[译文]

椁木呈井字形构架完毕,丧主在殡门东面朝西拜谢工匠,然后向左周绕椁架一圈,回到原位,号哭而不顿足。妇人们在堂上号哭。进献来做明器的木材放置在殡门之外,面朝西,从北向南排放,以北首为尊位,然后向相反方向转行。丧主检视一遍后,要像检视椁木时那样号哭。献尚未修饰的明器,献已完工的明器也是如此。(以上是检视椁木等)

卜日,既朝哭,皆复外位。卜人先奠龟于西塾上,南首,有席。楚焞置于燋①。在龟东。族长莅卜②,及宗人吉服立于门西,东面南上。占者三人在其南,北上。卜人及执燋、席者在塾西。阖东扉,主妇立于其内。席于阈西阈外。宗人告事具。主人北面,免绖,左拥之。莅卜即位于门东,西面。卜人抱龟燋,先奠龟，西首，燋在北。宗人受卜人龟，示高③。莅卜受视，反之。宗人还，少退，受命。命曰："哀子某，来日某，卜葬其父某甫。考降④，无有近悔⑤？"许诺，不述命；还即席，西面坐；命龟，兴；授卜人龟，负东扉。卜人坐，作龟⑥，兴。宗人受龟，示莅卜。莅卜受视，反之。宗人退，东面。乃旅占，卒，不释龟，告于莅卜与主人："占曰：'某日从。'"授卜人龟。告于主妇，主妇哭。告于异爵者，使人告于众宾。卜人彻龟。宗人告事毕。主人绖，入哭。如筮宅。宾出，拜送。若不从，卜择如初仪。

[注释]

①楚焞（tūn）：灼龟用的荆木枝条。楚，木名，又名"荆"。焞，灼龟。燋（jiāo）：用明火点燃的苇束。②族长：掌族人亲疏等事务的有司。③示高：将龟腹甲高起而可灼的部位给莅卜者看。示，通"视"。④考降：成其下棺落葬之事。考，成。降，下。⑤近悔：接近咎悔，如天雨不能落葬等。⑥作龟：灼龟，用燃着的荆树枝灼龟甲，使之受热而出现裂纹，视裂纹而定吉凶。

[译文]

占卜落葬日期的那天，丧主和众主人等朝哭之后都到殡宫外就位。卜人先将占卜用的龟甲放在西塾上，头部朝南，龟甲下铺着席。灼龟用的荆木枝放在燃着的苇束上，位置在龟甲的东侧。族长亲临卜日仪式，与宗人一样穿着吉服站在门的西侧，都面朝东，以南首为尊。三位占卜者站在他们的南侧，而以北首者为尊。卜人和执有明火的苇束者、铺席者站在西塾之西。有司合上东边的门扉，丧主之妇立在门内。接着在门橛之西、门限之外铺席。宗人禀告丧主，一切准备完毕。丧主面朝北，解去首绖，用左手拿着。亲临卜事的族长在门的东侧即位，面朝西。卜人怀抱龟甲，燃着明火的苇束已先放好，接着放下龟甲，首部朝西，苇束在北边。宗人从卜人手中接过龟甲，将腹甲高而当灼的部位给族长看。族长接过龟甲检视,然后交还宗人。宗人转身,稍向后退,接受族长之命。命辞说:"哀子某人,在未来的某日,占卜落葬其父某甫。成此幽室下棺,有无接近咎悔之事?"宗人闻命应诺,不再复述;转身回到席上,面朝西而坐;将命辞传达给龟,然后起身;将龟甲交给卜人,背靠东边的门扉而立。卜人坐下,用荆树枝灼龟,然后起身。宗人接过龟甲,请族长观察。族长接过来观察后,交还宗人。宗人退下,面朝东而立。于是,三位占者一起占卜,占毕,宗人不放下龟甲,而向族长和丧主禀告:"占卜的结果是:'葬日吉利。'"然后,宗人将龟甲交还卜人。又将占卜结果向丧主之妇禀告,丧主之妇号哭。宗人再将占卜结果向异国的卿大夫报告,最后派人向未到场的宾客报告。于是卜人撤走龟甲。宗人向丧主禀告,占卜葬日之事已经完毕。丧主又系上首绖,入内号哭,其仪节与占筮墓地后到殡前号哭时一样。于是宾客退出,丧主拜送。如果占卜的结果不吉利,可以重新占卜,其仪节与此相同。

既夕礼第十三

既夕哭①，请启期②。告于宾。夙兴，设盥于祖庙门外。陈鼎皆如殡，东方之馔亦如之。倚床馔于阶间③。

[注释]

①本篇所记，与上篇《士丧礼》相连续，一般认为，这两篇本为一体，因篇幅过长，才分为二。既夕哭：夕哭之后。既，已。②启期：启殡的日期，此时灵柩仍在肂中。③倚床：迁移灵柩时用的床。倚，或作"夷"。

[译文]

夕哭之后，有司向丧主请示启殡的日期，并通知将参加葬礼的众宾客。次日清早，有司在祖庙的门外陈设盥洗的用具。又与大殓既殡时那样，在门外陈设三个鼎，在东方陈设祭品也是如此。迁移灵柩用的夷床陈放在祖庙堂下的东西阶之间。（以上是请示启殡的日期及在祖庙陈设器具）

二烛俟于殡门外。丈夫髽①，散带垂，即位如初。妇人不哭。主人拜宾，入，即位，袒。商祝免袒，执功布入，升自西阶，尽阶，不升堂。声三②；启三③；命哭。烛入。祝降，与夏祝交于阶下。取铭置于重。踊无算。商祝拂柩用功布，幠用夷衾。

[注释]

①丈夫髽:"丈夫免,妇人髽"的互文,或有脱漏。②声三:连续三次发出"噫兴"的叫声,意在告知神明将要启殡。③启三:连续喊三次"启殡"。

[译文]

两支点燃的烛炬停放在殡宫门外,等待启殡时使用。男子用布缠头,妇人麻发合结,腰间的散带下垂,各自在朝夕哭的地方即位。妇人不哭,丧主向来宾行拜礼后,入门到堂下即位,并袒露左臂。商祝用布缠头,袒露左臂,执大功之布入门,走上西阶在最后一段台阶停住,不上堂。接着,连续三次发出"噫兴"的叫声;又连喊三次"启殡",然后命令男女们号哭。此时,持烛炬者入内。祝下堂时,与正要上堂的夏祝在阶前交错而过。祝拿起表示死者身份的旗旌,插在庭中挂物的横木上。丧主号哭,顿足不计次数。商祝用大功之布拂去灵柩上的灰尘,覆盖在灵柩上的,是小殓覆尸用的夷衾。(以上是启殡)

迁于祖,用轴①。重先,奠从,烛从,柩从,烛从,主人从。升自西阶。奠俟于下,东面北上。主人从升。妇人升,东面。众主人东即位。正柩于两楹间②,用夷床。主人柩东,西面。置重如初。席升设于柩西。奠设如初,巾之,升降自西阶。主人踊无算,降,拜宾;即位,踊,袭。主妇及亲者由足,西面。

[注释]

①轴:轴车,专用于将灵柩运至祖庙。②正柩:调正灵柩的方向,灵柩本为头朝南,上堂后变为头朝北。

[译文]

将灵柩从坎穴中起出迁至祖庙,用轴车为工具。迁柩时,挂物的横木在最前,接着是祭品,再接着是烛炬,然后是灵柩,接着又是烛炬，最后是丧主及其亲属。灵柩从祖庙的西阶抬上堂，祭品先放在堂下，等正柩后再上堂陈设，祭品都按面朝东的方向陈放，以北首为尊位。丧主跟随灵柩之后上堂。接着妇人上堂，面朝东而立。众主人在东阶下即位。在两楹柱之间将灵柩的方向调正为头朝北，并将灵柩安放在夷床上。丧主站到灵柩东侧，面朝西。把挂物件的横木放在中庭，位置与在殡宫时一样。奠者拿着席上堂，铺设在灵柩西侧。陈设祭品的方式与在殡宫时一样，再在其上用巾覆盖，奠者上下堂都从西阶走。丧主号哭顿足不计次数，然后下堂，礼拜来宾；再在阼阶前即位，顿足而哭，并穿好衣服。丧主之妇及大功以上的亲属从死者的足前绕至东阶之上，面朝西而立。（以上是迁柩于祖庙）

荐车①，直东荣，北辀②。质明③，灭烛。彻者升自阼阶，降自西阶。乃奠如初，升降自西阶。主人要节而踊④。荐马；缨三就⑤；入门，北面；交辔⑥，圉人夹牵之⑦。御者执策立于马后⑧。哭成踊，右还，出。宾出，主人送于门外。

[注释]
①荐车：将死者生前所乘坐的车拉进庭内，象征死者的灵魂将要出行。荐，进。②辀（zhōu）：车辕。③质明：天刚亮。④要节而踊：在奠者上下堂时顿足而哭。⑤缨：交于马颈前的丝带。三就：三种颜色各有三匝。⑥交辔：辔在马胸前左右交叉，每马有两辔。⑦圉人：掌养马的小吏。夹牵：分在左右两边牵两辔。⑧策：马鞭。

[译文]
接着，将死者生前乘坐的车拉入庭中，位置在正对着堂东端屋翼的地方，车辕朝北。天刚亮时，熄灭烛炬。撤祭品者从阼阶上堂，从西阶下堂。于是，为迁柩于祖庙设祭席，也是在柩的西侧，席前面朝东，上下堂都走西阶。丧主在奠者上下堂时顿足而哭。然

后,将驾车的马匹牵进来,马胸前的缨带有三种颜色,各有三匹,入门后面朝北,左右辔在马胸前相交,马两侧的圉人交叉执辔。御车者手持马鞭站在马后。丧主按规定的次数顿足而哭,圉人向右转身,牵马而出。接着,宾客出门,丧主到门外相送。(以上是进车马,设迁柩于祖庙的祭席)

有司请祖期①。曰:"日侧②。"主人入,祖。乃载③。踊无算。卒束④。袭,降奠,当前束⑤。商祝饰柩:一池⑥,纽前赪后缁⑦,齐三采⑧,无贝。设披⑨。属引⑩。

[注释]

①祖:本指为出行者饯行,因死者次日将行,为之设祭席,所以也称为祖。②日侧:日昃,日头偏西。③载:将灵柩抬上柩车。④束:用绳将灵柩缚于柩车上,使之稳固。⑤前束:缚灵柩的束带前后各一,前束指前头的束带。⑥池:丧饰,棺如死者宫室,池用竹制,模拟屋霤之形。⑦纽:连接棺顶与四周之布的纽扣。顶部的布称为"荒",四周的布称为"帷",都用白布。⑧齐:车顶的圆盖。⑨披:缚于棺两边的帛带,柩车行进时,使人牵持,以保持棺的平稳。⑩属:挽住,拴住。引:牵引柩车的绳索。

[译文]

有司请问为死者设祭的时间,丧主说:"日头偏西以后。"于是,丧主入内,袒露左臂。接着,将灵柩抬上柩车。丧主顿足而哭,不计次数。将灵柩在车上捆缚完毕,丧主穿好衣服。有司从堂上将祭品端下来,陈设在正对着柩前第一道束带的地方。然后,商祝装饰灵柩:前部有一个形如屋霤的池,连接棺顶及四周白布的纽扣前后左右各一,前红后黑,车顶的圆盖有红、白、青三色,四周不悬挂贝。棺两侧各有两条帛带。牵引丧车的绳索拴在车辂上。(以上是将祭时载柩及饰柩车)

陈明器于乘车之西①。折②，横覆之。抗木③，横三，缩二。加抗席三④。加茵⑤，用疏布，缁翦⑥，有幅⑦，亦缩二横三。器：西南上，绩。茵。苞二⑧。筲三⑨：黍，稷，麦。瓮三：醯，醢，屑⑩。幂用疏布。甒二：醴，酒，幂用功布。皆木桁⑪，久之。用器：弓矢，耒耜，两敦，两杅⑫，槃，匜。匜实于槃中，南流⑬。无祭器。有燕乐器可也。役器⑭：甲，胄，干，笮⑮。燕器：杖，笠，翣⑯。

[注释]

①明器：随葬于墓圹中的器物，其特点是制作粗劣，尺寸小，不能实用。②折：落葬后架在墓圹上的大木架，呈木格状，用以铺席。③抗木：架在"折"上面的大木，用以防止墓上的填土落到棺上。④抗席：铺在抗木上面的席，用以防止尘灰下落到棺上。⑤茵：垫在墓底的粗布，作用是不让棺直接落于土上。⑥翦：通"浅"。⑦幅：缘边。⑧苞：包裹羊豕之肉的苇。⑨筲（shāo）：淘米用的竹器，形状像畚箕。⑩屑：姜、桂的碎末。⑪桁（hàng）：木架。⑫杅（yú）：通"盂"。⑬流：器物流水的口。⑭役器：师役时的用器，即兵器。⑮笮（zé）：盛箭的竹器。⑯翣（shà）：用雉尾编制的扇子。

[译文]

明器陈放在乘车的西侧。棺上的大木架，横向覆压在墓圹之上。隔土用的抗木，三根横放，两根竖放。上面铺着三层抗席。落葬前，墓底要铺布，用大功的粗布，染成浅黑色，四周有缘边，也是竖放两块布，横放三块布。明器陈放的位置是：以最西边一行的南端为尊位，放完一行，再向相反方向转行。从茵往北：包裹羊肉、豕肉的苇包两个。畚箕三个：分别盛放黍、稷、麦。瓮三只：分别盛放着醋、酱和姜、桂的碎末。覆盖在上面的是大功的粗布。瓦坛两只：分别盛着醴和酒，覆盖在上面的是小功之布。每一器都有木架，器口都塞着。日常的用器有：弓箭，耒耜，两个敦，两个盂，盘，匜。匜放在盘中，流水的口朝南。不陈放祭器，可以放燕饮、奏乐之器。兵器有：铠甲，头盔，盾牌，盛箭器。燕居时的用

具：手杖，竹笠，雉扇。（以上是陈设明器与葬具）

彻奠，巾席俟于西方。主人要节而踊；袒。商祝御柩，乃祖，踊，袭，少南，当前束。妇人降，即位于阶间。袒①，还车不还器。祝取铭，置于茵。二人还重②，左还。布席，乃奠如初，主人要节而踊。荐马如初。宾出。主人送，有司请葬期。入，复位。

[注释]

①袒：用人力挽车掉头。②还重：将"重"的方向由朝北转向朝南，表示将要出行。

[译文]

接着撤去祭席，巾和席放在西边候用。丧主在指定的仪节处顿足而哭，袒露左臂。商祝将柩车掉头朝南，表示开始出行。丧主顿足而哭，穿好衣服，稍向南，站在正对着灵柩前面的束带的地方。妇人下堂，在东西阶之间即位。于是，用人力挽车，掉转车头，不移动明器的方向。祝拿起标志死者身份的旗旌，放在茵上。两位有司抬起挂物横木掉转方向，从右向左转。有司铺席，接着摆设祭品，方法与初次设席时相同，丧主在设祭席时顿足而哭。此时，驾车的马匹又被牵进来，就像第一次做的那样。于是，宾客告辞出门，丧主相送。有司请问落葬的日期后，入内，回到原位。（以上是陈设祭席）

公赗①：玄纁束②，马两。摈者出请，入告。主人释杖，迎于庙门外，不哭；先入门右，北面，及众主人袒。马入设③。宾奉币，由马西当前辂④，北面致命。主人哭，拜稽颡，成踊。宾奠币于栈左服⑤，出。宰由主人之北，举币以东。士受马以出⑥。主人送于外门外，拜，袭，入复位，杖。

[注释]

①赗（fèng）：赠送助丧的车马等器物。②玄纁束：玄色与纁色的帛共一束（五匹），其中玄色的帛三匹，纁色的帛两匹。③设：陈设在庭中，"重"的南侧。④辂：缚在辕上供人挽车用的横木。⑤栈（zhàn）：不加装饰的柩车。服：车厢。⑥士：胥徒之长。

[译文]

国君派人致送的助丧之物是：黑色和浅红色的帛共五匹，马两匹。摈者出门请国君的使者进门，然后入门禀告丧主。丧主放下丧杖，到庙门之外迎接，不号哭；接着率先入门，站在右侧，面朝北，与众主人都袒露着左臂。国君赠送的马匹牵进门后陈设在庭的中间、悬挂物件的横木的南侧。使者捧着五匹帛，从马的西边绕过，在辕上的横木旁，面朝北传达国君之命。主人号哭，拜了又磕头，然后按规定的次数顿足而哭。使者将束帛放在柩车车厢的左侧，然后出门。宰从丧主的北侧绕过，捧起五匹帛至东边去收藏。士牵着马出门。丧主送到外门之外，拜送使者，然后穿好衣服，入门回到原位，重新拿起丧杖。（以上是国君赠送助丧器物）

宾赗者①，将命。摈者出请，入告，出告须。马入设，宾奉币，摈者先入，宾从，致命如初。主人拜于位，不踊。宾奠币如初，举币、受马如初。摈者出请。若奠，入告，出，以宾入，将命如初。士受羊，如受马。又请。若赙②，入告；主人出门左，西面；宾东面将命；主人拜，宾坐委之；宰由主人之北，东面举之，反位。若无器③，则捂受之④。又请，宾告事毕；拜送，入。赠者将命；摈者出请，纳宾如初。宾奠币如初。若就器⑤，则坐奠于陈。凡将礼，必请而后拜送。兄弟，赗、奠可也。所知，则赗而不奠。知死者赠，知生者赙。书赗于方⑥，若九，若七，若五。书遣于策⑦。乃代哭，如初。宵，为燎于门内之右。

[注释]

①宾：指卿、大夫、士。②赙（fù）：赠送助丧的财物。③器：指盛放助丧财物的器皿。④捂受之：面对面直接授受，其间器物不放在地上。⑤就器：已做成的器物。⑥方：书写用的木板。⑦遣：送，此指随葬的明器。

[译文]

卿、大夫、士赠送助丧的财物，要派使者前往致命。摈者出门请使者进门，然后入内禀告丧主，再出门告诉使者，丧主正在等待他。使者的随从将赠送的马匹牵进门，陈设在庭中悬挂物件的横木的南侧，使者捧着币帛，摈者先入门导引，使者跟随其后，致辞就像国君的使者传达国君之命那样。丧主在柩车东侧之位礼拜使者，不必顿足而哭。使者像国君的使者那样放下五匹帛，丧主接受币帛和马的仪节，与接受国君使者的赠予时一样。使者出门后，摈者出门请问还有何事。如果使者还要赠送致祭的物品，摈者就入内禀告丧主，然后出门，导引使者入内，使者像刚才一样传达主人的吊唁之词。士接受使者赠送的羊的仪式，与接受马时一样。使者出门后，要再次请问是否还有事。如果使者还要赠送助丧的财物，摈者就入内禀告丧主；丧主出庙门站在左侧，面朝西；使者面朝东向丧主转达主人的辞令；丧主拜谢之，使者坐下，将盛有财物的器皿放在地上；宰从丧主的北侧绕过，面朝东举起器皿，再回到原位。如果没有器皿，宰就直接从使者手中接过财物。使者出门后，摈者又一次请问还有何事，使者告诉说，事已全部办完。于是丧主拜送使者，然后入门。如果有奉命来赠送助丧的币帛或器皿的，则摈者要出门相请，导引来宾入门的仪节与前述相同，放置币帛的仪节也是一样。如果赠送已做成的实用器物，则要坐下来，陈放在地上。凡是传命送礼的，一定要让摈者问明是否还有事，若事已办完，则丧主要亲自拜而送之。服丧的众兄弟，可以赠送助丧之物，并设致祭的物品。平时互相熟知的人，则只赠送助丧之物，而不设致祭的物品。与死者熟知的人赠助丧之物，与生者熟知的人赠送助丧之财物。丧主命人将来宾赠送的物品记载在木板上，或九行，或七行，或五行，视物品多少而定。赠送的明器记载在简册上。于是，丧主与亲属轮流号哭，如同小殓时那样。入夜，在门内右侧点燃大的烛炬。（以上是卿大夫等赠助丧之物）

厥明，陈鼎五于门外，如初。其实：羊左胖，髀不升；肠五，胃五，离肺；豕亦如之，豚解，无肠胃；鱼、腊、鲜兽，皆如初。东方之馔：四豆，脾析①，蜱醢②，葵菹，蠃醢；四笾，枣，糗③，栗，脯；醴酒。陈器。灭燎；执烛，侠辂④，北面。宾入者，拜之。彻者入，丈夫踊；设于西北，妇人踊。彻者东。鼎入，乃奠。豆南上，绩；笾，蠃醢南，北上，绩。俎二以成，南上，不绩；特鲜兽。醴酒在笾西，北上。奠者出，主人要节而踊。

[注释]

①脾析：牛百叶，即牛胃。②蜱：通"蜂"，蚌类。③糗（qiǔ）：将稻或黍磨成粉后做成的饼。④侠：通"夹"。

[译文]

次日天明，在庙门外陈设五只鼎，位置与大殓奠时相同。鼎中的食物是：羊体的左半边，但要将股骨切去，不放在鼎内；肠五节，胃五块，划割而不切断的肺一块；猪也是如此，像肢解小猪那样分割，不用肠胃；鱼、腊兔、鲜兔，与殡时所设相同。陈设在东方的祭品是：四个豆，分别盛有牛胃、蚌肉酱、腌葵菜、螺肉酱；四个笾，分别盛着枣、米饼、栗、干肉；此外有醴酒。头天收藏起来的明器，此时再次陈列出来。于是，将庭中的烛炬熄灭，两位执烛炬者分站在车辂的两侧，面朝北。参加葬礼的来宾入门时，丧主在庙内行拜礼，而不离开灵柩。撤祭品的人入内时，男子们顿足而哭。撤下的祭品改设在柩车西北，此时，妇人们顿足而哭。撤祭品者从柩车之北往东走。鼎从门外抬进来时，开始陈设祭品。四个豆呈方形排列：牛胃在西南方，蚌肉酱在其北侧，腌葵菜又在其东，螺肉酱在其南，以南边的豆为尊，向相反的方向转行；四个笾也呈方形排列：枣在螺肉酱之南，米饼又在其南，栗在米饼之东，干肉在栗之北，以北边的笾为尊，向相反方向转行。俎以两个为一组，从南向北排列，而以南边的俎为尊，不转行。鲜兔单独陈设在豕俎之东。醴酒在笾的西侧，以北为尊。设祭品者退出时，丧主按规定的次数顿足而哭。（以上是陈设大遣奠的祭品）

甸人抗重①，出自道②，道左倚之。荐马，马出自道，车各从其马；驾于门外，西面而俟，南上。彻者入，踊如初。彻巾，苞牲，取下体。不以鱼腊。行器③，茵、苞、器序从④，车从。彻者出，踊如初。

[注释]

①抗：抬，举。②道：门中央。③行器：指明器，明器不载于车，由人持之而行，故称为行器。④茵：包括茵、抗席、抗木等在内。苞：包括筲、瓮、甒等。器：指各种用器。

[译文]

甸人抬起悬挂物件的横木，从门中央出去，然后将它倚靠在门左侧的墙上。接着，将驾车的马匹牵进来，每辆车两匹马，马从门中央出去，车由人挽拉，跟随于马后；到门外再套车，在门东侧面朝西等待出发，以南边的车为尊。撤祭品的人入门时，男子们像先前那样顿足而哭。覆盖在祭品上的巾撤去后，将牲肉包起来，只取其后肢的下端。不包鱼和干兔。接着撤明器，茵席、瓮、甒和各种用器按顺序撤出，车跟在最后。撤祭品者出门时，妇人们像先前那样顿足而哭。（以上是撤祭品及各种器物）

主人之史请读赗①，执算从②。柩东，当前束，西面。不命毋哭，哭者相止也。唯主人主妇哭。烛在右，南面。读书，释算则坐。卒，命哭，灭烛；书与算，执之，以逆出。公史自西方③，东面，命毋哭，主人、主妇皆不哭。读遣④，卒，命哭，灭烛，出。

[注释]

①主人之史：为丧主掌管文书者。读赗：宣读礼品单。②执算：主人之史的助手。算，算筹。③公史：为国君掌礼书的官员。④遣：随葬的物品。

[译文]

丧主的史请求宣读助丧礼品的清单，执算者跟随其后。史在柩车的东侧，正对着灵柩前端束带的地方，面朝西而立。相者不得命令在场者不许号哭，若有人哭，相就加以制止。只有丧主及其配偶可以号哭。执烛者站在史的右侧，面朝南。史宣读记载在木板上的礼品单，其助手抽算筹计数时可以坐着。读毕，相者宣布可以号哭，熄灭烛炬，木板与算筹由史和助手拿着，按进来时相反的顺序退出。公史站在西方，面朝东，命令在场者不得号哭，丧主及其配偶也都不哭。公史宣读随葬品的清单，读毕，宣布可以号哭，接着熄灭烛炬，公史出门。（以上是宣读礼品及随葬器物的清单）

商祝执功布以御柩①。执披。主人袒。乃行。踊无算。出宫，踊，袭。至于邦门，公使宰夫赠玄纁束；主人去杖，不哭，由左听命；宾由右致命。主人哭，拜稽颡。宾升，实币于盖②，降。主人拜送，复位，杖。乃行。

[注释]

①功布：用大功之布做的器具，形制类似后世的麾，启殡时用以拂拭灵柩，柩车出发后，商祝用以指挥行车，示意道路的高低、倾斜，以防柩车倾

翻。②盖：灵柩的帷盖。

[译文]

商祝执功布在前面，准备指挥柩车的行进。八位士在车两旁执披，以保持灵柩的平稳。丧主袒露着左臂。于是，柩车开始行进。丧主与亲属顿足而哭，不计次数。出宫门时，丧主顿足而哭，接着穿好衣服。柩车到达邦国的城门时，国君派宰夫前往赠送黑色和浅红色的帛共五匹；此时，丧主放下丧杖，不哭，在车辕的左侧听命；宰夫在车辕的右侧致国君之命。丧主听罢号哭，拜了又磕头。宰夫登上柩车，将五匹帛放在灵柩的帷盖内，然后下车。丧主拜送宰夫后，回到原位，重新拿起丧杖。接着，继续行进。（以上是柩车开始行进及国君赠束帛）

至于圹①。陈器于道东西，北上。茵先入。属引。主人袒。众主人西面，北上。妇人东面。皆不哭。乃窆②。主人哭，踊无算，袭；赠用制币③，玄纁束；拜稽颡，踊如初。卒，袒，拜宾，主妇亦拜宾；即位，拾踊三④，袭。宾出，则拜送。藏器于旁，加见。藏苞筲于旁。加折，却之；加抗席，覆之；加抗木。实土三。主人拜乡人；即位，踊，袭，如初。

[注释]

①圹（kuàng）：墓穴。②窆（biǎn）：落葬。③制币：长一丈八尺的帛，即国君派宰夫所赠的帛。④拾踊三：丧主、丧主之妇、宾轮流哭踊三次。

[译文]

送葬的队伍到达墓穴前。将随葬的明器陈设在墓道的东西两侧，以靠近墓室的北端为尊。茵先放入墓穴的底部。接着系好下棺的绳索。丧主袒露左臂。众主人面朝西排列在墓道之东，以北首为尊位。妇人面朝东站在墓道之西。男女都不哭。于是开始落葬。丧主号哭，顿足不计次数，接着穿好衣服；将长一丈八尺的帛，即黑色和浅红色的五匹帛献给死者；然后向灵柩拜而磕头，起立后像先前那样顿足而哭。献毕，丧主袒露左臂，礼拜来宾，丧主之妇也礼拜来宾；接着各就其位，轮流顿足而哭三遍，再穿好衣服。宾退出时，丧主要拜送。用器、兵器放置在棺旁，加上棺饰。苇包和菅草编的筲也放在棺旁。接着在棺上放置大木架，正面朝上；上面再铺抗席，正面朝下；上面再加抗木。然后往墓穴中填土夯实，一共三遍。丧主向填土和夯土的乡人拜谢后，回到原位，顿足而哭，再穿好衣服，就像前面已做过的那样。（以上是落葬）

乃反哭，入，升自西阶，东面。众主人堂下东面，北上。妇人入，丈夫踊，升自阼阶。主妇人于室，踊，出即位，及丈夫拾踊，三。宾吊者升自西阶，曰："如之何！"主人拜稽颡。宾降，出。主人送于门外，拜稽颡；遂适殡宫，皆如启位[①]，拾踊，三。兄弟出，主人拜送。众主人出门，哭止，阖门。主人揖众主人，乃就次。犹朝夕哭，不奠。三虞[②]。卒哭。明日，以其班祔[③]。

[注释]

①启位：殡未启运时的站位，妇人在堂上，丈夫在中庭，此时在启位，有亲人犹在殡内之意。②虞：丧祭名，古人认为，人死归于土，其精气无所附依而游荡于空中，虞祭的目的就是要安其精气于骨肉。③班：次序。祔（fù）：祭名，按死者的昭穆之序附祭于先祖。

[译文]

接着，返回祖庙号哭，丧主入门后，从西阶上堂，面朝东而立。众主人在堂下面朝东而立，以北首为尊位。妇人入门时，男子们顿足而哭，妇人从阼阶上堂。丧主之妇登堂后又入室，顿足而哭，然后出室，在堂东即位，面朝西，与男子们轮流号哭三遍。前来吊唁的宾从西阶上堂，说："这是无可奈何的事！"丧主拜而磕头。宾下堂后出门,丧主送到门外,再次拜而磕头;接着前往殡宫,像殡还在时那样各就其位,轮流顿足而哭三遍。同族兄弟出门时,丧主拜送。众主人出门时,哭声停止,丧主合上殡宫的门。丧主向众主人行揖致意,于是大家分别前往自己的丧居。这一天,还是朝夕号哭,不设祭席。要举行三次虞祭,接着举行卒哭之祭。次日,按死者的昭穆之序,附祭于先祖。(以上是返哭于祖庙,以及虞、卒哭、袝祭等)

记①

士处适寝,寝东首于北墉下。有疾,疾者齐②。养者皆齐,彻琴瑟。疾病③,外内皆扫。彻亵衣④,加新衣。御者四人,皆坐持体。属纩,以俟绝气。男子不绝于妇人之手,妇人不绝于男子之手。乃行祷于五祀⑤。乃卒。主人啼⑥,兄弟哭。设床第,当牖;衽,下莞上簟,设枕。迁尸。

[注释]

①本篇是《士丧礼》与《既夕礼》两篇的记,所以从士"始死"开始。②齐:通"斋",斋戒。③疾:身体不适。病:疾加重。④亵衣:贴身的内衣。⑤五祀:对司命、中霤、国门、国行、公厉的祭祀,士只祭国门、国行。⑥啼:因过度悲痛,而哭不成声。

[译文]

记

士有疾病时,为避免不测,要住在正寝,头朝东睡在北墙之下。有病时,病人要斋戒。养病者都要斋戒,撤去琴瑟,使心志专一。病重时,常有人来探视,所以室内外都要洒扫。贴身的内衣必然很脏,要脱下,换上新衣。四位侍从者都坐在床边,为病人翻身。病人垂危时,将细絮棉放在他的口鼻之上,以观察其是否还有气息。男人不能死于妇人的手中,妇人不能死在男人的手中。病人弥留之际，应向五祀祈祷。病人气绝时，丧主悲啼，众兄弟号哭。于是设床席，正对着室南面的窗户；床上的卧席，下面是莞草席，上面是竹席，设一枕头。然后，将尸体移于此床。（以上是孝子侍奉亲人寿终）

复者朝服，左执领，右执要，招而左①。楔，貌如轭②，上两末。缀足用燕几，校在南③，御者坐持之。即床而奠，当腢④，用吉器，若醴，若酒，无巾栖。

[注释]

①招而左：招魂者面朝北招魂，招毕，向左转而面朝南。②轭（è）：马具，在车辕前端，略呈"人"字形，扼于马颈之上。③校：燕几的足，燕几形状略如半环，三足。④腢（ǒu）：肩头。

[译文]

招魂者身穿朝服，手持死者生前的衣服，左手执衣领，右手执裳腰，招魂后转身朝南，将衣服扔到屋下。插在死者齿间的楔，形状像车轭，但分叉的两端向上。拘束死者的足用燕几，几的足在南侧，侍者坐着持几。就着尸床设祭席，在正对着死者肩头之处，用死者生时使用过的器物，或用醴酒，或用酒，不用巾和匙。（以上是始死时的有关仪节）

赴曰："君之臣某死。"赴母、妻、长子，则曰："君之臣某之某死①。"

室中，唯主人、主妇坐。兄弟有命夫命妇在焉，亦坐。

尸在室，有君命，众主人不出。

襚者委衣于床，不坐。其襚于室，户西北面致命。

[注释]

①前一"某"字指代士的姓名，后一"某"字指代其亲属称谓及死者

姓名。

[译文]

向国君报丧时说:"君的臣某人已死。"向国君报母亲、妻子、嫡长子之丧,则说:"君的臣某人之亲属某某已死。"

尸室之中,只有丧主及其配偶可以坐。大功以上的众兄弟中,如果有命夫命妇在场,也可以坐。

尸体在室中时,有国君之命到,丧主出迎即可,众主人不必出迎。

送助丧衣物者只将衣服放在床上,不坐。将助丧衣服送至室中者,在室户之西、面朝北代表主人致辞。(以上记讣辞、尸位室之仪及赠衣服之仪)

夏祝淅米,差盛之①。御者四人,抗衾而浴②,禭第③。其母之丧,则内御者浴④,鬠无笄。设明衣,妇人则设中带⑤。卒洗,贝反于笄,实贝,柱右齻左齻⑥。夏祝彻餰饭。瑱塞耳。掘坎,南顺;广尺,轮二尺,深三尺;南其壤。垼,用块。明衣裳,用幕布,袂属幅,长下膝。有前后裳,不辟,长及觳⑦。缘绰緆⑧。缁纯。设握,里亲肤,系钩中指,结于掔。甸人筑坅坎⑨。隶人涅厕⑩。既袭,宵为燎于中庭。

[注释]

①差盛之:选择完好的米粒,盛在敦中,饭含时用,其余的米熬成粥,悬挂在横木上。差,选择。②抗:抬,举。衾:殓尸用的被子。③禭:通"袒",暴露。④内御:女侍。⑤中带:男子的明衣有衣有裳,妇人则有衣无裳,因此要加一贴身的裤子,腰中间用带束之,此中带实指内裤。⑥齻(diān):牙两侧最大的白齿。⑦觳(què):脚背。⑧绰(quàn):浅红色。緆(bì):裳的边缘。緆(xì):裳的缘饰。⑨坅(qǐn):坎穴。⑩隶人:罪隶。涅:填塞。

[译文]

夏祝淘米,选择外形完好的米粒盛在敦中。四位侍者抬走覆盖在尸体上的衾被,为死者沐浴,尸床的竹席袒露着。如果是士的母亲去世,则由女侍为之沐浴,头发挽束而不用笄。备有明衣,妇人则备有内裤。将贝洗净后,要将贝放回笲内,饭含时,先要用贝顶住左右侧最大的白齿。夏祝撤去饭含所余的米,用絮棉塞入死者双耳。在东西阶之间掘坎穴,要从北向南掘,宽一尺,长二尺,深三尺,挖出来的壤土堆在坎穴之南。灶,用土块垒筑。明衣、明裳,用帷幕之布制作,衣袖是整幅的布,其长度超过双膝。明裳的形制与生人相同,也是前三幅、后四幅,腰间没有褶裥,长度及于脚背。裳的边缘及缘饰都是浅红色的。上衣的领口和袖口都是黑色的。左手中有握,握的里贴着皮肤,面朝外,两端都有绳,一端绕掌,另一端钩住中指,再在手掌后打结。甸人将坎穴填平、筑实。奴隶填平死者用过的厕所。士死之日,要为其换好衣服,入夜,在中庭点燃烛炬。(以上记沐浴、饭含等)

厥明,灭燎,陈衣。凡绞纺用布,伦如朝服①。设棜于东堂下②,南顺,齐于坫。馔于其上:两甒醴、酒,酒在南;篚在东,南顺,实角觯四,木柶二,素勺二;豆在甒北,二以并;笾亦如之。凡笾豆,实具设③,皆巾之。觯,俟时而酌④,柶覆加之,面枋;及错,建之。小敛,辟奠不出室⑤。无踊节。既冯尸,主人袒,髺发,绞带;众主人布带。大敛于阼。大夫升自西阶,阶东,北面东上。既冯尸,大夫逆降,复位。巾奠,执烛者灭烛出,降自阼阶,由主人之北,东。

[注释]

①伦:比,如。②棜(yù):放置酒器的木盘。③实:盛入食品。具设:同时陈设。④时:朝夕之时。⑤辟:移动。

[译文]

次日天明，熄灭烛炬后，陈设小殓用的衣服。凡是小殓、大殓的束带和单被所用之布，都和朝服一样。放置酒器用的木盘，陈设在东堂之下，从北向南排列，南端与堂隅的坫对齐。陈放在木盘上的有：盛有醴和酒的坛两只，盛酒的坛在南侧；篚在坛的东侧，从北向南排列，里面放着四个角质的觯，两把木质的匙，两把素色的勺；豆在坛的北侧，每两豆为一组；笾也是如此。凡是小殓、大殓的笾豆，盛上食物后同时陈设，上面都用巾覆盖。觯，要等到朝祭、夕祭时才酌上酒，然后将匙放在觯上，匙柄朝前；等放置后，再将匙插入坛内。小殓时，只在室内移动祭席，而不出室。不必在移席时顿足而哭。抚尸之后，丧主袒露左臂，用麻束发，以合股的麻绳为腰带；众主人以麻布为腰带。大殓在阼阶上举行。大夫从西阶上堂，在西阶之东，面朝北由东向西排列，以东首为尊位。抚尸之后，大夫们按与上堂时相反的顺序下堂，回到原位。大殓的祭席设好后，用巾覆盖于其上，然后，执烛者熄灭烛炬而出，再从阼阶下堂，由丧主的北侧绕过，往东走去。（以上记小殓、大殓时陈设衣物及祭席）

既殡，主人说髦①。三日，绞垂。冠六升，外縪②，缨条属，厌。衰三升。履外纳。杖下本，竹桐一也。居倚庐，寝苫枕块，不说绖带，哭昼夜无时，非丧事不言。歠粥③，朝一溢米，夕一溢米，不食菜果。主人乘恶车：白狗幦④，蒲蔽；御以蒲菆⑤；犬服，木错⑥，约绥，约辔，木镳⑦；马不齐髦。主妇之车亦如之，疏布裧⑧。贰车：白狗摄服，其他皆如乘车。

[注释]

①髦：发饰，用假发制作，齐眉，父母健在时，孝子戴此以像幼年时发型。②縪（bì）：缝。③歠（chuò）：通"啜"，喝，饮。④幦（mì）：车轼上

遮风尘用的帷幕。⑤菆（zōu）：植物的茎。⑥辁（guǎn）：同"輨"，车毂端头的销钉。⑦镳：马嚼子。⑧襜（chān）：车中的帷幕。

[译文]

已殡之后，丧主脱下假发饰。死者去世后的第三天，大功以上的亲属，要将腰绖散垂的部分绞合成带子。丧冠用密度为四百八十缕的布制作，从外面用一条弯曲的绳缝在帽檐上，下垂的部分为缨带，帽檐压在冠上。斩衰的丧服，用密度为二百四十缕的布制作。丧鞋向外收束。丧杖的根部在下端，竹杖、桐杖都是一样。丧主居住在倚庐中，寝卧在草席上，头枕着土块，首绖和腰绖都不解下，悲之所至即号哭，昼夜都无定时，与丧事无关的话不说。喝粥，早晨煮一把米，傍晚煮一把米，不吃蔬菜和水果。丧主出行时乘坐的是粗劣的木车：用尚未长成长毛的白狗皮做车轼上的顶盖，用蒲草做车后面和两侧的藩蔽；用蒲草的茎做御车的马鞭；用狗皮做兵器囊，车毂端头的销钉是木质的，登车用的引绳是用绳子做的，辔也是用绳子做的，马嚼子是木质的；驾车的马的鬃毛不加修剪。丧主配偶的车也是如此，只是车中的帷幕是用大功之布制作的。副车：兵器囊的边缘用白狗皮装饰，其余均与丧主所乘的车一样。（以上记殡后居丧者的冠服、车马等）

朔月，童子执帚，却之①，左手奉之，从彻者而入。比奠②，举席；扫室，聚诸窔③；布席如初。卒奠，扫者执帚，垂末内鬣④，从执烛者而东。燕养、馈羞、汤沐之馔，如他日。朔月若荐新，则不馈于下室⑤。筮宅，冢人物土。卜日，吉，告从于主妇；主妇哭，妇人皆哭；主妇升堂，哭者皆止。

[注释]

①却之：将扫帚的末端朝上，表示未用。②比：先。③窔（yào）：屋的东南角。④鬣（liè）：扫帚的末端。⑤下室：燕寝。

［译文］

每月初一，童子手持扫帚，末端朝上，用左手拿着，跟随撤祭席者入室。设祭席之前，先撤去先前设的祭席；接着，扫除室内的尘土，都堆在室的东南角；再铺席，方法与原先一样。祭席设置完毕，扫除者拿起扫帚，末端下垂，朝向自己，跟随执烛者出室后往东走去。平日燕居时的供养物品、朝夕吃的食物、沐浴用的水，都和往日一样准备着。若逢朔月之祭或荐新之祭，则上述物品不能陈设在燕寝，而应设在正寝。通过卜筮选择葬处，先由冢人选择土地。卜葬之日，卜得的结果是吉利，则告诉丧主之妇；丧主之妇号哭，妇人们都跟着号哭；丧主之妇上堂后，哭者都停止号哭。（以上记每月初一设祭席以及筮卜葬日及地点等）

启之昕，外内不哭。夷床，轴，馔于西阶东。其二庙①，则馔于祢庙，如小敛奠；乃启。朝于祢庙，重止于门外之西，东面。柩入，升自西阶。正柩于两楹间。奠止于西阶之下，东面北上。主人升，柩东，西面。众主人东即位，妇人从升，东面。奠升，设于柩西，升降自西阶，主人要节而踊。烛先入者，升堂，东楹之南，西面；后入者，西阶东，北面，在下。主人降，即位。彻，乃奠，升降自西阶；主人踊如初。祝及执事举奠，巾席从而降，柩从、序从如初，适祖。

［注释］

①二庙：祖庙、祢庙，上士朝二庙，下士朝一庙。

［译文］

启殡之日天将明时，内外的人都不哭泣。夷床设在祖庙，一轴设在殡宫，都是在西阶的东侧。如果是上士，则要朝祖、祢二庙，先在祢庙设祭席，就如小殓之祭那样；接着启殡。朝祢庙时，悬挂物件的横木停放在庙门外的西侧，面朝东。灵柩进入庙门后，从西阶抬上堂。在东西楹柱之间调正灵柩的方位。祭品放在西阶之下，面朝东，从北向南排列，以北首为尊。丧主上堂，在灵柩东侧，面朝西而立。众主人在阶下东侧，面朝西就位，妇人跟着上堂，面朝东。接着将祭品拿上堂，陈设在灵柩之西，陈设祭品者上下堂都从西阶，上堂时，男子顿足而哭，下堂时，女子顿足而哭。在灵柩之前进入庙门的执烛者，上堂后，站在东楹柱之南，面朝西；在灵柩之后进入庙门的执烛者，站在西阶之东，面朝北，在堂下。接着，丧主下堂，在东阶下面朝西就位。然后，撤去堂上的祭品，又摆上朝祖庙的祭品，上下堂时都从西阶，男女们像先前那样按时顿足而哭。祝和执事者撤去祭品，执巾席者跟随其后下堂，然后灵柩接着下堂，顺序与出殡宫时一样，于是朝祖庙。（以上记启殡前朝祖、祢二庙）

荐乘车①，鹿浅幦②，干③，笮④，革靾⑤，载旜，载皮弁服，缨、辔、贝勒县于衡⑥。道车⑦，载朝服。槀车⑧，载蓑笠。将载，祝及执事举奠，户西，南面东上。卒束前而降，奠席于柩西。巾奠，乃墙⑨。抗木，刊⑩。茵著用荼⑪，实绥泽焉⑫。苇苞，长三尺，一编。菅筲三，其实皆渝⑬。祖，还车不易位。执披者，旁四人。凡赠币，无常。凡糗，不煎。

[注释]

①乘车：柩车。②鹿浅：夏天的鹿皮，其时鹿毛新生，色浅，故名。③干：盾牌。④笮（zé）：盛箭的竹器。⑤靾（xiè）：同"绁"，马缰。⑥贝勒：用贝装饰的马络头。⑦道车：朝夕及燕游时乘的车。⑧槀（gào）：散。散车，田猎时乘的车。⑨墙：装饰灵柩。⑩刊：削。⑪著：充塞。荼（tú）：菅茅的花，白色。⑫绥：一名廉姜，姜类植物，生于沙石之中。泽：泽兰，草名。⑬渝（yuè）：浸渍。

[译文]

将柩车拉进祖庙，车前横木上覆盖着夏天的浅色鹿皮，车上放着盾牌、箭袋、革制的马缰，插着旐旗，又载着皮弁服、缨带、辔绳、有贝饰的马络头都悬挂在车衡上。死者生前上朝或燕游时乘的车上，放着朝服；田猎时乘的车上，放着蓑衣和斗笠。灵柩将要载上柩车时，祝和执事者捧着祭品，站在室户之西，面朝南，从东向西排列，以东首为尊位。灵柩装车，前端束缚完毕时，祝和执事者下堂，在灵柩之西设祭席。接着用巾覆盖祭品，然后装饰灵柩。抗木，要经过整削。茵的夹层内塞上菅茅的花，再塞上廉姜和泽兰草，用以防潮。苇苞，以三尺长为一编，以便于包牲。菅草编织的筲箕有三个，盛于其中的黍、稷、麦都已用水浸渍过。准备出发时，调转车头，使之朝向门外，但不变易其位置。在车旁执披的人，左右各四位。凡是宾客赠送玩好之物，数量没有规定。凡是作祭品用的粉饼之类，都不用油煎。（以上记在祖庙中载柩、陈器、设祭等）

唯君命，止柩于堩①，其馀则否。车至道左，北面立，东上。柩至于圹，敛服载之②。卒窆而归，不驱。

[注释]

①堩（gèng）：道路。②敛服载之：将乘车、道车、散车上的朝服等集中在柩车内带回。

[译文]

只有宰夫奉国君之命在国门向丧主赠助丧之物时，才能将柩车停在路上，其他情况不得停柩车于路。车到达墓道左侧后，面朝北而立，先到者在东，后到者在西，以东为尊。柩车到达墓圹，灵柩落葬后，将各车所载的衣服集中到柩车上带回。葬毕而归时，不驱赶车子，疑心死者的灵魂还要回家。（以上记柩车在道及葬毕返归）

君视敛,若不待奠,加盖而出;不视敛,则加盖而至,卒事。既正柩,宾出,遂、匠纳车于阶间①。祝馔祖奠于主人之南,当前辂,北上,巾之。弓矢之新,沽功②。有弭饰焉③,亦张可也。有柲④。设依挞焉⑤。有韣⑥。翭矢一乘⑦,骨镞,短卫⑧。志矢一乘,轩輖中⑨,亦短卫。

[注释]

①遂:遂人,掌徒役之事者。匠:匠人,掌柩葬之事者。②沽功:粗功,做工粗恶,表示非实用品。③弭(mǐ):弓的两头。④柲(bì):一名弓檠,竹制,弓不用时,缚于弓的内侧,以防损坏。⑤依:缠弦的衣革。挞:即"箭溜",大如钱,嵌入弓把之侧,以别上下,射时在弓的右侧、弓的上方。⑥韣(dú):弓套。⑦翭(hóu):同"镞",箭名,近距离射时所用。⑧卫:箭羽。⑨轩輖(zhōu)中:指矢的前后轻重均衡。这是随葬的器物,不能实用,实用的矢前重后轻。轩,车轻。輖,车重。轩輖引申为轻重。

[译文]

国君亲临大敛之礼,若因故不能等到设祭席后再走,则可以在盖棺后离去;若未及赶上大敛,则应在盖棺之后再到,然后到祭事完毕再离去。在两楹之间调正柩的方位后,丧主送宾出门,此时,遂人与匠人将柩车拉到东西阶之间。祝在丧主之南陈设祖奠,西侧正对着柩车的前辂,祭品的陈设,以北为尊,上面用巾覆盖。随葬的弓箭是新的,但做工粗恶,弓的两端以骨角为饰,只要能张开就行,不必实用。有护弓用的柲。还设有缠弦的依和区别弓上下的挞。还有弓套。近距离射击用的箭四支,以骨为箭头,箭羽很短。习射用的箭四支,前后轻重均衡,箭羽也很短。(以上记国君亲临大敛、设祖奠及随葬弓箭之制)

士虞礼第十四

士虞礼①：特豕馈食②，侧亨于庙门外之右③，东面。鱼腊爨亚之④，北上。馇爨在东壁⑤，西面。设洗于西阶西南，水在洗西，篚在东。尊于室中北墉下，当户，两甒醴、酒，酒在东。无禁，幂用绨布；加勺，南枋。素几，苇席，在西序下。苴刌茅⑥，长五寸，束之，实于篚，馔于西坫上。馔两豆菹、醢于西楹之东，醢在西，一铏亚之。从献豆两亚之⑦，四笾亚之，北上。馔黍稷二敦于阶间，西上，藉用苇席⑧。匜水错于槃中，南流，在西阶之南，箪巾在其东。陈三鼎于门外之右，北面，北上，设扃鼏。匕俎在西塾之西。羞燔俎在内西塾上⑨，南顺。

[注释]

①士虞礼：丧主安葬尸柩后，迎死者的精气返回殡宫，于日中致祭，以安其精气、魂魄，称为虞礼。虞是安的意思。虞祭较简约，无肵俎，不致爵、不加爵，献尸之后不献宾、不旅酬，不馂。虞祭的次数与时间有等差：士三虞四天，大夫五虞八天，诸侯七虞十二天，天子九虞十六天。本篇所记为士的虞礼。②馈：或作"归"，进献。③侧亨：烹煮牲体的一侧（左半边）。④爨（cuàn）：灶。⑤馇（chì）：炊黍稷。⑥苴（jū）：衬垫。刌（cǔn）：切断。⑦从献：先献给祝或主妇，然后再荐。⑧藉：衬垫。⑨燔：炙肉。

[译文]

士的虞祭之礼是：用一只猪致祭，在庙门外的右侧，烹煮猪的左半边，面朝东。烹煮鱼和腊肉的灶顺次往南陈设，而以最北边的灶为尊。炊黍稷的灶在东墙前，面朝西。洗设在西阶的西南，水放在洗的西侧，篚放在洗的东侧。酒尊放在室中东北隅，正对着室的门户之处，醴和酒各一瓺，盛酒的瓺放在东侧。尊不用禁承托，放在地上即可，尊的口部用粗葛布覆盖；上面放勺，勺柄朝南。素色的几和苇席，陈设在西序之下。作衬垫用的白茅切成五寸长，捆束后放入筐内，然后放在堂的西坫上。将盛有菹菜和肉酱的两个豆陈设在西楹柱之东，肉酱在西侧，菹菜在东侧，再往东是一只有盖的鼎。先献给祝的两个豆又在其东，主妇献给尸和祝的四个笾再在其东，笾豆的陈列，均以北为尊位。盛黍稷的两个敦陈设在东西阶之间，以西侧的黍为尊，敦的底下以苇席为衬垫。供尸洗手的匜盛着水放在盘中，匜的流水口朝南，设在西阶之南，盛擦手巾的竹箪放在匜的东侧。在门外的右侧陈设三只鼎，都面朝北，以最北的鼎为尊，旁边放着鼎杠和鼎盖。放有匕的俎陈设在西塾之西。进烤肉的俎陈设在门内西塾之上，从北向南排列。（以上是陈设牲酒器具）

主人及兄弟如葬服，宾执事者如吊服，皆即位于门外，如朝夕临位。妇人及内兄弟服，即位于堂，亦如之。祝免①，澡葛绖带②，布席于室中，东面，右几；降，出，及宗人即位于门西，东面南上。宗人告有司具，遂请拜宾。如临③，入门哭，妇人哭。主人即位于堂，众主人及兄弟、宾即位于西方，如反哭位。祝入门，左，北面。宗人西阶前北面。

[注释]

①免：通"绕"，丧服名。②澡：洗，此指洗去葛的莩垢。③临：朝夕哭。

[译文]

丧主及众兄弟依然穿着丧服,助祭的宾客依然穿着吊服,都在门外即位,与朝夕哭时的位置一样。妇人和内兄弟身穿丧服,在堂上即位,位置也与朝夕哭时一样。丧祝服绖,用洗过的葛做绖带,在室中铺席,面朝东,几在席右;然后下堂、出门,与宗人在门的西侧就位,面朝东,以站在南边者为尊。宗人禀告丧主,有司已准备完毕,接着又请丧主礼拜来宾。像朝夕哭时那样,丧主和众兄弟入门号哭,妇人们也跟着号哭。丧主在堂上即位,众主人和堂兄弟、来宾在堂下西方即位,与朝夕哭的位置相反。丧祝入门后,站在左侧,面朝北。宗人在西阶前面朝北而立。(以上是主宾入门即位)

祝盥,升,取苴降,洗之;升,入设于几东席上,东缩①;降,洗觯;升,止哭。主人倚杖,入。祝从,在左,西面。赞荐菹醢,醢在北。佐食及执事盥,出举,长在左。鼎入,设于西阶前,东面北上。匕俎从设。左人抽肩、鼏。匕,佐食及右人载。卒,朼者逆退复位。俎入,设于豆东;鱼亚之;腊特。赞设二敦于俎南,黍,其东稷。设一铏于豆南②。佐食出,立于户西。赞者彻鼎。祝酌醴,命佐食启会。佐食许诺,启会,却于敦南,复位。祝奠觯于铏南,复位。主人再拜稽首。祝飨③,命佐食祭。佐食许诺,钩袒④,取黍稷祭于苴,三;取肤祭⑤,祭如初。祝取奠觯祭,亦如之;不尽,益,反奠之。主人再拜稽首。祝祝卒⑥,主人拜如初,哭,出复位。

[注释]

①东缩:东纵,自西向东放设,以西为上。②铏:盛菜羹的器皿。③飨:请神享祭。④钩袒:卷起衣袖,露出臂肩。⑤肤:颈项。⑥前一"祝"字指丧祝,后一"祝"字指丧祝读祝辞。

[译文]

丧祝洗手，上堂，取西坫上筐内的白茅后下堂，再洗净白茅，接着上堂，入室放在几东侧的席上，由西向东纵向陈放，又下堂，洗涤酒觯；然后上堂，制止众人号哭。丧主将丧杖倚靠在西墙下，走入室内。祝跟随其后，入室后站在左侧，面朝西。赞者进上菹菜和肉酱，肉酱放在北侧。接着，尸的佐食者及助祭的宾洗手，再出门抬鼎，宾之长在鼎的左边抬。鼎抬进门后，放置在西阶之前，面朝东，以北边的鼎为尊。匕和俎紧接着往鼎的东边放。鼎左边的人放下鼎后抽去鼎杠，撤去鼎盖。用匕将鼎中的牲肉取出来，由佐食者与来宾之长放在俎上。放毕，执匕者按与入门时相反的顺序退出，回到原位。俎端入室中后，放在豆的东侧；再往东是鱼俎；腊肉俎单独放在牲俎之北。赞者将盛黍稷的两个敦放置在俎的南侧，黍在西，其东是稷。在豆的南侧放一只盛有菜羹的铏。于是，佐食者出室，站在门户之西。赞者撤去空鼎。丧祝在觯中酌上醴酒后，命令佐食者打开敦盖。佐食者应诺，打开敦盖，仰置于敦的南侧，再回到原位。丧祝将觯放在铏南，然后回到原位。丧主拜两次后磕头，虞祭正式开始。祝祷请神来享祭，又命佐食者祭神。佐食者应诺后，挽起袖子，露出双臂，将黍稷放在切碎的白茅上致祭，祭毕，再取黍稷致祭，一共三次；接着取猪的颈脖上的肉致祭，也像刚才那样祭三次。丧祝拿起放在铏南侧的酒觯祭祀，也是向白茅上倒三次醴酒；但不能将觯倒空，然后再添满，放回原处。丧主拜两次后磕头。丧祝读完祝辞，丧主又像刚才那样拜两次后磕头，然后号哭着出门，回到西阶上的位置。（以上是设馔飨神）

祝迎尸①。一人衰绖，奉筐，哭从尸。尸入门，丈夫踊，妇人踊。淳尸盥②，宗人授巾。尸及阶，祝延尸。尸升，宗人诏踊如初。尸入户，踊如初，哭止。妇人入于房。主人及祝拜妥尸③，尸拜，遂坐。

[注释]

①尸：代表死者受祭的人，一般由死者的孙子担任。②淳（zhūn）：浇灌。③妥：安坐。

[译文]

丧祝迎接尸入内。丧主的一位兄弟身穿衰经的丧服，双手捧筐，哭着跟随尸后。尸入门时，男子们顿足而哭，妇人们也跟着顿足而哭。执事者为尸浇水洗手，宗人递上擦手巾。尸走到阶前，丧祝上前请尸上堂。尸上堂后，宗人像尸初入门时那样诏告丧主等顿足而哭。尸入室后，丧主等还像刚才那样顿足，但停止号哭，以示对尸的尊敬。妇人们到房中暂避，以便让执事者入室。丧主和丧祝拜请尸安坐；尸回拜，然后坐下。（以上是迎尸安坐）

从者错筐于尸左席上，立于其北。尸取奠，左执之，取菹，擩于醢，祭于豆间，祝命佐食堕祭①。佐食取黍稷肺祭，授尸，尸祭之。祭奠，祝祝，主人拜如初。尸尝醴，奠之。佐食举肺脊授尸。尸受，振祭，哜之，左手执之。祝命佐食迩敦②。佐食举黍，错于席上。尸祭铏，尝铏。泰羹涪自门入③，设于铏南；胾四豆，设于左。尸饭，播馀于筐。三饭，佐食举干；尸受，振祭，哜之，实于筐。又三饭，举胳，祭如初。佐食举鱼腊，实于筐。又三饭，举肩，祭如初。举鱼腊俎，俎释三个。尸卒食，佐食受肺脊，实于筐；反黍，如初设。

[注释]

①堕（duò）：祭名，专指尸放下祭品而祭。②迩（ěr）：接近。③泰羹：大羹。涪（qì）：肉汁。

[译文]

跟从尸入门的那位丧主兄弟，将筐放在尸左边的席上，然后站在席的北侧。尸拿起放在铏南边的酒觯，用左手执持，然后取菹菜，在肉酱中搅一下，放在两豆之间祭祀。祝命令佐食者协助尸隋祭。佐食者取黍稷和祭肺，授给尸，尸接过来后放下致祭。祭毕放回原处，丧祝读祝辞，丧主像先前那样，拜两次后磕头。尸尝一口醴酒，然后放回原处。佐食者拿肺脊授给尸。尸接受后振祭，再吃一口，用左手拿着。丧祝命佐食者将敦移过来。佐食者拿起盛黍的敦，放在席上。接着，尸祭铏中的菜羹，并尝一口。大羹肉汁从门外端进来后，放在铏的南侧；大块的肉盛在四个豆内，放在铏的左边。尸吃饭，剩余的饭放在筐中。尸每吃三口饭，佐食者就奉上肋条肉；尸接受后，振祭之，然后尝一口，再放入筐中。尸又吃三口饭，佐食者奉上猪的小腿肉，尸像刚才那样振祭。佐食者又奉上鱼和腊肉，尸不接受，佐食者便放入筐中。尸又吃三口饭，佐食者奉上猪的肩肉，尸像刚才那样振祭之。佐食者又奉上鱼俎和腊肉俎，每俎都只放牲体的三个部分。尸吃完后，佐食者接过吃剩的肺脊，放入筐中；再放回盛黍的敦，位置在最初放的地方。（以上是飨尸）

主人洗废爵，酌酒，酳尸。尸拜受爵，主人北面答拜。尸祭酒，尝之。宾长以肝从，实于俎，缩①，右盐。尸左执爵，右取肝，擩盐，振祭，哜之，加于俎。宾降，反俎于西塾，复位。尸卒爵，祝受，不相爵②。主人拜，尸答拜。祝酌授尸，尸以醋主人③；主人拜受爵，尸答拜。主人坐祭，卒爵，拜；尸答拜。筵祝④，南面。主人献祝；祝拜，坐受爵；主人答拜。荐菹醢，设俎。祝左执爵，祭荐，奠爵，兴；取肺，坐祭，哜之，兴；加于俎，祭酒，尝之。肝从。祝取肝擩盐，振祭，哜之，加于俎，卒爵，拜。主人答拜。祝坐授主人。主人酌，献佐食；佐食北面拜，坐受爵；主人答拜。佐食祭酒，卒爵，拜。主人答拜，受爵，出，实于筐，升堂复位。

[注释]

①缩：纵，肝在俎上纵向放置。②不相爵：不命令丧主拜送爵。③醋：即酢，回敬酒。④筵祝：为祝铺席。

[译文]

丧主洗涤没有足的酒爵，酌上酒，献给尸。尸拜丧主后接过酒爵，丧主面朝北答拜还礼。尸祭爵中之酒，然后尝酒。来宾之长接着向尸献肝，肝放在俎上，纵向放在左侧，右侧是盐。尸左手执酒爵，右手取肝后，蘸上盐，振祭之，再尝一口，然后放到俎上。宾客之长下堂，将俎放回西塾，再回到原位。尸将爵中的酒饮毕，祝接过空爵，不再命丧主拜送爵。丧主拜尸，尸答拜还礼。丧祝酌酒递给尸，尸用它回报丧主；丧主拜谢后接过酒爵，尸答拜还礼。丧主坐下祭酒，然后将爵中的酒饮毕，再拜尸，尸答拜还礼。有司为丧祝铺席，在北墙之下，面朝南。丧主以爵酌酒献给丧祝，丧祝行拜礼，然后坐下接过酒爵，丧主答拜还礼。接着，献上菹菜和肉酱，都放在俎上。丧祝左手执爵，右手祭菹菜和肉酱，然后放下酒爵，再起身；从俎上取过肺，坐下祭祀，再尝一口，然后起身；把肺放回俎上，接着祭酒，祭毕尝酒。来宾之长接着献上肝俎。祝拿起肝蘸上盐，进行振祭，祭毕，尝一口，再放回俎上，然后将爵中的酒饮毕，拜谢丧主。丧主答拜还礼。丧祝坐着将爵递给丧主。丧主在爵中酌上酒后，献给佐食者。佐食者面朝北向丧主行拜礼，再坐下接过酒爵；丧主答拜还礼。佐食者祭爵中之酒，然后将它喝完，再向丧主行拜礼。丧主答拜还礼，再接过酒爵，下堂，放入篚中，然后上堂回到原位。（以上是丧主向尸、丧祝、佐食者献酒）

主妇洗足爵于房中①，酌，亚献尸②，如主人仪。自反两笾枣、栗③，设于会南，枣在西。尸祭笾，祭酒，如初。宾以燔从，如初。尸祭燔，卒爵，如初。酌献祝，笾燔从；献佐食；皆如初。以虚爵入于房。宾长洗繶爵④,三献,燔从,如初仪。

[注释]

①足爵:装饰有足的爵。②亚献:第二次献。③自反:自己返回堂上取两笾,入设于室,无人赞助。④繶爵:器口与器足之间有篆文的爵。

[译文]

丧主之妇在房中洗涤有足的爵,酌上酒,第二次向尸献爵,其间仪节与丧主向尸献爵时一样。丧主之妇自己返回堂上,取盛有枣和栗的两个笾,再入室陈设在敦盖之南,盛枣的笾在西侧,盛栗的笾在东侧。尸祭笾中的枣栗,又祭酒,其间仪节与丧主献尸时一样。接着,宾向尸献烤肉,仪节与丧主献尸时一样。尸祭烤肉后,将爵中之酒饮毕,其仪节与丧主献尸时一样。丧主之妇在空爵中酌上酒又献给祝,接着又献上笾食和烤肉;最后向佐食者献食品;其仪节都像丧主献尸时一样。献毕,丧主之妇拿着空爵进入房内。来宾之长洗涤口足之间有篆文的爵,酌上酒,第三次向尸献爵,接着献烤肉,其间仪节与前面一样。(以上是丧主之妇亚献、来宾之长三献)

妇人复位。祝出户,西面告利成①。主人哭,皆哭。祝入,尸谡②。从者奉篚哭③,如初。祝前尸。出户,踊如初;降堂,踊如初;出门,亦如之。

[注释]

①利成:养礼完毕。利,身体之养。②谡(sù):起身。③从者:指前文身穿衰绖丧服的丧主的一位兄弟。

[译文]

妇人们回到堂上面朝西之位。丧祝走出室户,面朝西禀告丧主,养礼已经完毕。丧主想到神将离走而号哭,男女们都随之号哭。丧祝走入室内,尸起身。丧主的一位兄弟捧着篚号哭,其仪节与刚才入门时一样。丧祝在尸的前面引路。尸出室时，丧主及男女们顿足而哭，就像尸入室时那样；尸下堂时，又像尸上堂时那样顿足而哭；尸出门时，又像尸进门时那样顿足而哭。（以上是三献之礼完毕尸出门）

祝反，入，彻，设于西北隅①，如其设也。几在南，厞用席②。祝荐席，彻入于房。祝自执其俎出。赞阖牖户。主人降，宾出。主人出门，哭止。皆复位。宗人告事毕。宾出，主人送，拜稽颡。

[注释]

①尸出室后，将祭席改设于西北隅，即所谓"阳厌"。②厞（fèi）用席：在室的西北角用席围隔，以求幽隐。厞，室角的隐蔽处。

[译文]

丧祝送尸出门后，返入室中，撤去神前的祭品，改设在室的西北角，祭品的陈设方式与改设前一样。几放置在祭席之南，屋的西北角用席围隔。执事者将祝的荐席撤至房内。丧祝自己拿着俎出室，赞礼者合上窗和门。丧主下堂，来宾走出殡宫门。丧主送至殡宫门外时，哭声停止，丧主、众兄弟及来宾都回到门外朝夕哭时的位置。宗人向丧主禀告：虞祭之事已毕。于是，来宾出大门，丧主相送，拜了又磕头。（以上是改设祭席及礼毕送宾）

记

虞，沐浴，不栉。陈牲于庙门外，北首，西上；寝右①。日中而行事。杀于庙门西，主人不视。豚解②。羹饪③，升左肩、臂、臑、肫、胳、脊、胁、离肺。肤祭三，取诸左胁上；肺祭一④，实于上鼎。升鱼：鲔鲋九，实于中鼎。升腊，左胖，髀不升，实于下鼎。皆设扃鼏，陈之，载犹进柢，鱼进鬐。祝俎，髀、胉、脊、胁、离肺，陈于阶间，敦东。

[注释]

①寝右：将牲体的右半边平放在地上。虞祭用牲体的左半边，所以将剩下的右半边放在地上。②豚解：将豚分解为前后四足、一块脊骨、两块胁骨，共七块。③羹：肉羹。饪：煮熟。④肺祭：即祭肺。

[译文]

记

虞祭前，致祭者要洗头洗澡，但不梳头。祭牲陈设在庙门之外，头朝北，以西方为尊；牲体的右半边放在地上。中午时举行虞祭。在庙门外的西侧杀牲，丧主不亲临现场。豚体按规定分解为七块。肉羹煮熟后，将牲体左半边的肩、臂、前胫骨、股骨、后胫骨、脊骨、胁骨以及离肺从镬中取出，放进鼎中。取猪颈脖上的肉祭祀，祭一次取一块，一共三次，从左边的颈脖上取；祭肺一块，放入上边的鼎内。接着放鱼，鳝鱼或鲫鱼九条，放入中间的鼎内。放腊肉，用左半边的，但后股处不能放入，除去后放入下边的鼎内。每鼎都备有鼎杠和鼎盖，在鼎旁陈放着。牲肉放在俎上后，要像士丧礼时那样，将俎的下部朝前，如果放着鱼，则鱼鳍也要朝前。丧祝的俎上，放着牲的髀骨、颈骨、脊骨、胁骨和离肺，陈设在东西阶之间，敦的东边。（以上记陈设鼎俎）

淳尸盥，执槃，西面。执匜，东面。执巾在其北，东面。宗人授巾，南面。主人在室，则宗人升，户外北面。佐食无事，则出户，负依南面①。铏芼，用苦②，若薇，有滑③。夏用葵，冬用荁④，有柶。豆实，葵菹。菹以西，蠃醢。笾，枣烝，栗择。

[注释]

①依：室的门与窗之间的地方。②苦：苦菜，一名荼。③滑：菜干则滑。④荁（huán）：堇菜类。

[译文]

浇水让尸洗手时，执盘接弃水者面朝西而立。执匜浇水者面朝东而立。执擦手巾者在其北侧，面朝东而立。由宗人将擦手巾递给尸，面朝南而立。丧主在室时，则宗人上堂，在室户之外面朝北而立。佐食者无事时，则走出室户，背靠门窗之间的地方，面朝南而立。铏中作菜羹的菜，用苦菜，或者用薇，有用晒干的菜。夏天用新鲜的葵菜，冬天用晒干的堇菜，铏中放有角匙，用以和羹。豆中盛的食物，是葵菹。菹的西侧，放的是螺酱。笾中盛的食物，枣子是蒸过的，栗子是挑选过的。（以上记沃尸等场合的站位及笾豆所盛食物）

尸入，祝从尸。尸坐不说屦。尸谡，祝前，乡尸①；还，出户，又乡尸；还，过主人，又乡尸；还，降阶，又乡尸；降阶，还，及门，如出户。尸出。祝反，入门左，北面复位，然后宗人诏降。尸服卒者之上服②。男，男尸。女，女尸；必使异姓③，不使贱者④。

[注释]

①乡：通"向"。②上服：爵弁服。③异姓：指媳妇。媳妇对丈夫家而言属异姓；孙女是同姓，但不能承祖母之重，所以不能立为尸。④贱者：指庶孙之妾。

[译文]

丧祝迎尸时，在前引路，并先行入门，等尸入门后，丧祝再跟随于尸后。尸坐下时不脱鞋，以示侍神不敢怠惰。尸起身时，丧祝为其前导，先面向尸；再转身，导引尸出门，接着又面向尸；然后转身引路，从丧主前走过，又面向尸；再转身，下堂，又面向尸；等尸下堂后，又转身引路，走到庙门时，其仪节与出室门时一样。尸出庙门后，丧祝返回，入庙门站在左侧，面朝北回复到原位，此时，宗人诏告丧主下堂。尸身穿死者的上服。死者是男子，则以男子为尸。死者若是女子，则以女子为尸，但一定要以异姓的孙媳妇为尸，不得以庶孙之妾为尸。（以上记虞尸、侍尸的仪节）

无尸①，则礼及荐馔皆如初。既飨，祭于苴。祝祝卒，不绥祭②，无泰羹、湆、胾，从献。主人哭，出复位。祝阖牖户，降，复位于门西；男女拾踊三，如食间③。祝升，止哭；声三，启户。主人入；祝从，启牖、乡④，如初。主人哭，出复位。卒彻，祝、佐食降，复位。宗人诏降如初。

[注释]

①无尸：指没有可以为尸的孙辈。②绥祭：即前文"祝命佐食隋祭。佐食取黍稷肺祭，授尸，尸祭之"的过程。③食间：尸一食九饭的时间。④乡：为"飨"字之误。

[译文]

如果没有可以作尸的人，则衣服、即位、升降之礼，以及陈设祭品的仪节，都与有尸时一样。享祭之后，佐食者祭于白茅。祝宣读祝辞完毕，不再举行绥祭，原因是没有尸，没有大羹、肉汁、大块的肉，因为这是为尸加设的，也没有从献之礼。丧主号哭着，走出室门，回到西阶之上的位置。丧祝合上窗和门，下堂，回到门西侧的位置；男女们轮流顿足而哭三遍，所用的时间与尸一食九饭的时间差不多。丧祝上堂，制止众人哭泣，接连三次发出"噫兴"的叫声；然后打开室户。丧主入室，丧祝跟随其后，打开窗，飨食，仪节与先前一样。丧主号哭着，出室到西阶之上复位。撤完祭席，丧祝、佐食者下堂，回到原位。宗人像先前那样诏告丧主下堂。（以上记虞祭无尸时的仪节）

始虞用柔日①，曰："哀子某②，哀显相③，夙兴夜处不宁。

敢用洁牲刚鬣④、香合⑤、嘉荐⑥、普淖⑦、明齐溲酒⑧，哀荐祫事⑨，适尔皇祖某甫。飨！"再虞，皆如初，曰"哀荐虞事⑩"。三虞，卒哭，他⑪，用刚日，亦如初；曰"哀荐成事⑫"。

[注释]

①柔日：天干为乙、丁、己、辛、癸的日子。②哀子：丧主自称。③哀显相：指众子及嗣孙。④刚鬣：猪。⑤香合：黍。⑥嘉荐：菹醢。⑦普淖：黍稷。⑧明齐：新水。溲酒：酒名。⑨祫（xiá）：为新死者当祔于祖而在祖庙举行的合祭。⑩虞：新死者的魂魄将归安于祖庙。⑪他：三虞与卒哭相隔三个月，其间可能有其他的祭祀。⑫成：虞祭后礼成。

[译文]

第一次虞祭要用柔日，祝辞说："哀子某人，及其他居丧的直系亲属，日夜悲痛不安。冒昧地用洁牲猪、黍、菹菜、肉酱、黍、稷、新水酿的酒，哀痛地举行祫祭，以达于您皇考某某。献飨！"第二次虞祭，仪节都和第一次一样，只是最后一句要说成"哀痛地进行虞祭"。第三次虞祭，至三月后的卒哭，如果有其他祭祀，则要选择刚日，仪节与第一次相同；第三次虞祭时，最后一句要说成"哀痛地将虞祭之事进行完毕"。（以上记虞祭的用日及祝辞）

献毕①，未彻，乃馂②。尊两甒于庙门外之右③，少南。水尊在酒西④，勺北枋。洗在尊东南，水在洗东，篚在西。馔笾豆，脯四脡。有干肉折俎，二尹⑤，缩⑥，祭半尹，在西塾。尸出，执几从，席从。尸出门右，南面。席设于尊西北，东面。几在南。宾出，复位。主人出，即位于门东，少南；妇人出，即位于主人之北；皆西面，哭不止。尸即席坐。唯主人不哭，洗废爵，酌献尸；尸拜受。主人拜送，哭，复位。荐脯醢，设俎于荐东，朐在南⑦。尸左执爵，取脯擩醢，祭之。佐食授嚌。尸受，振祭，嚌，反之；祭酒，卒爵，奠于南方。主人及兄弟踊，妇人亦如之。主妇洗足爵，亚献如主人仪，无从，踊如初。宾长洗缩爵，三献，如亚献，踊如初。佐食取俎，实于筐。尸谡，从者奉筐，哭从之。祝前，哭者皆从，及大门内，踊如初。尸出门，哭者止。宾出，主人送，拜稽颡。主妇亦拜宾。丈夫说绖带于庙门外。入彻，主人不与。妇人说首绖，不说带。无尸，则不馈。犹出几席，设如初；拾踊三。哭止，告事毕，宾出。

[注释]

①献：献祭，卒哭有三献之祭。②馈：送行的酒。卒哭之后，尸将祔于祖庙，所以为之馈行。③庙门：此指寝门。④水：即玄酒。⑤尹：正。折断的肉干，外形必须规整。⑥缩：祭名。⑦朐（qú）：中间弯曲的干肉或肉脯。

[译文]

卒哭的三献之礼完毕，荐俎尚未撤去，就为尸馈行。两甒酒陈设在寝门外的右侧，稍向南的地方。盛玄酒的甒在盛酒的甒的西侧，勺柄朝北。洗陈设在甒的东南侧，水在洗的东侧，筐在西侧。陈设笾豆，笾中盛有干肉四条。在俎上放的折断的干肉，是两截外形很规整的，缩祭时则用半截，陈设在西塾。尸从室内出来时，执事者持几而从，执席者也跟从而出。尸出寝门后站在右侧，面朝南，等待设席。席设在甒的西北，面朝东。几设在席的南侧。宾出寝门后，回到朝夕哭时的位置。丧主出门后，在门东稍偏南的地方即位；妇人们出门后，在丧主的北边即位；都是面朝西，号哭不止。尸即席坐下。此时只有丧主不哭，洗涤没有足的爵，酌上酒后献给尸；尸行拜礼后接爵。丧主拜而送之，然后号哭，回到原位。进献干肉和肉酱，俎设在它的东侧，弯曲的干肉设在南侧。尸左手执爵，右手取干肉，在肉酱中蘸一蘸，然后致祭。佐食者将俎上干肉递给尸尝。尸接过干肉，进行振祭，接着尝一口，交还佐食者；然后祭酒，再将爵中之酒饮毕，将空爵放在南方。此时，丧主和众兄弟顿足而哭，妇人们也是如此。丧主之妇洗涤有足的爵，第二次向尸献酒，仪节与丧主献尸时一样，只是不以烤肉从献，顿足而哭与第一次献尸时一样。来宾之长洗涤口足之间有篆文的爵，第三次向尸献酒，其仪节与第二次献尸时一样，顿足而哭也是如此。佐食者拿起俎上的肉，放入筐中。尸起身，侍从者捧着筐，哭着跟随于后。丧祝在前引导，哭者都跟从于后，走到大门内时，众人像先前那样顿足而哭。尸出门时，哭者停止号哭。来宾出门时，丧主在门外相送，拜了又磕头。丧主之妇也在门内拜送来宾。男子们在庙门外脱去麻布的腰绖，换成葛布的腰绖。大功以下的亲属撤去馈尸的酒食，丧主不参与此事。妇人只脱首绖，不脱腰绖。如果无人可以为尸，则不必馈尸，但还是摆出几和席，摆法与上述相同；男女们轮流顿足而哭三遍。哭声停止后，宗人宣布祭事完毕，于是来宾出门。（以上记馈尸）

死三日而殡，三月而葬，遂卒哭。将旦而祔，则荐①。卒辞曰②："哀子某，来日某③，隮祔尔于尔皇祖某甫④。尚飨⑤！"女子，曰"皇祖妣某氏"。妇，曰"孙妇于皇祖姑某氏"。其他辞，一也。飨辞曰："哀子某，圭为而哀荐之⑥。飨！"

[注释]

①荐：即馈，卒哭之夕，为新死者将祔于祖庙而设的祭祀。②卒辞：荐毕告以将祔日期的祝辞。③来日：次日，祔祖庙之日。某：指代次日的干支。④隮（jī）：升。⑤尚：庶几，差不多。⑥圭：洁净。

[译文]

士死三日而移棺于殡宫，三月之后落葬，落葬后，举行卒哭之祭。次日天明举行祔祭，则当日夕时要举行荐祭。荐祭完毕，告知将祔日期的祝辞说："哀子某人，将于明天某干支，升祔您于您的皇祖某某之庙。庶几可以受到飨祀！"如果新死者是女子，祝辞说："祔于您的皇祖妣某氏之庙。"如果新死者是孙子的媳妇，祝辞说：

"孙妇祔于皇祖姑某氏。"其余的辞令,都是一样的。飨尸之辞说:"哀子某某,备下洁净的供品,哀敬地献上,请享用!"(以上记卒哭后告祔及飨尸之辞)

明日,以其班祔①。沐浴,栉,搔翦②。用专肤为折俎③,取诸脰脇④。其他如馈食。用嗣尸⑤。曰:"孝子某,孝显相,夙兴夜处,小心畏忌,不惰其身,不宁。用尹祭⑥、嘉荐、普淖、普荐⑦、溲酒,适尔皇祖某甫,以陊祔尔孙某甫。尚飨!"

[注释]

①班:次序,此指昭穆之序。②搔:通"爪",手足的指甲。③专:厚。④脇(yì):颈脖的肉。⑤用嗣尸:仍用虞祭卒哭之尸。嗣,相继。⑥尹祭:即脯。⑦普荐:铏中之羹。

[译文]

卒哭的次日,按新死者的昭穆次序祔于祖庙。至此,死者的亲属可以洗头、洗澡、梳头、剪指甲。将厚处的猪肉取下,放在丧主之妇以下的俎上,肉从猪的颈脖处取。其他的仪节与特牲馈食礼一样。尸还是由虞祭卒哭时的尸担任。祔祭之辞说:"孝子某某,及其他居丧的直系亲属,从早起到夜居,小心畏忌,不敢怠惰其身,不敢安宁。用干肉、菹菜、肉酱、黍稷、菜羹、溲酒致祭,以达于您皇祖某某,以升祔您的孙某某。请受飨!"(以上记祔祭之礼及告祔之辞)

期而小祥①,曰:"荐此常事。"又期而大祥②,曰:"荐此祥事。"中月而禫③。是月也,吉祭④,犹未配⑤。

[注释]

①小祥:祭名,士死一周年时举行。孝子自此除首服,服练冠。②大祥:祭名,士死二周年时举行,孝子自此除缞服,服朝服缟冠。③中:间隔。禫:

(dàn)：祭名，于大祥后一个月举行，孝子自此除服。④吉祭：指春、夏、秋、冬四季的常祭，常祭属吉祭，通常都要配祭。⑤犹未配：指母亲先亡，未与新亡的父亲配祭。父母的配祭，从禫祭之后才能开始。配，配祭。

[译文]

士死一周年而有小祥之祭，祝辞基本相同，只是最末一句变为"举行这如期的小祥之祭"。又过一周年而有大祥之祭，祝辞基本相同，只是末一句变为"举行这如期的大祥之祭"。再过一个月而有禫祭。这一个月，如果适逢四时常祭，虽是吉祭，仍不能将先亡故的母亲与新亡的父亲合祭。（以上记小祥、大祥、禫祭）

特牲馈食礼第十五

特牲馈食之礼①。不诹日②。及筮日，主人冠端玄，即位于门外，西面。子姓兄弟如主人之服③，立于主人之南，西面北上。有司群执事，如兄弟服，东面北上。席于门中，闑西阈外。筮人取筮于西塾④，执之，东面受命于主人。宰自主人之左赞命，命曰："孝孙某，筮来日某，诹此其事，适其皇祖某子⑤。尚飨！"筮者许诺，还，即席，西面坐。卦者在左，卒筮，写卦。筮者执以示主人。主人受视，反之。筮者还，东面。长占，卒，告于主人："占曰'吉'。"若不吉，则筮远日，如初仪。宗人告事毕。

[注释]

①特牲馈食之礼：诸侯之士在宗庙祭祀祖父、父亲的礼仪。依古礼，天子、国君祭祀用太牢，即牛、羊、猪各一；卿、大夫用少牢，即羊、猪各一；诸侯之士用一猪，即所谓特牲。馈食，是向鬼神进献牲和黍稷等祭品。②诹(zōu)：商议，选择。③子姓兄弟：受祭者的子孙。子姓，意为子所生。④筮人：官名。取筮：取蓍草。⑤某子：皇祖的字。

[译文]

诸侯之士的特牲馈食之礼：不预先商定祭祀的日期。到卜筮祭祀日期的那天，主人玄冠玄端，在庙门外的东边即位，面朝西。受祭者的子孙穿着与主人一样的服装，站立在主人的南侧，都面朝西，由北向南排列，而以北首为尊。有司和助祭的执事者们，身穿与受祭者的子孙同样的服装，在庙门西边就位，面朝东，由北向南排列，以北首为尊。有司在门中央的门槷之西、门限之外的地方铺席。筮人从西塾取蓍草，执持在手，面朝东听命于主人。宰在主人的左侧传达主人之命，命筮之辞说："孝孙某某，卜筮未来某日之吉凶，谋此祭事，以往皇祖某之庙祭祀。请皇祖某受飨！"筮者应诺后，转身回到西塾之席，面朝西而坐。卦者在其左侧，卜筮毕，将卦写在版上。筮者拿着版给主人看。主人接过来看了之后，还给筮者。筮者转身，面朝东而立。众筮者依年齿长幼之序占卜，占毕，禀告主人说："占卜的结果是'吉利'。"如果占卜的结果是不吉利，则再在本旬以外的日子里占筮、选择，其仪节与这一次一样。最后，宗人宣布筮日之事完毕。（以上是筮日）

前期三日之朝①，筮尸，如求日之仪。命筮曰："孝孙某，诹此某事，适其皇祖某子，筮某之某为尸②。尚飨！"

[注释]

①前期三日：祭祀前三天。②某之某：前一"某"字为父之字，后一"某"字为子之名。

[译文]

祭祀前三天的清早，通过卜筮来决定尸的人选，其仪节与筮祭日时一样。命筮之辞说："孝孙某某，谋此某事，以往祭于皇祖某某，筮问某人之子某某为尸。请受飨！"（以上为筮尸）

乃宿尸①。主人立于尸外门外。子姓兄弟立于主人之后，北面东上。尸如主人服，出门左，西面。主人辟；皆东面，北上。主人再拜，尸答拜。宗人摈辞如初，卒曰："筮子为某尸，占曰'吉'，敢宿!"祝许诺,致命。尸许诺,主人再拜稽首。尸入,主人退。

[注释]

①宿:是"䛍"的假借字,邀请。

[译文]

接着,前往邀请尸。主人站在尸家的外门之外,面朝北。受祭者的子孙站在主人身后,面朝北,从东向西排列,以东首为尊。尸穿着与主人一样的服装,出外门后站在左侧,面朝西。于是主人避位,与身后的众人一起变为面朝东,从北向南排列,以北首为尊。主人向尸拜两次,尸答拜还礼。宗人摈者的辞令,与宰赞命筮尸之辞大体相同,只是最末一句改为:"筮问由某子为某人的尸,占筮的结果是'吉利',所以冒昧地请您邀请他!"祝应诺,向尸转达主人之命。尸表示允诺,主人向尸拜两次后磕头。于是,尸入门,主人等退归。(以上是邀请尸)

宿宾。宾如主人服,出门左,西面再拜。主人东面,答再拜。宗人摈,曰:"某荐岁事,吾子将莅之,敢宿!"宾曰:"某敢不敬从!"主人再拜,宾答拜。主人退,宾拜送。

[译文]

前往邀请嘉宾。宾穿着与主人一样的衣服,出门后站在左边,面朝西向主人拜两拜。主人站在门右,面朝东,拜两拜作答。宗人为摈者,致辞说:"某人将有岁时之祭,想请您光临,特冒昧相邀!"宾回答说:"某人岂敢不恭敬从命!"主人拜两次,宾答拜还礼。主人退归,宾拜而送之。(以上是邀请嘉宾)

厥明夕①,陈鼎于门外,北面北上。有鼏。棜在其南②。南顺,实兽于其上③,东首。牲在其西④,北首,东足。设洗于阼阶东南,壶、禁在东序,豆、笾、铏在东房,南上。几、席、两敦在西堂。主人及子姓兄弟即位于门东，如初。宾及众宾即位于门西，东面北上。宗人、祝立于宾西北，东面南上。主人再拜，宾答再拜。三拜众宾，众宾答再拜。主人揖入，兄弟从，宾及众宾从，即位于堂下，如外位。宗人升自西阶，视壶濯及豆笾，反降，东北面告濯、具。宾出，主人出，皆复外位。宗人视牲，告充⑤。雍正作豕⑥。宗人举兽尾，告备⑦；举鼎鼏，告洁。请期，曰："羹饪⑧。"告事毕，宾出，主人拜送。

[注释]

①厥明夕：宿宾次日的傍晚，即致祭前一天的傍晚。②梜（yù）：盛放酒器的木盘。③兽：指腊兔。④牲：指猪。⑤充：肥大。⑥雍正：雍人之长，雍人是掌割烹的小吏。⑦备：完备。⑧羹饪：肉羹煮熟。

[译文]

邀请嘉宾的次日傍晚，将鼎陈设在庙门外，面朝北，由北向南排列，以北边的鼎为尊。有鼎盖。盛放酒器的木盘在鼎的南侧，从北向南排列，以北边的为尊，将腊兔放在木盘上，头朝东。祭牲在木盘的西侧，头朝北，足朝东。洗陈放在阼阶的东南，壶、承尊器陈放在东席，豆、笾、铏陈放在东房内，从南向北排列，以南首为尊。几、席、两个敦都陈放在西堂。主人和受祭者的子孙在庙门外的东侧即位，与初筮时一样。嘉宾和众宾在庙门外的西侧就位，面朝东，从北向南排列，而以北首的位置为尊。宗人和祝站在众宾的西北，面朝东，从南向北排列，而以南首的位置为尊。主人向宾拜两次，宾也拜两次作答。主人向众宾拜三次，表示遍拜，众宾拜两次作答。主人行揖致意后入门，兄弟跟从其后，宾和众宾跟从于兄弟之后，接着都在堂下即位，位置与在门外时一样。宗人从西阶上堂，检视荐献用的壶是否已洗净，以及豆笾等祭器，接着转身下堂，面朝东北禀告主人，所需器具均已洗净、备齐。于是，宾出庙门，主人随后出门，都回复到刚才在庙门外站立的位置。宗人检视祭牲是否合于要求，接着禀告主人，祭牲肥硕。雍正用竹策拨动作祭牲的猪，观察其声音、气息，以确认其是否健康。宗人掀起腊兔的尾巴，禀告主人腊物无伤缺；接着又掀起鼎盖，禀告主人鼎内洁净。然后向主人请示致祭的时间，主人说："明天一早肉羹煮熟时开始。"宗人宣布检视祭器、祭牲之事已经完毕，于是宾出门，主人拜而送之。（以上为检视祭器、祭牲）

夙兴，主人服如初，立于门外东方，南面，视侧杀①。主妇视饎爨于西堂下②。亨于门外东方③，西面北上。羹饪，实鼎，陈于门外，如初，尊于户东，玄酒在西。实豆、笾、铏，陈于房中，如初。执事之俎④，陈于阶间，二列，北上。盛两敦，陈于西堂，藉用萑⑤，几席陈于西堂，如初。尸盥匜水，实于槃中；簞巾，在门内之右。祝筵几于室中，东面。主妇纚笄，宵衣，立于房中，南面。主人及宾、兄弟、群执事，即位于门外。如初。宗人告有司具。主人拜宾如初，揖入，即位，如初。佐食北面立于中庭。

[注释]

①侧杀：杀一牲，"侧"与"特"意思相通，都是指独一。②饎：炊黍稷。爨：灶。③亨：通"烹"，煮。④执事：指宾和兄弟。⑤萑（huán）：细苇。

[译文]

祭祀之日清晨起身，主人身穿原来的衣服，站立在门外东侧，面朝南，亲自检视宰杀祭牲。主妇在西堂之下的灶前检视炊煮黍稷。烹煮猪、鱼、腊肉的灶在门外东方，都面朝西，从北向南排列，以北首的灶为尊。肉羹煮熟后，放入鼎内，陈设在门外，位置与头天一样。酒壶陈设在室户之东，玄酒在西侧。盛有食物的豆、笾、铏，陈设在房内，位置与头天一样。执事者们的俎，陈设在东西阶之间，从北往南排成两行，以北首的为尊。分别盛着黍稷的两个敦，陈设在西堂，垫在下面的席子，是用细莞织成的，几和席陈设在西堂，位置与头天的一样。尸洗手用的匜盛着水，放在盘中；竹箪内放着擦手巾，陈设在门内的右侧。祝将供神凭依的几铺设在室的西南隅，面朝东。主妇用帛束发，再加簪绾髻，身穿黑色之衣，站在房中，面朝南。主人和宾、兄弟、众执事者，都在门外即位，位置与头天的一样。宗人禀告主人：有司已准备完毕。主人拜宾，仪节与头天一样，然后相揖而入，各就其位，仪节也和头天一样。佐食者面朝北站立在庭中。（以上是致祭前的陈设及位次）

主人及祝升①，祝先入，主人从，西面于户内。主妇盥于房中，荐两豆：葵菹、蠃醢，醢在北。宗人遣佐食及执事盥，出。主人降，及宾盥，出。主人在右，及佐食举牲鼎。宾长在右，及执事举鱼腊鼎。除鼏。宗人执毕先入②，当阼阶，南面。鼎西面错，右人抽扃，委于鼎北。赞者错俎，加匕。乃朼。佐食升肵俎③，鼏之，设于阼阶西。卒载。加匕于鼎。主人升，入复位。俎入，设于豆东。鱼次，腊特于俎北。主妇设两敦黍稷于俎南，西上；及两铏芼设于豆南，南陈。祝洗，酌奠，奠于铏南，遂命佐食启会。佐食启会，却于敦南，出，立于户西，南面。主人再拜稽首。祝在左，卒祝，主人再拜稽首。

[注释]

①本节记"阴厌"，即尸入室之前，在屋角设祭席。②毕：祭器名，木制，前端分岔，指挥执事者陈放器物时用。③肵（qí）俎：盛祭牲心、舌的俎，用以敬尸。

[译文]

主人和祝上堂，接着，祝先走入室中，主人跟随其后，面朝西站在门内。主妇在房中洗手，然后进献两个豆，里面分别盛着葵菜和螺酱，酱放在北侧。宗人让佐食者和执事者洗手，然后出门。主人下堂，与宾洗手后，出门。主人在右侧，与站在左侧的佐食者抬起牲鼎。来宾之长在右侧，与站在左侧的执事者抬起鱼、腊之鼎，先除去鼎盖。宗人手执毕，先于抬鼎者入门，在正对着阼阶的地方，面朝南而立。鼎在庭中面朝西放置，鼎右侧的人抽去鼎杠，放在鼎的北侧。赞礼者将俎放在鼎的西侧，再在其上放匕。鼎右侧的人用匕取出鼎中的牲体。左侧的人将牲体放在俎上。佐食者准备好肵俎，盖好后，陈放在阼阶之西。三鼎内的牲体放置完毕，将匕放在鼎上。主人上堂，走入室中，回复原位。豕俎端入室中后，陈设在豆的东侧。再往东放鱼俎，腊俎单独放在豕俎之北。主妇将盛黍稷的两个敦陈设在俎的南侧，东西排列，以西边的敦为尊；盛肉羹和菜羹的两只铏陈设在豆的南侧，从北向南排列。祝洗涤爵觯，再酌上酒放好，放置在铏的南侧，接着命令佐食者打开敦盖。佐食者打开敦盖，仰置于敦的南侧，然后出室，站在门的西侧，面朝南。主人拜两次后磕头。祝在主人的左侧，向神致辞完毕，主人拜两次后磕头。（以上为阴厌）

祝迎尸于门外。主人降，立于阼阶东。尸入门左，北面盥。宗人授巾。尸至于阶，祝延尸；尸升，入；祝先，主人从。尸即席坐，主人拜妥尸①。尸答拜，执奠；祝飨，主人拜如初。祝命授祭②。尸左执觯，右取菹擩于醢③，祭于豆间。佐食取黍、稷、肺祭，授尸。尸祭之，祭酒，啐酒，告旨。主人拜。尸奠觯答拜；祭铏④，尝之，告旨。主人拜，尸答拜。祝命尔敦⑤。佐食尔黍稷于席上，设大羹湆于醢北。举肺脊以授尸。尸受，振祭，哜之，左执之；乃食，食举。主人羞肵俎于腊北。尸三饭，告饱。祝侑，主人拜。佐食举干⑥；尸受，振祭，哜之。佐食受。加于肵俎；举兽干、鱼一，亦如之。尸实举于菹豆。佐食羞庶羞四豆，设于左，南上，有醓。尸又三饭，告饱。祝侑之，如初；举骼及兽、鱼，如初。尸又三饭，告饱。祝侑之，如初；举肩及兽、鱼如初。佐食盛肵俎，俎释三个；举肺脊加于肵俎，反黍稷于其所。

[注释]

①妥：安坐。②挼（suī）祭：尸未食之前的祭祀。③㽞（ruán）：蘸，浸。④祭铏：祭铏中和有菜的肉羹。⑤尔：通"迩"，近。⑥干：牲的长肋。

[译文]

祝代表主人到庙门外迎接尸。主人下堂，站立在阼阶之东。尸入门后站在左侧，接着面朝北洗手。宗人递上擦手巾。尸走到西阶前，祝在他身后请他上堂；尸上堂后，入室；祝先从阼阶上堂，主人跟从于后。尸即席而坐，主人礼拜尸，请他安坐。尸答拜还礼，拿起放在铏南侧的酒觯；祝功尸饮酒，主人像先前那样对尸拜两次再磕头。祝命令举行挼祭。尸左手执觯，右手取菹菜，醮上肉酱，在两豆之间祭祀。佐食者取黍、稷、祭肺，献给尸。尸逐一致祭，接着祭酒，祭毕尝酒，并向主人称赞酒的甜美。主人礼拜尸。尸放下酒觯答拜还礼；然后，尸祭祀铏中的羹，祭毕尝羹，并向主人称赞羹的甜美。主人拜尸，尸答拜还礼。祝命令将敦移近尸。佐食者将盛黍稷的敦移至靠近尸的席上，接着，将大羹肉汁陈设在肉酱之北。又拿起肺脊献给尸。尸接过来，进行振祭，祭毕尝之，用左手拿着；于是食之，兼食肺脊。主人进献盛牲的心、舌的俎，放置在腊肉俎之北。尸取饭三次，告诉主人已经吃饱。祝劝尸再吃，主人拜尸。佐食者将牲的长肋献给尸，尸接受后振祭，再尝肋。佐食者接过吃剩的肋，放在心、舌之俎上；接着又献上兽肋和一条鱼，其间仪节与献长肋时一样。尸将吃剩的肺脊放在盛菹的豆上。佐食者进上各种食品共四豆，陈设在左边，从南往北排列，以南首的为尊，内有一豆是肉酱。尸又取饭三次，告诉主人已经吃饱。祝劝尸再吃,其仪节与前一次劝食一样;佐食者又献上牲的前肢以及兽、鱼,其仪节与前一次献食时一样。尸又取饭三次,告诉主人已经吃饱。祝劝尸再吃,其仪节与第一次劝食时一样;佐食者又献上牲肩及兽、鱼,其仪节与第一次献食时一样。佐食者将尸吃剩的食物放在心、舌之俎上,准备让尸带回去,原来的俎上,每俎只留一块脊骨、一根长肋和一个鱼头;又将菹豆上的肺脊放在带走的俎上,将黍稷放回原处。(以上是尸九饭)

主人洗角①,升酌,酳尸②。尸拜受,主人拜送。尸祭酒,啐酒,宾长以肝从。尸左执角,右取肝揾于盐,振祭,哜之,加于菹豆,卒角。祝受尸角,曰:"送爵!皇尸卒爵。"主人拜,尸答拜。祝酌授尸,尸以醋主人③。主人拜受角,尸拜送。主人退,佐食授挼祭。主人坐,左执角,受祭祭之;祭酒,啐酒,进听嘏④。佐食抟黍授祝⑤,祝授尸。尸受以菹豆,执以亲嘏主人。主人左执角,再拜稽首受,复位;诗怀之⑥,实于左袂,挂于季指;卒角,拜。尸答拜。主人出,写啬于房⑦;祝以笾受。筵祝,南面。主人酌献祝,祝拜受角,主人拜送。设菹醢、俎。祝左执角,祭豆,兴取肺,坐祭,哜之,兴加于俎,坐祭酒,啐酒,以肝从。祝左执角,右取肝揾于盐,振祭,哜之,加于俎,卒角,拜。主人答拜,受角,酌献佐食。佐食北面拜受角。主人拜送。佐食坐祭。卒角,拜。主人答拜,受角;降,反于篚;升,入复位。

[注释]

①角:饮酒器名。②酳(yìn):献酒,尸食毕后献酒,有主人初献、主妇亚献、宾长三献。③醋:即酢,回敬酒。④听:静待。嘏(gǔ):祝福之辞。⑤抟(tuán):用手团物。⑥诗:即持,拿。⑦写:通"泻",倒出。啬:通"穑",指黍。

[译文]

主人洗涤角杯，上堂酌酒，献给尸。尸拜而受之，主人拜而送之。尸祭酒，祭毕尝酒，来宾之长接着献上肝。尸左手执角杯，右手取肝，蘸上盐，振而祭之，祭毕尝肝，再将吃剩的肝放在菹豆上，然后将角杯中的酒喝完。祝接过空角杯，禀告主人："这是您拜送的酒爵！尸已将爵中的酒饮完。"主人拜尸，尸答拜还礼。祝酌酒献给尸，尸用它回敬主人。主人行拜礼后接过角杯，尸拜而送之。主人退回原位，佐食者将尸吃剩的黍稷等给主人，以此致祭。主人遂坐下，左手执角杯，右手接过佐食者送上的黍稷等祭祀；接着祭酒，祭毕尝酒。然后走到尸的前面，等待尸传达神意，致祝福之辞。佐食者将黍饭搓成团交给祝。祝又献给尸。尸用菹豆接受黍饭团，然后拿着，亲自向主人致祝福之辞。主人左手执角杯，向尸拜两次再磕头，然后接过黍饭团，回到原位；先将黍饭团捧着放入怀中，再放入左袖内，将袖口挂在左手小指上；接着，主人将角杯中的酒饮毕，礼拜尸。尸答拜还礼。主人出室走入房中，将左袖内的黍饭团倒出来；祝用筐接住。接着，为祝铺席，面朝南。主人在角杯中酌上酒后献给祝，祝拜主人后接过角杯，主人拜而送之。于是陈设菹菜、肉酱和俎。祝左手执角杯，右手祭豆，接着起身取肺，再坐下致祭，祭毕尝之，再起身将肺放在俎上，然后坐下祭酒，祭毕尝酒，主人接着献上肝。祝左手执角杯，右手取肝蘸上盐，振而祭之，祭毕尝肝，然后放在俎上，将角杯中的酒饮完后，向主人行拜礼。主人答拜还礼，接过空角杯，酌上酒献给佐食者。佐食者面朝北礼拜主人后接过角杯，主人拜而送之。于是，佐食者坐下祭酒，接着将角杯中的酒饮完，向主人行拜礼。主人答拜还礼，并接过空角杯；然后下堂，将角杯放回筐中；再上堂，入室回到原位。（以上是主人初献）

主妇洗爵于房，酌，亚献尸。尸拜受，主妇北面拜送。宗妇执两笾①，户外坐；主妇受，设于敦南。祝赞笾祭。尸受，祭之，祭酒，啐酒。兄弟长以燔从。尸受，振祭，哜之，反之。羞燔者受，加于肵，出。尸卒爵，祝受爵，命送如初。酢，如主人仪。主妇适房，南面。佐食授祭。主妇左执爵，右抚祭②，祭酒，啐酒；入，卒爵，如主人仪。献祝，笾燔从，如初仪。及佐食，如初。卒，以爵入于房。

[注释]

①宗妇：指来助祭的同宗之妇。②抚祭：抚摸祭品而祭。

[译文]

主妇在房中洗涤酒爵，酌上酒，第二次向尸献酒。尸拜主妇后接过酒爵，主妇面朝北拜而送之。宗妇手执盛有枣、栗的两只笾，坐在门外；主妇接过笾，将它们陈设在敦的南侧。祝协助祭笾中的枣、栗。尸接过笾，祭枣、栗，然后祭酒，祭毕尝酒。兄弟中的最年长者接着献上烤肉。尸接过后，振而祭之，再尝一口，然后递还。献烤肉者接过来，放在盛牲的心、舌的俎上，然后退出。尸将爵中的酒饮完，祝接过空爵，命主妇拜尸，就像初献时命主人拜尸一样。尸用酒回敬主妇，其仪节与回敬主人一样。主妇走到房中，面朝南而立。佐食者请主妇亲祭。主妇左手执爵，右手抚祭品而祭，接着祭酒，祭毕尝酒；然后入室，将爵中的酒饮完，其仪节与主人初献时一样。主妇洗爵，酌酒献给祝，接着献上盛有枣、栗的笾和烤肉，其仪节与初献时一样。向佐食者献酒，仪节与初献时一样。二献结束，主妇拿着空爵进入房内。（以上为主妇亚献）

宾三献，如初①。燔从如初。爵止②。席于户内。主妇洗爵，酌，致爵于主人。主人拜受爵。主妇拜送爵。宗妇赞豆如初，主妇受，设两豆两笾。俎入设。主人左执爵，祭荐；宗人赞祭。奠爵；兴取肺，坐绝祭，哜之；兴加于俎，坐挩手，祭酒，啐酒；肝从。左执爵，取肝挼于盐，坐振祭，哜之。宗人受，加于俎。燔亦如之。兴，席末坐卒爵，拜。主妇答拜，受爵，酌醋，左执爵，拜；主人答拜。坐祭，立饮，卒爵，拜；主人答拜。主妇出，反于房。主人降，洗，酌，致爵于主妇，席于房中，南面。主妇拜受爵。主人西面答拜。宗妇荐豆、俎，从献皆如主人。主人更爵酌醋，卒爵，降；实爵于篚，入复位。三献作止爵。尸卒爵，酢。酌献祝及佐食。洗爵，酌致于主人、主妇，燔从皆如初。更爵，酢于主人；卒，复位。

[注释]

①如初：如亚献。②爵止：尸将宾所献之爵放下不举。

[译文]

宾第三次向尸献酒，其仪节与主妇亚献时一样。献酒后接着献烤肉的仪节也和亚献时一样。尸将宾所献之爵放下不举。于是，在室户之内为主人铺席。主妇洗涤酒爵后，酌上酒，将爵献给主人。主人行拜礼后接过爵。主妇拜而送爵。宗妇像亚献时那样协助设笾豆，主妇接过来后，陈设两豆两笾。佐食者拿着俎入室陈放。主人左手执爵，祭送上来的祭品；宗人协助致祭。接着，主人放下酒爵，起身取肺，又坐下扯断肺祭祀，祭毕尝肺；再起身将肺放在俎上，然后坐下擦手，再祭酒，祭毕尝酒；接着献上肝。主人左手执爵，右手取肝蘸上盐，坐着振而祭之，然后尝肝。宗人接过肝，放在俎上。接着献烤肉，其仪节也是如此。于是，主人起身，再在席末坐着，将爵中的酒饮完，向主妇行拜礼。主妇答拜还礼，接过空爵，酌上酒回敬主人，主妇左手执爵，向主人行拜礼，主人答拜还礼。主妇坐着祭祀，站起来饮酒，将爵中之酒饮毕，向主人行拜礼，主人答拜还礼。主妇出室，返回到房中。于是，主人下堂，洗涤酒爵，酌上酒，将爵献给主妇，主妇之席在房中，面朝南。主妇向主人行拜礼后接过爵，主人面朝西答拜还礼。宗妇进献豆、俎，其仪节以及接着献上的食品，都与主人初献时一样。主人更换酒爵，酌酒后自酢，将爵中的酒饮尽后，下堂；将空爵放入筐中，然后入室回到原位。主人、主妇致爵完毕，宾请尸饮三献时所放下的爵。尸将此爵的酒饮毕，宾又酌酒自酢。接着，宾又酌酒献给祝及佐食者。然后，再洗爵，酌上酒献给主人、主妇，接着献烤肉，其仪节与亚献时一样。献毕，又更换一爵，回敬主人；主人饮毕，宾回到堂下原位。（以上为宾三献）

主人降阼阶，西面拜宾，如初；洗。宾辞洗。卒洗，揖让升，酌，西阶上献宾。宾北面拜受爵。主人在右。答拜。荐脯醢，设折俎。宾左执爵，祭豆，奠爵；兴取肺，坐绝祭，嚌之；兴加于俎，坐挩手，祭酒，卒爵，拜。主人答拜，受爵，酌酢，奠爵，拜。宾答拜。主人坐祭，卒爵，拜。宾答拜，揖，执祭以降①，西面奠于其位；位如初。荐、俎从设。众宾升，拜受爵，坐祭，立饮。荐、俎设于其位，辩。主人备答拜焉，降，实爵于筐。尊两壶于阼阶东，加勺，南枋，西方亦如之。主人洗觯，酌于西方之尊，西阶前北面酬宾；宾在左。主人奠觯拜，宾答拜。主人坐祭，卒觯，拜。宾答拜。主人洗觯，宾辞；主人对，卒洗，酌，西面；宾北面拜。主人奠觯于荐北。宾坐取觯，还，东面，拜；主人答拜。宾奠觯于荐南，揖复位。主人洗爵，献长兄弟于阼阶上，如宾仪。洗，献众兄弟，如众宾仪。洗，献内兄弟子房中，如献众兄弟之仪。主人西面答拜，更爵酢，卒爵；降，实爵于筐；入复位。

[注释]

①祭：指放在地上的脯、肺等祭品。

[译文]

主人从阼阶下堂，面朝西拜宾，其仪节与检视祭器洗涤情况时一样；接着洗爵，准备向宾献酒。宾谦辞。主人洗完爵，与宾揖让后上堂，再酌上酒，在西阶之上献宾。宾面朝北拜主人后接爵。主人在宾的右侧，答拜还礼。接着，进献干肉和肉酱，陈放放有节解的牲体的折俎。宾左手执爵，右手取豆中的肉酱祭祀，再放下爵；又起身取折俎上的肺，坐下将肺扯断后祭祀，再尝肺；然后起身将肺放在俎上，再坐下擦手，接着祭酒，祭毕将爵中的酒饮完，向主人行拜礼。主人答拜还礼，接过空爵，酌上酒回敬宾，将酒爵放下，向宾行拜礼。宾答拜还礼。主人坐着祭祀，祭毕将爵中的酒饮完，向宾行拜礼。宾答拜还礼，向主人行揖致意后，拿起地上的祭品下堂，面朝西放于原位；祭品像以前那样面朝东，笾豆和俎接着往东放。众宾上堂，拜主人后接过酒爵，坐下祭祀，再站起来饮酒。笾豆和俎陈设在每位宾的席前，一一放遍。主人一一答拜后，下堂，将众宾用过的爵放入筐中。两只盛酒的壶陈设在阼阶之东，上面放着勺，柄朝南，西阶之西的两壶酒的放法也是如此。接着，主人洗酒觯，从西阶之西的酒壶中酌酒，然后在西阶之前面朝北酬宾；宾在左边。主人放下觯拜宾，宾答拜还礼。主人坐下祭祀，接着将觯中的酒饮完，拜宾。宾答拜还礼。主人洗觯，准备向宾献酒，宾谦辞；主人以辞答对，将觯洗好，酌上酒，面朝西而立；宾面朝北行拜礼。主人将觯放在祭品的北侧。宾坐下取觯，转身，面朝东，拜主人；主人答拜还礼。宾将觯放在祭品的南侧，向主人行揖致意后回到原位。主人洗爵，酌上酒，在阼阶之上向兄弟中的年长者献酒，其仪节与向宾献酒一样。主人又洗爵、酌酒，献给众兄弟，其仪节与向众宾献酒一样。主人又洗爵、酌酒，到房中献给姑姐妹和宗妇，其仪节与向众兄弟献酒一样。主人面朝西答拜还礼，接着更换酒爵，酌酒自酬，将爵中的酒饮完；下堂，将爵放入筐

中；然后入室，回到原位。（以上为向宾和兄弟等献酒）

长兄弟洗觚为加爵①，如初仪，不及佐食；洗致如初。无从。众宾长为加爵，如初，爵止。

[注释]

①加爵：加献之礼所用的爵。大夫、士的特牲馈食礼，正礼为三献之礼，如果除此之外还有其他仪节，则称为加礼。

[译文]

兄弟中的年长者洗觚，作为加献之礼的酒杯，其献尸、拜受、拜送等仪节，与宾三献之礼一样，但献酒不及于佐食者；洗觚，致觚于主人、主妇，其仪节也与宾三献一样，但没有肝、烤肉等从献的食品。众宾的长者行加献之礼，其仪节也与宾三献一样，但尸接爵后放下不饮，等旅酬完毕再饮。（以上是兄弟之长、众宾长加爵）

嗣举奠①，盥入，北面再拜稽首。尸执奠，进受，复位。祭酒，啐酒。尸举肝。举奠左执觯，再拜稽首，进受肝，复位；坐食肝，卒觯，拜。尸备答拜焉②。举奠洗酌入，尸拜受，举奠答拜。尸祭酒，啐酒，奠之。举奠出，复位。

[注释]

①嗣：嗣子，主人的继承人。奠：尸入室前，祝放置在铏南边的酒爵，尸入室后祭而未饮，此时嗣子方举而饮之。②备：尽。

[译文]

主人的嗣子举起放置在铏南边的爵饮尽，再洗手入室，面朝北向尸拜两次后磕头。尸执爵，上前授给嗣子后，回到原位。嗣子祭酒，祭毕尝酒。尸拿起肝献给嗣子。嗣子举起觯用左手拿着，向尸拜两次后磕头，上前接过肝，回到原位；然后坐下吃肝，又将觯中的酒饮毕，再拜尸。尸每次都答拜还礼。嗣子拿空觯出室洗涤，酌上酒后又入内献给尸，尸拜而受之，嗣子举觯答拜。于是，尸祭酒，祭毕尝酒，然后放下酒觯。嗣子拿起觯出室，回到东阶下的原位。（以上是嗣子献尸）

兄弟弟子洗酌于东方之尊①，阼阶前北面，举觯于长兄弟，如主人酬宾仪。宗人告祭脀②。乃羞③。宾坐取觯，阼阶前北面，酬长兄弟；长兄弟在右。宾奠觯拜，长兄弟答拜。宾立卒觯，酌于其尊，东面立。长兄弟拜受觯；宾北面答拜，揖，复位。长兄弟西阶前北面，众宾长自左受旅，如初。长兄弟卒觯，酌于其尊，西面立。受旅者拜受。长兄弟北面答拜，揖，复位。众宾及众兄弟交错以辩④。皆如初仪。为加爵者作止爵⑤，如长兄弟之仪。长兄弟酬宾，如宾酬兄弟之仪，以辩。卒受者实觯于篚。宾弟子及兄弟弟子洗，各酌于其尊，中庭北面，西上；举觯于其长，奠觯，拜；长皆答拜。举觯者祭，卒觯，拜；长皆答拜。举觯者洗，各酌于其尊，复初位；长皆拜。举觯者皆奠觯于荐右。长皆执以兴，举觯者皆复位答拜。长皆奠觯于其所，皆揖其弟子，弟子皆复其位。爵皆无算。

[注释]

①弟子：后生者。兄弟弟子，即兄弟之弟，兄弟中最年幼者。②脀（zhēng）：牲体放在俎上，此指俎上的肺。③羞：庶羞，为饮酒而设，自祝、主人以至内宾，每人四豆。④交错：众宾执觯由西往东酬众兄弟，众兄弟又执觯由东往西酬众宾，彼此东西互酬。⑤为加爵者：众宾之长。

[译文]

兄弟中最年幼者洗觯，再到东阶之东的壶中酌酒，然后站在阼阶前，面朝北，将觯献给兄弟中的最年长者，其仪节与主人酬宾时一样。宗人宣布，众宾、众兄弟等以自己俎上的肺致祭。接着献上庶羞。宾坐下取觯，然后走到阼阶之前，面朝北酬敬兄弟中的最年长者，被酬者居右侧。宾放下觯行拜礼，兄弟中的最年长者答拜还礼。宾站着将觯中的酒饮完，又到东阶之东的壶中酌酒，面朝东而立。兄弟中的最年长者拜宾后接觯；宾面朝北答拜还礼，接着向兄弟中的最年长者行揖致意，再回到原位。兄弟中的最年长者走到西阶之前，面朝北酬敬众宾之长，众宾之长在其左侧受觯，其仪节与宾酬兄弟之长一样。兄弟中的最年长者将觯中的酒饮完，到西阶之西的壶中酌酒，然后面朝西而立。众宾之长行拜礼后接觯。兄弟中的最年长者面朝北答拜还礼，行揖致意后，回到原位。众宾与众兄弟东西互酬而遍，其仪节与宾酬兄弟之长、兄弟之长酬宾一样。众宾之长请尸将旅酬前置而未饮的爵中之酒饮完。其仪节与兄弟之长为加爵一样。兄弟中的最年长者酬众宾，其仪节与众宾酬兄弟一样。每人都酬遍。最后一位受觯者将空觯放入篚中。宾中的年幼者和兄弟中的年幼者洗觯，然后分别到西阶之西和东阶之东的壶中酌酒，再到庭中面朝北而立，以站在西侧者为尊；接着分别将觯献给自己的年长者，先放下觯，向长者行拜礼；长者都答拜还礼。年幼者举觯祭祀，接着将觯中的酒饮完，然后向年长者行拜礼；年长者都答拜还礼。年幼者洗觯，又分别到西阶之西和东阶之东的壶中酌酒，再回到刚才向年长者献酒的位置；年长者都行拜礼。年幼者都将觯放在祭品之右。接着，年长者都执觯起身，年幼者都回到庭中的原位答拜还礼。年长者又都将觯放在原处，向各自的年幼者行揖致意，年幼者回到阶下各自的位置。随后，众宾客与众兄弟互相劝饮，不计次序和爵数。（以上为旅酬）

利洗散[①]，献于尸；酢；及祝；如初仪。降，实散于篚。主人出，立于户外，西面。祝东面告利成[②]。尸谡，祝前，主人降。祝反，及主人入，复位。命佐食彻尸俎，俎出于庙门；彻庶羞，设于西序下。

[注释]

①利:佐食者。散:酒器名,卑贱者敬酒时所用。②利:供养。

[译文]

佐食者洗涤酒器散,酌酒后献给尸;尸酌酒回敬佐食者;佐食者又酌酒献给祝;其仪节与宾长加爵时一样。接着,佐食者下堂,将散放入篚中。主人出室,站在门外,面朝西。祝面朝东禀告主人,供养之礼已成。尸起身,祝为其前导,主人下堂。尸出门后,祝返回,等主人入室后,再回到原位。主人命佐食者撤去尸的俎,并将它送出庙门,让尸的侍者带回去;又撤去各种肴羞,改设在西序之下。(以上为祭祀时的应酬)

筵对席①,佐食分簋铏②。宗人遣举奠及长兄弟盥,立于西阶下,东面北上。祝命尝食,馂者举奠许诺③,升,入,东面。长兄弟对之,皆坐。佐食授举,各一胏。主人西面再拜,祝曰:"馂,有以也。"两馂奠举于俎,许诺,皆答拜。若是者三。皆取举,祭食④,祭举⑤;乃食,祭铏,食举。卒食,主人降洗爵,宰赞一爵。主人升酌,酳上馂⑥,上馂拜受爵,主人答拜;酳下馂⑦,亦如之。主人拜,祝曰:"酳,有与也。"如初仪。两馂执爵拜,祭酒,卒爵,拜。主人答拜。两馂皆降,实爵于篚。上馂洗爵,升酌,酢主人;主人拜受爵。上馂即位坐,答拜。主人坐祭,卒爵,拜。上馂答拜,受爵,降,实于篚。主人出,立于户外,西面。

[注释]

①筵对席:在尸席对面另设一席。尸席在东侧,此席在西侧,由嗣子与长兄弟对坐,以便"馂"。②分簋铏:将敦中的黍分出一半到盖上,以供给东西席用;铏有两个,则东西席各得其一,此簋即敦。③馂(jùn):剩饭,吃尸剩下的食物。④祭食:祭饭。⑤祭举:祭肉。⑥上馂:嗣子。⑦下馂:长兄弟。

[译文]

在尸席的对面另设一席，以便举行馂礼。佐食者将敦中的黍分一半到仰置的盖上，分送至东西二席，两个盛羹的铏也分送二席。宗人让嗣子及兄弟之长洗手，洗毕站在西阶下等候，面朝东，尊者站在北侧。祝告诉说，开始尝食。兄弟之长和嗣子应诺，接着上堂、入室，嗣子面朝东，兄弟之长在其对面，都坐下。佐食者将俎上剩下的猪肉授给两人，各一块。主人面朝西拜两次，祝说："你们能在此吃尸的余食，是因为先祖有德而受享此祭。"两位馂食者举肉于俎，应诺，都答拜还礼。如此反复叮咛三遍。祝诏告时，两人都将俎上的肉举起来，接着祭饭，祭肉；然后吃饭，祭铏中的羹，吃肉。食毕，主人下堂洗爵，宰帮着洗一只爵。主人上堂酌酒，献给嗣子，嗣子行拜礼后接爵，主人答拜还礼；接着酌酒献给兄弟之长，其仪节也是如此。主人行拜礼后，祝又说："你们饮此酒，当知兄弟相睦。"其仪节与前面一样。两位馂食者执爵而拜，然后祭酒，祭毕将爵中的酒饮完，又拜。主人答拜还礼。两位馂食者都下堂，将空爵放入筐中。嗣子另取一爵，洗过后，上堂酌酒，回敬主人；主人拜而受爵。嗣子即位坐下，答拜还礼。主人坐下祭祀，祭毕将爵中的酒饮完，又拜。嗣子答拜还礼，接过空爵，下堂放入筐中。于是主人出室，站在室门外，面朝西。（以上为嗣子和兄弟之长馂食）

祝命彻阼俎、豆、笾①，设于东序下。祝执其俎以出，东面于户西。宗妇彻祝豆、笾入于房，彻主妇荐、俎②。佐食彻尸荐、俎、敦，设于西北隅，几在南，扉用筵，纳一尊。佐食阖牖户，降。祝告利成，降，出。主人降，即位。宗人告事毕。宾出，主人送于门外，再拜。佐食彻阼俎。堂下俎毕出。

[注释]

①阼俎：主人之俎。②荐：豆、笾。

［译文］

祝命佐食者撤去主人的俎、豆、笾，陈设在东序下。祝拿起自己面前的俎出室，面朝东站在室门之西。宗妇撤去祝的豆、笾，放入房内，又撤去主妇的荐、俎。佐食者撤去尸的荐、俎、敦，陈设在室的西北角，几放在席的南侧，用席围隔，再放一酒尊。接着，佐食者合上窗门，下堂，祝禀告主人，供养之礼已成，然后下堂，出门。于是，主人下堂，在东阶下即位。宗人宣布礼毕。宾出门时，主人送到大门外，拜两次。佐食者撤去主人之俎，收藏起来。堂下的俎也都拿出门，让亲友带回家。（以上为阳厌）

记

特牲馈食，其服皆朝服，玄冠、缁带、缁韠。唯尸、祝、佐食玄端，玄裳、黄裳、杂裳可也①，皆爵韠。

［注释］

①玄裳为上士所服，黄裳为中士所服，杂裳为下士所服。

［译文］

记

参加特牲馈食之礼，宾及助祭的众兄弟都穿朝服，头戴浅黑色的冠，腰束黑色大带，腹下膝上围着黑色的蔽膝。只有尸、祝、佐食者穿玄端服，下身穿玄裳或黄裳、杂裳，依其身份而定，但围在腹下膝上的蔽膝都是雀色的。（以上记致祭时的衣冠）

设洗，南北以堂深，东西当东荣。水在洗东。篚在洗西，南顺，实二爵、二觚、四觯、一角、一散。壶、棜禁①，馔于东序，南顺，覆两壶焉②，盖在南；明日卒奠，幂用绤；即位而彻之，加勺。笾，巾以绤也，纁里，枣烝，栗择。铏芼，用苦，若薇，皆有滑；夏葵，冬荁。棘心匕刻③。牲爨在庙门外东南，鱼腊爨在其南，皆西面；

馈爨在西壁。肵俎心舌，皆去本末④，午割之⑤，实于牲鼎，载心立、舌缩俎。宾与长兄弟之荐，自东房，其馀在东堂。

[注释]

①棜、禁都是承置壶、尊的器具，棜无足，禁有足。②覆：倒扣。③棘心：棘木的心部。刻：刻成龙首形。④本末：指心舌的两端。⑤午割：纵横割划。古文的"午"字作纵横交叉形。

[译文]

在庭中设置洗，洗与堂的南北间距与堂的深度相同，其东西方的位置则是正对着堂东角的屋檐。洗手用的水放在洗的东侧。筐在洗的西侧，从北往南排列，里面放着两只爵、两只觚、四只觯、一只角、一只散。壶和承尊的棜禁，陈设在东序，从北往南放，两只壶倒扣着放在上面，壶盖在南侧；次日致祭时，再将壶翻过来，盛上酒，用粗葛布遮盖；在主人入室即位时再撤去壶盖，放上勺。盛果品的笾上，覆盖着粗葛布做的夹层巾，里子是浅绛色的；笾里的枣是蒸熟的，栗是挑选过的。铏中的菜羹，用的是苦菜，或者薇菜，都有晒干的；夏天用葵菜，冬天用堇菜。用棘木心做的匕刻成龙首形。煮祭牲的灶在庙门外的东南方，煮鱼和腊肉的灶在其南侧，都是面朝西；煮黍稷的灶在西壁前。肵俎上放着的心和舌，都切去了两头，交叉割划过，然后放入牲鼎内，煮熟后放在俎上时，心要立着放，舌要纵向放。宾和兄弟之长的食物先放在东房，其余人的食物则先放在东堂。（以上记器具等的陈设）

沃尸盥者一人。奉槃者东面，执匜者西面，淳沃①；执巾者在匜北。宗人东面取巾，振之三②，南面授尸；卒，执巾者受。尸入，主人及宾皆辟位；出亦如之。

[注释]

①淳沃：徐徐浇水于手。②振之三：抖动三次，以去掉灰尘。

[译文]

尸洗手时,执匜浇水、捧盘接水、执巾各一人。捧盘者面朝东,执匜者面朝西,徐徐浇水;执巾者站在执匜者的北侧。尸洗完手,宗人面朝东接过擦手巾,抖动三次,然后面朝南递给尸;尸擦完手,执巾者接过擦手巾。尸入门时,主人和宾都要从自己的位置退避;尸出门时也是如此。(以上记侍奉尸的礼节)

嗣举奠①,佐食设豆、盐。佐食当事②,则户外南面;无事,则中庭北面。凡祝呼,佐食许诺。宗人,献与旅齿于众宾③。佐食,于旅齿于兄弟。

[注释]

①奠:指肝。②当事:将要有事。③齿于众宾:与众宾一起,按年齿长幼排序。

[译文]

嗣子举肝而食时,佐食者为之专设一豆,里面放着盐。佐食者将要有事时,则在室门外面朝南而立;没有事时,则在庭中面朝北而立。凡是祝有事呼唤时,佐食者要应诺。宗人,在主人献酒和旅酬时,与众宾一起按年齿排序。佐食者,在旅祭时与兄弟一起按年齿排序。(以上记佐食者与宗人的位次)

尊两壶于房中西墉下,南上。内宾立于其北①,东面南上。宗妇北堂东面,北上。主妇及内宾、宗妇亦旅,西面。宗妇赞荐者,执以坐于户外,授主妇。

[注释]

①内宾:指姑姊妹。

[译文]

将两只盛酒的壶陈设在房内的西墙下,南北排列,以南侧的壶为尊。内宾们站在壶的北边,面朝东,从南向北排列,以站在南首者为尊。宗妇站在北堂,面朝东,从北向南排列,以站在北首者为尊。主妇和内宾、宗妇也行旅酬之礼,行礼时面朝西。宗妇中的助祭者,献笾豆时要捧着坐在室门之外,再授给主妇。(以上记内宾、宗妇的位置和旅酬等仪节)

尸卒食,而祭馈爨、雍爨①。宾从尸②,俎出庙门,乃反位。

[注释]

①馈爨:炊黍稷的灶。雍爨:统指烹煮牲、鱼、腊肉的灶。雍,通"饔",割、烹、煎、和的总称。②从尸:送尸。

[译文]

尸食毕,助祭的宗妇祭祀炊黍稷的灶,饔人祭祀烹煮牲、鱼、腊肉的灶。助祭的宾送尸出门,等尸的俎拿出庙门后,才能入庙门返回原位。(以上记祭灶和宾送尸)

尸俎:右肩、臂、臑、肫、胳①,正脊二骨,横脊,长胁二骨,短胁。肤三,离肺一,刌肺三②,鱼十有五。腊如牲骨。祝俎:髀、脡脊二骨③,胁二骨,肤一,离肺一。阼俎:臂,正脊二骨,横脊,长胁二骨,短胁。肤一,离肺一。主妇俎:觳折④,其馀如阼俎。佐食俎:觳折,脊,胁。肤一,离肺一。宾,骼。长兄弟及宗人,折,其馀如佐食俎。众宾及众兄弟、内宾、宗妇,若有公有司⑤、私臣,皆觳膋,肤一,离肺一。

[注释]

①臑(nào):牲的前肢。肫(chún):牲后股骨的上部。胳:牲的后胫

骨。②刌（cǔn）：切断。③脡（tǐng）脊：中脊。脡，直。④觳（què）折：折祭牲的后右足。⑤公有司：士的同僚、朋友。

[译文]

尸的俎上放着：牲体右半边的肩，前肢的上臂、下臂，后肢的上段、胫骨，前脊两块，后脊一块，长胁两块，短胁一块。颈脖上的肉皮三块，划割而不切断的肺一块，切断的肺三块，鱼十五条。腊肉有骨者，部位及数目与牲骨一样。祝的俎上放着：股骨一块，中脊两块，前胁两块，颈脖上的肉皮一块，划割而不切断的肺一块。主人的俎上放着：牲体的左臂，正脊两块，后脊一块，长胁两块，短胁一块。颈脖上的肉皮一块，划割而不切断的肺一块。主妇的俎上放着：折解的牲后右足，其余与主人俎上的一样。佐食者的俎上放着：折解的牲后右足，脊一块，胁一块。颈脖上的肉皮一块，划割而不切断的肺一块。宾的俎上放着：后胫骨一块，其他与佐食者一样。兄弟中的最年长者和宗人的俎上有：折解的牲后右足，其他与佐食者一样。众宾以及众兄弟、内宾、宗妇，如果有前来助祭的同僚、朋友、私臣，其俎上都放带肉的骨一块，颈脖上的肉皮一块，划割而不切断的肺一块。（以上记各俎的牲体之数）

公有司，门西，北面东上，献次众宾。私臣，门东，北面西上，献次兄弟。升受，降饮。

[译文]

前来助祭的众宾及众兄弟等的同僚、朋友，祭祀时站在门的西侧，面朝北，从东向西排列，以站在东首者为尊，献酒时与众宾一起按年齿排序。家臣，祭祀时站在门的东侧，面朝北，从西向东排列，以站在西首者为尊，献酒时与众兄弟一起按年齿排序。接着献酒时，公有司之长与私臣之长上堂接爵，主人答拜后下堂饮酒。（以上记僚友、私臣的位次）

少牢馈食礼第十六

少牢馈食之礼①。日用丁、己②，筮旬有一日③。筮于庙门之外。主人朝服，西面于门东。史朝服④，左执筮，右取上韇，兼与筮执之，东面受命于主人。主人曰："孝孙某，来日丁亥⑤，用荐岁事于皇祖伯某，以某妃配某氏。尚飨！"史曰："诺！"西面于门西，抽下韇，左执筮，右兼执韇以击筮，遂述命曰⑥："假尔大筮有常。孝孙某，来日丁亥，用荐岁事于皇祖作某，以某妃配某氏。尚飨！"乃释韇，立筮。卦者在左坐，卦以木。卒筮，乃书卦于木，示主人，乃退占。吉，则史韇筮，史兼执筮与卦以告于主人："占曰从⑦。"乃官戒，宗人命涤，宰命为酒，乃退。若不吉，则及远日，又筮日如初。

[注释]

①少牢馈食之礼：诸侯的卿大夫在祖庙祭祀祖祢的礼仪。古代祭祀之前，先要将选定的祭牲系在"牢"中刍养，牢是关养牲畜的圈栏，因此祭牲称"牢"。一羊、一豕为"少牢"，是卿大夫用牲的规格，以区别于天子、诸侯用的"太牢"：一牛、一羊、一豕。本篇记卿大夫正礼，与下篇《有司彻》本为一体，因篇幅过长，分为两篇。②日：祭日。丁、己：丁日、己日。依古礼，宗庙祭祀用柔日，即天干为乙、丁、己、辛、癸等五个双日之一的日子，丁日、己日是其中优先选择的日子。③旬有一日：十一天。占筮一般是在某月

下旬的某日，筮下一月上旬的某日，筮日与被筮日的日干相同，如某月下旬丁日，筮下一月上旬的丁日，前后共十一天。旬，一旬，十天。④史：掌卜筮的家臣。⑤丁亥：这是假定的日子，并非一定要在丁亥日。⑥述命：复述主人之命。⑦从：意思是筮求吉利而得到吉利。

[译文]

少牢馈食之礼：祭祀尽可能用柔日中的丁日、己日。日期初步选定后，要提前一天占筮，即筮问十一天后的日子是否吉利。卜筮的仪式在庙门外举行。主人身穿朝服，面朝西站在门的东侧。史身穿朝服，左手执蓍草，右手抽开蓍草筒的上部，与蓍草一起拿着，面朝东听命于主人。主人说："孝孙某某，将于来日丁亥，致祭于皇祖伯某，并以某妃配享某氏。请受飨！"史回答说："是！"于是，史面朝西站在门的西侧，抽去蓍草筒的下部，左手执蓍草，右手同时拿着蓍草筒的上下两部分敲击蓍草，然后复述主人之命说："借给你常有灵验的大蓍草用以卜筮。孝孙某某，将于来日丁亥，致祭于皇祖伯某，并以某妃配享某氏。请受飨！"接着，放下蓍草筒，站着占筮。记卦爻者在左侧坐着，用木条将每一爻记在地上。占筮完毕，再将所得之卦写在木板上，呈给主人看，然后退下，面朝东而立，由三位占人顺序占筮。如果占筮的结果吉利，则史将蓍草放回筒内收起来，史同时拿着蓍草筒和卦向主人禀告："占筮的结果是，得到了希望有的吉利。"于是告诫诸位参与祭祀的官员备齐祭品，宗人命执事者洗涤祭器，宰命执事者准备祭祀用的酒，然后都退下。如果占筮的结果不吉利，则从下一旬以外的日子中去筮求，其仪节与这次一样。（以上是筮求祭日）

宿①。前宿一日，宿戒尸②。明日，朝服筮尸，如筮日之仪，命曰："孝孙某，来日丁亥，用荐岁事于皇祖伯某，以某妃配某氏，以某之某为尸。尚飨！"筮、卦、占如初。吉，则乃遂宿尸。祝摈，主人再拜稽首。祝告曰："孝孙某，来日丁亥，用荐岁事于皇祖伯某，以某妃配某氏，敢宿！"尸拜，许诺；主人又再拜稽首。主人退，尸送，揖，不拜。若不吉，则遂改筮尸③。

[注释]

①宿：邀请，此指邀请前来助祭的官员等。②此尸指尸的候选人。祭祀时作尸的人，要经占筮后才能确定，即从二至三位候选人中选择一人为尸。③改筮尸：当时改换一尸占筮，不必变旬换日。

[译文]

祭祀之前，要邀请前来助祭的人员。祭祀前两天，邀请尸并告知日期。祭祀前一天早晨筮定尸的人选，其仪节与筮定祭日时一样，命辞说："孝孙某某，将于来日丁亥，致祭于皇祖伯某，并以某妃配享某氏，以某之某为尸。请受飨！"占筮、画卦、旅占等仪节都与筮定祭日时一样。如果占筮的结果是吉利，则随即正式邀请选定的尸参加祭礼。邀请时，祝担任傧相，主人拜两次后磕头。祝告诉尸说："孝孙某某，将于来日丁亥，致祭于皇祖伯某，并以某妃配享某氏，特冒昧地邀请您担任尸！"尸行拜礼后，同意；主人又拜两次后磕头。主人退下时，尸相送，行揖致意，但不拜。如果卜筮的结果不吉利，则立即改换一尸占筮。（以上为筮求尸）

既宿尸，反为期于庙门之外。主人门东，南面。宗人朝服，北面。曰："请祭期。"主人曰："比于子①。"宗人曰："旦明行事②。"主人曰："诺！"乃退。

[注释]

①比：比次，决定时间的早晚。子：宗人。②旦：旦日，即明日。明：质明，天明。

[译文]

邀请过尸之后，返回庙门之外决定祭祀的时辰。主人站在门的东侧，面朝南。宗人身穿朝服，面朝北，对主人说："请问祭祀的

具体时辰。"主人说:"由你来决定吧。"宗人说:"明日天明时举行。"主人说:"好!"于是退下。(以上是决定致祭的时辰)

明日,主人朝服,即位于庙门之外,东方南面。宰、宗人西面,北上,牲北首东上。司马刲羊①,司士击豕②。宗人告备,乃退。雍人概鼎③、匕、俎于雍爨,雍爨在门东南,北上。廪人概甑、甗、匕与敦于廪爨④,廪爨在雍爨之北。司宫概豆、笾、勺、爵、觚、觯、几、洗、篚于东堂下,勺、爵、觚、觯实于篚;卒概,馔豆、笾与篚于房中,放于西方;设洗于阼阶东南,当东荣。

[注释]

①刲(kuī):刺而杀之。②击:击而杀之。③概(gài):洗涤。④廪人:掌米仓的小吏。甑(zèng):蒸煮器名。廪爨:炊黍稷的灶。

[译文]

次日清晨,主人身穿朝服,在庙门之外即位,站在门的东侧,面朝南。宰、宗人站在门的东侧,面朝西,从北往南排列,以站在北侧者为尊。祭牲的头都朝北,从东向西排列,以东边的为尊。司马杀羊,司士杀猪。宗人禀告主人一切都已准备完毕,然后退下。雍人在煮鱼和腊肉的灶上洗涤鼎、匕、俎,煮鱼和腊肉的灶在门的东南方,从北向南排列,以北边的灶为尊。廪人在炊黍稷的灶上洗涤甑、甗、匕和敦,炊黍稷的灶在煮鱼和腊肉的灶的北边。司宫在东堂之下洗涤豆、笾、勺、爵、觚、觯、几、洗、篚,勺、爵、觚、觯洗过后放在篚中;祭器全部洗完后,将豆、笾和篚拿到房内,放在靠西墙处;洗陈设在阼阶的东南方,与东端的屋翼正对着的地方。(以上是主人检视杀牲和洗涤祭器)

羹定,雍人陈鼎五,三鼎在羊镬之西①,二鼎在豕镬之西。

司马升羊右胖，髀不升，肩、臂、臑、肫、胳②，正脊一、脡脊一，横脊一、短胁一、正胁一、代胁一③，皆二骨以并；肠三、胃三，举肺一、祭肺三，实于一鼎。司士升豕右胖，髀不升，肩、臂、臑、肫、胳，正脊一、脡脊一、横脊一、短胁一、正胁一、代胁一，皆二骨以并，举肺一、祭肺三，实于一鼎。雍人伦肤九④，实于一鼎。司士又升鱼、腊，鱼十有五而鼎，腊一纯而鼎⑤，腊用麋。卒胥，皆设扃鼏，乃举。陈鼎于庙门之外，东方，北面、北上。司宫尊两甒于房户之间，同棜，皆有鼏，甒有玄酒。司宫设罍水于洗东，有枓⑥，设篚于洗西，南肆。改馔豆、笾于房中，南面，如馈之设，实豆、笾之实。小祝设槃、匜与箪、巾于西阶东。

[注释]

①镬（huò）：釜属，烹煮牲体用，形如大盆，无足。②肫（chún）：肢骨。③代胁：前面的胁骨。④伦：通"抡"，选择。肤：牲皮与胁骨之间的肉。⑤纯：全，此指牲体的左半边与右半边合在一起。⑥枓（zhǔ）：舀水的勺。

[译文]

肉羹煮熟后，雍人陈设五个鼎，其中的三个鼎设在煮羊的大釜之西，两个设在煮猪的大釜之西。司马将羊的右半边从大釜中捞起来放入鼎中，靠后窍的部分去掉，不放入鼎中；肩，前肢的上臂、下臂，后肢的上段、中段，前脊骨一块，中脊骨一块，后脊骨一块，后胁骨一块，中胁骨一块，前胁骨一块，每块骨头都由两小块并在一起；肠三截，胃三块，划割而不切断的肺一块，切断的肺三块，都放在一个鼎内。司士将猪的右半边从大釜中取出放入鼎中，靠后窍之处除去，不放入鼎中，肩，前肢的上臂、下臂，后肢的上段、中段，前脊骨一块，中脊骨一块，后脊骨一块，后胁骨一块，中胁骨一块，前胁骨一块，每块骨头都由两小块并在一起；划割而不切断的肺一块，切断的肺三块，都放入一个鼎中。雍人选择皮、胁之间的肉九块，放入一个鼎中。司士又将鱼、腊肉放入鼎中，鱼十五条放一鼎，腊兽完整的放一鼎，腊兽用麋鹿。放置完毕，每鼎都设以鼎杠和鼎盖，接着将鼎抬到庙门之外陈设，在门外东侧，面朝北，从北向南排列，以北边的鼎为尊。司宫将两只盛酒的甒陈设在房和室门之间的地方，底下用同一只棜，上面都用幂覆盖，两甒内都盛有玄酒。司宫将盛水的罍放在洗的东侧，罍上有舀水的勺，将篚放在洗的西侧，向南排列。接着，又将豆、笾改设在房中，面朝南，像馈食时那样陈设，再在豆、笾内放上菹菜、肉酱。小祝将盘、匜和竹箪、擦手巾陈设在西阶之东。（以上为加祭牲于鼎）

主人朝服，即位于阼阶东，西面。司宫筵于奥①，祝设几于筵上，右之②。主人出迎鼎，除鼏。士盥，举鼎；主人先入。司宫取二勺于篚，洗之，兼执以升；乃启二尊之盖幂③，奠于棜上；加二勺于二尊，覆之，南柄。鼎序入，雍正执一匕以从，雍府执四匕以从，司士合执二俎以从④。司士赞者二人，皆合执二俎以相，从入。陈鼎于东方，当序，南于洗西，皆西面，北上，肤为下⑤。匕皆加于鼎，东枋。俎皆设于鼎西，西肆。肵俎在羊俎之北，亦西肆。宗人遣宾就主人，皆盥于洗，长朼⑥。佐食上利升牢心舌⑦，载于肵俎。心皆安下切上⑧，午割勿没⑨；其载于肵俎，末在上。舌皆切本末⑩，亦午割勿没；其载于肵，横之。皆如初为之于爨也。佐食迁肵俎于阼阶西，西缩，乃反。佐食二人。上利升羊，载右胖，髀不升，肩、臂、臑、肫、胳；正脊一、脡脊一、横脊一、短胁一、正胁一、代胁一，皆二骨以并；肠三、胃三，长皆及俎拒；举肺一，长终肺，祭肺三，皆切。肩、臂、臑、肫、胳在两端，脊、胁、肺，肩在上。下利升豕，其载如羊，无肠胃；体其载于俎，皆进下⑪。司士三人，升鱼、腊、肤。鱼用鲋十有五而俎，缩载，右首，进腴⑫。腊一纯而俎，亦进下，肩在上。肤九而俎，亦横载，革顺⑬。

[注释]

①奥：屋的西南角，是神位之所在。②神席朝东而设，"右"即席的南侧。③二尊：即二甒。④合执：将两个鼎的俎一起拿着，每鼎一匕、一俎。⑤肤：肤鼎，即盛有九块胁之间的肉的鼎。⑥长枇：年长的宾先将牲肉从鼎中取出，接着再由年次的宾取。枇，通"匕"，本是从鼎中取肉的工具，此处当动词用。⑦佐食上利：即上佐食。佐食者有两人：上佐食与下佐食。利，佐食者。⑧安下：切去心的下端，使之平正，便于竖立于俎。安，平。⑨午割：交叉割划。勿没：不使散落。为食时方便，心被交叉划割，但中心部分仍连着，否则就散落为几块了。⑩本末：上下。⑪进下：进献时下端朝前。⑫进腴：进献时鱼腹朝前。⑬革顺：肉上的皮顺次排列，不乱放。革，皮。

[译文]

主人身穿朝服，在阼阶之东就位，面朝西。司宫在室的西南角为神铺席，祝将供神凭依的几放置在席上，靠南侧。主人到庙门外迎接鼎，并揭去鼎盖，表示将要致祭。士洗手后，抬鼎入门；主人为前导。司宫从筐中取出两把勺，再次洗涤，然后一起拿在手中上堂；接着掀去覆盖在两个甒上的巾，放在承尊器棜上；又将两把勺分别放在两个甒上，再用巾盖好，勺柄朝南。五个鼎顺序抬进门内，雍正拿着一把匕跟随于后，作为其属员的二位雍府，又各执两把匕跟在后面。司士拿着两个鼎的俎跟着雍府，司士的两位助手也各拿着两个鼎的俎，跟在后面入门。将鼎陈设在庭的东边，正对着东序，在洗的西南方，都是面朝西，从北向南排列，以北边的鼎为尊，而将肤鼎放在最南处。匕都放在鼎上，柄朝东。俎都放在鼎的西侧，从东向西排列。豕俎设在羊俎之北，也是从东向西排列。宗人命前来助祭的宾上前就近主人，都在设洗处洗手，然后由其中的年长者先从鼎中往外取牲肉，其余的宾按年齿为序进行。上佐食将羊和猪的心、舌从鼎中取出，放在肵俎之上。心都切去下端，使之平齐可以竖立，上端也切去一块，使之平正，中间则交叉割划，但又连着中部不使散落；将它放在肵俎上时，要末端朝上地立着。舌也都切去上下两端，也是交叉划割而又不散落；将它放在俎上时，要横着。心与舌的切割，都是在灶上烹煮前就完成的。接着，佐食者将肵俎迁到阼阶之西，向西陈放，然后返回。佐食者共有二人。上佐食将羊牲从鼎中取出，将右半边放在俎上，靠后窍的部分除去，不放在俎上，放在俎上的是肩，前肢的上臂、下臂，后肢的上段、中段；前脊骨一块，中脊骨一块，后脊骨一块，后胁骨一块，中胁骨一块，前胁骨一块，每块骨都由两小块并在一起；肠三截，胃三块，长度都与俎横向两足之间距离相当；划割而不切断的肺一块，长度与整肺一样，祭肺三块，都是切成块的。肩，前肢的上臂、下臂，后肢的上段、中段放在俎的两端，脊骨、胁骨、肺在俎的中部，肩在俎的上部。下佐食将猪牲从鼎中取出，放在俎上的方式与羊一样，只是没有肠胃；牲体放在俎上，进献时都以下端朝前。三位司士，分别取鱼鼎、腊鼎、肤鼎中的牲肉。鱼是用的鲫鱼，每十五条放一俎，竖着放，头朝右，进献时鱼腹朝前。腊兽左右体合在一起放在俎上，进献时也是下端朝前，肩朝上。九块肤放在一俎上，也是横着放，有皮的一端顺次而列。（以上是主人即位后设神席及载牲于俎）

卒肴，祝盥于洗，升自西阶。主人盥，升自阼阶。祝先入，南面。主人从，户内西面。主妇被锡①，衣侈袂②，荐自东房，韭菹、醓醢、醢；坐奠于筵前。主妇赞者一人③，亦被锡，衣侈袂，执葵菹、蠃醢，以授主妇。主妇不兴，遂受，陪设于东④，韭菹在南，葵菹在北。主妇兴，入于房。佐食上利执羊俎，下利执豕俎，司士三人执鱼、腊、肤俎，序升自西阶，相，从入。设俎，羊在豆东，豕亚其北，鱼在羊东，腊在豕东，特肤当俎北端。主妇自东房，执一金敦黍⑤，有盖；坐设于羊俎之南。妇赞者执敦稷以授主妇⑥。主妇兴受，坐设于鱼俎南；又兴受赞者敦黍，坐设于稷南；又兴受赞者敦稷，坐设于黍南。敦皆南首。主妇兴，入于房。祝酌，奠，遂命佐食启会。佐食启会，盖二以重，设于敦南。主人西面，祝在左，主人再拜稽首。祝祝曰："孝孙某，敢用柔毛、刚鬣、嘉荐、普淖⑦，用荐岁事于皇祖伯某，以某妃配某氏。尚飨！"主人又再拜稽首。

[注释]

①被锡：即髲鬄（bì tì），假发。②衣：穿绡衣。侈袂：衣袖的长度与袖口的宽度都加大二分之一，士妻的衣袖长二尺二寸，袖口宽一尺二寸，加大二分之一后，则袖长三尺三寸，袖口宽一尺八寸。③主妇赞者：指宗妇。④陪设：接着陈设。⑤金敦：以金装饰的敦。⑥妇赞者：即主妇赞者。⑦柔毛：羊。刚鬣：猪。嘉荐：菹醢。普淖：黍稷。

[译文]

俎上的食物都盛好后，祝在设洗处洗手，然后从西阶上堂。主人洗手后从阼阶上堂。祝先入室，面朝南而立。主人跟随祝入室，在门内面朝西而立。主妇戴着假发，穿的是与士妻一样的绡衣，只是袖长和袖口之宽加大二分之一，从东房端出韭菹、肉酱，然后坐下放在席前。主妇的一位助手，也戴着假发，穿着与士妻一样的绡衣，只是袖长和袖口之宽加大二分之一，她端着葵菹、蠃酱，把它授给主妇。主妇不起身，直接接过来，将它放在东边，但分为两处，韭菹在南侧，葵菹在北侧。于是，主妇起身，进入房内。上佐食执羊俎，下佐食执猪俎，三位司士分别执鱼俎、腊俎、肤俎，依次从西阶上堂，相随入室。陈设俎的方位是，羊俎在豆的东侧，豕俎在豆的北侧，鱼俎在羊俎之东，腊俎在猪俎之东，肤俎单独设在四俎之北。主妇从东房出来，执一金饰的敦，其中盛着黍，有盖；

主妇坐下将敦设在羊俎的南侧。主妇的助手执盛稷的敦，交给主妇。主妇起身接受，又坐下将它设在鱼俎之南；接着又起身从助手手中接过另一只盛黍的敦，再坐下设在稷敦的南侧；又起身从助手手中接过另一只盛稷的敦，再坐下设在黍敦的南侧。装饰在敦盖上的兽首都朝南。然后主妇起身，进入房中。祝为神酌上酒，放在席前，然后命令佐食者打开敦的盖。佐食者打开敦盖，每两只重叠在一起，放在敦的南侧。主人面朝西而立，祝在其左侧，主人拜两次后磕头。祝祷告说："孝孙某，谨用羊、猪、菹醢、黍稷，致祭于皇祖伯某，并以某妃配享某氏。请受飨！"主人又拜两次后磕头。(以上为阴厌：尸入室之前设神席于屋角)

祝出，迎尸于庙门之外。主人降立于阼阶东，西面。祝先，入门右。尸入门左，宗人奉槃，东面于庭南。一宗人奉匜水，西面于槃东。一宗人奉簟、巾，南面于槃北。乃沃尸。盥于槃上，卒盥，坐奠簟，取巾，兴，振之三，以授尸；坐取簟，兴，以受尸巾。祝延尸①。尸升自西阶，入，祝从。主人升自阼阶，祝先入；主人从。尸升筵，祝、主人西面立于户内，祝在左。祝、主人皆拜妥尸②，尸不言③；尸答拜，遂坐。祝反南面。

[注释]

①延：进，此指祝在尸的后面，请尸上堂。②妥：安坐。③尸不言：像神的沉默。

[译文]

祝出去，到庙门之外迎接尸。主人下堂，站在阼阶之东，面朝西。祝为尸的前导，入门后站在右侧。尸入门后站在左侧。宗人捧着盘，面朝东站在庭的南边。另一位宗人捧着盛有水的匜，面朝西站在捧盘的宗人之东。还有一位宗人捧着放有擦手巾的簟，面朝南站在捧盘的宗人之北。接着为尸浇水。在盘的上方洗手，洗毕，捧筭的宗人坐下放好筭，取出擦手巾，再起身，用力抖动三次，然后递给尸；接着坐下拿起筭，再起身，用筭接过尸的擦手巾。祝在尸的身后请尸上堂。尸从西阶上堂，然后入室，祝跟从于后。主人从阼阶上堂，祝先入室，主人随之而入。尸即席，祝、主人面朝西站在室门之内，祝在主人的左侧。祝、主人都向尸行拜礼，并请他安坐，尸沉默不言；尸向祝、主人答拜还礼，然后坐下。祝回到室中面朝南而立的位置。（以上为迎尸）

尸取韭菹，辩擩于三豆，祭于豆间。上佐食取黍稷于四敦。下佐食取牢一切肺于俎①，以授上佐食。上佐食兼与黍以授尸②。尸受，同祭于豆祭③。上佐食举尸牢肺、正脊以授尸④。上佐食尔上敦黍于筵上，右之。主人羞肵俎⑤，升自阼阶，置于肺北。上佐食羞两铏，取一羊铏于房中，坐设于韭菹之南。下佐食又取一豕铏于房中以从。上佐食受，坐设于羊铏之南。皆芼⑥，皆有柶。尸扱以柶，祭羊铏，遂以祭豕铏；尝羊铏。食举⑦。三饭。上佐食举尸牢干⑧；尸受，振祭，啐之。佐食受，加于肵。上佐食羞胾两瓦豆，有醢，亦用瓦豆，设于荐豆之北。尸又食，食胾。上佐食举尸一鱼；尸受，振祭，啐之。佐食受，加于肵，横之。又食。上佐食举尸腊肩；尸受，振祭，啐之；上佐食受，加于肵。又食。上佐食举尸牢骼，如初。又食。尸告饱。祝西面于主人之南，独侑不拜。侑曰："皇尸未实⑨，侑！"尸又食，上佐食举尸牢肩；尸受，振祭，啐之；佐食受，加于肵。尸不饭，告饱。祝西面于主人之南。主人不言，拜侑。尸又三饭。上佐食受尸牢肺、正脊，加于肵。

[注释]

①取牢一切肺：取羊、猪的祭肺各一块。牢，羊、猪。切肺，祭肺。②此句"黍"字后脱一"稷"字。③同祭：合祭。豆祭：祭豆实之处，即豆

间。④牢肺：指离肺，即划割而不切断的肺。⑤羞：进献。⑥芼（máo）：用菜和肉而成的羹。⑦举：即上文的"牢肺、正脊"。⑧幹：正胁骨。⑨实：饱。

[译文]

尸取了韭菹，在三个盛酱的豆中逐一蘸遍，然后在豆与豆之间致祭。上佐食从四只敦中取黍稷。下佐食从羊俎和猪俎上各取一块祭肺，递给上佐食。上佐食将祭肺与黍稷一起献给尸。尸接过后，取韭菹合祭于豆间。上佐食捧着羊和猪的离肺、前脊骨献给尸。上佐食将放在上首的盛黍的敦移近到席上，放在靠近尸的右侧。接着，主人献肵俎，从东阶上堂后，将它放在肤俎之北。上佐食进献两只盛羹的铏，先从房中取羊铏，坐下将它放在韭菹的南侧。下佐食跟着又从房中取一只猪铏。上佐食接过来后，坐下将它放在羊铏的南侧。铏中都盛有菜，都有勺。尸用勺取羊羹，祭羊铏，接着取猪羹，祭猪铏，再尝羊铏中的羹。于是，尸吃上佐食举上的离肺和前脊骨。尸又吃三口黍饭。上佐食又将牲的正胁骨献给尸，尸接过后，振而祭之，再尝一口。佐食者接过尸吃剩的正胁骨，放在肵俎上。上佐食献上两瓦豆大块的肉，还有肉酱，也是用两只瓦豆盛着，陈设在韭俎等四只豆的北侧。尸又吃，吃豆中的大块肉。上佐食将一条鱼献给尸；尸接受后，振而祭之，然后尝一口。佐食者接过尸吃剩的鱼，放在肵俎上，横着。尸又接着吃。上佐食将腊兽的肩献给尸；尸接过来，振而祭之，然后尝一口；上佐食接过尸吃剩的兽肩，放在肵俎上。尸又接着吃。上佐食将羊、猪后肢的上段献给尸，其仪节与刚才一样。尸又接着吃。然后尸禀告主人已吃饱。祝面朝西站在主人的南侧，只向尸劝食但不拜尸。劝食之辞为："尊敬的尸还未吃饱，请继续吃！"于是，尸又接着吃。上佐食将羊、猪的肩献给尸；尸接过来，振而祭之，然后尝一口；佐食者接过尸吃剩的牲肩，放在肵俎上。尸不再吃黍饭，禀告主人已经吃饱。祝面朝西站在主人的南侧，劝尸再吃。主人不说话，但通过向尸行拜礼，劝他继续吃。尸又吃三口饭。上佐食将尸起初尝过后放在菹豆上的离肺和前脊骨拿起来，放到肵俎上。（以上是正祭）

主人降，洗爵；升，北面酌酒，乃酳尸①。尸拜受，主人拜送。尸祭酒，啐酒。宾长羞牢肝，用俎，缩执俎，肝亦缩；进末，盐在右②。尸左执爵，右兼取肝，揳于俎盐；振祭，哜之，加于俎豆，卒爵。主人拜。祝受尸爵。尸答拜。

[注释]

①酳：献酒。②盐在右：便于尸蘸用。

[译文]

主人下堂，洗爵；又上堂，面朝北酌酒，然后献给尸。尸行拜礼后接过爵，主人拜而送之。尸祭爵中之酒，祭毕尝酒。来宾之长向尸进献羊、猪的肝，用俎盛着，俎要纵向端着，肝也纵向放在俎上；进献时俎和肝的末端都朝前，盐放在俎的右侧。尸左手执爵，右手将羊、猪的肝一起拿着，往俎上蘸盐；接着振而祭之，祭毕尝一口，然后放在菹豆上，再将爵中的酒饮完。主人向尸行拜礼。祝接过尸饮完的空爵。尸向主人答拜还礼。（以上为主人献尸）

祝酌授尸，尸醋主人。主人拜受爵，尸答拜。主人西面奠爵，又拜。上佐食取四敦黍稷；下佐食取牢一切肺，以授上佐食。上佐食以绥祭①。主人左执爵，右受佐食②，坐祭之；又祭酒，不兴，遂啐酒。祝与二佐食皆出，盥于洗，入。二佐食各取黍于一敦。上佐食兼受，抟之，以授尸；尸执以命祝③。卒命祝，祝受以东，北面于户西，以嘏于主人，曰："皇尸命工祝④，承致多福无疆于女孝孙。来女孝孙⑤，使女受禄于天，宜稼于田⑥，眉寿万年⑦，勿替引之⑧。"主人坐奠爵，兴；再拜稽首，兴，受黍，坐振祭，哜之；诗怀之⑨，实于左袂，挂于季指⑩，执爵以兴；坐卒爵，执爵以兴；坐奠爵，拜。尸答拜。执爵以兴，出。宰夫以筐受啬黍。主人尝之，纳诸内⑪。

[注释]

①绥：祭，将食之前，先取少许黍稷、牲肉而致祭于豆间。绥或作"挼"。②受佐食：受黍稷与肺于佐食者。③命祝：命令祝复述嘏辞。④工祝：祝的自称。工，官。⑤来：是"釐"的假借字，赐给。⑥稼：耕种。⑦眉寿：长寿。⑧勿：无，没有。替：废止。引：长久。⑨诗：承接。⑩季指：小指。⑪内：筐内。

[译文]

祝在爵中酌酒后授给尸，尸接受后用它回敬主人。主人拜尸后接过爵，尸答拜还礼。主人面朝西放下爵，又一次拜尸。上佐食从四个敦中取出少许黍稷；下佐食从羊俎和猪俎上各取一块祭肺，递给上佐食。上佐食以黍稷和祭肺请主人绥祭。主人左手执爵，右手接过上佐食的黍稷和祭肺，坐下致祭；接着祭酒，祭毕不起身就尝酒。祝与二位佐食者出室，到设洗处洗手，然后入室。二位佐食者分别从一个敦中取黍饭。上佐食将两人所取黍饭一并拿在手中，搓成团，再授给尸；尸拿着饭团命祝代表他致辞。向祝交代完毕，祝拿着饭团往东走，面朝北站在室门之西，用嘏辞祝福主人，说："尊敬的尸命我工祝，赐给你这位孝孙以无疆之福。赐福于你这位孝孙，使你受福于天，耕稼于田，长寿万年，永远不废。"主人坐着放好爵，接着起身，拜两次后磕头，再起身，接过黍饭团，坐下振祭，祭毕尝一口；然后先放入怀中，再放入左袖内，将袖口挂在小指上，再执爵起身；接着又坐下，将爵中的酒饮完，执爵起身；又坐下放好爵，拜尸。尸答拜还礼。主人执爵起身，出门。宰夫用筐接过主人的黍饭团。主人尝一口黍饭团，然后放入筐内。（以上是尸回敬主人）

主人献祝，设席南面。祝拜于席上①，坐受。主人西面答拜。荐两豆菹、醢②。佐食设俎：牢髀③，横脊一，短胁一，肠一，胃一，肤三，鱼一横之，腊两髀属于尻④。祝取菹擩于醢，祭于豆间。祝祭俎，祭酒，啐酒。肝牢从。祝取肝擩于盐，振祭，哜之；不兴，加于俎；卒爵，兴。

[注释]

①祝拜于席上：祝拜不得在席上，此时因室中狭小，只能在席上拜。②菹、醢：葵菹、螺酱。③牢髀：羊牲、豕牲体的右髀骨。④尻：脊骨的末端，在两股骨之间，或称髋。

[译文]

主人向祝献酒，在室中面朝南设席。祝在席上向主人行拜礼，再坐下接过酒爵。主人面朝西答拜还礼。有司献上两只分别盛有葵菹和螺酱的豆。佐食者所设的俎上有：羊、猪的右髀骨，后脊骨一块，后肋骨一块，肠一截，胃一块，肤三块，鱼一条横着放，腊鹿的两块髀骨连着髋骨。祝取菹蘸上肉酱，在豆间致祭。祝祭俎上的肤，接着祭酒，祭毕尝酒。接着献上羊、猪的肝。祝取肝蘸上盐，振而祭之，祭毕尝肝；不起身，将肝放在俎上；然后将爵中的酒饮完，起身。（以上是主人向祝献酒）

主人酌献上佐食。上佐食户内牖东北面拜。坐受爵。主人西面答拜。佐食祭酒，卒爵，拜，坐授爵，兴。俎设于两阶之间，其俎：折①，一肤。主人又献下佐食，亦如之，其肴亦设于阶间，西上，亦折，一肤。

[注释]

①折：即《特牲馈食礼》的记中所说的"觳折"，指折解的牲后右足。

[译文]

主人在爵中酌上酒后献给上佐食。上佐食站在室门之内、窗的东侧,面朝北拜主人,然后坐下接过爵。主人面朝西答拜还礼。上佐食祭爵中之酒,祭毕将酒饮完,拜主人,再坐下将空爵交给主人,然后起身。上佐食的俎陈设在东西阶之间,其俎上放的是:折解的牲后右足,一块皮胁之间的肉。接着,主人又向下佐食献酒,其仪节也是如此。放牲肉的俎也是陈设在东西阶之间,在上佐食之俎的东侧,而以西侧的上佐食之俎为尊,俎上放的也是折解的牲后右足,一块皮胁之间的肉。(以上是主人向佐食者献酒)

有司赞者取爵于篚以升①,授主妇赞者于房户。妇赞者受②,以授主妇。主妇洗于房中,出酌,入户,西面拜,献尸。尸拜受。主妇主人之北西面拜送爵。尸祭酒,卒爵。主妇拜。祝受尸爵。尸答拜。

[注释]

①有司赞者:有司的助手。②妇赞者:即主妇赞者。

[译文]

有司的助手从篚中取爵后上堂,在房门前递给主妇的助手。主妇的助手接受后,将它递给主妇。主妇在房中洗爵,出去酌酒后,走入室门,面朝西向尸行拜礼,然后献爵于尸。尸拜主妇后接爵。主妇站在主人的北侧,面朝西行拜礼,送受爵者。尸祭爵中之酒,祭毕将酒饮完。主妇拜尸。祝接过尸的空爵。尸向主妇答拜还礼。(以上为主妇向尸献酒)

易爵①,洗,酌,授尸。主妇拜受爵,尸答拜。上佐食绥祭。主妇西面,于主人之北受祭,祭之;其绥祭如主人之礼,不嘏②;卒爵,拜。尸答拜。

[注释]

①易爵:换爵,换爵者为祝。②不嘏:不再致嘏辞,因为夫妇一体,不

必一一致辞。嘏，福。

[译文]

祝另换一只酒爵，洗涤后酌上酒，授给尸。主妇向尸行拜礼后接爵，尸答拜还礼。上佐食请主妇行绥祭。主妇面朝西，站在主人的北侧，接过黍稷和肺等祭品致祭；绥祭的仪节与主人一样，只是尸不再向主妇致嘏辞；主妇将爵中之酒饮毕，向尸行拜礼。尸答拜还礼。（以上是尸回敬主妇）

主妇以爵出。赞者受①，易爵于篚，以授主妇于房中。主妇洗，酌，献祝。祝拜，坐受爵。主妇答拜于主人之北。卒爵，不兴，坐授主妇。

[注释]

①赞者：主妇赞者。

[译文]

主妇执爵出室。主妇的助手从主妇手中接过爵，到篚中更换一只，在房中交给主妇。主妇洗爵后，酌上酒，献给祝。祝拜主妇后，坐下接爵。主妇在主人的北侧答拜还礼。祝将爵中的酒饮完后，不起身，坐着将空爵交给主妇。（以上为主妇向祝献酒）

主妇受，酌，献上佐食于户内。佐食北面拜，坐受爵，主妇西面答拜。祭酒，卒爵，坐授主妇。主妇献下佐食，亦如之。主妇受爵以入于房。

[译文]

主妇接过爵，酌上酒，在室门内献给上佐食。上佐食面朝北拜主妇，然后坐下接爵，主妇面朝西答拜还礼。接着，上佐食祭爵中之酒，祭毕将酒饮完，再坐下将空爵交给主妇。主妇向下佐食献酒，仪节也是如此。主妇拿着空爵回到房中。（以上是主妇向佐食

者献酒）

宾长洗爵献于尸，尸拜受爵，宾户西北面拜送爵。尸祭酒，卒爵。宾拜。祝受尸爵，尸答拜。祝酌授尸。宾拜受爵。尸拜送爵。宾坐奠爵，遂拜，执爵以兴；坐祭，遂饮，卒爵，执爵以兴；坐奠爵，拜。尸答拜。宾酌献祝。祝拜，坐受爵。宾北面答拜。祝祭酒，啐酒，奠爵于其筵前。

[译文]

来宾之长洗爵，酌上酒献给尸，尸行拜礼后接过爵，来宾之长站在室门之西，面朝北拜送接爵者。尸祭爵中之酒，祭毕将酒饮完。来宾之长向尸行拜礼。祝接过尸饮完的空爵，尸向来宾之长答拜还礼。祝在爵中酌酒后授给尸。来宾之长向尸行拜礼后，接过爵。尸拜送接爵者。来宾之长坐下放好爵，接着拜尸，再执爵起身；又坐下祭酒，祭毕饮酒，将爵中之酒饮完，然后执爵起身；再坐下放好爵，向尸行拜礼。尸答拜还礼。来宾之长又酌酒后献给祝。祝向来宾之长行拜礼，再坐下接爵。来宾之长面朝北答拜还礼。祝祭爵中之酒，祭毕尝酒，然后将爵放在席前。（以上是宾长终献）

主人出立于阼阶上，西面。祝出立于西阶上，东面。祝告曰："利成。"祝入。尸谡。主人降立于阼阶东，西面。祝先，尸从，遂出于庙门。

[译文]

主人出室，站立在阼阶之上，面朝西。祝出室后，站立在西阶之上，面朝东。祝禀告主人说："供养之礼已经完成。"祝又走入室内。尸起身。主人下堂站在阼阶之东，面朝西。祝上前引路，尸跟随于后，然后走出庙门。（以上是尸出庙）

祝反，复位于室中。主人亦入于室，复位。祝命佐食彻胏俎，降设于堂下阼阶南。司宫设对席，乃四人馂。上佐食盥升，下佐食对之，宾长二人备①。司士进一敦黍于上佐食，又进一敦黍于下佐食，皆右之于席上。资黍于羊俎两端②，两下是馂③。司士乃辩举，馂者皆祭黍、祭举④。主人西面，三拜馂者⑤。馂者奠举于俎，皆答拜，皆反，取举。司士进一铏于上馂⑥，又进一铏于次馂，又进二豆湆于两下。乃皆食⑦，食举。卒食，主人洗一爵，升酌，以授上馂。赞者洗三爵，酌。主人受于户内，以授次馂，若是以辩。皆不拜，受爵。主人西面，三拜馂者。馂者奠爵，皆答拜，皆祭酒，卒爵，奠爵，皆拜。主人答壹拜。馂者三人兴，出；上馂止⑧。主人受上馂爵，酌以醋于户内，西面坐奠爵，拜；上馂答拜。坐祭酒，啐酒。上馂亲嘏，曰："主人受祭之福，胡寿保建家室⑨。"主人兴，坐奠爵，拜，执爵以兴；坐卒爵，拜；上馂答拜。上馂兴，出。主人送，乃退。

[注释]

①备：四个人馂食，即佐食者二人、宾长二人。②资：分，减，将黍分出一部分放在羊俎的两端。③两下：指二位来宾之长。馂以二位佐食者为主，所以以二位来宾之长为下。④举：举肤。⑤三拜：对馂者拜三次，表示遍拜，即所谓"旅拜"。⑥上馂：指上佐食，下佐食为次馂。⑦皆食：指食黍。⑧止：止步不出。⑨胡寿：恒寿。

[译文]

祝返回室中，恢复面朝南之位。主人也进入室中，恢复面朝西之位。祝命上佐食撤去胏俎，陈设于堂下阼阶之南。司宫在尸席的对面再设一席，东西相对，接着行四人馂食之礼。上佐食洗手后上堂，面朝东坐于尸席，下佐食面朝西相对而坐，一位来宾之长坐在上佐食之北，另一位宾长坐在下佐食之南，至此馂食者人数齐备。司士将一只盛有黍的敦献给上佐食，又将另一只盛有黍的敦献给下佐食，都设在每人的席右侧。接着，将二位佐食者敦中的黍分出一部分放在羊俎的两端，以便让二位来宾之长馂食。司士为每位馂食者进献一块肤，馂食者都祭黍、祭肤。主人面朝西，向馂食者拜三次，表示遍拜。馂食者将肤放在俎上，离席答拜，然后都回到席上，取肤于手。司士向上佐食进献一只铏，又向下佐食进献一只铏，又向两位来宾之长进献两个盛有肉汁的豆。接着都开始吃黍，又吃肤。吃完后，主人下堂洗一只爵，再上堂酌酒，献给上佐食。助祭者洗三只爵，酌上酒。主人在门内接过爵，将它献给下佐食，如此向每位馂食者都献遍。馂食者都不必向主人行拜礼，就接过爵。主人面朝西，向馂食者拜三次，表示遍拜。馂食者放下爵，向主人答拜还礼，然后都祭酒，再将爵中之酒饮完，放下爵，向主人行拜礼。主人总答一拜之礼。馂食者中的三位起身、出室；只有上佐食止步不出。主人接过上佐食的爵，在门内酌酒自酬，面朝西坐下放好爵，拜上佐食；上佐食答拜还礼。主人又坐下祭酒，祭毕尝酒。上佐食亲自向主人致祝福之辞，说："主人受此祭祀之福，将恒寿并保全和建设家业。"主人起身致意，再坐下放好爵，拜上佐食，又执爵起身；然后坐下将爵中的酒饮完，拜上佐食；上佐食答拜还礼。上佐食起身，走出庙门。主人送至门外，然后退回。（以上为馂食之礼）

有司彻第十七

有司彻①。扫堂②。司宫摄酒③,乃燅尸俎④。卒燅,乃升羊、豕、鱼三鼎,无腊与肤;乃设扃鼏,陈鼎于门外,如初。乃议侑于宾⑤,以异姓。宗人戒侑⑥。侑出,俟于庙门之外。

[注释]

①本篇记大夫祭祖祢之后,在堂上傧尸的礼节,与《少牢馈食礼》文义相贯,本为一体,因篇幅过长而分之为二。本篇内容可约略分成两部分:从篇首至"主人退,有司彻"为第一部分,记上大夫傧尸;其余为第二部分,记下大夫不傧尸。有司彻:有司指助祭的各位执事者,如司士、宰夫等。彻,撤去室中的器物。因为即将在堂上傧尸,原先陈设在室中的馈尸之器,如四豆、五俎、四敦、两铏、四瓦豆、觯,以及祝和佐食者的俎等,都不再使用,所以命有司全部撤去。②傧尸之礼在堂上举行,所以要重新打扫一遍。③摄酒:洗涤、收拾酒具。④燅(xún):加温使之热。⑤议:选择。侑:劝侑、辅助尸的人。傧尸时由尸担任宾,所以要为之选择副介作为佐助者,侑者一般选择来宾中的贤者担任。⑥戒:告请。

[译文]

在室中致祭完毕,有司奉命撤去馈尸的器物。为了准备在堂上行傧尸之礼而扫堂。司宫整理酒具,接着将尸俎的牲肉放到锅中加热。加热后,将羊、猪、鱼分别放入三个鼎中,不再用腊鼎与肤鼎;三鼎都设有鼎杠和鼎盖,然后将鼎陈设在庙门之外,位置与祭祖祢前一样。接着，从来宾中挑选一位侑者，被选者必须与尸异姓。宗人告请被选定的侑者。于是，侑者出庙门，等待尸入门。（以上为选择侑者）

司宫筵于户西，南面；又筵于西序，东面。尸与侑，北面于庙门之外，西上。主人出迎尸，宗人摈①。主人拜，尸答拜。主人又拜侑，侑答拜。主人揖，先入门，右。尸入门，左；侑从，亦左。揖，乃让。主人先升自阼阶；尸、侑升自西阶，西楹西，北面东上。主人东楹东，北面拜至；尸答拜。主人又拜侑，侑答拜。

[注释]

①摈：赞，导引。

[译文]

司宫在室门外的西边为尸设席，面朝南；又在西序为侑者设席，面朝东。此时，尸与侑者都面朝北站在庙门之外，以站在西侧者为尊。主人出庙门迎接尸，宗人为导引。主人向尸行拜礼，尸答拜还礼。主人又向侑者行拜礼，侑者答拜还礼。主人向尸行揖致意后，先行入门，然后站在门的右边。接着尸入门，站在门的左边；侑者跟随于尸后，也站在门的左边。主人与尸三次行揖致意后，走到阶前，双方谦让。于是主人先从阼阶上堂；尸、侑者从西阶上堂后，站在西楹柱的西侧，面朝北，以站在东边者为尊。主人站在东楹柱的东侧，面朝北拜谢尸的到来；尸答拜还礼。主人又向侑者行拜礼，侑者答拜还礼。（以上是迎接尸和侑者）

乃举①，司马举羊鼎，司士举豕鼎、举鱼鼎，以入。陈鼎如初。雍正执一匕以从，雍府执二匕以从，司士合执二俎以从，司士赞者亦合执二俎以从。匕皆加于鼎，东枋。二俎设于羊鼎西，

有司彻第十七　447

西缩。二俎皆设于二鼎西，亦西缩。雍人合执二俎，陈于羊俎西，并，皆西缩；覆二疏匕于其上②，皆缩俎，西枋。

[注释]

①举：向上抬。此指举鼎。傧尸之礼礼数较低，所以举鼎者不必先洗手。举鼎者每鼎二人。②疏匕：柄上刻有纹饰的匕。

[译文]

于是抬鼎，司马二人抬羊鼎，司士四人分别抬猪鼎、鱼鼎，进入庙门。鼎在门内陈设的位置与祭祖祢时一样。雍正拿着一把匕跟随于鼎后，雍府拿着两把匕跟着雍正，司士将两个俎合在一起拿着跟着雍府，司士的助手也将两个俎合在一起拿在手中跟着司士。匕都放在鼎上，柄朝东。两个俎陈设在羊鼎的西侧，东西向放置。另外两个俎分别陈设在猪鼎和鱼鼎之西，也是东西向放置。雍人又拿来两只合在一起的俎，陈设在羊俎之西，并列着，都是东西向放置；将两把柄上刻有纹饰的匕反扣在俎上，都与俎的方向一致，柄朝西。（以上是在阶下陈鼎设俎）

主人降，受宰几。尸、侑降，主人辞，尸对。宰授几，主人受，二手横执几，揖尸。主人升，尸、侑升，复位。主人西面，左手执几，缩之；以右袂推拂几①，三；二手横执几，进授尸于筵前。尸进，二手受于手间，主人退。尸还几，缩之；右手执外廉②，北面奠于筵上，左之，南缩，不坐。主人东楹东，北面拜。尸复位，尸与侑皆北面答拜。

[注释]

①推拂：推和拂都是掸去灰尘的意思。②廉：边。

[译文]

主人下堂，准备接过宰捧着的几。尸、侑者随之下堂，表示不敢在堂上安处，主人向他们辞谢，尸谦辞以对。宰将几授给主人，主人接过来，双手横执着几，向尸行揖致意。接着主人上堂，尸、侑者也跟着上堂，各自回到阶上的原位。主人面朝西，左手拿住几的一端，几纵向朝前；接着用右袖掸去几上的灰尘，一共掸三次；然后，双手横端着几，走到席前献给尸。尸上前，双手从主人的双手之间接几，主人退回原位。尸将几转一个方向，纵向拿着；右手执住几的外边，面朝北放置在席上，在席的左侧，南北纵向放着，放置时不必坐下。主人站在东楹柱的东侧，面朝北向尸行拜礼。尸回到原位，然后尸与侑者都面朝北向主人答拜还礼。（以上为主人向尸授几）

主人降洗，尸、侑降，尸辞洗。主人对，卒洗，揖。主人升，尸、侑升。尸西楹西北面拜洗。主人东楹东北面奠爵答拜，降盥。尸、侑降，主人辞，尸对。卒盥，主人揖，升，尸、侑升。主人坐取爵，酌献尸。尸北面拜受爵，主人东楹东北面拜送爵。

[译文]

主人下堂洗爵，尸、侑者跟着下堂，表示不敢在堂上安处，尸劝阻主人去洗爵。主人谦辞以对，洗毕，向尸行揖致意。主人上堂，尸、侑者接着上堂。尸站在西楹柱的西侧，面朝北拜谢主人亲为洗爵。主人站在东楹柱的东侧，面朝北放下爵答拜还礼，然后下堂洗手。尸、侑者跟着下堂，表示不敢在堂上安处，主人辞谢，尸谦辞以对。主人洗完手，向尸行揖致意，然后上堂，尸、侑者接着上堂。主人坐下拿起爵，酌上酒献给尸。尸面朝北向主人行拜礼，然后接过爵；主人站在东楹柱的东侧，面朝北拜送受爵者。（以上为主人向尸献爵）

主妇自东房荐韭菹、醢，坐奠于筵前；菹在西方。妇赞者执昌菹、醓以授主妇①。主妇不兴，受。陪设于南，昌在东方。兴，取笾于房；麷、蕡坐设于豆西②，当外列③；麷在东方。妇赞者执白、黑以授主妇④。主妇不兴，受。设于初笾之南⑤，白在西方；兴，退。

[注释]

①昌菹：将菖蒲根切成四寸长做的菹。昌，昌本，即菖蒲根。②麷(fēng)：煮麦。蕡(fén)：大麻的种子。③外列：豆之南的一列，即韭菹、醓之南的昌菹、醓。④白：煮稻。黑：煮黍。⑤初笾：即麷、蕡之笾，因其为先设之笾，故名。

[译文]

主妇从东房端出韭菹和肉酱，坐下放置在尸的席前；韭菹放在西侧。主妇的助手将昌本菹和肉酱捧给主妇。主妇不起身，接过来，重设于南边，昌本菹在东侧。然后起身，到房中取笾；两个分别盛着煮熟的麦和大麻子的笾，陈设在豆的西边，正对着豆之南的一列；煮熟的麦放在东侧。主妇的助手端着煮熟的稻米和黍递给主妇。主妇不起身，接过来后，陈设在最初设的笾之南，煮熟的稻放在西侧，然后起身，退下。（以上为主妇荐笾豆）

乃升①。司马枇羊，亦司马载。载右体，肩，臂，肫，骼，臑，正脊一，脡脊一，横脊一，短胁一，正胁一，代胁一，肠一，胃一，祭肺一，载于一俎。羊肉湆②：臑折③、正脊一，正胁一，肠一，胃一，嚌肺一④，载于南俎。司士枇豕，亦司士载，亦右体：肩，臂，肫，骼，臑，正脊一，脡脊一，横脊一，短胁一，正胁一，代胁一，肤五，嚌肺一，载于一俎。侑俎：羊左肩，左肫，正脊一，胁一，肠一，胃一，切肺一，载于一俎。侑俎：豕左肩折，正脊一，胁一，肤三，切肺一，载于一俎。阼俎⑤：羊肺一，祭肺一，载于一俎。羊肉湆：臂一，脊一，胁一，肠一，胃一，祭肺一，载于一俎。豕脀：臂一，脊一，胁一，肤三，祭肺一，载于一俎。主妇俎：羊左臑，脊一，胁一，肠一，胃一，肤一，祭羊肺一，载于一俎。司士枕鱼，亦司士载：尸俎五鱼，横载之；侑、主人皆一鱼，亦横载之；皆加肵祭于其上⑥。

[注释]

①升：将鼎中的牲体取出来放在俎上。②羊肉湆：从羊俎上折分出一部分牲肉而成的俎，这是为了表示隆重而加设的俎。肉湆，肉在汁中，肉多汁少。③臑折：将羊俎上的右体之臑折分下来。④祭肺：离肺，切而不断的肺。⑤阼俎：主人之俎。⑥肵（hū）：有大和覆两个意思。将鱼的下腹最肥美处切成大块，可以称为肵；将大块的鱼腹覆在俎上待祭，也可称为肵，此处的肵兼有上述两种意思。

[译文]

于是，将鼎中的牲体取至俎上。司马用匕将鼎中的羊牲取出来，也由司马将它放在俎上。俎上放的是羊牲的右半边，有肩，前肢的上段，后肢的上段、中段，前肢的下段，前脊骨一块，中脊骨一块，后脊骨一块，后胁骨一块，中胁骨一块，前胁骨一块，肠一截，胃一块，祭肺一块，都放在同一个俎上。加设的俎，是从有汁的羊肉上折分下来的：从前肢下半段折下的半块，前脊骨一块，中胁骨一块，肠一截，胃一块，祭肺一块，都放在南边的俎上。司士用匕将鼎中的猪牲取出来，也是由司士将它放到俎上，俎上放的也是牲的右半边，有肩，前肢的上段，后肢的上段、中段，前肢的下段，前脊骨一块，中脊骨一块，后脊骨一块，后胁骨一块，中胁骨一块，前胁骨一块，肤五块，祭肺一块，放在同一个俎上。侑者的俎上放有：羊牲的左肩，左后肢的上段，前脊骨一块，胁骨一块，肠一截，胃一块，切肺一块，都放在同一个俎上。另一位侑者的俎上放有：从猪俎左肩上折分下来的一块，前脊骨一块，胁骨一块，肤三块，切肺一块，都放在同一个俎上。主人的俎上放有：羊肺一块，祭肺一块，放在同一个俎上。有羊肉汁的俎：左前肢的上段一块，脊骨一块，胁骨一块，肠一截，胃一块，胔肺一块，放在同一个俎上。放猪牲的俎上有：前肢的上段一块，脊骨一块，胁骨一块，肤三块，胔肺一块，放在同一个俎上。主妇的俎上放有：羊左前肢的下段，脊骨一块，胁骨一块，肠一截，胃一块，肤一块，胔羊肺一块，放在同一个俎上。司士用匕将鱼从鼎中取出，也是由司士放到俎上：尸的俎上有五条鱼，横着放；侑者之俎和主人之俎都是一条鱼，也是横着放在俎上；都从鱼腹下切一大块放在俎上，准备祭祀时用。（以上为司马设俎）

卒升①。宾长设羊俎于豆南，宾降。尸升筵自西方，坐，左执爵，右取韭菹揂于三豆，祭于豆间。尸取麷、蕡，宰夫赞者取白、黑以授尸。尸受，兼祭于豆间。

[注释]

①卒升：指尸的羊俎已放好。

[译文]

尸的羊俎准备完毕。来宾之长将羊俎陈设在豆的南边，然后下堂。尸从西边走到席上后，坐下，左手执爵，右手取韭菹，在三个豆中一一蘸过后，在豆之间祭祀。尸取煮熟的麦子和大麻子，宰夫的助手取煮熟的稻米和黍呈给尸。尸接过来后，同时在豆之间祭祀。（以上是来宾之长设俎）

雍人授次宾疏匕与俎。受于鼎西①，左手执俎左廉，缩之，却右手执匕枋，缩于俎上，以东面受于羊鼎之西。司马在羊鼎之东，二手执桃匕枋以挹湆②，注于疏匕，若是者三，尸兴，左执爵，右取肺，坐祭之；祭酒，兴，左执爵。次宾缩执匕俎以升，若是以授尸。尸却手受匕枋③，坐祭，啐之；兴，覆手以授宾。宾亦覆手以受，缩匕于俎上以降。尸席末坐啐酒，兴，坐奠爵，拜，告旨，执爵以兴。主人北面于东楹东，答拜。

[注释]

①鼎西：羊鼎之西。②桃：即斢，一种长柄的勺，勺部比普通的勺浅，用于从器物内往外舀物。二手执桃匕枋，用双手执勺柄是表示恭敬，不敢空垂一手。③却手：仰手，手心向上，与下"覆手"相对。

[译文]

雍人将柄部刻有纹饰的匕以及俎递给次宾。次宾站在鼎的西侧接受，左手执持俎的左边，俎呈纵向，右手仰着拿着匕柄，将匕纵向放在俎上，然后面朝东站在羊鼎之西接过俎。司马站在羊鼎的东侧，双手执桃匕的柄从羊鼎中取肉汁，再倒入柄部刻有纹饰的匕中，一共三次。尸起身，左手执爵，右手取羊的祭肺，坐下致祭；接着祭酒，再起身，左手执爵。次宾纵向端着匕和俎上堂，又依然如此地递给尸。尸仰着手接过匕柄，坐下祭肉汁，祭毕尝之，然后起身，手心向下拿着匕，将它交给次宾。次宾也是手心向下接过匕，将它纵向放在俎上后下堂。尸坐在席的末端尝酒，又起身，然后坐下放好爵，向主人行拜礼，称赞酒味甜美，再执爵起身。主人面朝北站在东楹柱的东侧，答拜还礼。（以上是次宾进献匕和肉汁）

司马羞羊肉湆，缩执俎。尸坐奠爵，兴取肺，坐绝祭①，啐之；兴，反加于俎。司马缩奠俎于羊湆俎南②，乃载于羊俎；卒载俎③，缩执俎以降。

[注释]

①绝祭：绝断肺的下端以祭。②"缩奠俎于羊湆俎南"，当作"缩奠湆俎于羊俎南"，"湆"字误置于"羊"字之后，当在"奠"字之后。③卒载俎："俎"字为衍文，应删。

[译文]

司马进献有汁的羊肉俎，纵向端着。尸坐下放好爵，再起身拿起肺，然后坐下扯断肺的下端进行祭祀，祭毕尝肺；接着起身，将吃剩的肺放回俎上。司马将有汁的羊肉俎放在羊俎的南侧，再将有汁的羊肉全部放到羊俎上，放完后，纵向端着空俎下堂。（以上为司马放带汁羊肉于羊俎）

尸坐执爵以兴。次宾羞羊燔，缩执俎，缩一燔于俎上，盐在右。尸左执爵，受燔，揳于盐；坐振祭，哜之；兴，加于羊俎。宾缩执俎以降①。尸降筵，北面于西楹西，坐卒爵；执爵以兴，坐奠爵，拜；执爵以兴。主人北面于东楹东答拜。主人受爵。尸升筵，立于筵末。

[注释]

①执俎：执刚才放着烤羊肉的俎。

[译文]

尸坐下，执爵后起身。次宾进献烤羊肉，俎纵向端在手中，一块烤羊肉纵向放在俎上，盐放在它的右侧。尸左手执爵，右手接过烤羊肉，再在盐上蘸一蘸；然后坐下振而祭之，祭毕尝一口；接着起身，将尝过的烤羊肉放在羊俎上。宾纵向端着俎下堂。尸离席，走到西楹柱的西侧面朝北而立，然后坐下，将爵中的酒饮完；再执爵起身，又坐下放好爵，向主人行拜礼；再执爵起身。主人面朝北站在东楹柱之东答拜还礼。主人接过尸饮过的空爵。尸回到席上，站立在席的末端。（以上为次宾进献烤羊肉）

主人酌，献侑。侑西楹西北面拜受爵。主人在其右，北面答拜。主妇荐韭菹、醢，坐奠于筵前，醢在南方。妇赞者执二笾枣、栗，以授主妇。主妇不兴，受之，奠枣于醢南，栗在枣东。

主妇入于房。

[译文]

主人在爵中酌上酒后，献给侑者。侑者站在西楹柱的西侧，面朝北向主人行拜礼，然后接过爵。主人站在侑者的右侧，面朝北答拜还礼。主妇又献上韭菹和肉酱，先坐下，再将它放在席前，肉酱在南侧。主妇的助手端着盛有煮熟的麦和大麻子的两个笾，递给主妇。主妇不起身，接受之后，将煮麦放在肉酱的南侧，煮大麻子放在煮麦的东侧。然后，主妇进入房内。（以上为主人向侑者献爵，主妇献笾豆）

侑升筵自北方。司马横执羊俎以升①，设于豆东。侑坐，左执爵，右取菹擩于醢，祭于豆间；又取黍、稷同祭于豆祭；兴，左执爵，右取肺，坐祭之，祭酒；兴，左执爵。次宾羞羊燔，如尸礼。侑降筵自北方，北面于西楹西；坐卒爵，执爵以兴；坐奠爵，拜。主人答拜。

[注释]

①羊俎：即上文所说的"侑俎"。

[译文]

侑者从北方入席。司马横向端着羊俎上堂，将它陈设在豆的东侧。侑者坐下，左手执爵，右手取菹在肉酱中蘸一蘸，然后在豆间致祭；又取煮熟的麦和大麻子一并在豆间致祭；祭毕起身，左手执爵，右手取肺，再坐下致祭，祭毕又祭酒；然后起身，左手执爵。次宾进献烤羊肉，其仪节与献尸时一样。侑者从北方离席，面朝北站在西楹柱的西侧；接着坐下放好爵，再执爵起身；然后又坐下放好爵，向主人行拜礼。主人答拜还礼。（以上为设羊俎，进献烤羊肉）

尸受侑爵，降洗。侑降立于西阶西，东面。主人降自阼阶，辞洗。尸坐奠爵于篚，兴对。卒洗，主人升，尸升自西阶。主人拜洗。尸北面于西楹西，坐奠爵，答拜，降盥。主人降，尸辞，主人对。卒盥，主人升，尸升，坐取爵，酌。司宫设席于东序，西面。主人东楹东北面拜受爵，尸西楹西北面答拜。

[译文]

尸从侑者手中接过空爵，下堂洗涤。侑者下堂站在西阶之西，面朝东。主人从阼阶下堂，谦辞劝阻尸洗爵。尸坐下将爵放入篚中，再起身谦辞对答。洗完爵后，主人上堂，尸从西阶上堂。主人拜谢尸亲自洗爵。尸面朝北站在西楹柱的西侧，接着坐下放好爵，向主人答拜还礼，然后下堂洗手。主人随后下堂，表示不敢独自在堂上安处，尸谦辞劝阻，主人谦辞以对。洗完手，主人上堂，尸上堂，坐下取过爵，酌上酒。司宫在东序为主人铺席，席的正面朝西。主人站在东楹柱的东侧，面朝北拜尸后接爵，尸站在西楹柱的西侧，面朝北答拜还礼。（以上是主人接爵）

主妇荐韭菹、醢，坐奠于筵前；菹在北方。妇赞者执二笾麷、蕡；主妇不兴，受；设麷于菹西北，蕡在麷西。主人升筵自北方，主妇入于房。

[译文]

接着，主妇进献韭菹、肉酱，坐着陈放在主人的席前，菹放在北侧。主妇的助手端着两个分别盛有煮熟的麦、大麻子的笾，主妇不起身，接过笾，将煮熟的麦陈设在菹的西北侧，煮熟的大麻子陈设在煮熟的麦的西侧。主人从北方入席，主妇进入房内。（以上是主妇献笾等）

长宾设羊俎于豆西。主人坐，左执爵，祭豆笾，如侑之祭；

兴，左执爵，右取肺；坐祭之，祭酒，兴。次宾羞匕湆，如尸礼。席末坐啐酒，执爵以兴。

[译文]

来宾之长将羊俎陈设在豆的西侧。主人坐下，左手执爵，右手祭豆笾，其仪节与侑者祭时一样；然后起身，左手执爵，右手取肺；再坐下致祭，接着又祭酒，祭毕起身。次宾进献匕和肉汁，其仪节与献尸时一样。主人在席的末端坐着尝酒，尝毕执爵起身。（以上是长宾设俎，次宾进献匕和肉汁）

司马羞羊肉湆，缩执俎。主人坐，奠爵于左；兴，受肺，坐绝祭，哜之；兴，反加于湆俎。司马缩奠湆俎于羊俎西，乃载之；卒载，缩执虚俎以降。主人坐取爵以兴。次宾羞燔；主人受，如尸礼。

[译文]

司马献上带汁的羊肉俎，纵向端在手中。主人坐下，将爵放在左方；再起身，从带汁的羊肉俎上接过肺，又坐下，将肺的下端扯断后致祭，祭毕尝肺；然后起身，将肺放回带汁的羊肉俎上。司马将带汁的羊肉俎纵向放在羊俎的西侧，再将带汁的羊肉全部拨到羊俎上，拨毕，纵向端着空俎下堂。主人坐下，执爵后起身。次宾又献上烤羊肉，主人接受之，其间仪节与献尸时一样。（以上是司马进献带汁羊肉，次宾进献烤羊肉）

主人降筵自北方，北面于阼阶上，坐卒爵，执爵以兴；坐奠爵，拜，执爵以兴。尸西楹西答拜。主人坐奠爵于东序南。侑升。尸、侑皆北面于西楹西。主人北面于东楹东，再拜崇酒。尸、侑皆答再拜。主人及尸、侑皆升就筵。

有司彻第十七　457

[译文]

主人从北方离席，面朝北站在阼阶之上，再坐下将爵中的酒饮完，又执爵起身；接着又坐下放好爵，向尸行拜礼，然后执爵起身。尸站在西楹柱的西侧答拜还礼。主人坐下，将爵放在东序之南。侑者上堂。尸、侑者都面朝北站在西楹柱的西侧。主人面朝北站在东楹柱的东侧，行两次拜礼，感谢为他充酒。尸、侑者都用再拜之礼作答。主人和尸、侑者都入席就座。（以上为主人拜充酒）

司宫取爵于篚，以授妇赞者于房东，以授主妇。主妇洗爵于房中，出实爵，尊南，西面拜献尸。尸拜，于筵上受。主妇西面于主人之席北，拜送爵；入于房，取一羊铏，坐奠于韭菹西。主妇赞者执豕铏以从；主妇不兴，受，设于羊铏之西；兴，入于房，取糗与腶脩①，执以出；坐设之。糗在黍西，脩在白西；兴，立于主人席北，西面。尸坐，左执爵，祭糗脩，同祭于豆祭；以羊铏之柶挹羊铏，遂以挹豕铏，祭于豆祭，祭酒。次宾羞豕匕湆，如羊匕湆之礼。尸坐啐酒，左执爵，尝上铏，执爵以兴；坐奠爵，拜；主妇答拜。执爵以兴。司士羞豕胾。尸坐奠爵，兴受，如羊肉湆之礼；坐取爵，兴。次宾羞豕燔。尸左执爵，受燔，如羊燔之礼；坐卒爵，拜。

[注释]

①糗（qiǔ）：米粉做的饼。腶脩（duàn xiū）：捣碎后加姜、桂的干肉。

[译文]

司宫从篚中取出酒爵，在房门外的东侧递给主妇的助手，主妇的助手又将它递给主妇。主妇在房内洗涤酒爵，再出门酌上酒，放在酒尊之南，接着面朝西向尸行拜礼，将爵献给尸。尸行拜礼后，在席上接过酒爵。主妇面朝西站在主人之席的北侧，拜送受爵者；然后走入房内，取出一只盛羊肉羹的铏，又坐下将它放在韭菹的西侧。主妇的助手端着盛猪肉羹的铏跟在主妇之后；主妇不起身，从助手的手中接过，将它放在盛羊肉羹的铏西边；又起身，走入房内，取米粉饼和加了姜、桂的干肉，端着出门，再坐下陈放，米粉饼放在煮熟的大麻子之西，干肉放在煮熟的稻米之西；然后起身，站在主人之席的北侧，面朝西。尸坐下，左手执爵，右手拿着米粉饼和干肉致祭，一并在豆间祭祀；先用放在羊铏上的勺舀取羊铏中的羊肉羹，再用这把勺舀取猪铏中的猪肉羹，在豆间致祭，接着又祭酒。次宾进献匕和猪肉汁，其仪节与进献匕和羊肉汁时一样。尸坐着尝酒，左手执爵，右手取放在上首的羊铏，尝羊肉羹；又坐下放好爵，向主妇行拜礼；主妇答拜还礼。尸执爵起身。司士进献猪俎。尸坐下放好爵，再起身接受，其仪节与接受带汁的羊肉俎时一样；尸又坐下取爵，再起身。次宾进献烤猪肉。尸左手执爵，右手接过烤猪肉，其仪节与接受烤羊肉时一样；尸坐下将爵中的酒饮完，向主妇行拜礼。（以上为主妇向尸献酒）

主妇答拜，受爵；酌，献侑。侑拜受爵，主妇主人之北西面答拜。主妇羞糗、脩，坐奠糗于稌南，脩在糗南，侑坐，左执爵，取糗、脩兼祭于豆祭。司士缩执豕胥以升。侑兴取肺，坐祭之。司士缩奠豕胥于羊俎之东，载于羊俎，卒，乃缩执俎以降。侑兴。次宾羞豕燔；侑受如尸礼，坐卒爵，拜。

[译文]

主妇答拜还礼后，接过酒爵，再酌上酒，献给侑者。侑者行拜礼后接过酒爵，主妇站在主人的北侧，面朝西答拜还礼。主妇进献米粉饼、干肉，坐着将米粉饼放在煮熟的麦的南侧，干肉放在煮熟的大麻子的南侧。侑者坐下，左手执酒爵，右手执米粉饼、干肉，一并在豆间致祭。司士纵向端着猪俎上堂。侑者起身，从俎上取过肺，再坐下致祭。司士将猪俎纵向放在羊俎的东侧，再将猪俎上的肉全部拨到羊俎上，拨完后，纵向端着空俎下堂。于是侑者起身。次宾献上烤猪肉，侑者接受的仪节与献尸时一样，然后尸坐下将爵中的酒饮完，向主妇行拜礼。（以上为主妇向侑者献酒）

主妇答拜，受爵，酌以致于主人。主人筵上拜受爵，主妇北面于阼阶上答拜。主妇设二铏与糗、脩，如尸礼。主人其祭糗、脩，祭铏，祭酒，受豕匕湆，拜啐酒①，皆如尸礼；尝铏不拜。其受豕胥，受豕燔，亦如尸礼；坐卒爵，拜。主妇北面答拜，受爵。

[注释]

①拜啐酒："拜"字为衍文，可删去。

[译文]

主妇答拜还礼后，接过酒爵，酌上酒致送给主人。主人在席上行拜礼后接过酒爵，主妇面朝北站在阼阶之上答拜还礼。主妇陈设两只盛羹的铏以及米粉饼、干肉，陈设的方式与献尸时一样。主人祭祀米粉饼、干肉，再祭铏中之羹，又祭酒，然后接过匕和带汁的猪肉，尝酒，其仪节与献尸时一样，只是尝铏中之羹后不必行拜礼。主人接受猪俎，接受烤猪肉，其仪节也和献尸时一样；然后坐下将爵中的酒饮完，向主妇行拜礼。主妇面朝北答拜还礼，再接过空爵。（以上为主妇致爵于主人）

尸降筵，受主妇爵以降。主人降，侑降。主妇入于房。主人立于洗东北，西面。侑东面于西阶西南。尸易爵于篚，盥洗爵。主人揖尸、侑。主人升。尸升自西阶，侑从。主人北面立于东楹东，侑西楹西北面立。尸酌。主妇出于房，西面拜，受爵。尸北面于侑东答拜。主妇入于房。司宫设席于房中，南面。主妇立于席西。妇赞者荐韭菹、醢，坐奠于筵前，菹在西方。妇人赞者执韭、蕢以授妇赞者①；妇赞者不兴，受；设韭于菹西，蕢在韭南。主妇升筵。司马设羊俎于豆南。主妇坐，左执爵，右取菹于醢，祭于豆间；又取韭、蕢兼祭于豆祭。主妇奠爵，兴取肺，坐绝祭，哜之；兴加于俎，坐挩手，祭酒，啐酒。次宾羞羊燔。主妇兴，受燔，如主人之礼。主妇执爵以出于房，西面于主人席北，立卒爵，执爵拜。尸西楹西北面答拜。主妇入立于房。尸、主人及侑皆就筵。

[注释]

①妇人赞者：宗妇中的年少者。

[译文]

尸离开席位，从主妇手中接过爵后下堂。主人随之下堂，侑者也下堂，表示不敢在堂上安处。主妇进入房内。主人站在洗的东北方，面朝西。侑者面朝东站在西阶的西南方。尸将空爵放入筐中又另取一爵，然后洗手、洗爵。主人向尸、侑者行揖致意。接着主人上堂，尸从西阶上堂，侑者跟随于后。主人面朝北站在东楹柱的东侧，侑者则在西楹柱的西侧面朝北而立。尸在爵中酌上酒。主妇从房内走出来，面朝西拜尸，然后接过酒爵。尸面朝北站在侑者的东侧答拜还礼。主妇走入房内。司官在房中为主妇铺席，席的正面朝南。主妇站在席的西侧。主妇的助手进献韭菹、肉酱，坐下将它陈设在席前，菹放在西侧。宗妇中的年少者端着煮麦、煮大麻子，将它递给主妇的助手；主妇的助手不必起身，坐着接过来，然后将煮麦放在菹的西侧，煮大麻子放在煮麦的南侧。于是，主妇入席。司马将羊俎陈设在豆的南侧。主妇坐下，左手执酒爵，右手取了菹在肉酱中蘸一蘸，再在豆之间祭祀；又取了煮麦、煮大麻子一并在豆之间致祭。主妇放下酒爵，起身取肺，又坐下将肺的下端扯断致祭，祭毕尝肺；再起身将肺放回俎上，然后坐下擦手，接着又祭酒，祭毕尝酒。次宾进献烤羊肉。主妇起身，接过烤羊肉，其仪节与次宾向主人献烤羊肉时一样。主妇执爵走出房,面朝西站在主人之席的北侧,将爵中的酒饮完,然后执爵拜尸。尸站在西楹柱的西侧,面朝北答拜还礼。主妇进入房内站着,不入席。尸、主人以及侑者都入席。(以上为尸回敬主妇)

上宾洗爵以升①,酌,献尸。尸拜,受爵。宾西楹西北面拜送爵。尸奠爵于荐左②。宾降。

[注释]

①上宾:即宾长。②荐左:醢的左侧。

[译文]

上宾洗爵后拿着上堂,酌上酒后,献给尸。尸行拜礼后,接过酒爵。上宾站在西楹柱的西侧,面朝北拜送受爵者。尸将酒爵放在肉酱的左侧。上宾下堂。(以上为上宾三献尸)

主人降,洗爵①。尸、侑降。主人奠爵于篚,辞。尸对。卒洗。揖。尸升,侑不升。主人实爵酬尸,东楹东,北面坐奠爵,拜。尸西楹西北面答拜。坐祭,遂饮,卒爵拜。尸答拜。降洗。尸降辞。主人奠爵于篚,对,卒洗。主人升,尸升。主人实爵,尸拜受爵。主人反位,答拜。尸北面坐,奠爵于荐左。

[注释]

①爵:指觯,爵是饮酒器的通称,故可与觯混用。下同。

[译文]

主人下堂,洗涤酒觯。尸、侑者也随之下堂,表示不敢在堂上安处。主人将觯放入篚中,谦辞劝阻。尸谦辞对答。主人洗完觯,向尸行揖致意后上堂。尸接着上堂,侑者不上堂。主人在觯中酌上酒后酬敬尸,在东楹柱的东侧,面朝北坐下放好爵,向尸行拜礼。尸在西楹柱的西侧,面朝北答拜还礼。于是,主人坐下祭酒,接着饮酒，将觯中的酒饮完后向尸行拜礼。尸答拜还礼。主人下堂洗觯。尸跟着下堂谦辞劝阻。主人将觯放入篚中，谦辞以对，然后将觯洗完。主人上堂，尸也上堂。主人在觯中酌酒，尸向主人行拜礼后接过酒觯。主人回到东楹柱东侧面朝北的位置，答拜还礼。尸面朝北坐下，将觯放在肉酱的左侧、稍往南的地方。（以上为主人酬尸）

尸、侑、主人皆升筵。乃羞，宰夫羞房中之羞于尸、侑、主人、主妇①，皆右之；司士羞庶羞于尸、侑、主人、主妇②，皆左之。

［注释］

①房中之羞：指用笾豆盛的米粉点心之类，由妇人制作，也称内羞。②庶羞：指羊肉羹、猪肉羹等。

［译文］

尸、侑者、主人都入席。于是进献肴馔，宰夫向尸、侑者、主人、主妇进献各种谷物点心，都陈设在右侧；司士向尸、侑者、主人、主妇进献各种肉类食物，都陈设在左侧。（以上为向尸和主人等进献肴馔）

主人降，南面拜众宾于门东，三拜。众宾门东，北面，皆答壹拜。主人洗爵，长宾辞。主人奠爵于篚，兴对，卒洗，升酌，献宾于西阶上。长宾升，拜受爵；主人在其右，北面答拜。宰夫自东房荐脯、醢，醢在西。司士设俎于豆北，羊骼一，肠一，胃一，切肺一，肤一。宾坐，左执爵，右取脯擩于醢，祭之；执爵兴，取肺，坐祭之；祭酒，遂饮，卒爵，执爵以兴；坐奠爵，拜，执爵以兴。主人答拜，受爵。宾坐取祭以降，西面坐委于西阶西南。宰夫执荐以从，设于祭东。司士执俎以从，设于荐东。

[译文]

主人下堂，在门东面朝南向众宾行拜礼，拜三次，表示遍拜。众宾在门东面朝北而立，都以一拜之礼作答。主人洗涤酒爵，宾长谦辞劝阻。主人将酒爵放入篚内，起身对答，再将爵洗完，然后上堂酌上酒，在西阶之上献给宾长。宾长上堂，向主人行拜礼后接爵；主人站在他的右侧，面朝北答拜还礼。宰夫从东房进献干肉、肉酱，肉酱放在西侧。司士将俎陈设在豆的北侧，俎上放着：羊左后肢的中段一块，肠一截，胃一块，切肺一块，肤一块。宾长坐下后，左手执爵，右手取了干肉往肉酱中蘸过，再进行祭祀；接着执爵起身，取俎上的肺，坐下致祭；然后祭酒，祭毕饮酒，将爵中的酒饮完，再执爵起身；接着又坐下放好爵，向主人行拜礼，再执爵起身。主人答拜还礼后，接过酒爵。宾长取祭过的干肉和肺下堂，面朝西坐下，将它放在西阶的西南。宰夫执笾豆跟随于后，并将它陈设在干肉和肺的东侧。司士执俎跟在宰夫之后，将俎陈设在笾豆的东侧。（以上为主人向宾长献酒）

众宾长升①，拜受爵，主人答拜。坐祭，立饮，卒爵，不拜既爵②。宰夫赞主人酌，若是以辩③。辩受爵，其荐脯、醢与胥，设于其位。其位继上宾而南④，皆东面。其胥体⑤，仪也⑥。

[注释]

①长升：按年齿长幼顺序上堂。②既爵：卒爵，饮尽爵中之酒。③辩：通"遍"。④上宾：即宾长。⑤胥体：放在俎上的牲骨。⑥仪：度，选择。此指在剩余的牲骨中选择可用者。

[译文]

除宾长之外的众宾，按长幼之序上堂，向主人行拜礼后接爵，主人答拜还礼。众宾都是坐着祭酒，站着饮酒，要将爵中之酒饮完，饮完后不必向主人行拜礼。宰夫协助主人酌酒，一一为众宾酌遍。众宾一一接过爵后，进献干肉、肉酱和放有牲体的俎，都陈设在每位宾的席位上。他们的席位接在上宾之后往南排列，都是面朝东。俎上的牲体，都是经过选择的。（以上为遍献众宾）

乃升长宾。主人酌，酢于长宾①；西阶上北面，宾在左。主人坐奠爵，拜，执爵以兴；宾答拜。坐祭，遂饮，卒爵，执爵以兴；坐奠爵，拜。宾答拜。宾降。

[注释]

①酢于长宾：主人代替宾长自酢。宾长是助祭之宾，身份较低，不敢酢主人。

[译文]

于是，请宾长上堂。主人酌酒后，代替宾长酢酒；主人在西阶之上面朝北而立，宾长在其左侧。主人坐下放好酒爵，向宾长行拜礼，再执爵起身，宾长答拜还礼。主人坐下祭酒，接着饮酒，将爵中之酒饮完，再执爵起身；然后又坐下放好爵，向宾长行拜礼。宾长答拜还礼。宾长下堂。（以上为主人自酢）

宰夫洗觯以升。主人受酌，降酬长宾于西阶南，北面。宾在左。主人坐奠爵，拜，宾答拜。坐祭，遂饮，卒爵拜。宾答拜。主人洗，宾辞。主人坐奠爵于篚，对，卒洗，升酌，降复位。宾拜受爵，主人拜送爵。宾西面坐，奠爵于荐左。

[译文]

宰夫洗觯后拿着上堂。主人接过觯酌上酒，下堂到西阶之南酬宾长，面朝北。宾长站在主人的左侧。主人坐下放好觯，起身拜宾长，宾长答拜还礼。主人坐下祭酒，祭毕饮酒，将爵中的酒饮完后拜宾长。宾长答拜还礼。主人准备洗觯，宾长谦辞劝阻。主人坐下将觯放入篚中，谦辞以对，洗完后，上堂酌酒，然后下堂回到原

位。宾长向主人行拜礼后接觯,主人拜送接者。宾长面朝西坐下,将觯放在笾豆的左侧。(以上为主人酬宾长)

主人洗,升酌,献兄弟于阼阶上。兄弟之长升,拜受爵。主人在其右答拜。坐祭,立饮,不拜既爵。皆若是以辩。辩受爵,其位在洗东,西面北上。升受爵,其荐俎设于其位。其先生之俎①,折胁一,肤一。其众,仪也。

[注释]

①先生:即兄弟中的最年长者。

[译文]

主人又洗爵,上堂酌酒,在阼阶之上献给兄弟。兄弟中的年长者上堂,向主人行拜礼后接爵。主人站在他的右侧答拜还礼。兄弟中的年长者坐下致祭,站着饮酒,将爵中之酒饮完后不必拜谢主人。其余的兄弟都用这样的仪节一一轮遍。众兄弟都接过爵,站在洗的东侧,面朝西,从北往南排列,以站在北首者为尊。接着,众兄弟上堂接爵,进献的笾豆和俎,陈设在每人的位置上。兄弟中最年长者的俎上放着:折断的胁骨一块,肤一块。众兄弟的俎上的食物,都选择过。(以上为主人向兄弟献酒)

主人洗,献内宾于房中①。南面拜受爵,主人南面于其右答拜。坐祭,立饮,不拜既爵。若是以辩,亦有荐俎。

[注释]

①内宾:姑姊妹、宗妇等。

[译文]

主人洗爵酌酒,在房中献给内宾。内宾面朝南拜主人后接爵,主人面朝南站在内宾的右侧答拜还礼。内宾坐下致祭,站着饮酒,将爵中的酒饮完后,不必向主人行拜礼。用这样的仪节一一向各位

内宾献酒，每人也都有笾豆和俎。（以上为主人向内宾献酒）

主人降洗，升献私人于阼阶上①。拜于下，升受，主人答其长拜。乃降，坐祭，立饮，不拜既爵。若是以辩。宰夫赞主人酌。主人于其群私人不答拜。其位继兄弟之南，亦北上，亦有荐脀。主人就筵。

[注释]
①私人：家臣。

[译文]
主人下堂洗爵，上堂酌酒后在阼阶之上献给家臣。家臣在堂下向主人行拜礼，然后上堂接爵，主人只向家臣之长答拜还礼。接着，家臣下堂，坐着祭酒，站着饮酒，将爵中之酒饮毕，不必向家长行拜礼。用这样的仪节向每位家臣献酒。宰夫在旁协助主人酌酒。对于家臣之长以外的众家臣，主人不必答拜还礼。众家臣之位接在众兄弟之后往南排列，也是以北首为尊，各自也都有笾豆和俎。于是，主人到东序即席。（以上为主人向家臣献酒）

尸作三献之爵①。司士羞湆鱼，缩执俎以升。尸取肫祭祭之，祭酒，卒爵。司士缩奠俎于羊俎南，横载于羊俎，卒，乃缩执俎以降。尸奠爵拜。三献北面答拜②，受爵，酌献侑。侑拜受，三献北面答拜。司马羞湆鱼一，如尸礼。卒爵拜。三献答拜，受爵，酌致主人。主人拜受爵，三献东楹东北面答拜。司士羞一湆鱼，如尸礼。卒爵拜。三献答拜，受爵。

[注释]
①三献之爵：指上宾所献之爵，因上宾献爵后三献之礼成，故名。此时尸的席前除上宾所献之爵外，还有主人酬尸之爵，所以此处说明所举为三献之爵。②三献：指上宾。

[译文]

尸举起上宾所献之爵。司士进献盛着带汁的鱼的俎，纵向端着俎上堂。尸取鱼下腹的大块肉致祭，接着祭酒，最后将爵中之酒饮毕。司士将鱼俎纵向放置在羊俎的南侧，再将俎上的鱼横放在羊俎上，放毕，纵向端着俎下堂。尸放下酒爵，向上宾行拜礼。上宾面朝北答拜还礼，然后接过爵，酌上酒后献给侑者。侑者行拜礼后接爵，上宾面朝北答拜还礼。司马又进献一条带汁的鱼，其仪节与献尸时一样。侑者将爵中的酒饮完后，向上宾行拜礼。上宾答拜还礼后，接过空爵，酌上酒后献给主人。主人行拜礼后接爵，上宾站在东楹柱的东侧，面朝北答拜还礼。司士又献上一条带汁的鱼，其仪节与献尸时一样。主人将爵中的酒饮完后，向上宾行拜礼。上宾答拜还礼，接过空爵。（以上为尸献侑者、致爵于主人）

尸降筵，受三献爵，酌以酢之。三献西楹西北面拜受爵，尸在其右以授之。尸升筵，南面答拜，坐祭，遂饮，卒爵拜。尸答拜。执爵以降，实于篚。

[译文]

尸离席，从上宾手中接过空爵，酌上酒回敬上宾。上宾站在西楹柱的西侧，面朝北向尸行拜礼，然后接过酒爵，尸站在上宾的右侧将爵递给他。尸即席，面朝南答拜上宾，然后坐下致祭，接着饮酒，将爵中的酒饮完后，向尸行拜礼。尸答拜还礼。上宾执空爵下堂，将它放入篚中。（以上为上宾接受尸的敬酒）

二人洗觯，升实爵，西楹西，北面东上，坐奠爵，拜，执爵以兴；尸、侑答拜。坐祭，遂饮，卒爵，执爵以兴，坐奠爵，拜；尸、侑答拜。皆降洗，升酌，反位。尸、侑皆拜受爵，举觯者皆拜送。侑奠觯于右。尸遂执觯以兴，北面于阼阶上酬主人；

主人在右。坐奠爵，拜；主人答拜。不祭，立饮，卒爵，不拜既爵；酌，就于阼阶上酬主人。主人拜受爵，尸拜送。尸就筵，主人以酬侑于西楹西；侑在左。坐奠爵，拜，执爵兴；侑答拜。不祭，立饮，卒爵，不拜既爵；酌，复位。侑拜受，主人拜送。主人复筵，乃升长宾。侑酬之，如主人之礼。至于众宾，遂及兄弟，亦如之；皆饮于上。遂及私人，拜受者升受，下饮；卒爵，升酌，以之其位，相酬辩。卒饮者实爵于篚。乃羞庶羞于宾、兄弟、内宾及私人。

[译文]

堂下的两位助祭者各洗一觯，接着上堂酌酒，又在西楹柱的西侧面朝北并排而立，以站在东边者为尊，再坐下放好觯，向尸、侑者行拜礼，然后执觯起身；尸、侑者答拜还礼。两位助祭者坐下祭酒，祭毕饮酒，将觯中的酒饮完后，执觯起身，接着又坐下放好觯，向尸、侑者行拜礼；尸、侑者答拜还礼。两位助祭者都又下堂洗觯，再上堂酌酒，回到原位。尸、侑者都行拜礼后接觯，两位助祭者都拜送接觯者。侑者将觯放在笾豆的右侧。尸则执觯起身，面朝北站在阼阶之上酬敬主人；主人站在他的右侧。尸坐下放好觯，向主人行拜礼，主人答拜还礼。尸不必祭祀觯中的酒，就可以站着饮酒，并且全部饮完，饮毕不必再拜主人；但要再在觯中酌上酒，就近在阼阶之上酬敬主人。主人行拜礼后接觯，尸拜送接觯者。尸即席，主人在西楹柱的西侧举觯酬敬侑者；侑者站在主人的左侧。主人坐下放好觯，向侑者行拜礼，再执觯起身；侑者答拜还礼。主人不必祭酒，就可以站着饮酒，将觯中之酒饮完，饮毕不必再拜侑者；然后再在觯中酌上酒，回到原位。侑者向主人行拜礼后接觯，主人拜而送之。主人回到东序的席位上，接着，请宾长上堂。侑者举觯酬敬宾长，其仪节与酬敬主人时一样。接着轮到众宾互相酬酒，再轮到众兄弟互相酬酒，其仪节也是如此，都是在堂上饮酒。

又轮到家臣互相酬酒，家臣之长先在堂下行拜礼，再上堂接觯，然后下堂饮酒；将觯中之酒饮完后，又上堂酌酒，站到所酬者之位，与所有家臣相酬而遍。最后一位饮酒的家臣要将空觯放回篚中。接着，向宾、兄弟、内宾和家臣进献各种肴馔。（以上为旅酬）

兄弟之后生者举觯于其长，洗，升酌，降，北面立于阼阶南；长在左。坐奠爵，拜，执爵以兴；长答拜。坐祭，遂饮，卒爵，执爵以兴；坐奠爵，拜，执爵以兴；长答拜。洗，升酌，降。长拜受于其位，举爵者东面答拜。爵止。

[译文]

兄弟中的年幼者举觯献给他们中的年长者，先洗觯，再上堂酌酒，然后下堂，面朝北站在阼阶之南；年长者站在他的左侧。年幼者坐下放好觯，向年长者行拜礼，再执觯起身；年长者答拜还礼。年幼者坐下致祭，接着饮酒，将觯中之酒饮完，再执觯起身；然后坐下放好觯，向年长者行拜礼，再执觯起身；年长者答拜还礼。年幼者洗觯，再上堂酌酒，然后下堂。年长者在自己的席位上拜年幼者，然后接觯，年幼者面朝东答拜还礼。年长者放下觯。（以上为年幼者举觯）

宾长献于尸①，如初；无湆②，爵不止。宾一人举爵于尸③，如初，亦遂之于下④。宾及兄弟交错其酬，皆遂及私人，爵无算。

[注释]

①宾长：指众宾之长。②湆：指湆鱼，带汁的鱼。③宾一人：指年龄次于众宾之长的一位。④之：往，及。

[译文]

众宾之长向尸献酒，其仪节与上宾献尸时一样；不进献带汁的鱼，献尸时即举爵。一位年龄次于众宾之长的宾举爵向尸献酒，其仪节与两位助祭者向尸、侑者献酒时一样，也及于众宾、兄弟，下至家臣。众宾及兄弟互相酬酒，最后都下及于私臣，饮酒不计爵数。（以上为宾长等献尸以及旅酬）

尸出，侑从。主人送于庙门之外，拜，尸不顾；拜侑与长宾，亦如之。众宾从。司士归尸、侑之俎。主人退，有司彻。

[译文]

尸出庙门时，侑者跟随于后。主人在庙门之外送别，向尸行拜礼，到尸不再回头时才回门内；向侑者和宾长行拜礼，也是如此。众宾跟随宾长离去。司士将尸、侑者的俎送至各自的家中。于是，主人回到寝室，有司们撤除堂上堂下的荐俎。（以上为傧尸之礼完毕）

若不宾尸①，则祝侑亦如之②。尸食③，乃盛俎：臑、臂，肫，脡脊，横脊，短胁，代胁，皆牢；鱼七；腊辩④。无髀。卒盛，乃举牢肩。尸受，振祭，哜之。佐食受，加于肵。

[注释]

①下大夫不傧尸，以示礼数有别。②祝侑亦如之：祝侑尸之前与上大夫傧尸相同，指七饭时。③尸食：祝侑毕尸又吃饭，即八饭。④腊辩：即腊胖，指腊的右半边。

[译文]

如果是下大夫，则不傧尸，祝侑尸以前的仪节都与上大夫傧尸时一样。尸八饭时，在俎上盛放：牲前肢的下段、上段，后肢的上段，中脊骨，后脊骨，后胁骨，前胁骨，都是有羊、有猪；鱼七条；腊兽的右半边，但没有靠近后窍的部分。盛放完毕，上佐食进献羊、猪的肩。尸接受后，振而祭之，然后尝一口。上佐食将尝过的肩接过来，放在肵俎上。（以上为下大夫在尸八饭之后的仪节）

有司彻第十七　471

佐食取一俎于堂下，以入，奠于羊俎东。乃摭于鱼、腊俎①，俎释三个②。其馀皆取之，实于一俎以出。祝、主人之鱼、腊取于是③。尸不饭，告饱。主人拜侑，不言；尸又三饭④。佐食受牢举⑤，如傧。

[注释]

①摭（zhí）：拾取。②俎释三个：每俎剩下三枚不取，以备阳厌时用。个，枚。③此句"祝、主人"之后当有"主妇"二字，由下文可以推知。④尸此前已八饭。此时有三饭，共十一饭。依古礼，士九饭，大夫十一饭。⑤举：肺、脊。

[译文]

佐食者在堂下取一空俎，进入室内，放在羊俎的东侧。然后从鱼俎、腊俎上拾取鱼、腊肉，每俎都只剩三枚，其余都取起，放在同一个空俎上，端出室。祝、主人、主妇俎上的鱼、腊肉都取于此。尸不再吃饭，禀告主人已经吃饱。主人对尸行拜礼，劝他再吃，但不必说话；尸又吃三口饭。佐食者进献羊和猪的肺、脊，其仪节和上大夫傧尸时一样。（以上为不傧尸者尸十一饭的仪节）

主人洗、酌，酳尸，宾羞肝①，皆如傧礼。卒爵，主人拜，祝受尸爵，尸答拜。祝酌授尸，尸以醋主人，亦如傧。其绥祭，其嘏，亦如傧。其献祝与二佐食，其位，其荐脀，皆如傧。

[注释]

①肝：指牢肝，羊和猪的肝。

[译文]

主人洗爵、酌酒，然后献给尸，宾长进献羊肝、猪肝，其仪节与上大夫傧尸时一样。尸将爵中的酒饮完，主人拜尸，祝从尸手中接过空爵，尸答拜还礼。祝在爵中酌上酒后递给尸，尸用它酬敬主人，其仪节与傧尸时一样。其后的绥祭、祝福的嘏辞，也与傧尸时

一样。主人向祝、两位佐食者献酒时，其位置和笾豆俎，都与傧尸时一样。（以上为不傧尸者的主人初献之仪）

主妇其洗献于尸，亦如傧。主妇反取笾于房中，执枣、糗；坐设之，枣在稷南，糗在枣南。妇赞者执栗、脯；主妇不兴，受，设之，栗在糗东，脯在枣东。主妇兴，反位。尸左执爵，取枣、糗。祝取栗、脯以授尸。尸兼祭于豆祭，祭酒，啐酒。次宾羞牢燔，用俎，盐在右。尸兼取燔挽于盐，振祭，哜之。祝受，加于肵。卒爵。主妇拜。祝受尸爵。尸答拜。祝易爵，洗，酌，授尸。尸以醋主妇，主妇主人之北拜受爵，尸答拜。主妇反位，又拜。上佐食绥祭，如傧。卒爵拜，尸答拜。主妇献祝，其酢如傧。拜，坐受爵。主妇主人之北答拜。宰夫荐枣、糗，坐设枣于菹西，糗在枣南。祝左执爵，取枣、糗祭于豆祭，祭酒，啐酒。次宾羞燔，如尸礼。卒爵。主妇受爵，酌献二佐食，亦如傧。主妇受爵，以入于房。

[译文]

主妇洗爵献酒于尸，其仪节也和傧尸时一样。主妇返回房内取笾，所执为盛有枣和米粉饼的笾；然后坐下陈设，枣放在稷的南侧，米粉饼又放在枣的南侧。主妇的助手端着栗、干肉；主妇不起身，坐着接过来，陈设之，栗在米粉饼的东侧，干肉在枣的东侧。然后，主妇起身，回到原位。尸左手执爵，右手取枣、米粉饼。祝取栗、干肉递给尸。尸一并在豆之间致祭，接着祭酒，祭毕尝酒。次宾献上炙烤的羊肉和猪肉，用俎盛放，盐放在肉的右侧。尸同时拿着炙烤的羊肉和猪肉，在盐上蘸，接着振而祭之，祭毕尝一口。祝接过尸尝过的肉，放在俎上。尸又将爵中的酒饮完。主妇向尸行拜礼。祝从尸手中接过空爵。尸向主妇答拜还礼。祝另换一爵，洗涤后，酌上酒，再递给尸。尸用它酬敬主妇，主妇站在主人的北侧，拜尸后接爵，尸答拜还礼。主妇回到原位,又拜尸。上佐食进行绥祭,其仪节与傧尸时一样。主妇将爵中之酒饮毕,向尸行拜礼,尸答拜还礼。主妇向祝献酒,自尸卒爵到此的仪节,都与傧尸时一样。尸向主妇行拜礼后,坐下接爵。主妇站在主人的北侧答拜还礼。宰夫进献枣、米粉饼,坐着将枣陈设在菹的西侧,米粉饼在枣的南侧。祝左手执爵,右手取枣、米粉饼在豆间致祭,接着祭酒,祭毕尝酒。次宾进献烤肉,其仪节与献尸时一样。祝将爵中之酒饮完。主妇接过空爵,酌上酒后又献给两位佐食者,其仪节也和傧尸时一样。主妇接过空爵,拿着走入房内。(以上为不傧尸者的主妇亚献之仪)

宾长洗爵,献于尸。尸拜受,宾户西北面答拜。爵止。主妇洗于房中,酌,致于主人。主人拜受,主妇户西北面拜送爵。司宫设席。主妇荐韭菹、醓,坐设于席前,菹在北方。妇赞者执枣、糗以从;主妇不兴,受,设枣于菹北,糗在枣西。佐食设俎,臂、脊、胁、肺皆牢,肤三,鱼一,腊臂。主人左执爵,右取菹㨎于醓,祭于豆间;遂祭笾,奠爵,兴,取牢肺,坐绝祭,哜之;兴加于俎,坐挩手,祭酒;执爵以兴,坐卒爵,拜。

[译文]

宾长洗爵,酌酒后献给尸。尸向宾长行拜礼后接爵,宾长站在室门之西,面朝北答拜还礼。尸将酒爵放下,表示三献之礼已成,希望神的恩惠遍及室中之人。主妇在房中洗爵,再酌上酒,致送给主人。主人拜后接爵,主妇站在室户之西,面朝北拜送受爵者。司官为主人设席。主妇进献韭菹、肉酱,坐着陈设在席前,菹放在北边。主妇的助手拿着枣、米粉饼跟在主妇之后;主妇不起身,坐着接过来,将枣放在菹的北侧,米粉饼放在枣的西侧。佐食者陈设俎,俎上放着牲前肢的上段、脊骨、胁骨、肺,都是羊、猪各一块,肤三块,鱼一条,腊兽的前肢上段。主人左手执爵,右手取菹,蘸上肉酱,在豆之间致祭；接着祭篚，主人放下爵，再起身，从俎上取羊和猪的肺，坐下将肺的末端扯断致祭，祭毕尝肺；然后起身，将肺放回俎上，再坐下擦手，接着祭酒；祭毕执爵起身，再坐下将爵中之酒饮完，向主妇行拜礼。（以上为不侑尸者宾长献尸、主妇致爵于主人）

主妇答拜，受爵，酌以醋，户内北面拜，主人答拜。卒爵，拜。主人答拜。主妇以爵入于房。

[译文]

主妇向主人答拜还礼后，接过酒爵，酌酒自酢，然后在室门之内面朝北行拜礼，主人答拜还礼。主妇将爵中的酒饮完，向主人行拜礼。主人答拜还礼。主妇执空爵走入房内。（以上为不侑尸者主妇自酢的仪节）

尸作止爵，祭酒，卒爵。宾拜。祝受爵。尸答拜。祝酌授尸。宾拜受爵，尸拜送。坐祭，遂饮，卒爵拜。尸答拜。献祝及二佐席。

[译文]

尸举起先前宾长所献、放置未饮的爵，先祭酒，然后将爵中的酒饮完。宾长向尸行拜礼。祝从尸手中接过空爵。尸向宾长答拜还礼。祝酌酒后将爵授给尸。宾长拜而接爵，尸拜送接爵者。宾长坐下致祭，接着饮酒，将爵中之酒饮毕，向尸行拜礼。尸答拜还礼。接着，宾长向祝和两位佐食者献酒。（以上为不侑尸者尸举止爵酢宾、宾献祝等）

洗，致爵于主人。主人席上拜受爵，宾北面答拜。坐祭，遂饮，卒爵，拜。

[译文]

宾长洗爵，酌酒后献爵于主人。主人在席上向宾长行拜礼后接

爵，宾长面朝北答拜还礼。主人坐下致祭，祭毕饮酒，将爵中的酒饮完，再向宾长行拜礼。（以上为不侑尸者宾长献爵于主人）

宾答拜，受爵，酌，致爵于主妇。主妇北堂①；司宫设席，东面。主妇席北东面拜受爵，宾西面答拜。妇赞者荐韭菹、醢，菹在南方。妇人赞者执枣、糗，授妇赞者；妇赞者不兴，受，设枣于菹南，糗在枣东。佐食设俎于豆东：羊臑，豕折，羊脊，胁，祭肺一，肤一，鱼一，腊臑。主妇升筵，坐，左执爵，右取菹擩于醢，祭之；祭笾，奠爵，兴取肺，坐绝祭，哜之；兴加于俎，坐挩手；祭酒，执爵兴，筵北东面立卒爵，拜。宾答拜。

[注释]

①北堂：中房以北。

[译文]

宾长向主人答拜还礼后，接过酒爵，酌上酒，献爵于主妇。主妇站在北堂；司宫为主妇铺席，席的正面朝东。主妇站在席的北侧，面朝东向宾长行拜礼，然后接爵，宾长面朝西答拜还礼。主妇的助手进献韭菹、肉酱，菹放在南边。宗妇中的年少者拿着枣、米粉饼，递给主妇的助手；主妇的助手不起身，坐着接受，将枣陈设在菹的南侧，米粉饼陈设在枣的东侧。佐食者将俎陈设在豆的东侧，俎上放着：羊前肢的下段，节折的猪骨，羊的脊骨、胁骨，祭肺一块，肤一块，鱼一条，腊兽前肢的下段。主妇即席坐下，左手执爵，右手取菹蘸肉酱，进行祭祀；接着祭笾，祭毕放下爵，起身从俎上取肺，再坐下将肺的下端扯断后致祭，祭毕尝肺；又起身将肺放到俎上，然后坐下擦手；接着祭酒，祭毕执爵起身，在席的北边，面朝东站着将爵中的酒饮完，再向宾长行拜礼。宾长答拜还礼。（以上为不侑尸者宾长向主妇献爵）

宾受爵，易爵于篚，洗、酌，醋于主人，户西北面拜，主人答拜。卒爵，拜，主人答拜。宾以爵降奠于篚。

[译文]

宾长接过主妇的空爵，在篚中另换一爵，洗涤后酌上酒，代替主人酬敬自己，并在室门之西面朝北行拜礼，主人答拜还礼。宾长将爵中之酒饮完后，向主人行拜礼，主人答拜还礼。宾长拿着空爵下堂，将它放在篚中。（以上为不傧尸者宾长自酢）

乃羞。宰夫羞房中之羞，司士羞庶羞于尸、祝、主人、主妇，内羞在右，庶羞在左。

[译文]

接着，进献各种点心和肴馔。宰夫进献房中之羞，司士将各种肴馔分别献给尸、祝、主人、主妇，房中之羞为内羞，放在右边，各种肴馔放在左边。（以上为不傧尸者陈设庶羞）

主人降，拜众宾；洗，献众宾。其荐脀，其位，其酬醋，皆如傧礼。主人洗，献兄弟与内宾，与私人，皆如傧礼。其位，其荐脀，皆如傧礼。卒，乃羞于宾、兄弟、内宾及私人，辩。

[译文]

主人下堂，向众宾行拜礼；接着洗爵，酌酒后献给众宾。进献的笾豆和俎，分设于众宾之位；主人酬宾与自酬，其仪节与傧尸之时一样。主人又洗爵，酌酒后献给兄弟和内宾，下及于家臣，其仪节也与傧尸时一样。每人的位置，以及笾豆和俎，都与傧尸时一样。献毕，乃进献庶羞于众宾、兄弟、内宾以及家臣，每人都献到。（以上为不傧尸者三献后主人遍献）

宾长献于尸，尸醋。献祝，致①，醋。宾以爵降，实于篚。

宾，兄弟，交错其酬，无算爵。利洗爵，献于尸。尸醋。献祝。祝受，祭酒，啐酒，奠之。

[注释]

① 致：致爵于主人、主妇。

[译文]

宾长向尸献酒，尸用它回敬宾长。宾长又向祝献酒，并致爵于主人、主妇，又代替主人自酢。最后，宾长执空爵下堂，放入篚中。众宾、兄弟举爵交错相酬，不计爵数。上佐食洗爵，酌酒后献给尸。尸用它回敬上佐食。上佐食又向祝献酒。祝接爵后祭酒，祭毕尝酒，然后放下爵。（以上为不傧尸者加爵、旅酬等）

主人出，立于阼阶上，西面。祝出，立于西阶上，东面。祝告于主人曰："利成。"祝入，主人降，立于阼阶东，西面。尸谡。祝前，尸从，遂出于庙门。祝反，复位于室中。祝命佐食彻尸俎。佐食乃出尸俎于庙门外；有司受，归之。彻阼荐俎。乃餕，如傧。

[译文]

主人走出室门，站在阼阶之上，面朝西。祝走出室门，站立在西阶之上，面朝东。祝向主人禀告说："供养之礼已成。"祝走入室内，主人下堂，站在阼阶的东侧，面朝西。尸起身。祝在前引路，尸跟从于后，于是走出庙门。然后，祝返回，回到室中原位。祝命令佐食者撤去尸的俎。佐食者便将尸的俎拿到庙门外，有司接过来，送往尸的家中。接着，佐食者撤去主人的笾豆和俎。于是，行餕食之礼，其仪节与傧尸时一样。（以上为不傧尸者礼毕餕食）

卒餕，有司官彻馈①，馔于室中西北隅，南面，如馈之设，右几，扉用席。纳一尊于室中。司宫扫祭②。主人出，立于阼阶上，西面。祝执其俎以出，立于西阶上，东面。司宫阖牖户。祝告利成，乃执俎以出于庙门外；有司受，归之。众宾出。主人拜送于庙门外，乃反。妇人乃彻，彻室中之馔。

[注释]

①有司官：指司马、司士、宰夫等。馔：指俎、豆、敦等馈食之器。②扫祭：清扫豆间致祭的食物，然后埋于西阶的东侧。

[译文]

馂食之礼完毕，司马、司士撤俎，宰夫撤豆、敦，陈设于室中的西北角，面朝南，具体位置与馈食时所设的一样，几放在右侧，屋角用席围隔，使之阴幽。只将一尊酒放到室中。司官扫除豆间致祭的食物。主人走出室门，站立在阼阶之上，面朝西。祝拿着自己的俎走出室门，站立在西阶之上，面朝东。司宫合上门窗。祝宣布供养之礼已经结束，于是拿着俎走出庙门；有司在此接过俎，送往祝的家。接着，众宾出门。主人到庙门外拜而相送，然后返回。于是主妇的助手撤除祭品，撤除司马、司士、宰夫等陈设在室内西北角的祭品。（以上为不傧尸者的阳厌之仪）

图书在版编目(CIP)数据

仪礼/彭林注译.—郑州:中州古籍出版社,2011.11
(国学经典)
ISBN 978-7-5348-3698-5

Ⅰ.①仪… Ⅱ.①彭… Ⅲ.①仪礼—中国—古代②仪礼—注释③仪礼—译文 Ⅳ.①K892.9

中国版本图书馆 CIP 数据核字(2011)第214915号

出版社:中州古籍出版社
（地址:郑州市经五路66号　邮政编码:450002）
发行单位:新华书店
承印单位:河南大美印刷有限公司
开本:640mm×960mm　　1/16　　印张:30.5
字数:400千字　　　　　　　　　　印数:1—5000册
版次:2011年11月第1版　　印次:2011年11月第1次印刷

定价:42.00元

本书如有印装质量问题,由承印厂负责调换。